JN172563

在日朝鮮人資料叢書17

宇野田尚哉編・宋恵媛解説

在日朝鮮文学会関係資料

一九四五～六〇

2

緑陰書房

凡例

一、原本がハングルのものは目次で日本語訳を（　　）内に付した。ただし、目次と本文でタイトルが異なる場合は原則として本文を基準とした。
一、原本は、本復刻版の判型（A５判）にあわせて適宜、縮小・拡大した。
一、原本中不鮮明な箇所は新組としたが、不明な箇所は原本のままとした。
一、解説（宋恵媛）は第１巻の巻頭に収録した。

目次

二　『조선문학』（朝鮮文学）　在日朝鮮文学会

조선문학

1

재일조선문학회

조 선 문 학

창 간 호—·—목 차—·—1 9 5 4 · 3

우리문학운동의 전진을 위하여

재일 조선문학회 제五회 대회 일반 보고

김 달 수

이 一년간의 특징적인 정세는 만三년여에 긍하여 치렬히싸워온 우리조국 조선에 있어서의 승리 즉 정전의 성립이다。이로인하여 우리조국의 독립과 평화、세계의 평화를 위하여 비약적으로 전진하였다는 것이다。조국에 있어서는 내부깊이 잠입하고있든 리승엽、림화一파의 불순 분자들을 소탕하고 위대한 쏘련을 비롯한 형제적인 중화 인민공화국 및 세계 인민민주주의 제국가의 사심없는 따뜻한 원조밑에서 우리의 영명한 령도자이신 김일성원수 주위에 한층 더욱 결속하여 조국의 전후인민경제 복구사업에 매진하고있다。동시에 적들에 대한 우리의 다음의 승리인 정치회의를 성공 시키기 위하여 총궐기 하고있는 것이다

조선 문학예술총동맹도 림화一파들에 의한 피해를 극복하고 재조직되여 종래의 문학가동맹은 조선작가동맹으로 개편 강화되였다。이 개편을위한 도상이든 전국 작가예술가대회에서 작가동맹의 위원장으로 취임한 한설야선생은 전체 작가 예술가들에 대하여 다음과 같이 호소하고있다。

「동무들! 조국의 국토완정과 통일 독립의 강력한 담보로 되는 전반적 인민경제를 복구 발전시키며 우리 나라의 공업화를 위하여 경애하는 수령 김일성원수가 호소하신바 『모든것을 전후 인민경제 복구 발전을 위하여』라는 교시를 실천하기 위하여 우리 문학 예술의 총 력량을 동원합시다。나는 동무들이 전후인민경제 복구 건설의 성과적 달성을 위하여 우리 문학 예술인 앞에 제기된 영광스러운 과업을 자기의 모든 재능과 정열을 다하여 승리적으로 완수하리라는것을 확신합니다。」

즉 말하자면 작가예술가들도 역시 전후복구에 그 「모든 재능과 정열을 다하여」 궐기하고 있다는것이다。 그리고 이 호소의 말씀은 그냥 日本에있어서는 우리들에게 대한 말씀이라 할수있다。

——한편 日本에 있어서는 우리조국・조선에서 그 흉악한 목적을 달하지 못한 미제와 그 주구인 日本반동 세력에 의하여 소위 그 역코ー스가 추진되여 재군비의 음모가 촉진되고있다。 조선의 정전과 동시에 갑짜기 문제가 되고있는 소위 MSA가 이것이며 리승만라인 문제도 역시 이 재군비를 위하여 국내에 그 필요한 분위기를 조성 하기위한 수책(手策)이다 日本은 미제가 우리조국・조선에 대한 무력 침범도상에 있어서는 그 가장 유력한 군사기지로서 모든 역활을 다하고 있였지마는 지금에 있어서는 우리조국・조선 인민들이 피와 눈물로 거둔 정전과 정치회의를 파탄시키며 「아세아인에게는 아세아인의 피로서!」라는 스로ー간 밑에 다시금 또 우리조국・조선을 침범 하며 새로운 세계대전에 방화를 할려고하는 전쟁기지로 변하고있다。 미제의 부대통령인 월송의 방문이 이러한 사실을 단적으로 말하고 있는것이다。

그리하여 필연적으로 이에 반대하는 日本의 평화애호 인민들과 아울러 우리조선 동포에 대한 압박과 탄압은 나날이 심해지고 있다。 도처에서 학살을 포함한 생활탄압을 감행하고 있으며 최근에 와서는 東京北區에 있는동포들이 거주하는 〃평화료〃를 습격하여 우리문학회 회원들까지 체포해가고 또 체포할려고 하고있다。

그러나 우리 영광스러운 조선민주주의 인민공화국 공민인 우리동포들은 이 압박과 탄압을 박차고 신속한 조국의 평화적 통일독립과 그 생활과 제반 민주민족 권리를 지키기 위하여 렬렬히 싸우고있다。

이번 大阪에서 열린 우리 재일조선통일 민주주의전선 제四차 전체대회서도 꾸준히 나타나고 표시된 바와같이 우리동포들은 우리의 영명한 령도자 김일성원수의 가리침을 받들고 「민전」 깃발밑에 단결하여 日本의 민주주의적인 인민들과 광범히 제휴하여 싸워나가고있다。

이것이 우리의 현실이다。

그러면 이러한 정세와 현실의 거름밑에서 우리재일조선 문학회에 뭉여있는 시인 작가 평론가들 즉 회원들의 이 一년간의 활동과 성과는 어떤가하면——

먼저 회 자체 조직으로서는 금년 一월부터 재건사업을 추진하여 현재 회원은 四十八명이며 大阪、名古屋川崎、神戶、京都등에 지부가 되였고 또 될 예정이다 이 기반위에서 조선인민군 창건 五주년을 기념하여 작품을 일반동포들로부터 널리 모집하여 시 소설등이 十四편의 응모를 보았다。

조선정전이 성립되자 정전축하회를 日本문학자들과 조직하였다。기관지를 제四호까지 발간하였다。

발표된 작품을 보면

一、시에 있어서는 가사를 합하여 약 二十九편。

그중 국어로서 쓰여진것이 약 十五편 이며

日本어로서 된것이 약 十四편。

一、소설에서는 금년에 끝난 장편 二편을 포함하여 약 十二편。그중 국어가 三편이며 日本어가九편이 다。

一、연구・평론 약 五편。

一、기타（평론적인비평、수필、소개、작문등）약 三十여편。

一、희곡 二편。이것은 무두가 국어로된 것이다。

一、동화 三편。이것도 모두 국문이다。

一、번역六편。

그리고 출판된 책으로서는 남시우동무가 동요집「봄소식」 한권을 내고 등사판이 였지마는 오림준동무가 역시 시집「夜明け前の異郷にて」를내였다。

이 작품들이 발표된 잡지 신문은 주로 우리 기관지로서 제四호까지 출판된「月刊 文學報」（日本어판） 국어로서는「해방신문」기타였고 日本어로서는 「朝鮮評論」「新日本文學」「人民文學」기타였다。

그러므로 이상 올린 제 작품들은 소위 활자로서 된것이며 이 이외에 각 써ㅡ클에서 그 기관지를 통해서 나온 수많은 작품들은 여기에 포함치 않았다

금년도에 있어서 우리들이 무엇보다도 큰 성과라고 믿는것은 이 써ㅡ클들의 성장과 그 활동이였었다。여기에 또 우리들의 그 활동에 있어서의 다음에 지적하는바와같은 자기비판이 나타나는것이지 마는 그중에서도 가장 모범적인 써ㅡ클은 大阪에 있어서의 기관지「진달래」를 내고있는 大阪조선시인집단 神奈川현 川崎시를 중심으로한 기관지「大同江」을 내고있는 川崎문학써ㅡ클들이다。

그리고 兵庫현神戸、愛知현名古屋、東京조선중・고등학교에서도 이러한 써ㅡ클들이 꾸준히 성장될것이 예상되며 또 되고있다。때문에 금년도 대회에서는 특히 이 써ㅡ클들의 성장에 대하여 충분한 토론을 하기위해서「써ㅡ클활동에 관한 보고」를 하기로 한것이다。상세한것은 다음 김민동무의 보고에서 나타나리라고 믿는다。

써ㅡ클 이외에 있어서는 이상의 이것이 우리들의 지난 일년간에 걷운 성과이다。

한마디로 말하면 량적으로나 질적으로나 대단히 불충분 하다는것이다。위에 말한바와 같은 정세・현실의 진행에 비추어보면 전연 불충분하다는것이다。그러면 왜 이렇게 불충분했는가 하는데 있어서는 그에 상당

한 리유가 있어야만 되며 또 그 리유가 있는것이다 각 작품들에 나타나고 있는 구체적인것은 다음의 리찬의 동무의「소설에관한 보고」에서 지적되리라고 믿는데 일반적으로 지적되어야할 리유는 즉 말하자면 우리들의 최대의 결함은 그 뿌찌부루적인 사상이 아직까지 조곰도 청산되지 않고 남어 있어서 그로 말미아마 나오는 관념주의라고 할수있다。

이러한 관념주의는 우리가 오늘날까지 생산하여온 수 많지않은 우리들의 작품속에도 나타나고 있을뿐만 아니라 도대체 작품들이 나타나지 않는다는것에 큰 작용을 주고 있는것이다。이러한 뿌찌부루적인 관념주의를 가지고서는 도저히 우리 동포들이 요구하고있는 작품들을 써 낼수 없을뿐만아니라 그 요구의 제일보조차도 충족할수 없는것이다。

위에서 나는 일본에 있어서 우리 조국 조선에서 그 흉악한 목적을 달성하지 못한 미제와 그 주구인 日本 반동세력에 의하여 다시금 또 우리 조국 조선을 침범하며 새로운 세계대전을 조발하려는 그 음모를 촉진시키고 있는 도상에서 필연적으로 그에 항거하는 日本의 민주주의적인 인민들과 아울러 우리 동포들에 대한 압박과 탄압이 심해졌고 그리고 우리 동포들은 이 압박과 탄압을 박차고 이를 악물고 싸우고 있다고 말했다。

이것은 우리들에게 무엇을 요구하는가 하면 그것은 우리들이 이 동포들과 같이 싸워야 되며 그 싸움속에서 이러한 동포들의 영웅적 모습을 그려내야만 된다는것이다。영웅적으로 싸우고 있는 동포들이 요구하고있는것은 그의 영웅적인 형상인것이다。

그러나 우리들은 이러한 동포들의 형상을 그 작품으로서 오늘날까지 거이 그려내지 못하였으며 또 그려내려고 시도한 작품도 그가 작품으로 되기전에 벌서 그 관념주의 때문에 파괴되고 있다는것이 사실이다。이것은 뿌찌부르적인 관념주의 사상으로서는 아무런 작품도 생산하지 못한다 하는것을 증명하는것이다。

그리고 또 이것은 위에서 인용한 조선작가예술가대회에서 지적한 한설야선생의 다음의 말「──말로서만 군중속으로 들어간다고 하지만 적극적인 군중들의 활동과 투쟁에 참가하지 않고 작품 창작을위한 아무러한 행동도 하지 않고 있는것이다」라는 점이 이 日本에 있어서는 더욱 농후하게 있다는것을 증명하는 것이다。

우리들의 이러한 태도 즉 그 관념주의 때문에 위에서 말한바와 같이 각 지방에서는 써ㅣ클들이 눈부신 활동을 시작하고 있는데도 불구하고 이것을 자기 자신의 문제로서 포착하지못하고 있다는데에도 뚜렷이 나타나고 있다는것이다。우리들은 마땅히 이러한 지방과 지역에 내려가서 그곳에서 배우고 또 이것을 지도할 의무가 있는데도 불구하고 이러한 활동은 전연 부족하였든것이다。

이러한 관념주의를 가지고서는 우리의 영명한 지도자이신 김일성원수가 그「작가예술가들에대한 격례의 말씀」속에서 우리가 지금 가장 중대시 하지 않으면 안될 애국심을 표현하는데에 대하여 친히 가르켜주신 다음의 말씀을 도저히 리해할수 없다는것이다。

김일성원수께서는「애국심은 자기 과거를 잘 알며 자기 민족이 가지고 있는 우수한 전통과 문화와 풍습을 잘 아는데에서 만이 생기는것입니다。 애국심은 그 어떠한 추상적인 개념에 그치는것이 아닙니다。 애국심은 자기의 조국의 강토와 력사와 문화를 사랑함과 아울러 자기의 고향에 대한 애착심 고향사람들에 대한 생각과 감정 부모 안해 자식들에 대한 애정에도 표현되는것입니다。애국심은 인간의 감정에서 구체적으로 살고 있으며 구체적으로 그 표현을 보게 되는것입니다」라고 지적 하시고 계속하여 다음과 같이 교시하였다。

「때문에 우리 작가 예술가들은 조선인민의 애국심을 표현함에 있어 그 어떠한 추상적인 구호를 라렬할것이 아니라 가장 구체적이며 형상적인 감정、사건、인물、사상을 보여주어야 하겠습니다。 그래야만 작품에 표현된 애국심이 현실그대로 구체성과 진실성을 가지게 되는것입니다。」

그리고 또 이 작품에 있어서의 사상성과 예술성에 대하여 중국의 평론가인 何其芳씨는 그「문예창작과 毛澤東의 실천론」이라는 론문속에서 이렇게 말하고 있다。「――그가운데의 형상이 표현하고 있는 의미의 전부 (그 작자가 본래 의식하였든가 않하였든가를 포함해서) 이것이 작품의 사상성이다。 작품이 이러한 의미를 표현하기 위하여 빌린 형상의 전부 (인물、사건 장면등을 포함해서) 및 이 모든 형상으로서 조직되어 표현된 구성、언어、이것이 예술성이다。」

즉 아무러한 숭고한 애국심、사상이라고 할지라도 작품에 있어서는 잘 소화되지 않고 그냥 관념적으로 바깨 나타나지 않을적에는 그것은 애국심도 아니고 사상도 아니라는것이다。 그러나 우리들 작품을 보면 아직도 이러한것이 농후하게 나타나고있다。 이러한 뿌찌부루적인 관념주의는 비록 작품속에 나타나고 있을뿐만 아니라 그것은 위에서도 지적한바와 같이 우리들의 조직적 활동에 있어서도 명백히 나타나고 있다

이것이 전형적으로 나타나고 있다고 볼수있는것이 위에서 말한바와 같이 이번 그 거대한 성과를 걷우였든「민전」제四회 전체대회에 제출된 우리문학회의 회원의 손으로서 기초되였다고 보는 소위「문화선전선

동활동보고」이다。이것은 상식적인 형식은 밟어 그 성과와 결합이라는것을 지적하고는 있으나 그러나 단언해도 좋지만 이 보고 기초자는 이 부문에대한 전문적인 책임자 이였음에도 불구하고 이 부문에서 일하고 있는 일꾼들의 작품들은 전연이라해도 과언이 아닐만큼 읽어본일이 없이 이 본고를 작성했다는것이다。말하자면 이 보고 기초자는 문학면에 관해서는 혼차 넘겨짚은 판단과 관념적인 언사만을 라열하여 「조사없이는 발언권 없음」(毛澤東) 이라는 우리들의 원칙을 유린했다는것이다。

단적으로 례를들면 이 동무는 그 보고초안 제三항 「문화선전、선동활동면에 있어서의 구체적 제결함」이라는 대목에서 이렇게 말하고있다。소위 문화인들의 사상적 락후를 지적함에 따라서 추상적이나마 이것은 옳바른 지적이다。그러나 「우리문화인들은 이와같은 사상적 락후와 그안의한 개인 출세주의적 명예적 요구가많았기 때문에 필연적으로 현재의 日本쩌ㅣ나리즘의 풍파와 그 조건에 쏠려 우리 민족어와 또는 민족인 문학예술의 창작과 그 활동보다도 日本말과 日本적인 및 일종 하이카라주의적 경향을 가진 유행적 그리고 동포대중이 리해할수 없고 또 그다지 필요도 없는 비대중적 활동들을 하여나온것입니다。」

아는말은 다 적어노아서 모르는 사람이 들으면 혹은 참말이라고 생각할런지 모르겠다。그러나 실은 이것은 전연 거짓말이고 이것이야말로 참다운 관념주의라 하는것이다。

대관절 근 二년간에 걸처 우리들은 공통적으로 지니고 있는 이러한 뿌찌부르적인 관념주의 때문에 그 활동이 불충분 하여서 안만 살펴보아도二、三편의 단편소설및 시 이외에는 소위 日本 쩌ㅣ나리즘에 실린 작품은 없었다。그리고 금년에 있어서는 최근에 「詩學」이라는 잡지에「天」이라는 짤막한 시 一편이 다만 실린 이외에는 작품이라고는 소위 日本 쩌ㅣ나리즘에 실린일은 전연없는것이다。

그리고 또 이 보고초안을 작성한자는 이상의 二、三편도 읽어본일은 없을것이다。

그럼으로 여기에서 「구체적」으로 지적된 소위 「현재 日本쩌ㅣ날리즘의 풍파와 그 조건에 쏠려」온「日本적인및 일종하이카라주의적 경향을 갖인 유행적」운운하는 작품들은 이 보고를 초안한자 자신이 우리들이 모르는 사히에 살곰 어데에 쓰지 않하였다면 이러한 말이나올 토대가 없다는것이다。

설마 이 보고 초안자는 日本의 민주주의적인 문학운동의 기관지인「新日本文學」과「人民文學」을 소위 그 쩌ㅣ나리즘이라고는 않했을것이다。아니 만일 그렇다 하자。그러나 금년에 이 두 잡지에 실린 작품이라고 하는것은「人民文學」에 박원준동무의 한편과「新日本文學」에 련재되어 끝난 김달수의 한편 다만 이 두편뿐이 였였다。

이 두편중에 김달수의 「玄海灘」은 이 보고자가 성과의 하나로 세고 있으니 이것은 그냥두고 (그러나 이것도 이 동무는 처음부터 끝까지 읽어보았는지는 대단히 의문이다) 그러면 박원준동무의 「徐令監とその一人息子」라하는 작품이「현재 日本쩌날리즘의 풍파와 그 조건에 쏠」린「日本적인및 일종 하이칼라주의적 경향을 가진 유행적」 작품인가? 이것은 누가 보아도 그렇다고는 볼수없는것이다。 위에서 나는 소위 문화인들의 사상적 락후를 지적함에 따라서라고 하는 데에서 추상적이나마 이것은 옳바른 지적이다。 그러나……했다。

그러나 이 옳바른 지적도 이러한 현실토대위에서 즉 이러한 전연 거짓말, 가공의 그야말로 사상루각(砂上樓閣)위에서 모두가 흔차 눈치만 알아채우고 넘겨짚고 기만해 꾸며낸 말이라는것을 알수 있다고 생각한다。 이것을 기상적인(机上的) 관념주의라고 한다。

좌우간 금년중에 우리가 올린 성과라고하는것이 부끄럽지마는 겨우 十二편에지나지 못한다。 그중 日本어로 된건은 九편이다。 대체「현재 일본 쩌날리즘의 풍파」란 무엇인가 실로 부끄러운 처지라고 생각한다。 조금 일하는 사람이라고 하면 불과 한사람쯤의 일도 못되는것이였다。

사실은 이와 반대로 우리들은 될수가있으면 日本쩌날리즘에도 많이 진출해야 되겠다。 직접 우리동포들을 위한 국어로서의 작품도 많이 써내어야 되겠고 또한편 日本국민들에게 우리 조국・조선의 현재와 과거 아울러 재일동포들의 실정과 그 투지를 리해 시켜서 우리들과 같이 제휴하여 손을 잡고 싸울수 있도록 분기 시킬수 있는 日本말로서의 작품도 많이 써 내어야 되겠다。

그러나 이를 위해서는 우리들은 아직도 지금까지 가지고 있는 그의 제일 약점인 뿌찌부르적 사상에서 나타나는 관념주의를 뜯어 던지고 이러한 자기 자신에 대하여 여지없는 엄중한 싸움을 선언해야만 되겠다。 지금 보아온바와 같이 이러한 관념주의는 한편으로는 또 관료주의로 되어서 나타나고 있는 것이다。

항상 입만 열면「대중 속으로!」하며 즉 조국에서 한설야선생이 말씀한바와같이「말로서만 군중속으로 들어 간다 하지만」자기 자신은 도모지 그러한 생각은 하지 않고 입만 여물어가지고 관푸렐을 몇페지나 뒤적거리고 생경(生硬) 한원측론 만을 내어 흔들고 돌아다니는 자칭 문학자들이 가장 그 뿌찌부루적이며 관념주의적이며 관료주의적이라는 것은 잘 알이라고 생각한다。
우리들은 이러한 사상으로부터 빠저나와야 되겠다。이러한 관념주의들을 내어 버려야 되겠다。극복해야 되겠다。

그러면 우리는 어떻게 하여서 이러한 사상의 뿌리를 뽑아버리고 인민에게 생생한 감동을 주며 그를 통해서 충실히 복무할수 있을까? 그리고 더욱 나아가서는 영명한 우리의 령도자 김일성원수가 강조하신「인간정신의 기사」가 될수 있을까

그것은 두말없이 우리들은 동포속에깊이 들어가야 되겠다。그래서 그 아주머니들과 로소청년들의 앞에서서 그들의 싸움을 갈이 싸워야 하겠다。
그 도상에 있어서 우리들은 참다운 인간들의 그 구체적인 모습을 배우고 그것을 표현해야 될것이다。

그럼으로 내가 여기에서 말하는것도 역시 대중속으로다。그러나 이것은 우리들이 이 자리에서 결의를 하는것에 끝이는것이 아니라 우리들이 오는 년도에 그 실천으로서 표명해야될 실제의목표이며 과업이라고 생각한다。

(一九五三・一二)

(12頁에서 계속)

끝으로 나는 우리들이 더욱 집단주의의 원칙을 실천적으로 리행해야 할것과 나를 포함해서 우리들 전체가 맑스・레닌주의 리론을 더욱 학습하며『우리문학의 창작 강령으로 되는 경애하는 수령의 말씀』에 더욱 충실해야 되겠다는것을 절실히 느끼며 문학써ㅣ클운동에 대하여 전체적인 큰관심을 들려야할것을 강조한다。

★ 학습자료 제二집 ★

한 설 야

『전진하는 조선문학』

—一九五三년도 창작사업의 제성과—

이론문은 조선작가동맹 기관지「조선문학」一九五四년一월호에 실려 있는중요한 론문으로 본회에서 푸린트하여 근일중회원에게 배포함 (내용은 작녀一년간의 조국문학성과를 각 쟌르별로 비평한 귀중한 자료이다

재일조선 문학회 서기국

문학 써―클운동에 더 큰 관심을 돌리자

김 민

一

전체 조선 인민들은 미제와 그 주구들의 침략에 항거하여 三년二개월에 궁하는 조국해방전쟁에서 력사적인 승리를 쟁취하고 지금 전후인민경제 복구 발전을 위한 투쟁에 총 궐기하고 있다。 이와같은『장엄한 서사시적 현실―우리 인민의 불굴의 투쟁속에서 조선의 작가 시인들은 자기들의 다함 없는 창조적 정렬의 원천을 찾았으며』(조선작가동맹기관지「조선문학」一九五四년一월호 소재 한설야씨 론문에서) 또한 그 원천에서『언제나 현실에 튼튼히 립각하여 미동도 하지않는 우리의 사실주의적 인민문학은 우리 인민의 고상한 애국주의와 영웅주의를 진실하게 반영하면서 일찌기 우리 문학사에 있어 본적이 없는 드높은 질적 앙양의 길에 들어서고 있으며 당적문학의 기치를 높이 들고 인민들에 대한 교양적 역활을 빛나게 수행하고 있다。이것은 바로 우리 문학이 공화국 북반부에서 날로 공고 발전의 길을 걷고 있는 인민 민주 제도에 그 토대를 두고 있으며 당과 경애하는 수령의 옳바른 지도에 립각하고 있기때문이다。』(위와 같음)

조국인민들의 이와같은 투쟁은 또한 이곳 일본에서 미제와 그 주구들의 조국침략에 반대하며 일본인민들과의 공동투쟁으로 조전에서 미제는 손을 떼며 조선문제를 조선사람 자신에게 맡기라고 그 어느때 보다도 과감하며 의식된 애국주의 사상으로 투쟁한 재일조선인들을 고무격려해 주었으며 용기와 확신을 주었든 것이다。 재일 동포들은 지금도 계속하여 조선전쟁 재발을 위해 일본의 재군비를 강화하는 미제와 그 주구 吉田반동정부를 반대하며 조국의 전후 인민경재복구와 온갖 민주민족 권리를 지키는 투쟁을 고상한 국제주의 사상으로 일본 국민들과의 제휴를 일층 공고히 하면서 싸우고 있다。

재일 동포들의 이와같은 선진적 국민으로서의 높은 긍지를 가지고 싸우는 환경속에서 재일조선인 문학운동도 커다란 발전을 보이면서 있다。

작년말에 개최된 문학회 제五차 대회에서는 이때까지 문학자 자신의 마음 속에 깊이 뿌리를 박고 있는「뿌찌부르적」「관념주의」의 청산을 위해 문학자들은 대중들속에 더 깊이 들어가서복무할것을 결의 하여 이때까지의 문학회 서기국의 유명무실하든것이 맹렬히 비판 되였다。

그러나 이와같은 새로운 전환기에 놓여 있는 재일조선인 문학운동은 아직껏 조직적으로나 창조적 면에 있어서 그리 볼만한 성과를 올렸다고는 할수 없으며 재일 조선 동포들의 과감한 투쟁 현실에서 대단히 뒤떠러저 있는것은 숨길수없는 사실인것이다。

조선전쟁에서 만회할수 없는 패배를 당한 미제와 그 주구들은 조선침략의 제一선 기지로 만들려고 발악하고 있으며 재일동포들의 애국투쟁을 억누르려고 하고 있으며 또한 이땅에서 배운 국어로 작품을 쓰려는 새로운 문학의 싹들을 말살하려고 꿈꾸고 있다 이와 같이 우리들의 문학운동은 준엄한 적과의 대결앞에 직면 하고 있으며 이는 또한 우리들의 문학운동이 일층 조직적으로 강력히 전개하여야것을 말하는것이다

우리들은 위에 본바와 같은 현실속에 살고 있으며 또한 일본의 온갖 반동적인 비계급적인 퇴페적인 문학의 공세앞에 놓여있다。이와같은 공세는 우리들 자신의 사상적인 무장을 요구하고있으며『우리들 자체내에 잔존하고 있는 일체의 부르죠아 이데올로기ㅡ자연주의 형식주의및 꼬스모뽈리즘적 요소들을적발 비판』(위에 인용한것과 같음) 할것을 요구하고 있는것이다

二

현재 각처에서 조선문학의 써ㅡ클 (동인 조직을포함한) 이 조직되면서 있다。이것은 이때까지에는 보지못하든 새로운 현상이다。각 직장 지역에서 생활하며 투쟁하는 동포들이 자기들의 생활을 체험을 옳바르게 이끌어 나가기 위한 문학적 욕구에서 자주적으로 조직되어가는 이 문학써ㅡ클은 그대로 우리 재일 조선인 문학운동의 새로운 전기(轉機)가 아닐수없으며 이는 또한 조선인 운동의 크다란 발전을 약속하는것이기도 하다。

즉 조선문학은 문자 그대로 대중의것으로 되어가고 있으며 또한 문학작품은 많은 동포들의 집단적인 평가앞에 제시되여가면서 있는것이다。 그러나 이와 같은 문학 써ㅡ클의 새싹들에 있어서도 출발의 의도대로는 커다란 성장을 아직 보이지못하고 있는것이 사실이다。그 첫째의 요인으로서는 써ㅡ클의 조직적문제를 들수 있다。례를 愛知문학써ㅡ클에 들어보면 愛知문학써ㅡ클에는 十五・六명의 써ㅡ클원이 있다。이 동무들은 그 대부분이 민족교육의 충실한 일꾼들이다。一년전 부터 문학써ㅡ클을 조직하였으나 유명무실한것

이 실정이였다。직장 일이 바쁘고 또 그 지방의 중심적 활동가들이며 동시에 교동의 중요한 일꾼들인 그 써ㅣ클 동무들은 써ㅣ클을 조직 하고서도 이것을 운영해나가는데 퍽 지장이 많았다。그것은 써ㅣ클을 조직하면 그 조직을 만든만치 일이 더 무거워지고 사실 자조 몽일 틈이 없었다한다。그렇다고 말은 교육의 중대한 사명을 일시라도 손뗄수는 없고 문학써ㅣ클을 위해 교육의 일을 소홀히 할수는 도저히 없는것이다 愛知문학 써ㅣ클엔 우수한 동무들이 많다。많으면서도 써ㅣ클 활동이 활발히 전개되지 못하였다。그렇든차에 東海조선문화협회가 결성되고 문학써ㅣ클은 그 산하단체로서 출발하여 기관지「산울림」을 지난 정월달에 발행하였다。그러나 역시 써ㅣ클의 자주적인 활동은 활발치 못하여 요지음 대회에서는 조선문학회 지부로서 출발하게 되였다는 소식을 받았다。또한 神戸지방에서는 十二・三명의 동무들이 요지음 神戸조선문학회(써ㅣ클이 아니고)를 조직하였다하며 가장 모범적인 써ㅣ클 활동을 꾸준히 전개해온 大阪조선시인집단 김시종 동무한테서는『요지음 모도들 작품을 쓰는데 벽에 부닥처 있으며 자기들 노ㅣ트에 쓰는시와 써ㅣ클 기관지「진달레」에 쓰는시가 다른것을 발견하였다』는 편지를 받았으며 또 川崎문학써ㅣ클에서는 모다 작품은 많이 써 냈는데도 그 작품을 원지에 끊을 사람이 없고 돈도 여의대로 몽이지 않고해서 써ㅣ클 회합도 활발하게 열리지 않는다는 것이다。

이상 든 례중 愛知문학써ㅣ클이 곧 조선문학회 지부가 되였다는것은 조직적 원측에 벗어난다고 생각한다 이것은 또한 앞에 쓴바와같이 조선문학회가 써ㅣ클 강화에 대하여 전연 무관심하였든 결함을 표시하는것이기도 하다。조선문학회 지부는 문학회 회원三명 이상이 있는 지역에서 문학회 회원으로서 조직된다고 그 규약에 명시되어있다。

문학회 지부가 문학써ㅣ클 속에서 중심적 역할을 놀며 또 폭넓은 대중적인 문학써ㅣ클에서 회원을 획득하는 노력이 있어야 할것이다。써ㅣ클이 곧 지부로 대치(代置)될수는 없는것이다。

神戸조선문학회가 결성된것도 물론 지방의 여러가지 사정이 그러하였을지모르나 절반의 책임은 조선문학회에 있다고본다。반동문학공세에 대결하는 이때 문학운동의 전선통일은 긴급한 문제이며 똑같은 강령규약을 갖인 문학회가 두개 존재하는것은 역시 전선을 강화하는길은 아닐것이다。神戸조선문학회는 역시 써ㅣ클로서의 활발한 운동을 전개해야 될것이다。大阪시인집단의 당면한 문제도 나는 그 조직적인 면에서 오는 결함이라고 본다。그것은 시인집단을 단번에 전문적인조직으로 간주하는 잘못에서 오는것이 아닐까?각 써ㅣ클

속에서 새로운 전문적인 작가가 많이나오는것은 물론이지만 써ㅣ클은 전문적인작가만의 집단은 결코 아닌것이다。 써ㅣ클은 무한한 가능성을 내포하는 대중들이 문학적인욕망이 계기로 되어 뭉인 뭉임이다。

그렇기 때문에 자기 노ㅣ트에 쓴 시가직접 써ㅣ클지에 반영되고 집단적으로 비판되면서 발전해 나가는 장소가 되지않아서는 않될것이다。

그렇기 위해서는 써ㅣ클은 가장 초보적인 욕구와본질적인 기초를 두어야 할것이다。

川崎문학써ㅣ클에 있어서도 역시 마찬가지가 아닐까? 써ㅣ클 동무들은 작자인 동시에 또한 가장 가차운 독자이라면 독자 자신이 작품을 기대한다면 써ㅣ클은 좀더 활발히 움직이지 않을까? 원고만 써 내놓으면 책이되어 나오겠지ㅣ하는 단순한 그런 생각은 역시 써ㅣ클 자체가 조직적인 약점을 가지고 있는데서 올것이다。 써ㅣ클원 자신이 확신 있게 맨들지 않은 그 써ㅣ클지가 얼마마한 역할을 놀수있을것인가?

이상을 요약하면 문학써ㅣ클은 성급하게 특수적인 전문 써ㅣ클로서 조직하는데서 출발하는것이 아니라 극히대중적이며 대중의 요구를 폭넓게 받아드리는 자주적인 써ㅣ클을 조직하여 이와같은 기반위에서 지역의 문학협회 또는 각 단체와의 유기적인 련계를 취하면서 운영되어야 할것이며 이를 토대로 그 경험을 살려서 새로운 써ㅣ클을 다수 조직하여야 할것이다。

또한 조선문학회와 각 써ㅣ클과의 관계는 이미 말한바와 같이 지금 각지에 조직되려하고 있는 문학회 지부가 각 써ㅣ클과 긴밀한 련계를 취하는 일편 새로운 회원을 획득하는 동시에 전국적인 문학써ㅣ클 협의체를 하로속히 조직하여야 할것이다。

三

우리 재일 조선인 문학운동은 전에보지못한 비약적인 발전을 약속하고 있다 一九五四년은빛나는 성과를 올릴것에 틀림 없으며 이미 각 써ㅣ클 속에서는 새로운 작품들이 많이 나오면서 있다。

그러나 위에 적은바와 같이 우리들은 아직껏 결함들을 내포하고 있으며 이와같은 결함들은 비판하는 평론사업은 전연전개되지 않고 있다。 비판활동이 전개되지 않는데서 문학운동이 발전될수는 없는것이다。

그리고 일본의 민주적인 문학자들과의 공동전선을 강화하는 일도 극히 중요한 일이며 조국문학을 시급히 소개하는 사업도 때를 기다릴 일이 아니다 일본 인민들과의 공동투쟁을 소홀이 하고 서는 우리운동은 전진할수 없기때문이다。

그렇기 위해서 우리들은 조선문학은조선사람만을 그려야 된다는 협소한 생각을 극복해야 할것이다。

☆ㅡ (以下은8頁下段으로 계속) ㅡ

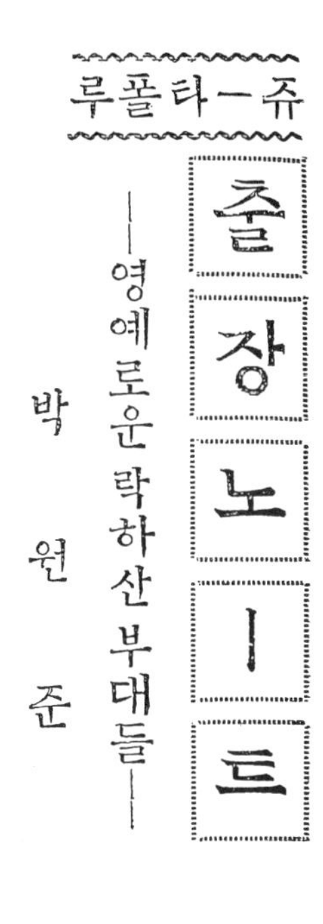

루폴타—쥬 출장노—트

—영예로운 락하산부대들—

박 원 준

一

작년 년말에 나는 구주(九州)를 돌아 볼 기회가 있었다. 구주는 처음이고 한번 꼭 보고 싶든곳이다. 동경에서 하까다(博多)까지 수물 네시간 지루한 하로를 차칸에서 지내고보니 스스로 먼 감이 느껴진다.

그러나 이것은 우리 조국에 가장 가까운 곳이다. 사이를 가리우는 장해 물이란 검 푸른 바다 뿐이고 어쩐지 고함을 찌르면 들릴듯 싶은 그런 접근감을 느낀다.

학생때 나는 이 바다를 몇 변인가 건너 가고 건너 왔다.

물론 그때도 자유로운 도항은 아니였다. 식민지의 슬픔은 우리에게 도항증을 피료케 했고 교향을 잃은 동포들은 눈물에 젖은 이 도항증을 량 주목에 쉬여 쥐고 이곳 로동 시장으로 끌려 왔던 것이다.

八・一五 해방은 이와같은 일제의 철사를 끊어 주었고 동포들은 잃었던 내고행 찾어 활개를 치고 이 바다로 건너 갔다. 갈메기 춤 추고 푸른 파도 즐겁게 노래하던 그 바다……

그러나 그 바다는 다시 우리를 가로막어 악마의 군함이 뜨고 그 위를 폭탄품은 독수리 비행기 떼가 날아 갔다.

고술 머리 껍둥이를 앞에 세우고 파란 눈깔을 번드기며 미국 강도배들은 밤낮 없이 이 바다를 건너 우리 조국의 아름다운 강토에 불 바다 피 바다를 퍼 부었다.

이들 악마의 비행기가 머리 위에서 우리렁 거릴때마다 이곳 동포들은 하늘을 쳐다 보고 두 주목을 불겨 쥐였다.

「망할 개색기들 같으니! 너 두고 보자……」

분격에 애국심 불 태우고 동포들은 조국방위 위해 투쟁의 대렬을 짰다.

무기 제조 반대!
무기 수송 반대!

「우리들은 침략기지 일본에 파견된 락하산 부대다.」

경애하는 수령께서 주신 영예의 명칭을 고창 하면서 청년 동무들은 아낌없는 젊음을 조국 위해 바쳤다.

북 구주 일대의 저항 투쟁은 전체 재일 동포들의

모번이고 자랑이 였다。

일본 로동자들도 그들을 도아 주였다。

공장에서 부두에서 태업이 버러지고 비행장에서는 까닭 몰을 폭파에 하늘 높은 불길이 원쑤의 비행기를 삼켰다。

어찌 그뿐 이랴!

바다에 뜬 배에도 영문 몰을 고장이 났다。 당황한 강도배들은 더욱 경개를 엄중이 하고 파수병들을 밤을 싸워 지켰다。

철각모 쓴 악마의 무리들은 렬달아 동포 부락을 습격하고 사정없이 갈기는 곤봉에 병석에 누운 할머니의 머리박이 터졌다。 저항하는 애국자의 손목에 차거운 철 수갑이 채우고 젓메기 업은 아주머니도 끌려갔다。

그러나 이곳 동포들은 굴복、할줄을 몰랐다。

二

나는 이와같은 구주 동포들의 영웅적 투쟁을 잘 알고 있였다。

구주에서도 동포들이 가장 많이 살고 있는 것은 복강(福岡) 현이다。

하까다(博多) 고꾸라(小倉) 와까마쯔(若松) 모지(門司) 야하다(八幡) 등 군수 공장이 밀집하고 미국 기지들이 수두룩한 것이다。

특회 고꾸라는 조선과 직통하는 미군의 주둔지다。

지금도 조선에서 돌아 온 미군들이 거리에 가득하게 입술 빨간 게집애들을 껴안고 질색들을 하고 있다。 음탕한 인육 시장이다。

이들을 상대로한 호텔이 울긋 추악 스러운 치장을 하고 횡서한 감판만이 한부러 눈에 띠우는 식민지의 거리다。

이 식민지 거리에서 와까마쯔(若松) 사건 애국자 공판이 二년째 계속되고 있다。

와까마쯔 사건이란 조국 해방전쟁의 시작된 이듬해 六월 二九일 조선 침략에 실패한 미제국주의 강도배들이 재일 동포의 저항 투쟁을 압살하기 위하여 꾸민 폭압이다。

四七명의 피검자 중에는 六〇이 넘은 노인도 있고 젓메기를 안은 아주머니들도 있였다。

치운 감방에서 떨고 있는 애국자를 위해서 북 구주 전체 동포들은 땃뜻한 구원의 손을 뻬치고 二〇일에는 三백여명이 재판소 항의에 모여들였다。

그러나 나이도 아직 젊은 검사는 사기가 올라 최고 一五년 최하 三년의 구형을 했다。 六〇넘은 노인에 一五년 징역이란 두말할것 없이 종신형이다。 미친개가 아니면 못할 것이다。 죄 없는 로ㅣ젠버ㅣ그 부부를 죽인 그 검은 손! "마쯔가와" 공판에서 일본 애국 로동자들에게 사형을 언도한 그 같은 흉악한 악마의 손이 여기에도 빼치고 있는 것이다。

조선에서 수치 스러운 참패를 당한 자기들의 패배의 교훈에서 깨닭지 못하고 우리 조국 남반부를 영구히 손에 넣고 때만 있으면 전쟁을 재개 확대시킬 목적으로 여전히 침략의 무기를 닦고 있는 미국 강도배들의 일본 재군비를 위한 폭압의 모습이다。

소위 리라인 문제의 모략은 이곳 구주에서 가장 악랄하다。

복강(福岡) 형무소에서는 동포 수인들이 이 모략 때문에 터므니 없는 매질을 당하고 있다。

간수들이 한달 동안이나 고기 반찬을 주지않고 수인들이 불만이 차차 커짐을 따라 간수는 동포 수인을 전체 수인 앞에 불러 세워 놓고

「이놈! 고기를 못 먹게된 것은 너이들 조선놈 때문이다。 리라인 때문에 고기잡이를 못 가게된 탓이다。 되지 못한 색기들 같으니!」

고함을 찌르고 손길이 올으 나렸다。

이와같은 반조선전 속에서 이ㅣ즈까(飯塚)에서는 일본 불량배가 동포를 대낮에 산중에 끌고 가서 사냥 총으로 쏴죽이고 땅 속에 파 묻었다。

반동 결찰은 그 사실을 알면서도 범죄 조사를 거절했다 동포들은 할수없이 자기들 손으로 찾어 낼수 밖에 없였다。

이틀 동안 백 여명의 동포들이 인민 수사대를 조직하여 윈 산을 둘첬다。 시체는 대나무 숲 속에서 발견 되였다。 시체는 임이 썩기 시작하고 있였다。

이 어찌 암흑 세상이 아니랴!

원한 많은 이 땅에서 동포들은 또 다시 자기 생명을 자기 손으로 지킬 도리바께 없게된 것이다。

三

그러나 조선인민은 옛날의 조선인민의 아니다。경애하는 우리 수령께서 말씀하신 바와같이 오늘날 조선민족은 일제 시대의 조선민족이 아니며 또한 해방 전쟁을 싸우기 전의 조선민족이 아니다. 오늘날 조선민족은 조국의 자유와 독립을 위하여 미제국주의 강도배들과 싸워서 이긴 승리의 민족이다。

미제국주의 강도배들이 제 아무리 발악을 부리고 그 앞재비 요시다 반동들이 자기 상전에 두려워 할 조선 인민 아니다。

사세호(佐世保) 동포들은 미·일 반동배들의 폭압에 반대하여 영웅적으로 일어 섰다。

하로 아침에 철갑모 쓰고 엽꾸리에 권총 찌른 무리들이 무려 五백、자기 상전들이 마련해 준 찝 차를 타고 밀물 처럼 달려 왔다。

「개놈들이 왔다。」

「아이고 아주머니 놈들이 습격해 왔소。」

「개놈들이 왔어오」
순식간에 원 부락에 습격의 경종이 울렸다。
「이놈들! 감히 대들테냐?」
「해 볼테면 해 봐라!」
어느새 부락 청년들이 입구에 방패망을 치고 안악네들은 누가 가르쳤는지 집집 마다 화로불에 고추가루를 태웠다。
붉은 숯 불이 고추 가루를 태우고 허연 연기가 독아사 갈이 독한연기를 뿜였다。
「독아사다!」
부락에 침입한 개놈들이 이 연기에 코를 찌르고 들었던 곤봉 내 던지기 바쁘게 도망질을 쳤다。
똥 물을 "바께쯔"에 함북 담어 개놈들 머리 위여 퍼부운 아주머니가 통쾌 스러운 욕설을 던졌다。
「개놈들 도망하는 꼴산이 봐라!」
그때 한 청년이 마루 위에 올라 섰다。 정 영감집 아들이다。
「여러분! 조용이 합시다。 개놈들은 도망을 쳤소。 개놈들의 수는 五백이 넘소。 무엇 때문에 이 지랄이겠습니까?
여러분! 우리들이 무슨 나쁜짓을 했단 말이오? 아젓씨! 아젓씨는 놈들의 습격을 받지 않으면 안될 죄를 지였소?」
「내가 무슨 죄를 지어? 나는 내 밥버리에 바쁜 사람이오。」
「그렀소! 아젓씨는 그날밥 버리에 바쁜 사람이오。 그러면 아주머니는?」「천만에! 내가 무슨 죄를。 내 남편은 놈들 전쟁때 징용에 끌려가 죽였소! 나는 이 원쑤를 갚펴야 하겠소。」
아주머니는 두 주먹으로 가슴 패기를 두드린다。
「그렇습니다。 우리는 아무 죄도 진바없습니다。 그런데 무엇 때문에 놈들의 지랄 입니까? 우리 조국을 침략하다 패망당한 놈들이 아니꼽게도 또 다시 침략하기 위하여 정치회의를 파괴코저 일본의 재군비에 이마에 피잇줄을 세우고 날뛰고 있습니다。 미국 대통령 아이젠하워ㅡ는 동양 사람들이 서로 싸우게 해야 하겠다고 말했소。 그러기 위해서 일본에 륙군 三五만을 장만해야 한다고 했소。 이것이 미국 강도배들의 숨김 없는 뱃 속이오。 그런데 놈들이 자기 뱃속을 채우는데 우리 조선사람이 방해란 말이지오。 이 방해물을 없애 버리기 위한 폭압이 이 생활 탄압입니다。」 「옳소! 옳소!」
사방에서 고함 소리가 청년의 열병에 화창하고 우뢰같은 박수가 천지를 울렸다。 대중들은 항의의 대렬을 짰다。 평화와 민주주의와 생활을 지기는 철화같은 거센 불길이 시역소를 향하여 물 밀듯이 쏠려갔다。 뜨거운 불 덩이가 시역소 마당에 터지고 시장은 도랑에 빠진 쥐 새끼 모양으로 풀이 죽였다。

「동포들의 요구는 칼날 같였다。」「무엇 때문에 폭압이냐?」「차별 대우를 말라!」「먹고 살수 있는 직업을 내라!」「재군비 예산으로 생활을 보장해라!」「민족 교육 실시 해라!」며 붓는 요구는 끄칠줄을 몰랐다。

四

적의 폭압에 심하면 심할수록 동포들의 싸움도 강해 진다。 미제국주의 침략도배들과 싸워서 이긴、정전을 쟁취한 조선 인민의 싸움의 대렬은 후퇴 할줄을 몰은다。 구주의 동포들은 파씨쓰트의 폭압의 본질을 잘 알고 있다。

리승만 라인도 소주 탄압도 모든 생활 탄압이 미제국주의 강도배들과 그 앞재비 요시다 반동배들의 전쟁 정책에서 꾸민 폭압 이란것을 잘 알고 있다。

지금 전체 구주 동포들은 우리 조국의 신속한 평화적 통일 독립을 쟁취하기 위한 조선 정치회의를 성공 시키고 민주민족 권리를 지키는 투쟁에서 평화와 민주주의와 생활을 지키는 일본 국민의 통일행동을 철석 같이 짜고、거름 마다 미·한·일 반동배들의 폭압과 대결하여 모두 다 앞으로 전진의 대렬을 짜고 있다。 이는 참으로 경애하는 수령께서 주신 영예로운 명칭 "락하산 부대"의 명칭을 자기 영예로 대렬진 재일 동포의 영웅적 모습이다。

☆ 시인 조기천의 략력 ☆

☆ 1913년11월6일 함북 회령에서 탄생。어릴때 부친을 딸아 "씨비리—"로 이주하여 "옴쓰크" 사범대학 로문과를 졸업。

☆ 1930년 재쏘조선인기관지 "선봉"에 "건설의아침" "새해" 등 수편의 시를 발표。

☆ 사범대학졸업후 중앙아세아 "크실—오르따" 조선사범대학에서 2년간 봉직。

☆ 1945년8월 대일전쟁에 일어선 붉은 군대에 참가하여 그길로 고향에 "개선자"로써 도라옴。

1946년2월 붉은군대 조선말신문 "조선신문" 편집。
〃 6월 서정시 "땅의 노래" 발표。
1937년2월 장편서사시 "백두산" 발표。
1948년3월 서사시 "우리의길" 발표。
〃 서사시 "항쟁의려수" 발표。
1950년6월 서사시 "생의노래" 발표。
1951년3월 조선문학 예술총동맹 부위원장으로 피선。
1951년8월 절필 "비행기 사냥군조" (미완성) 을 남기고 전사

戰鬪的詩人·趙基天

—逝去二週年에 際하여—

閔 丙 均

우리는 이달에 두 전투적 시인의 불멸의 업적을 기념하게 된다 그 하나는 쏘베트 정권이 낳은 위대한 우라지미르 마야꼬브쓰끼의 탄생 六〇주년이오 또 하나는 조선 민주주의 인민공화국이 낳은 전투적 시인 조기천의 서거 二주년인 것이다。

조선이 낳은 시인 조기천은 영웅적 쏘베트 군대의 정의의 무력에 의하여 일제의 기반으로부터 해방된 조국의 자주 독립과 국토완정을 촉진하는 투쟁에서 또는 침략자를 반대하고 평화를 수호하는 위업에서 펜을 날창으로 불꽃튀는 육박의 싸움을 한시도 멈추지 않은 전투적 시인인 것이다。

조기천 동지는 진실로 쏘련의 천재적 시인 마야꼬브쓰끼의 빛나는 업적을 조선에서 계승한 시인이다。자기 조국과 당과 수령에 대한 열렬한 사랑과 자부심、적에 대한 불같은 증오와 분노—이 시인의 작품들을 관통하고 있는 철두철미한 내용의 혁명성、언어의 잠신성、그리고 그가 부르짖고 자기의 창작에서 달성한 높은 교육적 가치에 있어 우리는 감히 조기천을 조선의 마야꼬브쓰끼라고 말할수 있다。

조기천 동지는 우리들이 외국의 선진문학을 어떻게 섭취할 것인가에 대하여서도 자기의 창작을 통하여 훌륭한 모범을 보여주었다。

조기천 동지는 마야꼬브쓰끼의 높은 정신을 자기의 것으로 섭취하여 조선 현실에 훌륭히 결부시켰으며 새로운 시대적 감정을 민족적 형식으로 다양하게 표현할 것을 잊지않았다。조기천 동지의 시가가 가지는 빛과 위력이 여기에 있는 것이다。

二년전 조기천 동지가 그의 마지막 시가의 전투임무로 되는「비행기 사냥 꾼조」를 쓰다가 붓을 든채 전사를 했을 때 조선 민주주의 인민공화국 내각과 전체 조선 인민은 서슴치 않고 그에게 전투적 시인이라는 싸우는 조국의 이름으로써 영예로운 칭호를 주었다。조기천은 과연훌륭한 조선 인민의 전투적 시인이였다。

조기천 동지는 우선 조선의 시문학을 혁신하는 데 있어 자연주의와 형식주의와의 무자비한 투쟁을 줄기차게 전개하여 왔다。

마야꼬브쓰끼가 그러했던 것처럼 조기천 동지도 역시 사멸하여 가며 발악하는 모든 부르죠아 사상 잔재와의 추호도 타협 없는 투쟁을 전개하면서 자기 창작이 추구하는 목적과 가치를 당과 국가의 리익에 두었으며 인민들에 대한 혁명적 교육에 두었다。그의 기념비적 작품인「백두산」을 비롯하여 「생의 노래」「우리의길」「항쟁의 려수」「땅의 노래」「비행기 사냥꾼조」(미 완성 유고) 등 장편 중편 서사시와 그의 모든 서정시들이 광범한 독자들로부터 열렬한 사랑을 받으며 그들의 투쟁을 고무 추동하고 있는 비결은 그의 시가들이 례외없이 인민적 립장에서 인민의 리익을 옹호하여 읊어진 그 투철한 인민성에 있는 것이다

우리는 조국 전쟁기간을 통하여 그의 시가들이 어떻게 우리 인민의 사랑을 받으며 싸우는 우리 전사들과 빨찌산들에게 강력한 힘을 주고 있는가에 대하여 잘 알고 있다。

일찌기 우리 영광스러운 무력이 불의에 침입한 미제 침략군대와 매국역적 리승만 괴뢰군을 반격 소탕하며 멀리 남방 전구를 승승장구한 시기에 락동강계선에서 조국의 국토 완성 자주 독립을 위하여 자기의 생명을 초개 같이 던져 싸운 많은 영웅적 전사들의 피에 젖은 가슴 속에서「백두산」과 그 밖에 조기천 동지의 많은 시가들이 발견되였다는 사실을 우리는 여러번 들었다。또한 오늘 조국의 고지를 지키고 있는 우리 용사들이 「조선은 싸운다」「죽엄을 원쑤에게」등 조기천 동지의 시를 고성대창하고 있음을 어느 고지에서나 찾아볼 수 있는 흔한 사실로 되고 있다。필자는 얼마전 조국의 품으로 도라온 우리 병상자들로부터 그들이 거제도에서 미제의 만행에 항거하여 피어린 투쟁을 전개할 때마다 조기천 동지의 시가들을 랑송하였다는 사실을 알게 되였다。

그렇다。조기천 동지의 시가는 공화국 북반부에서만 아니라 자유로운 전원과 고지와 바다에서만이 아니라 원쑤놈들의 총검과 무서운 고문으로 살인지옥을 이루고 있는 조국의 남반부 철창속에서도 조국과 당과 수령에 대한 더운 심장의 노래로 살고 있으며 원쑤에 대한 참을수 없는 증오와 분노의 총검으로 살아있는 것이다。조기천은 三七세로 자기의 짧은 생애를 끝마치였다。그러나 조기천 이 조선 시문학에 세운 탑은 영생 불멸할 것이다。

조기천은 비록 二년 전 전사를 했지만 그에 대한 인민의 사랑은 더욱 깊어가며 넓어지고 있다。조선인민의 영용한 혈맥처럼 흐르고 있는 대동강과 영웅적 도시 평양이 굽어뵈는 모란봉 언덕 위의 잔디 푸른 그의 무덤에는 아침 저녁으로 인민들의 발걸음이 끊치지 않고 있으며 날에 날마다 이름 모를 사람들이 놓고 가는 사랑과 존경의 꽃다발이 무덤앞에

쌓여 시들 줄 모른다。조기천은 조선 인민이 낳은 자랑스러운 전투적 시인으로 그가 념원 한대로 언제나 승리하며 전진하는 조선인민의 심장 속에 영원히 살아 있을 것이다。

1

세계의 정직한 사람들이여!
지도를 펼치라
싸우는 조선을 찾으라
그대들의 뜨거운 마음이
달려오는 이땅에서
도시와 마을은 찾지 말라—
방금 섰던 三층 벽돌집은
아스팔드 길에 꺼꾸러지고
반 남아 타버린 가로수들은
허리 부러져 길바닥에 딩구느니
과수원도 뿌리채 간데 없고
박우물 바위도 부서지고
무서운 악몽에서 허덕이듯
고향 거리도 찾을 길 없으니
이 땅에서 도시와 마을은 찾지 말라
남북 三천리에 잿더미만 남았다
태양도 검은 연기 속에서
피 같이 타고 있는 조선!
폭격에 참새들마저 없어진 조선!

2

허지만 사람들은 살아 있다
불 속에서도 연기 속에서도
인민은 살며 싸운다
조선은 싸운다!
캄캄한 밤길—
시한탄에 밟이 튀는 신작로
주검이 목숨을틀어잡은 여기서
무슨 그림자이냐 말소리냐—
「치기영—어기영 치기영」
복구대는 일한다
시한탄을 끌어 내친다
그러면 어둠 속에서 호각소리 울리고
서리 어린 화물차는 박는듯이 떴고
젊은 운전수의 목소리는—
「길이 어떻소?」
그러면 어둠 속에서 반기는
「길이 좋아요!」
처녀의 맑은 목소리를 뒤이어
다시 호각소리 출발을 울리는
천리길 그 많은 굽이 굽이에서
밤마다 밤마다 주검을 이기는
조선의 싸우는 후방!

3

만일 하늘에 하느님이 있어
낮과 밤을내였다면
조선 사람을 보고 놀라리라—
밤을 모르는 백성을
컴컴한 거리를 깨뜨리며
검은 번개모양 자동차 날아 지난다
다정한 방울 소리 울리며
달구지도 쉴 새 없이 밤을 지난다
그 사이로 들려오는 발자욱 소리는
땅에서라도 불꽃을 일으키듯—
걸음을 개촉하는 행군인가
복구대인가 로력대인가
전동기 소리 기대소리 마치 소리
어둠을 뚫고 새벽에 뻗치어
낮과 밤을 이어대는
싸우는 조선의 밤 모르는 후방—

4

동틀 무렵 그는 홀로 내왔다
눈 나리는 고지에—
전우들도 죽고 련락도 끊어지고
산밑에서 아우성치는 원쑤들에게—

「개놈들아! 올라오라! 나혼자
뿐이다!」
어찌 인민군 전사의 손에서
수류탄이 목표를 모르랴──
하늘도 퍼지고 고지도 떠가는듯
적은 세번이나 물러섰다
본대에서 고지를 탈환했을제
주위엔 적의 시체 너저분데
쓰러진 전사의 낯에선
아직도 눈송이들이 녹았다──
정성껏 삼가 나려지는
조국의 고운 눈송이들은……
조선은 산이 많은 나라
아 그 많은 령마루 그 많은 바위
에서
이 나라의 이름 없는 영웅들은
조국의 행복을 부르짖으며
김장군 만세를 웨치며
피 흘리면서도 죽으면서도
마지막 탄환으로 원쑤를 찾았다!

5

싸우는 조선의 전방아!
휘발유에 돌까지 타는 산에서
어떻게 원쑤를 물리쳤느냐
폭격에 밑바닥까지 뒤집히는
강하는 어떻게 넘었느냐
불붙는 거리와 마을들은
폭격에 검검한 진지는
어떻게 지키느냐
누가 수류탄이 되어
적의 땅크밑에 뛰어 들었던가!
누가 마도로쏘브의 이름을 이어
가슴으로 탄환을 막았던가!
철화 속에서 포연 속에서
겨레의 주검을 넘어
무한한 시련과 고통을 박타며
눈물도 잊어버리고
끝없는 증오에 불타는 눈이
어찌 눈물을 알것인가!
한숨도 없이
끝없는 복쑤에불타는 가슴이
어찌 한숨을 알 것인가!
모든 것을──
생명도 사랑도 청춘도
조국에 바치어
인민은 싸운다!

「조선은 싸운다」에서 발취

※註‖이 론문은「인민화보」一九五三년七월호에서 전재하였다。필자 민병균씨는 조선의저명한 시인으로서 一九五三년도에만 해도 싸우는 조선의 전방과 후방 인민들의 투쟁을 그린 장편 서사시「어러리 벌」과 「조선의 노래」을 썼으며 또「습격의밤」등 우수한 작품을 많이썼다。작가동맹위원장 한설야씨는 작가동맹기관지「조선문학」一九五四년 一월호에서 민병균씨의 「어러리 벌」과「조선의 노래」는『우리 시문학 이 발전의 새로운단계에 들어서고 있는 명백한 표현으로 된다』고 높이 평가 하였다。

나의 마당에서

남시우

1

어데서
또
검은 바람이 일려드느냐?

二월 중천에는
꽃구름도 둥실
춤추며 이 마당을 흐르는데
보라! 청년들이여!
못견디게 싸움에복바치는
우리 가슴을 알기에

햇별도 이다지
따사롭게만 비쳐 드는가!

마당에 나서면
색여 부친듯 력력한
기둥이며 벽이며 창문들이
정답기 다시 새로워

몇 성상—
악을 부리는원쑤를 앞에 두고
철판으로 변하던
우리 가슴이
거기에 끓는 희망이,
자꾸만 덮게 솟구치나니

자랑이 피던
아침을 우리가 잊을소냐
영광에 넘쳐
거기에서 세운 맹세를
우리가 버릴소냐?

말하라!
우리는 제 살의 한토막으로

이 "마당"을 지켜 가리니
어데서
또
검은 먹구름이 쓸어 들려느냐!

2

말하라
무엇때문에 너이들은
우리 앞길을 가로 막으며
무엇때문에 너이들은
우리 삶을 파괴할려 하며
무엇때문에 너이들은
우리 골수에 사무치는
철천의 원쑤로 적대할려 드느냐!

말하라
너이들의 국토를 침략자로써
언제 우리가 침범한 바 있으며
너이들의 학교를 파괴자로써
언제 우리가 짓밟은 바 있으며
너이들의 자녀들을 조선말로써
교육하라 언제 강요하였더냐

우리는
서로 다투고 비꾸는 것을
조워하지 않는 사람이다。
남의 것을 빼앗거나 짓밟은
력사를 갖지 않는 민족이다。

서로 인정있게 평화롭게
사는것을 가장 원하는 만치
평화를 깨트리고
인도를 무시하는 그런 인간을
우리는
또한 가장 미워한다。

우리들이
고된 四十년의 멍에를 벗어치고
해방의 날 울며 춤추며 노래한
그때로 부터,
이 이름도 없는 도시의 한구석,
송판으로 벽을 치고
삷으로 마당을 닦던 그때로 부터
우리에 주는 너이 눈발이
한번인들
참된 정을 품어 봤더냐?
너이들은 지금 또
우리에게 강요 한다。

1、민족과목（조선어、조선력사、지리）을 과외로 하고 교육용어는 일본어로 할것。

2、이데오로기—교육을 하지 말것。김일성수상에 관한 구호를 일절쓰지 말것。

3、생도의 자연증가를 임정치 않는다。

4、미채용교원의 수업담당 금지。

5、생도의 교육청 진정（陳情）금지。

6、부외자를 직원회에 참가시키지 말것。

一백억의 사회보장비를 삭감하고
二천억의 군사예산을 인민에 강압하는 너이 상전이、
조선인을 일본국내에서 몰아내게 하고
조선인을 리승만의 신하로써
팔아 넘기려 하고
순박한 동포의 가슴에
칼을 지르게 한 너이 상전이
오늘、
추접게 더럽히인 너이 입을 통하여
또다시
우리들에 강요한다。

3

백번이라도
우리는 대답하여 주리라
가난한 품파리가
어찌
제들의 학교를 가질수 있으며
으러저 가는 〃바락크〃 교실이
어찌 인간을 길러 내나
알고 싶다면
우리는 대답하여 주리라!
강대한 권력을 앞두고
어린것이 어찌 지탱할수 있으며
거치러운 탄압 속에
어찌 어린것이 싸워 내나
혼빠진
아첨쟁이가 있다면
우리는
대답하여 주리라!
인간이라고 불리우는
추악한 동물들아
너이 가슴벽이

공포와 전률에 설레일 양이면
빨리
그 꿈에서 깨어나라!
만약 그래도 알지 못 한다면
빨리
너이 무덤을 파 두라!

이 마당에는
그대로 우리 피가 스민곳.

우리 청춘이 여기서 크고
우리 마음이 여기 자라고
그리고
장엄한 고동— 조국의 숨소리가
여기에 맥백 치나니

4

보라!
투쟁의 불길이 오른다.
주구 야스오까(安岡)의 멱살을
잡아
백일하에
그 비루한 정체를 폭로하고
또 그의 앞잡이
교활한 개를
우리는 잡아 높인다.

금전과
사욕에 멍든 검은 가슴벽
권력에 아첨하여
량심을 파는 자의
그 혓바닥을 불 살은다.

우리는
어느 시대에서고
우리를 멸망케 하려는 자에는
파멸을
안겨 주리니

청년들이여!

한결 더
굳게 대렬을 짜라!
그리하여
어면 곳에서든
너를 좀먹는 적을

너로부터 추방하라!

너의 두려에
밝고 믿어운 량심으로
굳게 손잡고 뭉치인
진실한 친구
일본동무들도 하여

이 마당
하늘이 미여지는 외침에
너와 함께
불러 일으키라!
조선학교는
조선사람에게 맡기라—고。

一九五四년 一월 二五일

☆ 安岡 (소위 동경조선고・중학교
교장)

편집부에서

작년 9월 조국 민주주의 인민공화국 창건제주년을 경축하는 행사의 하나로써 우리 문학회에서는 처음으로 작품모집을 하였다。응모된 작품은 그 수효로서는 많다 할수는 없으나 우리들은 그 작품들에서 앞으로 우리 사업에서 소홀히 못할 귀중한 가르침들을 적지않게 받았음을 말하지 않을수 없다。그 심사결과는 지난번 제五차대회때 남시우 동무로 부터 자세히 보고 되였으나 지금까지 널리 발표하지 못하였던 점을 특히 응모에 참가한 동무들에게 사과하면서 여기 간단히 그 경과를 쓴다。

응모작품			
	시	어린이 력사	(김 순 아)
		內灘의 싸움	(문 성 조)
		조선 중학교	(리 덕 호)
		재멥이 속에서 외두편	(김 시 종)
	소설	싸움속에서 자라는 少年들 (百매)	(박 웅 일)
		단편・3월 7일	(안 승 히)
		단편・30년전의 얘기	(김 홍 철)
		우리는 조국의 아들	(리 덕 호)
		사랑이상의 것	(김 태 경)
		눈을 깨치고—	(권 병 순)
		동화・토끼와 록두령감	(류 벽)
		콘트・꽃감	(황 중 옥)
		이 상	14편

심사결과 가작으로 당선된 동화 토끼와 록두령감을 발표하게 하였다。

동화

토끼와 록두령감

류 벽

옛날 어떤 곳에 가난한 농부가 있였습니다. 나이는 쉰이 넘였으나 장가를 늦들였으므로 단 하나 외아들은 아직 열살이 채 못되였습니다.

농부는 마음씨가 좋을뿐 아니라 일도 잘 하고 부지런도 하였습니다. 그러나 제 땅이 없으므로 아무리 열심히 일을 하여도 그 귀여운 아들과 안해를 먹여 갈 수가 없였습니다.

농부는 할 수 없어 안해와 아들을 데리고 산 속으로 땅을 찾아 들어 갔습니다. 가다가 보니 평평한 넓은 풀밭이 있습니다. 농부는,

「옳지 됐다」. 하고, 거기에와 오막살이 집을 짓고, 벌판에는 불을 질러 풀을 모두 태워 버리고 갈아서 록두를 심었습니다. 록두는 여윈 땅에도 잘 되기때문이였습니다.

파란 록두는 아주 잘 되였습니다. 령감은 기뻐하면서 거두어 드린 록두를 지고 장에 나가 팔아서, 그 돈으로 옷감·소금같은 것을 사오고 했습니다. 그제야 농부는 안해·아들과 같이 배불리 먹고 살 수가 있게 되였습니다.

어떤 때는 땔나무를 해 지고도 팔러 갔습니다마는 그런 때도 나뭇단 우에는 언제나 록두가루가 얹혀 있였습니다. 장터에 사는 사람들은, 언제나 록두를 지고 와서 싸게 팔아 주는 이 늙은 농부를「록두령감 록두령감」하고 부르기 시작했습니다. 그리고 령감이 나타나기만 하면 우ㅡ하고 모여 와서 제자리에서 곧 그가 지고 온 록두나 땔나무를 사버렸습니다. 얼마가 안가서 근처 촌 마을에까지「록두령감」이란 이름은 알려지게 되였습니다.

록두령감이 산에 들어 와서 두 해동안 록두농사를 짓고 삼년째 되는 해입니다. 그해도 비는 흡족히 내리고 바람은 순조로워 록두대는 아주 무성하게 자랐습니다. 먼저 열은 록두는 벌써 까막까막 익이 시작

하고, 새로 뻗은 가지에는 련달아 노랑꽃이 피고 있습니다。록두령감은 대단히 기뻐하였습니다。

그런데 어떤 날 아침 언제나와 같이 일쯕 일어나서 록두 밭을 돌아 보고 있던 록두령감은 집 반대쪽 밭 머리에 왔을 때,

「아!」소리를 지르며 주춤 섰습니다。웬 일인지 대여섯 고랑 록두가, 까닥까닥 익기 시작한 것은 말할 것도 없고 아즉 파랗게 어린 것까지 하나도 남지 않고 없어졌습니다。

「어떤 놈이 조렇게 못된 작란을 했을까?」하고 가까이 가서 자세히 보았드니, 거기에는 토끼 똥이 많이 있었습니다。

자— 야단 났습니다。어디서 모여 들었는지, 그날부터 토끼들은 록두령감이 보이지만 않으면 록두를 따먹자 떼를 지어 내려옵니다。록두령감이 막대기 내를 두르며 고함을 치면 모두 산으로 도망합니다。그러나 나중에는 록두령감이 이쪽으로 오면 토끼들은 저쪽 밭머리로 뛰어 가고, 저쪽으로 달려 가면 이쪽에 나타나서, 록두령감 애를 태우게되였습니다。령감집 아주머니까지 나섰습니다。

그러나 밤에도 잘 수가 없였습니다。이렇게 사흘이 지나고난 저녁 때였습니다。집 반대쪽 밭머리에서 지키고 있던 록두령감은, 하도 고단해서 막대기를 안고 주푸리고 앉았다가 졸음이 퍼부어 그만 팔다리를 쭉 뻗치고 잠이 들고 말았습니다。

록두령감에게 쫓겨서 가랑나무, 보둑솔밑에 숨어 있던 토끼들은

「령감이 보이지 않는다!」하고 속삭거리며 한군데에 모여서

「자— 가자!」하고 떠들기 시작했습니다。그 때 나이 찬 피보토끼가 말했습니다。

「기다려! 모두 이렇게 와—하고 내려 가다가, 령감이 숨었다가 그 막대기로 갈겨대기나 하면 어떻게 한담? 그러니까 모두는 여기서 더 기다리고, 누가 한 사람 내려 가서, 령감이 어디서 무엇을 하고 있나, 단단히 보고 와야 하는거야!」

「그렇다。그러자。」

「그럼, 누가 가나?」

그 때, 잘 뛰고 꾀있다 언제나 뻐기는 젊은 토끼 한 놈이 앞으로 깡충 뛰어 나와 말했습니다。

「내가 가지。」

젊은 토끼는 살큼살큼 뛰다가 가끔 그 긴 귀를 쫑긋 세우고 사방을 살피고 하면서 산을 내려 왔습니다。오다가 깜작 놀라 주춤 섰습니다。밭 가에 서 있는 한 그루 소나무 그늘 밑에 누어 있는 록두령감을 발견한 때문입니다。겁이 나서 도로 산으로 돌아 갈까 생각했습니다。그러나 그 때 문득

「령감이 혜행여녀 죽지나 않았나?」하는 생각이 났습

니다。눈 앞에는 탐스러운 록두열매가조롱조롱 열려 있습니다。입에 춤이 고입니다。두어 걸음 뛰어 내려왔습니다

「아니、가만 있어—만약 령감이 벌득 일어나면 어쩌나? —그럴 때는 조 총총 선 소나무 새를 빠져、저 바위뒤를 올라가면 되지……!」

젊은 토끼는 발머리까지 내민 왼편 산등을 바라가며 결심하고는 쌀곰쌀곰 걸어 내려 갔습니다。

령감은 끔작 않고 누어 있습니다。좀 가까이 온 토끼는 한 번 깡충 뛰어 봅니다。푸두둑 소리가 났습니다。그래도 령감은 여전 끔작 않습니다。토끼는 점점 대담해집니다。령감 발 있는 쪽으로 갑니다。왼편 앞발을 들어 집신이 벗어진 령감 오른편 발바닥을 살작 긁어 봅니다。그 때 령감은 잠이 깨어 번적 눈을 떴습니다。얼른 토끼가 보였습니다。순간

「요놈、어쩌나 보자!」생각한 령감은 다시 눈을 감고 귀를 기우린채、끔짝않고 있습니다。토끼는、

「정말 죽은게다! 어디 숨을 쉬나 보자。」하고、령감 머리 쪽으로 돌아 옵니다。 령감은、

「요놈—」하고 숨을 죽입니다。토끼는 앞발을 들어 령감 빰을 한 번 긁어 보고、제 코를 령감 코에갖다 댑니다

토끼 수염이 령감 빰을 쓰칩니다。령감은。간지러움을 참고 있습니다。숨이 없습니다。

「정말 죽었구나!」생각하고 안심한 토끼는 신이 나서 견딜 수가 없습니다。껑충껑충 뒷걸음 산 쪽으로 뛰어 갔습니다、뒷발로 땅을 몇 번 꿀리고 나서 긴 귀를 나풀거리며 앞발을 들고 다른 동무들을 불렀습니다。어찌 되나 하고 기다리고 있던 토끼들은 와하고 단번에 젊은 토끼 있는 데까지 뛰어 왔습니다。그때、

「아! 저기。」하고 꾀보토끼가 늘래서 서너걸음 산 쪽으로 뛰어 물러 서며 귀를 쭝긋 세우고 록두령감을 봅니다。다른 큰 소리로 외쳤습니다。

「죽였어! 숨이 떨어졌어!」

「정말?」

「정말이지 뭐야!」

모두는 못믿겠다는듯이 묻습니다。

젊은 토끼는 령감 쪽으로 뛰어 옵니다。

「요놈들—!」하고 령감은 죽은듯이 끔작 않고 있습니다。 젊은 토끼는 령감이 정말 죽였다는 것을 다른 동무들에게 보여 주기 위해서、껑충하고 록두령감 가슴 우에 뛰어 올라 뒷발로 힘대로 쾅쾅 꿀려 보입니다。그리고 또 껑충 령감 머리말으로 뛰어 가서 오른 앞발로 령감 쌍투를 잡고 흔듭니다。다른 토끼들은 와짝 웃으며 단걸음에 령감 곁으로 뛰어 왔습니다。꾀보토끼는 그래도、

「어디、정말?」

하면서 제코를 령감 코에 갖다 댑니다。답답했지만 령감은 한 번 더 숨을 죽였습니다。그제야 아주 안심한 꾀보는 령감 가슴통에 뛰어 올라 서서 한 바

탕 연설을 하였습니다.

「이젠, 이 록두도 모—두 우리 것입니다. 이 얼마나 좋은 일입니까? 그런데 여러분, 이렇게 장하게도 록두를 많이 기루어 준 록두령감을 우리 장사나마 치르러 주는 것이 어떻겠오?」

「옳소 찬성이오!」

「자— 저 사태 낭떠러지까지 메고 가자!」

수십마리 토끼들은 달려들어 록두령감 팔다리를 잡아 메고는 행상노래를 소리 맞추어 불렀습니다.

에화홍 에화홍, 록두령감 죽였네, 에화홍.
에화홍 에화홍, 이젠 록두 우리게다, 에화홍.
에화홍 에화홍, 록두령감 장사치자, 에화홍. ……

「에라지놈들!」 갑자기, 록두령감을 팔다리를 내저으면서 일어났습니다. 토끼들은 질색을 합니다. 제자리에서 몇길이나 뛰어 오르는 놈, 떽대굴 댕굴어지는 놈 뒤로 주저앉는 놈, 앞으로 어퍼지는 —그러고는 모두 산지사방으로 도망쳤습니다. 단 한놈, 령감 가슴 우에 올라 앉아서 까들거리고 있던 놈만이 그 뒷다리를 령감 억센 손아귀에 잡혔습니다.

령감은 성이 나서 고놈을 그만 땅 바닥에 때려칠려고 쳐들었습니다. 그러나 금방 참고 말았습니다. 고놈은 아직 나이 어린 새끼토끼였기 때문에 불상해진 것입니다. 록두령감은 고놈 귀를 움켜쥐고 집으로 돌아 와서, 가느다란 굳은 노끈으로 뒷다리를 매고 지게 목발에 이어 두고 방 안으로 들어 갔습니다.

사방으로 흩어졌던 토끼들이 다시 한 자리에 모였을 때는, 소나무 겁질 칡줄로써 머리 앞발 뒷발들을 동여맨 놈들이 많았습니다. 록두령감이 와락 일어나는 통에 받은 상처들이였습니다.

「우리 예쁜이가 보이지 않어!」 하고, 꾀보토끼가 걱정스러운 얼굴로 말했습니다.

「우리 예쁜이는 어떻게 됐을까요?」 꾀보토끼 안해가 말하며 울상이 되였습니다. 모두는 서로 바라보기만 하며 말이 없습니다. 언제나 꾀있고 잘 뛰기를 자랑하던 그 젊은 토끼도 칡줄로 동여맨 머리만 푹 숙이고 있습니다. 해는 벌서 서쪽 산 넘어로 숨어버리고 어둠이 차차 질어 옵니다. 어머니토끼는 새끼토끼를 찾아 산을 내려 왔습니다.

꾀보토끼도 그 안해의 뒤를 따라 산을 내려 왔습니다. 다른 토끼들은 혼이 난 다음이라, 좀 따라오다가 모두 뒤떨어지고 말았습니다.

야단이 났던 자리에 와서 찾아 보았으나 예쁜이는 없였습니다. 불러봐도 대답이 없였습니다. 저편 록두령감 집에 빤—한 불이 보였습니다. 꾀보토끼는 안해를 위로하면서 그리로 갔습니다. 집 옆 풀 속에 숨어 안에 동정을 살폈습니다. 그 때, 「토깡 토깡!」 하고 새끼토끼의 슬픈 울음 소리가 들렸습니다.

「예쁜이다!」

「저집 뜰에서다!」

어미토끼가 앞으로 뛰어갈려고 합니다。

「어설피 갔다간 야단나지ㅣ。」

꾀보가 안해를 말립니다。 그러나 어머니토끼는 뿌리치고 뛰어갔습니다。 더 참을 수가 없었던 것입니다。

「예쁜아!」

「아、엄마!」

어머니토끼와 새끼토끼는 서로 얼굴을 맞대였습니다。 마츰 동쪽 산 우에 달이 솟아、부드러운 달빛이 토끼 모녀를 비쳐주었습니다。

「닥치는대로 때려 잡아 복아 먹어 줘야지! 남이 힘써 지운 곡식을 함부로 해치는 놈들을ㅣ」

「아니 아버지。 키웁시다요ㅣ」 그 때 방에서 무뚝뚝한 록두령감 소리와 어리광부리며 부탁하는 그 아들 소리가 들였습니다。 어머니토끼는 마음이 탔습니다。 새끼를 매어 둔 노끈을 물어 끊을려고 애를 썼습니다 그러나 단단한 노끈은 좀처럼 끊어지질 않았습니다。 갑자기 왈칵 문을 열고 록두령감이 왔습니다。 어머니토끼는 접이 나서 머리가 아찔했습니다。 그러나 새끼를 두고 혼자 달아날 수가 없었습니다。 새끼를 앞다리 사이에 품은채 발발 떨면서 가까워 오는 록두령감을 쳐다 보고 있습니다。 달아나지 못하는 어머니토끼 마음을 알아챈 록두령감은 와서 걸음을 멈추고 내려다 보고 섰습니다。

「이제부터는 절대로、록두밭에 와서、작란을 않겠어요。 한번만 용서해 줘요。」 떨리는 목소리로 근근 이렇게 말을 하고 어머니토끼는 그만 울였습니다。

저도 새끼 있는데로 뛰어 갈려다가、록두령감이 문을 열고 나오는 바람에 겁을 먹고、제자리에 오구려고 앉아서 마음을 졸주고 있던 꾀보토끼도 더 이상 그대로 있을 수가 없었습니다。 뛰어 나가서 록두령감에게 절을 하며 애걸했습니다。

「령감님! 용서해 주십시오。 죽을 죄를 지였습니다 이 모녀를 놓아 주시고、대신 저를 죽여 주십시오。」

록두령감 가슴에는 뜨거운 감동이 치솟았습니다。 토끼가、비록 짐승이라 할지라도 어미 애비 사랑과 다름이 없었던 것입니다。 그 때、밥 먹던 술을 그대로 쥔채 나와서 토끼들을 본 록두령감 아들이 아버지를 쳐다보고 말했습니다。「아버지、놓아 주세요!」

「오냐、그러자!」

록두령감은 허리를 굽혀 새끼토끼를 풀어 놓고、쓰다듬어 주면서 말했습니다。「조심해 가거라!」 고맙다고 몇번이나 절을 하고、깡충깡충 뛰는 새끼를 앞세우고 산으로 돌아 가는 어머니토끼와 아버지토끼는、자주 걸음을 멈추고 돌아 보았습니다。 록두령감은 아들 머리 우에 손을 얹으며 내려다 보았습니다。 아버지를 쳐다 보며 빵긋 웃는 아들 얼굴에는 밝은 달빛이 아름답게 비쳤습니다。

——끝——

제一차 조선 작가 동맹 회의 결정서

본 회의는 조선 자가 동맹 중앙 위원회를 다음과 같이 구성한다。

한설야、 리기영、 안함광、 박팔양、
민병균、 한 효、 홍순철、 김조규、
기석복、 신고송、 박세영、 윤두헌、
리북명、 황 건、 한봉식、 정 률、
김북원、 한태천、 송 영、 조령출、
리종민、 정문향、 천세봉、 전동혁、
리정구、 홍 건、 조벽암、 윤세중、
김영석、 한명천、 리원우、 김순석、
리 찬、 남궁만、 안 막、 김승구、
박웅걸、 소 운、 신동철、

조선 작가 동맹 제一차 중앙위원회는 조선 작가 동맹 상무 위원회를 다음과 같이 선거 한다。

한설야、 리기영、 박팔양、 정 률、 홍순철、 김조규、
한 효、 송 영、 민병균、 윤두헌、 박세영、

후 보—김북원、 조령출

소설 분과위원회

위원장 황 건

위 원 한설야 리기영 박웅걸
김영석 윤시철 리춘신
리북명 변회근 윤세중
한봉식

조선 작가 동맹제一차 상무 위원회는 각 분과 위원장 및 각 분과 위원들을 다음과 같이 임명 한다。

시 분과 위원회

위원장 민병균

위 원 홍순철, 김북원, 김조규,
박세영, 김순석, 리용악,
조벽암, 리 찬, 홍종린,
전동혁, 박팔양, 동승태,

극문학 분과 위원회

위원장 윤두헌

위 원 송 영, 조령출, 신고송,
김승구, 한태천, 남궁만,
홍 건, 박태영, 서만일,
한 정,

아동문학 분과 위원회

위원장 김북원

위 원 송창일, 강효순, 리진화,
신영길, 리원우, 원복진,
박세영, 리호남,

평론 분과 위원회

위원장 한 효

위 원 정 률, 김명수, 안함광,
엄호석, 기석복, 신구현,

조선 작가 동맹 제一차 상무 위원회는 다음과 같이 위원장 및 서기장을 결정 한다。

위원장 한설야

서기장 홍순철

조선 작가 동맹 제一차 상무 위원회는 기관지 주필을 다음과 같이 임명 한다。

책임주필 김조규

조선 작가 동맹 제一차 상무 위원회는 편집 위원회를 다음 동무들로 구성하기로결정 한다。

박팔양, 홍순철, 김조규, 민병균,
조령출, 황 건, 김순석, 서만일,
김명수,

자료

전국 작가 예술가 대회 결정서

전국 작가 예술가 대회는 조선문학 예술 총동맹 사업 총결에 대한 한설야 동지의 보고를 청취 토의하고 다음과 같이 지적한다。

우리 조국의 민주 기지 강화를 위한 평화적건설 시기와 조국 해방 전쟁 기간을 통하여 조선문학 예술은 거대한 발전을 가져왔다。

문학예술 각 부문에 걸쳐 인민 대중을 조국의영예를 수호하기 위한 성스러운 사업에 궐기시키며 고상한 애국주의와 영웅주의로 교양함에 있어 우리는 거대한 성과들을 쟁취하였다。

대회는 조선 문학예술이 八·一五해방 이후 八년 동안에 달성한 성과를 민족적 높은 긍지와 자부심을 가지고 총화하면서 아직도 우리 문학예술 부문에 존재하고 있는 결함 일체 부정적 요소들과의 가감한 투쟁을 계속 전개할것을 전체 작가 예술가들에게 호소한다。

정전 협정과 관련하여 『모든것을 민주 기지 강화를 위한 전후 인민경제복구 발전에로!』라고 말씀하신 우리의 경애하는 수령 김일성 원수의 호소는 우리 작가 예술가들의 모든 력량을 영웅적 로동 계급의 건설 투쟁에 충실히 복종시킬 것을 요구 하고 있다。

대회는 우리 작가 예술가들의 총 력량을 전후인민 경제 복구 발전을 위한 전 인민적 과업 수행에 총 동원하는 새로운 정세하에서 문학예술의 역할을 더 한층 제고시키며 발전시키기 위하여 다음과 같이 결정한다。

첫째、전체 작가 예술가들은 우리 조국의 국토완정 통일 독립의 강력한 담보로 되는 전후 인민경제 복구 발전을 위하여 우리 나라의 공업화를 위하여 자기의 창조적 재능과 정력을 다 바칠것이다。

그리하여 로동 계급의 가장 선진적 인물의 전형을 창조 할것이며 경제 건설 투쟁에 궐기한 전체 인민들의 승리에 대한 신심을 더욱 공고케 할것이며 전쟁 승리를 위하여 우리 인민들이 발휘한 애국주의와 대중적 영웅주의를 건설 투쟁의승리에로 계송 앙양시키도록 할 것이다。

둘째, 전체 작가 예술가들은 현실의 거대한 전변속에 대담하게 들어가 로동 계급의 실지 생활을 체득할 것이며 그들에서 배움과 동시에 그들을 교양하며 로력 혁신자 위훈을 생동한 형상을 통하여 전체 인민들에게 보여주며 우리의 청소년들로 하여금 로력을 사랑하며 로동 속에서 기쁨을 느끼는 고상한 도덕성으로 교양할 것이다。

세째, 우리의 문학예술을 더 찬란히 발전시키기 위하여 오랜 력사를 가진 우리 인민의 고유한 민족적 전통과 민족적 형식들을 비판적으로 계승 발전시켜 새로운 내용에 부합시키는 민족 고전 연구 사업을 더욱 광범히 추동할 것이다。

그러기 위하여 우리 작가 예술가들은 서구라파 문학예술에 대한 비굴한 굴종으로부터 우리 민족 고전을 경시하며 이를 타매하는 경향들과 견결히 투쟁 할 것이며 고전 민요 리언 속담, 전설등 우리의 훌륭한 인민 창작으로 되는 고전들과 문화 유산들을 광범하게 수집정리하며 과학적으로 체계화할 것이며 우리의 선조와 선배들이 창작한 귀중한 로작들을 인민들 속에 광범히 보급하는 사업을 강화할 것이다。

네째, 우리는 아동들을 위한 문학예술 창조 사업을 더욱 왕성히 전개할데 대하여 특별한 관심을돌려야 한다 오늘 우리 나라의 미래의 주인공들인 아동들의 정서를 교양하는 사업은 전 인민적 과업으로 제기되고있다。 전쟁기간에 아동들의 정서는 거칠어지고 고갈되였으며 그들의 성격은 비정상적인 생활을 통하여 의곡되였다 이러한 실정에 근거하여 우리의 미래의 주인공이며 후계자인 아동들의 정서 교육을 강화하는 문제는 우리의 가장 중요한 당면 임무 중의 하나로 되는 것이다。

아동들을 위한 문학예술 사업을 강화 하기 위하여서는 이 사업이 가지는 역할의 중요성을 인식하지 못하고 여기에 대한 관심을 덜 돌리며 심지어는 천시하는 경향들과 용서없는 투쟁을 전개할 것이며 전문적 아동문학 작가들만이 아니라 각부문 전체작가 예술가들을 동원하여 아동들을 위한 문학, 미술, 음악, 연주, 무용등 각 부문의 작품을 보다 더 많이 창작하기 위한 대책을 취할 것이다。

다섯째, 문학예술 사업의 가장 중요한 부문인 평론 사업은 우리 문학예술에서 제기되는 중요한 문제들에 대하여 정확한 리론적 해명을 주며 우리 문학예술 발전의 원쑤인 일체 반동적 독소들의 침입으로 부터 우리 문학예술의 당성 및 인민적 원칙성과 사회주의 레알리즘의 원칙성을 수호하며 작가 예술가들의 정치적 예술적 및 력량을 제고하며 우리의 독자들을 교양하는 것을 자기의 임무로 삼아야한다. 그러나 우리평론 사업은특히 락후한 상태에 처하여 있다.

특히 우리 평론은 추상적 개념 곤봉식 중상 비방으로써 작품을 공격하는 관료주의적 경향이 있으며 평적 기준을 아첨과 융화에 두는 사교적 경향이 계속 존재 하고 있다.

평론 사업에 있어서 이러한 참을 수 없는 현상은 우리 문학예술 발전에 커다란 장애로 된다.

이러한 결함들을 급속히 퇴치하고 우리의 평론 사업을 높은 단계로 이끌어 올리기 위하여서는 우선 평론가들이 맑스-레닌주의적 미학원칙적 사회주의 리알리즘의 원칙으로 자기를 더욱 튼튼히 무장하여야 할 것이며 사상 전선의 선진 투사로서 선진 리론가로서의 확고부동한 계급적 립장과 진실에 대한 강한 애착을 가져야하며 문학상에 발로되는 일체의 허위와 봉건적인 것에 대한 비타협적 정신으로 자기를 무장하여야 할 것이다.

우리의 문학 예술 평론은 현상의 추수자가 될것이 아니라 항상 지도적 립장에 서서 일체 반동적 해독적 사상과의 비타협적 투쟁 정신으로 작가예술가들을 교양하며 문학예술의 당성 및 계급성을 수호 하는 선진 투사가 되여야한다.

문학예술 평론의 급속한 발전을 위하여 평론 활동의 수공업적 방법을 퇴치하고 전체 작가 예술가들과 광범한 독자층을 이 사업에 인입할 것이며 평론 간부의 새로운 육성을 위한 대책을 세울것이다.

여섯째, 전체 작가 예술가들은 우리 문학 예술의 사상성을 더욱 견고히 하며 사회주의 레알리즘에 립각한 다종 다양한 우리 문학예술 작품들의 질적 제고를 위하여 선진 쏘련 문학예술을 비롯한 세계 진보적 문학예술을 연구 섭취하는 사업을 더욱 강화할 것이다.

쏘베트 문학 예술의 제 달성—그것은 우리 문학 예술 발전의 등대이며 앞길이다. 우리 작가예술가들은 허심하게 배우는 사람의 립장에서 선진 문학예술의 제 성과들을 섭취하는 사업에 자기의 온갖 정력을 경주할 것이다。

특히 위대한 조국 전쟁 시기와 전후 인민 경제 복구 건설에서 쏘베트 작가예술가들이 달성한 성과와 체험을 습득하기 위하여 백방의 노력을 기울일 것이다。

일곱째、신인 육성 사업은 오늘 우리 문학예술운동 앞에 제기되는 가장 중요한 과제의 하나이다 우리 문학 예술의 화려한 미래는 우리들이 오늘 얼마나 훌륭하며 믿음직한 우리의 후대들을 육성해 내는가에 달려있다。우리는 지금까지 신인육성 사업에서 나타난 무계획적이며 무책임한 경향들을 철저히 배격하고 이 사업을 체계있게 광범히 전개하기 위하여 특별한 조직적 대책이 요구 된다。

신인들을 체계 있게 육성 하기 위하여 一、신인들을 위한 강습을 계획있게 정상적으로 진행할 것이며 二、신인들의 작품을 광범히 게재하며 이들의 작품의사상적 및 예술적 길과 리론적 수준을 제고시키는 역할를 수행할수 있는 출판물을발간할 것이며 三、신인들과의 회합을 정상적으로 조직하며 매개 작가 예술가들로 하여금 분공하여 책임적으로 신인들을 지도하는 방법을 취함으로써 신인들에 대한 계통적이며 책임있는 지도 사업을 강화 할것이다。

여덟째、우리의 출판물들의 내용을 더욱 다채롭게 하며 그의 질을 제고하는 사업은 우리들 앞에 제기된 긴급한 과제의 하나이다。지금까지우리의 출판물들은 날로 장성 발전하는 인민들의 욕구를 원만히 충족시키지 못하였다。우리 출판물들이가지고 있는 제반 결함들을 퇴치하고 인민의 욕구에 충실히 보답하기 위하여 편집 일꾼들의 사업 수준을 더욱 제고할 것이며 우리 출판물의 계급성과 목적 지향성을 더욱 강화하며 그의 체제와 편집 방법을 연구 개선 할것이다。그러기 위해 편집위원회의 역할을 제고하며 수시로 독자들과의 회합을 조직함으로써 인민들의 의견을 널리 반영할 것이다。

아홉째、오늘 우리 문학예술 운동에 있어서 사회주의 레알리즘의 원칙성을 고수하며 우리 문학예술의 당성과 계급성을 더욱 제고하는 문제는전체 작가 예술가들 앞에 제기된 가장 중요한 기본적 과제이다。이 과업의 실천은 무엇보다도 우리 문학예술의 발전을 저해하는 자연주의 형식주의 꼬스

모뽀리찌즘등 일체 반동적인 것과 낡은 잔재의 완전한 숙청으로써만이 가능 하다。우리 문학예술에서 자연주의 및 형식주의와의 투쟁은 곧 계급투쟁이며 새 것과 낡은 것과의 투쟁이며 전형 창조의 투쟁이다。 오늘 우리의 영웅적 시대는 무한한 문학예술의 소재들과 형상들로 충만되여 있다。사회주의 레알리즘의 창작 방법은 새로운 환경 속에서 새로운 전형들을 창조할 것을 요구하고 있다。이 요구에충실히 복무하기 위하여서는 우리 작가 예술가들이 우리의 지위에서 벌어지고 있는 모든 현상들의 본질을 파악한 기초 위에서 전형적인 것과 비전형적인 것을 분간할 줄 알며 사멸해가는 모든 낡은 것들과 시시 각각으로 생성하며 발전하는 새 것들을 구별하는 능력을 소유하는데서만이가능하다。이 능력을 소유하기 위하여 우리 작가예술가들은 맑쓰-레닌주의 세계관으로 자기를 더욱 튼튼히 무장하는데 더욱 노력할 것이며 현실속에 대담하게 들어가야 할것이다。

사회주의 레알리즘의 창작 밤법은 내용과 형식의 변증법적 통일의 완성을 요구하고 있다。우리작가 예술가들은 새로운 현실이 요구하는 새로운 형식을 부단히 연구 탐색할 것이며 우리 문학예술작품들의 정치성 예술성의 제고를 위하여 정력적인 노력을 경주할 것이다。

열째、우리 작가 예술가들은 백전 백승의 학설이며 현실에 대한 옳은 파악을 주는 맑쓰-레닌주의 사상으로 더욱 튼튼히 자기를 무장 해야 한다。맑쓰-레닌주의를 리해하지 못하고는 현상을옳게 파악 할수 없으며 우리들의 창조 사업을 사회주의 레알리즘의 요구에 적응 시킬수 없다。때문에 맑쓰-레닌주의로 무장한다는 것은 곧 작가 예술가들의 창조 사업의 질을 높이는 문제와 일치 된다。우리들은 맑쓰-레닌주의를 교조식으로 학습하는 경향들을 일소하고 현실에 결부시킬줄 알아야 하며 우리의 문학예술 창조 사업에 활용 할수있게 그의 본질을 파악함에 특별한 노력을 경주할 것이다。

대회는 전체 작가 예술가들이 전후 조국에 조성된 새로운 력사적 환경과 웅대한 복구 건설 위업에서 제기되는 자기의 영예롭고 고귀한 사명을 관철하기 위하여 당과 수령의 기치를 더욱 높이 들고 왕성한 창조 사업에서 거대한 승리적 성과를 달성하기 위하여 총진군할 것을 호소한다。

一九五三・九・二七

아동 문학의 전진을 위하여

리 원 우

一、비평 사업을 강화하자

아동들은 문학 작품들을 읽고난 뒤에 거기에 씌여진 내용들—즉 새 생활 정서에 대하여 말하며 그 주인공들에 대하여 열성 적으로 토론하기도 하며 혹은 사랑하기도 하며 혹은 비난하기도 한다.

이렇게 문학 작품들은 그들 사이에 있어서——그들을 민주주의적 새 도덕 정서로 배양함에 있어서 구체적 역할을 놀고 있다.

그러므로 우리들은 아동들에게 질적으로 고상한 작품을 주기 위하여 배가의 노력을 해야 될 것이며 늘 게을리지 않고 자기 자신들의 쓴 작품들을 분석하고 비판해 봐야 할 것이다.

그것은 아동 문학의 과업이 아동들을 민주주의적으로 교양하며 그들로 하여금 장차 자기 사업에서 능수가 되게 하며 어떠한 난관이든지 두려워하지 않고 극복하여 나가는 새 형태의 인물이 되도록 교양함에 있어서 국가에 이바지 하도록 함에 있기 때문이다. 이 목적을 떠나서 아동 문학이 있을수 없다.

그럼에도 불구하고 우리들은 그 동안 아동들에게 주는 문학 작품들에 관하여 랭담하였었다. 그것은 발표된 작품들에 대하여 구체적인 비평 사업이 극히 미약하게 전개된 것으로 표현되어왔다. 그것은 아동들에게 질적으로 낮은 작품이 흘러 들어가도 관계 없다는 태도의 표현이 아니고 무엇인가?

평론가들을 보고 아동 문학에 관한 평론을 써 달라고 부탁한즉『우리는 아동 문학을 잘 모르기 때문에……』라고 겸손한 어법으로 거절하며 직접 아동 문학 전문가들에게 평론을 부탁한즉 그때엔『우리는 평론가가 아니기 때문에』쓰지 못하겠다고 점잖게 거절한다。그러면 누가 평론을 쓴단 말인가。아동 문학을 잘 모르기 때문에——평론가가 아니기 때문에——어쨌던 이것은 아동 문학에 대한 비평 사업을 강화하는데 도움을 주지 못하는 방관적 태도에서 나온 말들이다。

이래 저래 아동 문학 분야의 비평 사업은 그 동안 합평회 형식을 통하여서만 많이 진행되는 편이였고 평론 형식으로는 많이 전개되지 못하였었다。

이 결과는 합평회에 참가할 수 없는 지역에 사는 작가들과 새로 나오는 신인들로 하여금 이미 비판된 부정적 경향을 되풀이 하게 하였으며 리론적 무장이 없이 창작에 골두케 하였으며 수많은 독자들(아동들)에게는 작품 분석과 평가에 관한 기준을 주지 못하였다。

그러므로 우리들은 앞으로 비평 사업을 전개함에 있어서 한 가지 방식 합평회 형식에만 의존할 것이 아니라 평론 형식에도 많이 의존해야 될 것이다。

우리들은 평론의 내용을 풍부히 하기 위하여 평론에다 합평회에서 토론 종합된 진리들을 반영하는것이 좋겠다고 생각한다。그것은 평론에 어느개인의 그릇된 리론이 등장할 수 없게하기 위한 하나의 방법으로도 될것이다。합평회의 결론들은 원칙적으로 대중의 광범한 의견을 반영하고 있으며 격렬한 리론 투쟁을 거쳐 쟁취된 통일된 의견(목표)인 까닭이다。

어쨌던 우리들은 비평 사업을 강화해야 할 것이다 작품 상에 표현된 조그마한 새 것이라도 옹호해 주며 또한 조그마한 낡은 것이라도 무자비하게 폭로 분쇄하는 비평 사업이 강력하게 전개되지 않고는 아동 문학은 한걸음도 전진할 수 없을 것이기 때문이다。

아동 문학 十一집에는 전쟁 기간에 나온 아동 문학 작품들에 대하여 총화 비판한 평론이 게재되어 있다。

거기엔 아동문학이 나갈 기본 방향이 구체적으로 제시되어 있고 싸우는 조선의 아동 문학의 특정적 성격이 분석되고 있다。

그렇지만 이 평론은 전쟁 기간에 나온 전채 작품들에 대한 총화적 방향에서 씌여졌기 때문에 작품 분석에 있어서 날카로운 구체성을 보이지 못하고 있다。

우리는 앞으로 한 편의 동요와 한편의 동화와 소년 소설에 대하여 깊이 분석하는 전문적 평론들을 계속적으로 내 놔야 할 것이다。

二、동요 동시에 대하여

아동문학 十一집에 게재된 동요들과 동시들의 특징

은 누구에게 주는 노래인가? 즉 그 대상이 명확하여 졌다는 점들이다。

동요 동시들이 자기의 대상을 명확히 결정하기 시작했다는 것은 우리 작품들의 진전을 의미한다。

아동들은 한 계층이 아니고 여러 계층이다。우리는 이 여러 계층의 아동들에게 한 가지 노래를 줄 수는 없는 것이다。유치반 어린이들과 인민 학교 아이들 간에는 먼 거리가 있으며 같은 인민 학교 아이들 간에는 1학년 학생과 5학년 학생 간에는 인식 판단、지식의 차이에 있어서 엄청나다。우리가 아동이라고 부르는 대상은 이러한 구체적 계층의 총체를 말하는 것이다。그러기 때문에 동요 동시들이 자기의 대상을 명확하게 파악하였다는 것은 구체성을 띠기 시작 하였다는 것을 의미한다。

송창일 작「해바라기」와、강효순 작「작은 오빠」와 김신복 작「동생의 꿈」과、서준길 작「집오리」와、김정태 작「인민 군대 놀이」등등은 유치반 어린이들에게 주는 유년 동요다。

김우철 작「벼낟가리」및「영예군인 아저씨들」과 리맥 작「제비 비행기」와 박명도 작「엄마야」와 티원우 작「학교 놀이」등은 인민 학교 3학년 내지 4학년 정도까지를 대상으로 한 동요 동시들이다。

그러면 이 동요들과 동시들은 자기의 대상들에게 무엇을 주고 있는가? 강효순 작「작은 오빠」엔 유년 아동의 눈을 통하여 본 작은 오빠의 성장면、즉 학교 학생이 되기 전 날의 작은 오빠의 생활 모습과 학생이 된 이후의 생활 모습이 대비되어 있다。

욕심쟁이 작은 오빠
학교 학생 되더니
작은 사과 제가 먹고
큰 것을랑 나 줘요

(註 解放新聞 一월七일호전재)

작가는 이와 같은 대비를 통하여 수많은 유년 아동들에게 그들도 능히 실천한 수 있는 범위 안에서 민주주의적 도덕성의 고상성을 가르쳐 주고 있다。즉 잠꾸레기는 나쁘며、부지런한 사람이 좋으며、욕심쟁이는 나쁘며、동생에게 큰 사과를 주는 사람이 좋으며、쌈꾸레기는 나쁘며、동네 애들과 으손도손 노는 그런 아이가 좋다는 도덕적 기준을 가르쳐 주고 있다。이와함께 이 동요는 학령전 유년 아동들에게 학교는 좋은 사람이 되는 곳이라는 것을 가르쳐줌으로써 학생이 되기 위한 준비 생활、즉 유치반 생활을 충실히 하도록 고무하고 있다。

그 밖에 김정태 작「인민군대 놀이」엔 두 아동의 군대 놀이를 통하여 치렬한 전쟁 환경 속에서도 씩씩히 **자라고 있는 조선 아동들의 모습을 보여주고 있다。**

영진이는 영웅 나라 꼬마 군대죠 어깨에는 노-란
큰 별이 반짝 총을 메고 걸어가다 납짝 엎더어
미국놈을 잡으려 기어가지요

옥순이는 꼬마 군대 간호병이죠 팔뚝에는 새빨간
적십자 마-크 약가방을 달랑 달랑 어깨에 메고
부상병을 구하려 달려가지요

(註 解放新聞三월十五일호 전재)

이 동요는 두 모습――즉 어깨에 단 노란 별을 반짝이며 총을 메고 걸어가다 납짝 엎더어 적을 무찌르며 기어 나가는 영진이의 모습과 다른 하나는 팔뚝엔 적십자 마-크를 달고 어깨엔 약 가방을 멘 옥순이가 부상병을 구하려 달려가는 모습을 노래 부르고 있다。

이두 모습은「인민군대 놀이」에 반영된 조선 인민군의 영웅성이다。

영진이는 미국놈을 잡으려 기어나가는 용감한 전사로 묘사되어 있고 옥순이는 부상 당한 동지들의 생명을 구하려 달려가는 용감한 간호원 영웅으로 묘사되어 있다。

이 동요엔 인민군대가 떨치고 있는 영웅성을 아동생활에 근거하여 아동의말로 노래되어 있다。즉 아동들이 자기의 생활 과정에서 아동식으로 창조한「인민군대 놀이」에 근거하여 두 아동 을노래 부름으로써 아동들의 정서 생활에「영진이식」용감성과「옥순이식」용감성을 불러 일으키고 있다。이것은 곧 자기의 대상을 구체적으로 파악한데서 거둔 이 동요의 성과다

그러나 이 동요엔 한가지 결함이 내포되고 있는바 그것은「군대 놀이」가 본시 가지고 있는 특징즉 집체주의적 협동적 공동 정신을 살리지 못한 점이다。만일 이 동요에 이정신이 안바침 되였더라면 영진이와 옥순이의 모습은 개별적 행동으로서가 아니라 집단적 군상 가운데서 더욱 뚜렷이 나타났을 것이다。

허다한「군대놀이」에는「진지 공격」、「도하 작전」「고지 방위」「사냥군조」등 전투 장면의 구체성들과 함께――협동 작전의 정신이 반영되고 있다。아동들은 여러가지 구체성을 띤 군대 놀이를 통하여 우선 무엇보다도 개인의 힘보다 집결된 힘이 크다는 것을 배우고 있다。그들은「군대 놀이」의 구체적 내용을 통하여 즉「진지 공격」、「도하 작전」、「고지 방위」등을 통하여 적과 싸워 이기려며는 무엇보다도 전체의 힘을 모은 굳센 힘! 조직적인힘이 필요하다는 것을 점차적으로 배우게 된다。

김정태 작「인민 군대 놀이」에는 군대놀이의 구체성(진지 공격인지 고지 방위인지의 구체성)을 통하여 영진이와 옥순이를 협등 작전에 나선 아이를 중

의 두 아이를 묘사하지 못한 그런 결함이 있다。만일 이런 점에 류의하였더라면 이 동요는 좀더 자기의 광채를 떨쳤을 것이다。

서준길 작「집 오리」엔 적을 미워하는 유년 아동의 심정이 땅굴 집에 와서도 함께 사는 집 오리를 통하여 나타나 있다。우리네「집 오리」는 땅굴 집에 와서도 나하고 함께 살며 땅굴 집에와서도 우리를 위하여 알을 잘 낳는다고 노래 부르고 있다。

이것은 적에 대한 증오심의표현된 아동의 감정이다 자기 집을 폭격한 적을 미워하는 아동일쑤록 땅굴집에 와서까지함께 사는 집 오리를 나의 가족처럼 사랑하는 것이다。

김신복 작「동생의 꿈」에는 순돌이 또래의 철 없는 꼬마 아이에게도 적을 미워하는 마음이 있다는 것이 묘사되어 있다。

간 밤에 내 동생 착한 순돌이 엄마하고 언니 사진 보고 있더니 반짝 반짝 빛나는 언니 훈장。제 가슴에 단다고 떼를 썼지요

미국놈 코주부 때려잡으면 언니처럼 금 메달 단다 했더니간 밤에 콜콜 자다 벌떡 일어나 미국놈을 잡았다고 고함 쳤지요。

이 동요엔 사진에 있는 훈장은 뗄수 없다는 것조차 모르는 철부지 순돌이 모습이 눈에 보이는듯 묘사되어 있다。

언니 사진에 있는 훈장을 자기 가슴에 옮겨 달겠다고 떼를 쓸 때——그 어머니의 사정은 딱하였을 것이다。

그 어머니는 미국놈 코주부를 때려 잡으면 언니처럼 훈장을 달 수 있다고 순돌이를 납득시킨다。순돌이는 방에 자다가 벌떡 일어나 미국놈을 잡았다고 고함 친다。

이 동요는 자기 내용의 중점을 철 없는 아이로부터 철 있는 아이로 발전하는 거기에다 두였다。이 동요는 이런 점에서 자기의 성과를 거두였다고 볼 수 있다。왜냐 하면 낮은 수준의 아동을 높은 수준의 아동으로 발전시켜 주려는 정신으로 전내용이 일관된 까닭이다。

그러나 이 동요엔 첫 련에서 둘째련으로 발전하는 사이에 있어야 될 중요한 것 하나가 제거되어 있다 즉 첫 련에는 사진에 있는 훈장을 떼여 달라고 조르는 아주 철 없는 순돌이가 묘사되어 있다。

그러나 둘째련의 내용은 너무 엄청난 비약이다。왜냐 하면 둘째 련의 내용은 순돌이 정도의 철없는 아이의 인식과 판단의 수준에는 부합되지 않는 비약

인 까닭이다。 사진에 있는 훈장을 제 가슴에 달겠다고 떼를 쓰던 아이가『미국놈을 때려 잡으면 언니처럼 금 메달을 달수 있다』와 같은 어머니의 말씀을 그렇게 쉽개 인식할수 있으며 또 꿈까지 꿀수 있겠는가? 어떻게 그렇게 낮은 수준의 아이가 어머니의 말 한마디로 대번에 발전할수 있였겠는가?

적어도 순돌이의 정도의 아이에게는 자기의 인식과 판단의 한계에서 일정한 발전 과정이 있였을 것이다 그러나 이 동요엔 그것이 제거되어있다。 그것이 제거되어 있기 때문에 어쩐지 꾸민 것 같은 인상을 주고 있다。

김우철은 동요「벼낟가리」를 통하여 자기 대상에게 공동 로력의 숭고성을 가르쳐 주고 있다。

그는 그것을 위하여 추수기에 현물세를 바치고 남은 볏단을 쌓고 있는 아동들의 즐거운 생활감정을 토대로 하였다。

현물세를 바치고 남은볏단을 앞 마당에 드높이 쌓아
올리자 던진다 받아라 세 들기째다 누나야 그만하
면 학교가보이니?
교실은 안 보여도 지붕은 보인다 벼낟가리를 쌓아

올리는 아동들의 공동작업은 명랑성을 띠고 있으며 그야말로 예술적이다。 한 아동들은 아래서 볏단을 노래가락에 맞추어 그야말로 예술적으로 던지고 있다。 그러면 낟가리가 점점 높아간다。 던진다 받아라 세 돌기째다。 누나야 그만하면 학교가 보이니 하고 아래 있는 어느 아이가 볏단을 던진즉 우에 서있는 아이는 그 볏단을 덤썩 받으며 뭐라고 대답하는가。

교실은 안 보여도 지붕은 보인다。 이렇듯 이 동요에는 대중성、생활성 이 있으며 그 밑바닥에는 집단적애국주의 정서가 물결치고 있다。 우리는 무엇 보다도 아동들을 집단적 애국주의 사상으로 교양해야 될 것이다。

우리는 계속하여 김학연 작「이기고 오세요」와 리석충 작「땅굴 속에서도 우리는 싸운다」와 박명도 작『엄마야』등에 관해서도 언급해야될것이다。

그러나 우리들은 비슷한 우결점들에 대하여서까지 일일이 언급할 필요가 없다고 생각한다。 김학연 작「이기고 오세요」와 리석충 작「땅굴 속에서도 우리는 싸운다」에 나타난 우결점에 대하여 간단히 언급한다음 다음 이야기로 넘어가자。

김학연 작「이기고 오세요」에는 얼마나 비행사가 되고 싶였던지 꿈에 비행기를타고 적기와 공중전을 하여 전과를 거두는 주인공의 심정을 통하여 작자는 하늘의 용사들에게 이기고 오세요 하고 부탁하는 그런 심정을 노래하였다。 이 동시는 아동들의 애국주의적 생활 감정에 근거하고 있다。

그러나 이 동시는 작가의 부주의로 인하여 작품의 주제는 제목이 제시하고 있는 바와 같이「이기고 오세요」인데 전체十一련중 九련까지를 꿈에 공중전하는 이야기로 소비하고「이기고 오세요」와 같은 중요한 부탁을 해야 될 마지막 두 련에 가서는 중요한 부탁을 잊어 버리고 있다。그 결과 이 동시는 제목과는 상관없이 되어있다。독자들은 작중 인물과 함께 비행기를 타고 九련까지 읽어가다가 一〇련부터는 길을 헤매게 되었다。차라리 적기를 쳐부시는 꿈 이야기하나만 썼어도 되였을 것이다。괜히 마지막 두 련을 붙였기 때문에「이기고 오세요」로도 되지 못했고「꿈 이야기」로도 되지 못했다。

주제가 분렬되지 않도록 우리들은 항상 주의해야 될것이다。

리석중 작「땅굴 속에서도 우리는 싸운다」에는 적들의 야만적 폭격 속에서도 굴하지 않고 학습 투쟁을 하는 아이들의 기개가 노래되어있다。

공화국 소년들은 전쟁 기간에 방공호 생활에 단련되였다。적기가 날아오면 방공호도 들어가고 적기가 사라지면 빛나는 태양이 바라보이는 방공호 바깥으로 뛰어 나온다。이러한 환경 속에서도 우리 아동들은 굴치 않고 공부하고 있으며 승리에 대한 신심을 잃지 않고 있다。작가는 이 동시에서 이것을 노래 불렀다。

이 동시는 아동들을 불굴의 애국주의에로 불러 일으킬 것이다。그러나 이 동시에는 땅굴집에서도 싸우고 있는 전체 소년들의 기개를 노래 부르기 위하여 ──주인공을 내어 놓지 않았다。즉 주인공의 생활(땅굴 집에서도 씩씩히 싸우는)의 일면을 내어 놓으면서 그 주인공의 생활 감정을 통하여 이상의 내용을 노래 했으면 독자들의 받는 감흥은 절절 했을 것이다。

주인공의 생활 감정에 의거하지 않았기 때문에 강한 사상성을 가진 구절들이 생경성을 띠게 되였다。

우리는 싸우자 싸우자
싸우고 싸우고
싸워 이기자……。

와 같은 구절이 만일 주인공의 생활감정에 의거한 부르짖음이라면 조금도 생경하지 않았을 것이다。

그러나 그런 웨침들이 주인공의 생활 감정에 뿌리를 박지 않았기 때문에 독자들은 생경한 구설로 느낄 바께 없다。

그러면 다음 이야기로 넘어가자。

아동문학 十一집에 게재된 동요 동시들을 읽고 우리들은 무엇을 평가해야 할것인가?

우리들은 자신을 가지고 말할수 있다. 우리 동요 동시들은 이상에서 론평한 바와 같이 우점과 결점을 동시에 가지고 있다. 그러나 우리 동요 동시들은 부분적인 결함들을 가지고있으나 자기의 우수한 내용과 형식을 봐란듯이 쟁취하고 있다.

즉——대상을 구체적으로 파악하기 시작한데 있어서와 낮은 수준에 있는 아이들을 항상 높은 수준에로 이끌어 주려는 정신으로 일관된데 있어서 작품들이 민주주의적 도덕성을 띠기 시작했다는 것을 말해야겠다.

또 동요 동시에 있어서 가장 중요한 음률 문제를 우리 동요 시인들은 아동들의 생활 속에 찾고 있는 점이다.

우리 동요 동시들이 거두고 있는 성과는 내용과 형식에있어서 대개이러하다.

이것은 무엇을 말 하는성과인가?

이 성과는 우월한 민주주의 제도를 사수하기 위하여 궐기하고 있는 작가들이즉 조선 아동들의 행복을 위하여 싸우는 투사로서의 작가들이 아니고는 거둘 수 없는 성과이다.

우리 동요 시인들은——무엇보다도 우리의 승리를 위하여 아동을 보는 기본 관점, 기본 태도에서부터 계급적 립장에 튼튼히들 서 있다.

즉 여러 계층의 아동들을 개개인으로 분산된 자언 발생적 상태로 보는 것이 아니라 국가적 배려에 의하여 조직적으로 교육되고 있는 즉 집체주의적 환경 속에서 자라고 있는 아동들로 다시 말하면 우리 아동들의 생활의 전 체계를 우리의 우수한 민주주의 제도로써 보고 있는 점이다.

인민이 정권을 쥐고 있는 우리의 제도에서는 국가적 방조의 범위 밖에 서 있는—그런 개개인의 상태로서의 아동은 없기 때문이다.

그러나 보라 조선 八백만 아동들의 미래와 행복을 반역하고 미제 침략자들에게 복무하고 있는 남반부 반동 작가들을 보라. 그들은 아동들을 영원히 개개인으로 분산된 자연 발생적 상태로 두기 위하여 개개인 아동들의 극히 사소한 신변적인——사실들 젖먹이들의 응석, 울기쟁이, 밥투정 하는 아이들의 세계를 천진란만하다고 례찬하고 있다. 따라서 그들의 작품엔 한푼어치 도덕성도 없다.

우리가 아는 바와 같이 아동들은 분산된 개개인의 상태로는 일보도 전진할수 없다.

침략 정권 하에서는 한 춤도 못되는 민족 반역자 지주 자본가들의 아들 딸만이 공부할 혜택과 병 나면 고칠수 있는 혜택을 받고 있고 수백만 근로자의 아들 딸들은 버림을 받고있다。

즉 수백만 아동들은 국가적 방조의 범위 밖에서 개개인의 상태에서 로두에 헤매고 있으며 굶어 죽고 있으며 병 나 죽고 있다。 그들은 이와 같은 죄악적 정책을 영구화하기 위하여 개개인으로 분산된 상태의 아동 세계를 리상적인 것으로 보며 아동들 가운데서 침략정책을 반대하는 혁명적 아동들이 나올 것을 두려워 하여 그들의 작품 테마는 늘 응석 부리는 아기 울기쟁이 떼쟁이 욕심 꾸레기 아장 아장 아장우리 아기 등의 세계이며――이와 같은 극히 사소한 신변적인 세계를 정치와고립된 상태에서 사진 찍고 복사하고 있다。

그러기 때문에 우리 동요 동시가 거두고 있는 성과――우리 사회제도의 우월성을 긍정하며 침략자들을 증오하며 폭로하고 있는 그 내용들은 조선 八백만 아동들의 행복을 반역하고 있는 자들이 쓴 사기 문서(문학이 아니라 사기 문서다)에 대한 타격이다。

뿐만 아니라 우리 동요 동시가 거둔 성과는 아직도 낡은 동요 동시의 세계에서 뛰어 나오지 못하고 있는 부분적 작가들에게 대한――어서 잠을 깨라는 경종으로도 될 것이다。

동요 시인 윤복진은 그의 일련의 작품들에서 낡은 동요의 세계에서 답보하고 있다는 것을 보여주고 있다。 그가 즐겨 찾는 동요의 세계는「아장 아장 우리 아기」의 세계다。 그는 어느동요에 있어서나 이런 세계를 반복하고 있다。

두리 둥둥
북 울려라

아장 아장
우리 아기

금별 달랑
가슴에 달고

우쭐 우쭐
나가신다。

(우리 아기 영웅 아기)

어디에 영웅 아기가 노래 되여 있는가? 작가는 저혼자 북을 치며 아장 아장 걷는 우리 아기를 세상에 광고하고 있다。

그는 이 동요에 있어서 아장 아장 우리 아기를 완상하고있다。 우리는 아기를 완상하는 사람들이 아니다。

우리는 아기를 교육해야 될 사람들이다。

우리는 아동들을 위하여 항상 새것을 제시해야 한다。 그것은 아동들을 현재의 상태로부터 높은 곳으로 이끌어 줘야 할 목적에서다。

우리들은 욕심을 부리는 아기들과 응석을 피는 아기들을 귀엽다고 사진만 찍을 수 없다。

우리들은 우리들의 민주주의 제도를 더욱 공고화하기 위하여 그 초석인 아동들을 항상 교양해야 할 것이다。

그러기 위하여 우리 동요 동시의 우결점을 분석하고 우리 성과인 우점들을 더욱 확대하기에 노력해야 될것이다。

三、계급적 관점에 대하여

아동문학十一집에는 소년소설三편과 아동극一편이 게재되어 있다。 임원호 작「남이와 썰매」와 김련호 작「꼬마 동무들」과 송창일 작「언제나 그리운 얼굴」과 리진화 작 동극「선물」등 인바 이 작품들엔 작각 자기의 모랄 (도덕성) 들이 강조되고 있다。

에쓰·마르샤크는 작품에는 도덕성이 있어야 된다고 강력하게 주장하면서 다음과 같이 말 하였다。

『만약 작품에 도덕성이전혀 없다 던가 혹은 뒤집혀졌다던가 하면 안될 것이다。 도덕성이 거꾸로 되였거나 혹은도덕성이 결여된 것은——이것은 문학에서 시작되는 부패의 첫 징조인 것이다』

우리 소년소설들이 작중 인물들을 통하여 어떤 것이 좋으며 어떤 것이 야비하다는 것을 제시하기 시작했다는 것은 아동문학의 일보 전진을 말한다。

임원호 작「남이와 썰매」는 주인공 남이를 통하여 자기 썰매는 자기 손으로 만든다는 자립적 정신과 그것이 오그라졌을 때도 역시 자기의 손으로 고친다는 로력적 정신을 강조하고 있다。

김련호 작「꼬마 동무들」은 주인공 용이와 철이를 통하여 집단적 유회 (소년단원 이전 아동들의 六·六절가장 행렬) 과정에서 창조되는 새 우정을 표현하고 있다。

송창일 작「언제나 그리운 얼굴」엔 주인공 혜숙이를 통하여 학습 투쟁에서 거둔 우수한 성적을 가지고 자기들의 명절 국제 아동절과 소년단 돐 맞이날 六·六절을 기쁨과 감격으로 맞이하는 조선 소년소녀들의 전형적 모습이 형상화되어 있다。

혜숙이는 미국 강도들과 싸우다가 전사한 아버지를 생각하며 그 원쑤를 갚기 위하여 날마다 열성적으로 공부한다。 그는 서로 공부 잘 할것을 굳게 약속한 쏘련 소녀 리-다를 생각하며 날마다 열성적으로 공부한다。

(以下는 다음號에 계속)

—편집후기—

대회이후 석달이 지났다。마음을 되도록 사로잡아 한 텃기없는 청년의 마음으로 지나간 석달을 돌아 본다。

괭개치지 않으면 안될 밉살스러운 꼬락서니가 마음을 여이는듯이 날카롭게 치박힌다。—거기엔 깨트려 내지 않으면 안될 어구센 벽이 역시 앞에 안타깝다。 모두 만나면 무엇인가 새롭고 활기찬것이 금시에 솟아날듯 서로 마음을 들떠우다가도 연신、말은 일만 무거운것 같아 그자리에 주저앉고 만다。

—그럴때마다 낡고 무딘 자기의 갈날을 미워하는 마음은 컸다。그리고 빨리 서슬푸른 날창으로 닦아세우지 않으면 안되겠다고 생각했다。 기관지 〃조선문학〃을 편집하면서 다섯번의 상임위원회를 가졌었다。 한가지식 일을 떼어 맡어 우리들은 되도록 이것이 무엇보담 우리 조직을 강화하고 힘있는 것으로 키워내는데 크게 도움으로 될것을 빌였다。

그동안 무엇보담도 우리들을 채쭉질한것은 지역의 써ㅡ클동무들이다。 동무들이 밤낮으로 애써 키워내는 써ㅡ클기관지를 손에 들때마다 우리는 몇배로 힘을 돋구었다 ㅡ겨우 지금에야 보게되는 이창간호가 학수고대하던 동무들 기대에 얼마나 보답할지? 더구나 이번에는 인쇄의 날짜관계로 써ㅡ클지에서 작품을 한편도 전재하지 못하였다

〃조선문학〃은 무엇보담도 써ㅡ클동무들의 좋은 벗으로 되지않으면 안될것이고 그러니만치 보담 더한 동무들의 성원과 협력을 바래마지않는다。

우리들은 자기의 작품이 싸우는 대중의 대렬속에 날카로운 무기로써 제공될것을 가장、큰자랑으로 생각한다。그러기때문에 우리 기관지는 그 무기를 닦고 훈련하는 마당으로 삼는것이다。

또 그 마당은 우리의 조직을 싸울수있는 전투적인 것으로 강화시키는 중요한 힘으로도 될것이다。

一九五四년 三월十五일 인쇄
一九五四년 三월十六일 발행
(값 五〇원)

조선문학・창간호

편 집 남 시 우
인 쇄 해방신문사 인쇄소
발행소 東京都港區芝新橋七ノ一二
文藝總內 재일 조선문학회

고대하든 조국영화가

또왔습니다

(1953년도 극예술영화 三편)

기록영화

정찰병

극영화

극영화

비행기사냥꾼조

문의는 중앙영화위원회

재일조선영화인집단

東京都港區芝新橋７ノ１２

조선문학

재일조샌문학회

조 선 문 학

제2호 —목 차— 1954·5

——컷·삽화 조 량 규——

예전 시인들은
로동과 땀내를
시가의 주검이라 하였다。
허나 우리는
「작업량」을 말하련다。
「생산능률」을 웨치련다
으스름한 밤、
달콤한 사랑 한숨에서가 아니라
땀 흐르는 직장에서
참된 노래를 듣는다
…………
이땅의 예술가들이여!
높은 정열을 노래하려면
힘이 솟구치는 선을 보이려면
억찬 리듬을 찾으려면
여기로 오라!
자유 로력의 현장으로!

(조기천「생의 노래」에서)

컷・枝川동포부락 ―조량규 그림

문단련결성대회에 보내온

한설야선생의 편지

친애하는 동지들!

남다른 환경속에서 새로운 민족문화의 개화 발전을 위하여 불굴의 투쟁을 계속하여 온 재일 전체 조선문화인 동지들에게 전투적 인사를 보냅니다 갖은 고난속에서도 자기들에게 부과된 과업을 성과적으로 수행하여온 당신들이 자기들의 사업을 총화하며 그 기초위에서 문화전선의 통일을 가지게 된것은 실로 중대한 의의를 가지는 사건으로 되는것입니다 즉 그것은 미제의 주구 요시다 반동정부가 일본의 재군비를 더욱 촉진시키고 있으며 재일 동포의 민주주의적 권리와 민족교육의 자유를 말살하며 재일 조선인들이 자기의 피와 땀으로 이룩해논 수많은 조선인 학교들을 폐쇄하려는 반동공세에 대하여 재일동포들이 총궐기한 오늘의 정세하에서 인민들의 눈이며 량심이며 그들의 선전자이며 조직자이며 고무자인 당신들의 조직된 량심의 동원이 더욱 간절히 요구되기 때문입니다 당신들은 일즉 일제의 조국 강점시기에 있어서도 그랬고 오늘 미제의 충실한 종복으로 되여있는 일본 반동정권 통치하에서도 새로운 인민적인 민족문화의 개화 발전을 위하여 싸우고 있는것을 당신들의 조국은 잘 알고 있습니다 조선민족의 경애하는 수령 김일성원수의 교시와 같이 당신들은 자기 조국의 평화와 통일독립을 위하여 싸우고 있으며 그 길은 바로 일본의 민주화를 위한 길과 유기적으로 련결되는 것이며 나아가서 세계평화를 위한 길로 되는것입니다 수령께서 일즉 말씀하신바와 같이 영웅인민이 가지는 예술은 또한 영웅적이여야 하며 세계 선진 대렬에 들어선 우리들의 문화는 또한 세계수준에 올라서야 합니다 조선의 문화부대는 이를 위하여 투쟁하고 있으며 또 이 일에서 자신과 긍지를 가지고 수령의 부름에 대답할수 있는 단결에 들어 섰습니다 오늘 조국의 조직된 문화부대들은 전후 인민경제 복구 건설과 조국의 평화적 통일독립을 위한 투쟁에 있어서 자기들에게 지워진 영예로운 임무를 수행하는 일에 총동원되어 있습니다 쏘련과 중국을 비롯하여 제 인민민주주의 국가와 평화를 사랑하는 세계의 선량한 사람들은 한결같이 우리 조국의 력사적 위업에 경제적 기술적 또는 문화적 온갖 방조를 주고 있습니다 우리는 조국 해방전쟁에서 승리한 것과 마찬가지로 전후 인민경제 복구 건설과 평화적 통일독립을 위한 투쟁에서 또한 반드시 종국적 승리를 쟁취하고야 말것입니다 친애하는 동지들! 나는 당신들이 여하한 고난속에서도 또 여하한 암흑속에서도 결코 그것에 굴하지 안하고 항상 광명을 향한 자기의 걸음을 멈추지 않은 영광스러운 조선민족의 한개 문화 부대라는 영예를 다시금 상기함으로써 당신들에게 부과된 사업에 더욱 높은 성과를 쟁취할것을 바라며 또 믿는바입니다 끝으로 나는 조선작가 예술인들의 이름으로 재일조선 문화인들과의 보다 긴밀한 련계를 가질데 대하여 피차 노력할것을 희망합니다 재일조선인 문화통일전선 만세! 재일조선 문화인들과 일본의 진보적 문화인들과의 친선단결 만세! 우리의 스승이며 경애하는 수령이신 김일성원수 만세! 영광스러운 우리조국— 조선민주주의 인민공화국 만세!

조선작가동맹 한 설 야

전진하는 조선문학

—一九五三년도 창작사업의 제성과—

한 설 야

一

조국 해방 전쟁에서 력사적 승리를 쟁취하고 전후인민 경제 복구 발전을 위한 투쟁에 총궐기한 영웅적 조선 인민의 장엄한 승리적 전진과 함께 우리 문학도 부단히 전진하고 있으며 발전하고 있다。언제나 현실에 튼튼히 립각하여 미동도 하지 않은 우리의 사실주의적 인민 문학은 우리 인민의 고상한 애국주의와 영웅주의를 진실하게 반영하면서 일찌기 우리 문학사에 있어 본적이 없는 드높은 질적 앙양의 길에 들어서고 있으며 당적 문학의 기치를 높이 들고 인민들에 대한 교양적 역할을 빛나게 수행하고 있다。이것은 바로 우리 문학이 공화국 북반부에서 날로 공고 발전의 길을 걷고 있는 인민 민주 제도에 그 토대를 두고 있으며 당과 경애하는 수령의 옳바른 지도에 립각하고 있는 때문이다。그리하여 우리작가 시인들은 장엄한 서사시적 현실 —우리 인민의 불굴의 투쟁 속에서 자기들의 다함 없는 창조적 정열의 원천을 찾았으며 우리 문학은 항상 당과 정부의 정책으로부터 출발하였다。지난 一년간에 거둔 문학적 제성과들은 이러한 사정을 여실히 증명해 주고 있다。

지난 一년 동안에 달성한 우리 문학의 제반 성과들을 총화함에 있어서 먼저 우리는 一九五三년의 한해는 우리 문학 사에 있어서 특기할만한 거대한 사변들로 충만되고 있다는 점을 지적하지 않을 수 없다。

이해는 조선 인민에게 있어서 력사적인 위대한 승리의 해로 되였다。조국의 자유와 독립을 수호하며 세계 평화를 옹호하기 위하여 일어선 조선 인민들의 영웅적 투쟁은 「세계 최강」을 자랑하는 야수적 미제 침략군의 침공을 분쇄하고 군사 정치 도덕적으로 적에게 막대한 손실과 수치스러운 패배를 줌으로써 정전 협정을 성립시키였다.

또한 이해는 조선 인민에게 있어서 거대한 력사적 전환기를 가져다 주었다. 조국 해방 전쟁의 승리적 종결과 함께 우리 인민 앞에는 새로운 력사적 과업이 제기되였다. 전쟁으로 인하여 혹심히 파괴된 우리의 인민 경제를 복구 발전시키여 우리의 민주 기지를 강화하며 조국의 전반적 공업화를 위한 력사적 건설 투쟁의 장엄한 첫 출발이 개시되였다.

또한 지난 해는 우리 문학 예술 분야에 있어서 대내적으로도 적지 않은 변동이 발생되였다. 즉 우리문학의 대오는 지난 해에 조직적 사상적으로 더욱 강화되고 단일화되였으며 사상 의지의 통일을 더욱 공고화하였다.

당 중앙 위원회 제五차 전원 회의에서 진술하신 수령의 보고 정신에 립각하여 우리 문학 예술 분야에서 치렬하게 전개한 사상 투쟁은 미제국주의자들의 사상적 종복들을 적발 숙청하였으며 부르죠아 이데올로기의 온갖 유해한 독소들을 무자비하게 폭로 규탄하였다. 주지하는 바와 같이 림화 도당은 우리 문학 예술 분야에 교묘하게 잠입하여 문학의 당성과 계급성을 거부하고 우리 문화 예술이 조국과 인민에게 복무하는 것을 그만두게 하려고 온갖 범죄적 책동을 감행했으며 자기들의 부르죠아 문학 리론과 창작 활동을 통하여 우리 문학에 서구라파 퇴폐 문학을 이식하고 우리 인민의 강철의 투지와 승리의 신심을 이식하고 우리 인민의 강철의 투지와 승리의 신심을 마비시키기 위하여 광분해 온 제국주의 앞잡이 들이였다. 우리 문학의 원쑤이며 인민의 원쑤인 이더러운 일당들을 숙청 제거함으로써 우리 문학은 그대오의 순결성과 통일성을 튼튼히 보장하였으며 자체내에 잔존하고 있는 일체 부르죠아 이데올로기-자연주의 형식주의 및 꼬스모뽈리찌즘적 요소들을 적발 비판함으로써 우리 문학의 력량은 더욱 강화되였다. 이것은 우리 문학이 대내적으로 새로운 앙양의 기초를 더욱 튼튼히 구축하였음을 말해주는 것이다.

한편 우리는 지난 해에 소집된 력사적인 전국 작가 예술인 대회와 문학 예술 총동맹의 발전적 해소 및 단일하고 강력한 조직체인 작가 동맹의 결성이 우리 문학의 비약적인 장성 발전에 새로운 가능성과 새 계기를 지여준 사실에 대하여도 언급하지 않을 수 없다.

전국 작가 예술가 대회는 조선 문학 예술이 八·一五 해방 이후 八년 동안에 달성한 빛나는 성과들을 민족적 높은 긍지와 자부심을 가지고 총화하면서 아직도 우리 문학 예술 부문에 존재하고 있는 결함, 일체 부정적 요소들과의 가강한 투쟁을 계속 전개할 것을 호소하였으며 작가 예술가들의 총력량을 전후 인민 경제 복구 발전을 위한 전인민적 과업 수행에 총동원하는 새로운 정세하에서 문학 예술의 역할을 더 한층 제고시키기 위한 구체적 과업들을 제시하였다. 대회는 전체 작가 예술가들이 전후 조국에 조성된 새로운 력사적 환경과 웅대한 복구 건설 위업에서 제기되는 자기의 영예롭고 고귀한 사명을 관철하기 위하여 당과 수령의 기치를 더욱 높이 들고 왕성한 창조 사업에서 거대한 승리적 성과를 달성하기 위하여 총진군할 것을 강조하였다.

대회의 결정에 의하여 우리 문학 예술의 조직적 및 창조적 력량이 비상히 장성하였음에 비주어 련합체적인 조직 체계인 문학 예술 총동맹을 발전적으로 해산하고 단일적인 각 동맹을 조직 개편함에 따라 결성된 작가 동맹의 신 발족은 우리 문학의 창조사업 발전에서 취해진 조직적 대책으로서 역시 획기적 의의를 가지는 것임은 물론이다.

이상과 같이 지난 해에 발생한 여러가지 사변들은 우리 문학의 보다 높은 발전을 위한 객관적 및 주체적 조건들로 되여 문학의 각 쟌르에 걸쳐 우수한 성과들이 쟁취되였으며 각 문학 작품들에는 승리적 전진을 계속하고 있는 우리 사회의 기본적 측면들이 진실하게 반영되였다. 다음에 지난 해에 거둔 우수한 문학적 성과들을 각 쟌르별로 총화해 보기로 한다.

二

시 문학。

지난 해에 우리 시 문학은 서사시와 서정시의 각 부면에서 자기 발전의 본 궤도에 튼튼히 올라서고 있음을 증시하였으며 자기의 창조 대상을 「인간」과 「성격」에 두면서 전형적 환경에서 전형적 성격을 창조하려는 활발한 노력들을 보여주었다.

지난 해에 우리 시 문학은 싸우는 조선의 전방과 후방 생활을 예술적으로 형상한 두편의 우수한 장편서사시를 세상에 내놓았다. 즉 민병균의 「어러리벌」과 「조선의 노래」가 그것인바 이 두편의 장편서사시는 작가 자신에게 있어서만이 아니라 우리 시 문학이 발전의 새로운 단계에 들어서고 있는 명백한 표현으로 된다.

서사시 「어러리벌」은 전쟁중 공화국 농촌의 주인으로 되여 식량 증산 투쟁에 궐기한 우리 녀성 농민들의 고상한 애국적 기상 강의한 불굴의 투지 혁명적 락관주의 정신을 진실하고 생동하게 반영하였으며 작자는 주인공「유만옥」의 형상을 혁명적 발전과정과 새 것과 낡은 것과의 투쟁 속에서 묘사하면서 그의 투쟁을 전쟁 승리를 위한 전인민적 투쟁을 객관주의적 방관자의 립장에서가 아니라 깊은 공감과 사랑으로써 노래 부름으로써 사실주의 문학의 기치를 높이 들었다。그러므로 서사시「어러리벌」은 그 구성과 인물 형상에 있어서 아직도 해결되지 못한 몇개의 결함들을 내포하고 있음에도 불구하고 그 주제의 적극성과 인물의 전형성에 있어서 그리고 인민생활 속으로 깊이 침투하려는 작가의 높은 인민적 립장에 있어서 확실히 조국 해방 전쟁 과정에서 우리 시 문학이 거둔 성과의 하나이다。

「어러리벌」이 우리 시 문학에서 농촌을 주제로한 첫 서사시라면 장편 서사시「조선의 노래」는 오늘 우리 인민의 불타는 념원인「조국의 통일」을 주제로한 서사시다。「어러리벌」이 싸우는 영웅적 후방 인민들의 무비의 헌신성과 기적적인 로력 위훈을「유만옥」을 중심으로 하여 어러리벌에서 전개된 하나의 구체적 투쟁 현실을 통하여 예술적으로 형상하였다면「조선의 노래」는 영웅 조선의 싸우는 전방의 장엄한 투쟁 화폭을「장명」과「한순」을 통하여 묘사하면서 조선 인민의 불굴의 영웅주의와 조국 통일을 위한 불타는 숙원과 조선 민족은 하나이며 조선 인민은 불리될 수 없다는 사상을 힘차게 노래 불렀다。

「조선의 노래」의 기본 파포쓰는 우리 인민의 가장 절실한 념원이며 우리 투쟁의 종국적 목표인 조국의 통일에 있는바 이 시편을 펼쳐 들면 그 첫 줄에서 마지막 장면에 이르기까지 조국 통일에 대한 작자의 열렬한 감정이 절절 구구 독자의 가슴을 친다。유구한 력사를 통하여 조선은 하나였고 또 반드시 하나여야 한다는 조선 인민의 기본 감정은 진해로 마산으로 숨 가쁘게 진격하는「장명」의 형상을 통하여 심오한 예술적 구현을 얻었으며 제一차 진공시 우리 매개 전투원들이 발휘한 그 초인간적 용감성과 영웅성의 깊은 근원도 바로 여기에 있다。이러한 감정은 비단 진격의 길에서 우리 전투원들을 찬란한 위훈에로 고무하였을 뿐만 아니라 간고한 후퇴의 길에서도 그들로 하여금 무비의 완강성과 인내성과 의지력을 발휘하게 한 원천이라는 것을 작자는 또한 보여주고 있다。

이 작품에 나타나는「장명」과「한순」은 영웅 조선이 낳은 우수한 아들 딸들이며 그들 속에는 공화국 북 반부와 남 반부에서 자라 한가지 목표를 지향하며 싸우는 우리 젊은 세대들의 정신적 면모가 집약적으로 반영되고 있다。 그들 간에 맺어지는 사랑은 개인적인 사랑도 목가적인 사랑도 아니다。 그들의 사랑은 바로 투쟁 속에서 싹트고 자라난 사랑이며 조국애와 조국 통일에 대한 지향과 깊이 련결되여 있다。 우리 문학에서 종래 인간의 내면 세계에 대한 심오한 리해가 부족하였으며 인간의 정신 생활에서 중요한 자리를 차지하고 있는 애정문제에 대하여 새로운 시대적 각광을 부여함이 적였다고 하면 이 작품은 바로 그러한 부족점들을 타파하였을 뿐만아니라 조선의 젊은 세대들의 새로운 사랑 새로운 륜리에 높은 예술적 형상을 준 점에 있어서 획기적 의의를 가지는 것이라고 말하지 않을 수 없다。

지난 一년간에 있어서 우리 시 문학의 성과를 이야기할 때에 우리는 반드시 홍순철의 시집「영광을 그대들에게」에 언급하지 않을수 없다。

오늘 우리 시 문학에서 국제주의 사상에 관한 테마는 기본적인 테마의 중요한 자리를 차지하고 있는바 시집「영광을 그대들에게」는 이러한 테마를 취급한 중에서 거둔 우수한 성과이다。

고상한 국제주의 사상으로 일관된 이 시집은 작자가 조선 인민 대표단 단장으로서 전우의 나라 중국을 방문하였을 때 창작한 것으로서 조중 량국 인민의 혈연적 우의와 오랜 전통을 가진 친선의 감정이 줄기차게 흐르고 있다。 이 시집이 五억만 형제적 중국 인민들로부터 얼마나 높은 찬양과 애송을 받고 있는가 함은 중국에서 번역 출판되여 이미 판을 여섯번 거듭하고 있는 사실로써도 충분히 설명된다。 이 시집은 비단 조중 두 나라의 국토와 국토가 서로 린접해 있을 뿐만 아니라 조선 인민과 중국 인민의 슬픔과 기쁨、지향과 념원、리해와 운명이 완전히 하나라는 감정과 사상으로 일관되여 있다。 그러기 때문에 지난 날 중국 인민들이 피로써 걸어 온 혁명의 길에서 조선의 우수한 아들 딸들이 생사를 같이하여 싸웠으며 우리 조국 해방 전쟁에서 중국인민의 용감한 아들 딸들이 조선의 고지를「우리의 고지」라고 불러 우리의 촌토를 가슴으로 지켜 싸웠던 것이다。 이 아름다운 사상이 시집「영광을 그대들에게」의 전편을 흐르는 기본 파포쓰인바 작자는「모택동 주석에게 드리는 노래」에서 항미 원조의 아버지인 모주석께 다함 없는 감사를 드리며「굽히지 않는 지팽이」에서 량국 인민의 혁명적 우의와 단결에 대한 력사적 전통을 노래불렀다。 그리하여 이 시집은 조 중 인민의 국제주의적 친선 단결을 더욱 공고화하는데 크게 기여하였다。

시인 김순석의 시집「영웅의 땅」에 수록된 일련의 우수한 작품들은 또한 이 기간에 거둔 우리 시 문학의 좋은 성과다.

작자는 고향에 대한 뜨거운 사랑을 가슴 가득히 안고『조선이면 어디에서나 만날 수 있는 정다운 우리 사람들을 만나려, 우리 사람들 중에서도 가장 진실한 로동 당원들을 찾아』『어랑천 물꼴을 따라 물녘에 앉은 적은 동네들과 첩첩 산중의 이름 없는 마을을 찾아』일시적으로 침공하였던 원쑤 미제를 물리친 영웅의 땅 어랑천을 노래한다. 이 시인은 이곳에서 수 많은 이름 없는 영웅들—인민들을 만났다. 시인은 이 이름 없는 영웅들을 무한한 사랑과 긍지로써 노래 불렀으며 이름 없는 영웅들을 낳아 길러준 아름다운 산천 초목 심지어는 푸른 창공과 붉게 타는 노을까지 깊은 애정과 섬세한 감정으로 노래하였다

이 서정 시편들의 주인공들은 숭고한 애국주의와 대중적 영웅주의로써 충만한 소박하고 겸손하고 진실한 수백만 보통 조선 사람들의 전형인 것이며 우리 나라의 주인들인 것이다. 이 사람들을 노래하는 작자의 아름답고 심도 있는 서정과 강한 형상력과 신선한 언어들은 우리 시 문학이 발전하고 있는 또하나의 표현인 것이다.

이밖에도 박세영의「나팔수」정문향의「동방홍」김조규의「승리의 력사」김북원의「다수확 농민」조벽암의「자랑하리라 우리 조국을」민병균의「습격의 밤」김순석의「섬」등 단시와 김홍의「즐거운 우리 생활」리선을의「저격수의 노래」김북원의「건설의 노래」신동철의「우리 중대의 노래」조령출의「곡산 공장의 노래」등 가사는 지난 해에 우리 시 문학에서 거둔 성과작들이다.

다음에 우리는 지난 一년간에 전선과 후방에서 풍만한 재질과 다채로운 개정을 가진 신인들이 속속 배출하여 우리 시 문학의 대오를 강화시킨 사실에 대하여 말하지 않을 수 없다. 이들 신인들은 풍부한 생활 체험과 예리하고 신선한 감성과 밝고 건전한 서정과 혁명적 락천성으로써 우리 시 문학을 풍부히 하여 주었으며 우리 문학의 앞길에 광활한 전망을 보여주고 있다.

김영철의 시「당과 조국을 위하여」는 八五四·一고지의 간고하고 가렬한 전투 환경에서 당과 조국을 위하여 마지막 피 한방울까지 다 바쳐 싸운 김성진영웅의 투쟁 모습을 그의 심오한 내면 세계를 통하여 생동하게 묘사하였는바 이 시에 취급된 사건이 더할 수 없이 비장한 것임에도 불구하고 그것이 조금도 읽는 사람에게 처참하고 애절한 느낌을 주지않는 까닭은 이시가 높은 혁명적 락천성으로써 일관되여있는 까닭이다.

박승수의「고향의 복수자」는 인민 군대 용사의

애국심과 불붙는 투지가 자기의 향토와 혈육에 대한 절절한 사랑과 혼연 일치된 경지에서 진실하게 표현되였으며 전병수의 「이 날개로 충성하리라」는 우리인민 군대의 용감한 매들이 자기의 모든 것을 아낌없이 수령과 당에 바쳐 싸우는 긍지감과 희열감이 남김 없이 표현되였다.

이러한 신인들의 작품은 오늘의 새 시대가 길러낸 새 인간들의 새로운 감정과 사상의 표현이며 우리 문학의 후대들이 믿음직하게 성장 발전하고 있다는 유력한 증거로 된다.

소설 문학.

지난 一년간에 우리의 소설 문학은 비록 그 량에 있어서 우수한 작품들을 많이 산출하지 못하였으나 그 질적 면에 있어서는 현저한 발전을 보여주였다. 우리는 이 방면에 있어서 먼저 황건의 중편「행복」을 들수 있다.

황건은 조국 해방전쟁 과정에서 우리 인민 군대들이 발휘한 고상한 애국주의와 대중적 영웅주의를 주제로한 우수한 작품을 많이 창작하였는바 중편「행복」은 이러한 주제를 새로운 각도에서 포착하여 풍부한 예술적 형상을 가하였다.

一九五〇년 가을 후퇴 직전의 한 야전 병원에서 간호원 공작을 하는 주인공 서례주는 우리 시대가 낳은 새로운 인간들의 모든 정신적 특질들을 소유하고 있는바 이 인물은 우리 문학에 가해진 또 하나의 긍정적 전형이다. 작가는 서례주와 그 밖의 작중 인물들을 통하여 우리의 젊은 세대들이 무엇을 사랑하며 어디에서 행복을 찾고 있는가를 면면한 필치로써 추구하고 있으며 이러한 사랑과 행복의 탐구자들이 현실 속에서 곤난과 애로에 부닥칠 때 얼마나 진지하고 용감한 투사로 성장하는가를 보여주고 있다.

서례주는 마음씨 곱고 겸손하고 자기사업에 열정적인 동시에 사랑하는 가족과 단락한 가정을 이루고 살 것을 꿈꾸는 한 평범한 보통 녀성이다. 그러나 미국 야수들이 그가 사업하고 있던 학원과 어린 학생들과 자기의 가족까지 짓밟고 학살했을 때 그의 가슴속에서 원쑤에 대한 증오심과 젊은 세대의 자랑인 순결한 애정의 감정은 하나의 조국애의 큰 감정으로 승화된다. 학원에서 전선으로 출동하여 간호원이 된 서례주는 밤잠을 자지 않고 자기가 맡은 환자들을 시중하며 자기몸의 피로를 생각지 않고 로동을 사랑하며 사람들에 대한 애정으로 충만해 있다. 그에게는 오직 자신도 용감히 싸우는 전사들과 같은 조선 사람이 된 긍지감, 조국을 위하여 복무하는 행복감만이 지배적이다. 그는 적탄에 맞아 생사 지경에서 헤매이면서도

『언니 날 불행하다고는 생각지 마세요. 지금 내 마음은 얼마나 기쁜지 몰라요』

하고 자기 동무인 정임이에게 속삭이는 것이다 실로 우리 시대의 젊은 사람들에게 있어서 조국을 위하여 자기의 모든 재능과 로력을 다 바치는 것 이상의 큰 기쁨과 행복은 또 있을수 없는 것인바 소설「행복」은 이와 같은 우리 젊은 세대들의 고상한 정신적 특질들을 심오한 내면 세계의 추구로써 형상하는데 성공하였다.

소설「행복」은 그 주제를 형상함에 있어서 왕왕히 우리 문학에서 볼 수 있는 생기 없고 따분한 외면적 묘사와 개념적 처리의 결함들을 극복하고 인물들을 그 풍부한 내면 세계에서 포착하여 높은 형상성을 준데 큰 의의가 있으며 이 점에 있어서 우리는 이 작품이 우리 소설 문학이 발전하고 있는 한 표현으로 인정하게 되는 것이다.

다음 우리는 후방 인민들의 애국적 투쟁 모습을 형상하는데 성공한 작품으로 천세봉의 중편「싸우는 마을 사람들」을 들 수 있다.

천세봉은 이 작품에서 적의 일시적 강점 시기에 발휘한 우리 애국적 농민들의 불굴의 투지, 용감성 애국심을 묘사하였다. 농민들은 마을에 적이 들어오자 가축까지 끌고 빨찌산을 따라 산으로 들어갔으며 그곳에서 무장을 갖추고 항쟁의 불길을 높이였다. 그중 일부는 추수를 위하여 적의 총검의 위험도 무릅쓰고 다시 마을로 나려왔으며 그들은 원쑤들의 야수적 탄압 속에서도 끝내 빨찌산 근거지를 말하지 않고 불굴의 투쟁을 계속한다. 마침내 빨찌산은 고향을 해방시키고 마을에는 승리의 날이 돌아온다.

이와 같은 사건들을 처리함에 있어서 작자는 사실적인 건전한 수법들을 보여 주었으며 작중 인물들을 묘사함에 있어서 생동하는 개성화의 작가적 기량을 발휘하였다. 작중 인물을 피가 뛰는 구체적 인간으로 묘사하는데 성공한 것은 이 작품의 하나의 공적이다.

작자는 적에게 고문을 받고 있는 최치부 농민을 묘사하는 장면에서 이렇게 그리고 있다.

최치부의 이마와 코에서 흐르는 피가 수염을 적시고 있건만 그는 조금도 굴하지 않고

『맘을 든든히들 먹어라, 아직두 이 기둥은 튼튼히 서 있다. 응, 우리네 기둥은 튼튼히 서 있으니까』

하고 최치부는 손으로 가슴에 안은 기둥을 붙들고 부들부들 어루만지며 군중을 내려다본다……

작자는 여기에서 최치부의 입을 통하여 공화국에 대한 꿋꿋한 신념을 뵈여 주었다.

특히 적의 강점과 함께 다시 고개를 쳐든 지

주와 경찰 대장 신치교와의 알력을 설정함으로써 본질적으로 나타나는 적 내부의 모순을 폭로하였다。

작자는 부정 인물을 전형화 하는 장면에서도 많은 주의를 돌렸다。즉 미군의 환영에 나갈 신치교의 옷차림에까지도 작자는 날카로운 주의를 돌렸고 마을 사람들을 동원하는데 있어서

『빨리 나와 빨리、지금 기차 고동 소리가 들리는데 뭣들 하는거야?』

하고 그의 상전에 대한 아첨과 물거품 같은 자기만족의 리면을 실감 있게 그리였다。

중편「싸우는 마을 사람들」은 이 작자에게 있어서 종래 나타나고 있던 현실 묘사의 산만성과 사상성의 부족점들을 극복하고 있으며 인물 묘사에 전형성을 부여하는데 일단의 발전을 보여 준점에 있어서 높이 평가되여야 할 것이다。

우리는 지난해의 문학적 성과를 말함에 있어서 풍자 소설의 출현에 특별한 주의를 돌릴 필요가 있다。만일 우리 문학에서 극히 락후하고 한산한 부문이 있다면 그것은 바로 풍자 문학에 해당한다。풍자 문학은 이처럼 우리 문학에서 버림 받은 분야다。이것은 우리의 현실에 풍자를 위한 재료가 결여된데 있는 것이 아니라 부정면에 대한 작자적 관심과 그를 풍자의 불길로써 불살러 버리려는 작자적 정열이 부족한데 기인하는 것이다。이러한 환경 속에서 등장한 김형교의 소설「뻑다구 장군」은 풍자문학의 좋은 시험이며 하나의 큰 자극으로 된다。

김형교 작「뻑다구 장군」은 미제 침략군과 그 주구 리승만 괴뢰군의 강도적 본질과 놈들의 부패상과 무기력、내부 모순 등을 풍자적 수법으로 폭로하면서 멸망의 길로 줄달음치는 놈들의 운명을 신랄하게 표현하였다。

이 작품은「리원진 장군」、쫀스、한부일、명호、철수 등 미제 침략군과 그 주구 리승만 괴뢰의 일련의 부정적 인물들에게 풍자의 각광을 쏟아부었다。작품의 사건은 미군 고문 쫀스의 세빠트가 살해되는데로부터 시작되듯이 마침내 개의 행동을 실지로 연출하며 뻑다구를 장사하는데로 발전하는바 이러한 사건과 구체적 인간을 통하여 놈들의 야수성과 무능력 부패상 멸망의 운명들을 풍자적으로 설득력 있게 묘사하였다。

비록 이 작품은 결함들이 허다하게 있으나 풍자문학의 발전을 위하여 하나의 반가운 수확이라고 말하여야 하겠다。

이밖에도 천세봉의 중편「흰 구름 피는 땅」단편「소나무」변희근의 단편「행복한 사람들」조정국의 단편「불꽃」등은 지난 해에 창작된 작품들

중 인민들을 애국주의 사상으로 교양함에 유익한 작품들이다。

우리 문학의 발전은 언제나 기성 작가들에게서만 기대되는 것은 아니다。이것은 신인들의 진출에 의해서 더욱 풍부화해진다。그러나 신인들의 진출은 그것을 자연 생장적으로 방임해 둘 때 지지함을 면치 못한다。여기에는 반드시 고무 추동하고 친절히 이끌어주는 조직적 지도와 방조를 필요로 한다。

과거 문예총 내의 종파분자들이 이 새로 자라나는 싹들을 짓밟고 있어서 신인들의 진출 사업에 막대한 지장을 주었으나 종파 도당들이 숙청되고 신인 육성사업에 대한 특별한 관심과 조직적 대책이 취해진 결과 소설 문학에서도 많은 신인들을 육성하기에 이르렀다。그 중 권정룡、박입리윤영 등은 이미 자기의 작품들을 발표하기까지에 이르렀다。

권정룡 작「도강」、리윤영 작「전우」등은 그 내용에 있어서나 기술에 있어서나 신인다운 참신성을 보여주어 앞으로의 창작 활동에 기대되는바 크다。

이밖에 작년도 산문 분야에서 또 하나 특기할 사실은 오체르크 창작에 대해서다。많은 작가들은 급격한 현실의 전변과 함께 오체르크에 대한 관심이 커졌다。그리하여 전쟁중에도 수다한 작품들이 창작발표되였으나 전후 인민 경제의 복구 건설과 관련된 작품 창작이 급속히 요구되면서 이 문학 쟌르는 더욱 작가들에게 광범히 리용되기 시작하였고 적지않은 성과를 거두고 있다。이 방면에서는 서만일의「행복의 원천」「빛나는 전망」「조국의 품안으로」한봉식의「로력 전선」윤시철의「두세계」「진실한 사람들 속에서」변희근의「위대한 초상」「할머니의 소원」천청송의「가교 공사장」김승구의「김책 제철소에서」리종민의「일어서는 원산항」등의 오체르크들은 시사성과 정치성이 풍부한 소재들을 높은 예술적 형상으로 반영하면서 우리 문학의 새로운 쟌르로서의 오체르크의 보다 높은 발전을 약속하여주었다。

극 문학。

작년도에 있어서 우리의 극 문학은 현실 반영에 있어서 랭담성과 무감동성을 제거하며 생동하는 현실을 낡은 작극술의 틀에 맞추어 넣으려는 일부 유해한 경향들을 극복하면서 현저한 발전을 보여주었다。그것은 우선 량에 있어 장막 단막을 통하여 활발한 진전을 보여주었으며 주제의 다양성으로서도 공전의 이채를 띠였다。

한 성의「바다가 보인다」는 일차 전역에서 우리인민 군대가 적을 밀고 락동강 계선에 까지

나갔을때 남해를 바라보는 마산 서북산 계선에서 벌어진 치렬한 전투를 취급한 작품으로 지금까지의 작품들이 다만 인민 군대의 영용성을 보여주는데 그치였다면 이 작품은 인민 군대의 다른 특성의 일면인 진술적 우세를 보여주었다는데 그 의의가 있다。 작품에 나오는 세 대대장이 가진 각이한 특성은 청소한 인민군대에 있어서 아직 종합적으로 단련되지 못한데서 기인하는 것인바 이에 비하여 사단 참모장은 이 세가지 품성을 구유한、전투에서 단련된 훌륭한 지휘관의 면모를 보여준다。 그는 이 세 대대장의 개성을 잘 료해한 기초 우에서 그들의 개성을 종합적으로 살렸을 뿐만 아니라 두려움을 모르는 용사들인 정찰병 습격 조원들의 초인적인 활동을 지휘하여 적의 의도를 간파하고 의표에 나가는 작전으로 이 전투를 승리에로 이끈다。 참모장을 통하여 볼수 있는 대담성 치밀성 능숙한 지휘력 부하들에 대한 어버이같은 사랑은 우리 인민 군대 장병들이 가진 고상한 품성이다。 이러한 특성들과 함께 이 작품에서 작가는 시정을담기에 노력했다。 이것은 물론 우리 희곡작품들에서 첫 기도가 아니며 시정이 흐르는 작품이 전혀 없였다는 것을 의미함은 아니나 허다한 작품에서 미약한 것이 사실이였던만큼 이러한 노력은 작품의 예술성을 높이는 의미에서 좋은 기도였다고 지적할 수 있다。

홍건은 청소한 신인으로 장막물인「一、二一一고지」를 들고 우리 문학에 자신있게 참가하였다。 一、二一一고지——조선 중부 동쪽에 솟아 있는 이 고지는 비단 조선 인민뿐만 아니라 세계에서 모르는 사람이 없도록 저명한 곳으로 되였다。이 고지에 적이 담아부은 철량도 천문학적 숫자이거니와 그들이 당한 유생 력량의 소모도 미증유의 것이다。 조선 전선의 성격을 집약적으로 표현한 이 고지 전투는 우리 조선 민족과 그가 낳은 우수한 아들 딸들인 인민군대의 영웅주의의 상징으로 되였다。 이 벅찬 소재에 용감히 뛰여든 신인 작가의 대담성과 그것을 잘 료리한 력량은 우리 문학의 해방후 발전 속도를 여실히 말해주는 자랑스러운 현상이다。

이 밖에 역시 인민군대를 취급한 주동인의 단막「돌격로」도 짧은 형식 속에 인민군대의 도덕적 품성을 잘 표현하였다。

차웅록의 단막「류벌장」은 류벌로동자들이 홍수를 무릅쓰고 류벌을 하며 전선에 목재를 보장하는 모습을 그린 작품으로 후방 인민의 전선 원호투쟁을 묘사한 작품들 중에서 거둔 하나의 성과이다。

다음에 또 한가지 특기할 사실은 수령의 호소를 받들고 많은 극 작가들의 민족 고전 계승에 동원된것이다。 그 중에서도 리조말 우리 선조들이 외적의 침범을 반대하여 싸운 력사적 사실을 희곡으로 한송영의「강화도」는 미제의 승냥이 같은 침략성은 옛날부터 그들이 가지고 있는 본성이며 우리 인민의 용감성 역시 전통적인 것을 보여주고 있다。 이밖에 김승구 조명출은 우리 민족 문학 고전의 우수한 유산의 하나인 춘향전을 가극 또는 씨나리오로 각색하였는바 두 작품은 모두 우리 민족이 가진 고상한 품성의 전통을 잘 보여 주었으며 리조 시대의 제도 문물과 민족 습관 및 당대의 계급적 제관계들이 맑쓰주의적 립장에서 정당히 해명되였다。 이상의 작품들은 지난해 우리 극작가들의 활동의 일부분에불과한 것인바 이것만으로도 극 문학분야에서의 전반적 성과를 엿보기에 넉넉한 것이다。 아동 문학。

작년도는 실로 우리 아동 문학이 발전을 위한 새전환의 길로 들어선 해다。 종래 아동 문학이 몇 명의 전문 작가에서 방임된채 수공업적 정체 상태에 빠져있었다면 작년도를 계기로 하여 아동 문학은 전체 작가들의 사업이 진행되였다。 특히 작년도 七월十二일에 광범한 주의와 관심을 이끌였으며 활발한 창조 사업이 진행되였다。 특히 작년도 七월十二일에 소집되였던 아동 문학관계자 회의는 아동문학 가운데 잔존하고 있는 기본 결함들을 사정하고 아동 문학에 대한 옳지 않은 무관심적 태도를 배격하며 우리 어린이들을 미래의 열성적인 민주주의 투사들로 교양함에 있어서 아동 문학이 가지고 있는 역할들을 제고시킬 일련의 대책들이 강구되였으며 이 회의를 계기로 하여 창조 사업이 활발히 전개되였다。

먼저 동요 동시 부문에서 거둔 성과로서는 리원우의 유희 동요「수박 따기 놀음」윤동향의 동요「기계 다루는 어머니」최석숭의 동시「김일성원수의말씀」김련호의 동시「징검다리」들을 들수있다 이상의 동요 동시들은 공화국의 인민 민주제도 속에서 명랑하고 쾌활하게 래일을 향하여 믿음성있게 성장하고 있는 우리 나라 아동들의 생활감정과 도덕적 품성들、로력에 대한 우애 정신들이 진실하게 표현되였다。

다음 소년 소설에 있어서는 황민의「땅크 놀음」최석숭의「복수의불길」김신복의「꼬마 공장」송창일의「산속의 원쑤를 잡은 이야기」들은 지난 해에 거둔 좋은 성과들이다。

「땅크놀음」은 어린이들이자기 고향을 강점했다가 쫓겨간 원쑤들에 대한 적개심을 지니고 땅크놀음을 하는 경위를 통하여 동심 세계를 진실하게 묘사하면서 아동들에게 민주주의적 도덕성을 생동하게 교양주는데 성공하였으며「복수의 불길」과

「교마 공장」은 전쟁 중에 공화국 어린이들이 원쑤들을 반대하여 용감히 싸우며 학습 생활을 멈추지 않고 진행한 불굴성을 묘사하였다。 그리고 「산속의 원쑤를잡은 이야기」는우리 어린이들이 간첩에 대한 높은 경각성을 가지고 산 속에 숨어 있는 원쑤들을 잡은 경위를 묘사함으로써 어린이들에게 주위환경에 대해 경각성 높은 눈으로 살필 것을 가르치고있다。

다음 동화에 있어서 구전 동화를 계속 발전시킴에 있어서 좋은 시험을 보인 강효순의「행복의 열쇠」와 신인 송정수의「어린 영웅들」과 소재를 현실 세계에서 취하면서 자연 과학적 관찰과 동화적 세계의 조화를 보이는데 성공한 박인범의 「누에와 파리」및 우화에 있어서 시 형식과 산문 형식을 배합하여 자미있는 풍자를 보인 리원우의 「높은 데 선 소나무」등은 지난해에 우리 아동문학이 거둔 성과작들이다。

이상의 작품들은 종래 우리의 아동 문학에서 성인의 개념과 사상을 아동들에게 무리하게 주입하며 아동들의 세계를 도식적으로 재단하는 그릇된 경향들을 시정하고 아동들의 생활에 침투하여 우리 나라에서 씩씩하게 자라며 배우고 있는 새 타입의 전형적 어린이들을 형상하면서 어린이들에게 높은 사상성과 도덕적 품성을 함양하는 것을 주안으로 하였다。 이것은 바로 우리의 아동 문학으로서의 특성을 살리면서 높은 단계로 발전하고 있음을 말해주는 것이다。

이상에서 우리는 지난 一년 간에 우리 문학의 창조적 제성과들을 개관하였는바 이 빛나는 성과들은 곧 우리 작가 시인들이 사회주의 레알리즘의 창작 방법에 튼튼히 립각하여 우리 당 문예 로선을 충실히 집행하였다는 것을 말해주는 것이며 우리 문학이 본격적인 발전의 새 단계로 확고히 들어섰다는 것을 실증하여 주는 것이다。

그러나 우리가 쟁취한 이상의 성과들은 다만 평온한 가운데서 자연 발생적으로 이루어진 것이 아니라 서두에서 언급한 바와 같이 우리 문학 예술 분야에 잠입하였던 파괴 암해 분자들 및 그 영향하의 졸도들과의 치렬한 사상투쟁의 승리적 기초 우에서 전취된것이라는 것을 반드시 명심해야하겠다。

지난 해에 거둔 우리 문학의 제성과들을 말할 때 우리는 한말로 그것은 바로 불꽃 튀는 사상 투쟁 속에서 이루어진 결정 들이라고 특징지을 수 있다。

三

우리 문학은 이상에서 본바와 같이 발전의 길 우에서 활기있게 전진하고 있다。 그러나 이 말은 우리 문학이 당과 수령이 요구하는 수준에 도달하고 있으며 인민들의 기대에 원만히 보답하고 있다는것을 의미하는것은 아니다。우리 문학엔 아직도 허다한 결함과 부족점들이 잔존하고있음을 지적하지않을수 없다。

우리는 이미 언급한 바와 같이 문학에서 당성과 계급성을 거세하며 고상한 민족적 전통을 말살하여 우리 문학의 사상적 무장 해제를 획책하면서 현실을 백방으로 의곡 비방하는 온갖 해독적 요소들을 부식하기 위하여 광분한 림화 도당들을 우리의 문학 대오에서 숙청하였다。그러나 사상 투쟁은 림화 도당의 숙청만으로서 끝나는 것은 아니며 적대 사상은 온갖 기회를 다 리용하여 머리를 들고 일어설 것을 시도한다。낡은 사상 의식을 근절함에는 오래고 완강한 투쟁이 요구된다는 것을 현실은 보여주고 있다。이것은 바로 우리 문학에서 부르죠아 이데올로기적 독소 및 자연주의와 형식주의적 경향이 부분적으로 아직도 농후하게 발현되고 있는데서 설명된다。그리고 이러한 유해한 독소들이 림화 도당과는 인연이 없는 것으로 인정되는 작가들의 창작 속에서 발현되고 있는데 문제의 엄중성이 있다。

이러한 해독적 경향의 대표적인 것은 우리 사회의 기본적 측면과 우리 인민들의 전형적 특질을 몰각하고 현실을 의곡하는데 있으며 우리의 장엄한 서사시적 현실을 애수와 영탄으로 물들이면서 그것을 락후한 소시민적 수준으로 끌어내리려는데 있다。그리고 이것이 바로 문학에 있어서 자연주의 및 형식주의적 경향들임은 물론이다。

김영석의 소설「사과 나무」와 리갑기의 소설「축령」은 우리 소설 문학에서 나타난 그 대표적 실례로된다。「사과나무」는 부상병「찬식」의 영웅성을 그리려는 작자의 본의도와는 정 반대로 그를 군대 규률을 지키지 않는 반미치광이의 변태적인물로 만들었으며사과나무에붕대를 감는 렵기적 취미로써 일관되였다。 이러한 작품이 우리 인민 군대를 의곡하는 것임은 물론 우리 인민들에게 하등의 교양적 의의도 주지 못하는 것임은 더말할 것도 없다。또한 소설「축령」은 후퇴 과정에서 우리 인민군 부상병이 자기 고향을 지나다가 어머니를 만나면서 어머니를「어머니」라고 부르지 못하고 헤여지는 허무감과 애상에 중점을 둠으로써 영탄과 비애의 감정을 로출시키였으며 우리 인민 군대의 고상한 도덕적 품성을 의곡하였다。이러한 작품들이 우리 인민들에게 어떤 효과를 줄것인가는 극히 명백하다。

이와 같은 유해한 경향은 시 문학 분야에서도 나타났다。박세영의 시「불탄 고향을 지나며」와 조령출의 시「강변에서」등은 그 한 실례로 된다

「불탄 고향을 지나며」는 자기 고향을 지나는

한 전사가 황량한 폐허로 된 잿더미 속에서 앙상하게남은 굴뚝과 「검둥이 밥 그릇」과 부러진 살구 나무밖에는 아무것도 찾아보지 못하고 애수와 절망에 사로잡힌 감정이 노래되였다。우리는 싸우는 조선을 찾아온 수많은 외국 사람들이 조선의 땅에서 잿더미와 돌각담을 발견하는 것이 아니라 그 속에서 백절 불굴의 조선 사람의 모습을 보았기 때문에 우리를 불러 영웅적 조선인민이라고 하며 굴함없는 민족 정신의 상징이라고 말하는 것을 기억하고 있다。그러나 이 시의 작자는 우리의 현실의 표면만 알뿐 그 본질을 보지 못하고 있다。또한 시 「강변에서」는 우리 영예 군인의 비 전형적인 형상을 그려냄으로써 그들의 고상한 품성을 손상하였다。이 시에 등장하는 귀환병은 조국과 인민을 위하여 모든 것을 다 바쳐 싸운 사람만이 느낄수있는 긍지감 자기공장과 가정을 원쑤들에게 짓밟힌 사람이 가질 수있는 불타는 증오감과 불굴의 투지 이 모든 고상한 정신적 특질과는 하등의 인연이 없을 뿐만 아니라 달빛어린 대동강변 황량한 폐허 우에서 안해와 만나 애통하게 우는 비극의 주인공으로 등장하고있다。특히 이 사람이 로동자 출신이라는 점에서 그의 곡은 너무나 심하며 다만 독자들에게 그의 불행에 대한 영탄과 통곡을 불러 일으킬 따름이다。

우리의 당적 문학은 적대적 경향과 아무런 인연도 맺기들 원치않으며 이러한 자연주의적 독소들과 무자비한 투쟁을 전개하여 우리 문학을 침식하려는 부르죠아 이데올로기의 잔재가 발 붙일 곳을 두지 못하도록 하여야 하겠다。

다음 우리 문학에 의연 존재하고 있는 큰 결함은 현실에 앞서 나가며 인민의 나아갈바 길을 탐조등처럼 비치여줄 대신에 현실의 뒤 꼬리를 따라다니는 추미주의 및 기록주의적 경향이다。그 대표적인 실례로는 정전후 인민 경제 복구 건설 투쟁이 전개된지 이미 많은 시일이 경과된 오늘에 이르기까지 건설 투쟁을 주제로 하며 전위적 로동 계급의 새 인간들을 형상화한 작품들이 량적 질적으로 극히 락후한 상태에 놓여있는 형편이다。

이미 발표된 몇개의 작품들은 복구 건설의 장엄한 현실의 본질을 파악하지 못하고 나타난 현상을 피상적으로 기록하는데 그칠뿐이며 복구 건설 투쟁이 내포하고 있는 거창한 랑만과 화려한 전망, 거기서 이루어지는 수많은 로력위훈, 여기에 종사하는 로동 계급의 전위 부대들이 소유한 풍만한 내면 세계를 강조하고 과장하여 전형화할 대신에 다만 조잡하고 따분한 로력 공정의 촬영으로 일관하는 경향들을 나타내고 있다。그리하여 이와 같은 작품들은 위대한 력사적 승리를 쟁하하고 장엄한 건설 투쟁에 궐기한 우리 인민들이 가지는 높은 긍지감과 강의한 기개 로력에 대한 무한한 사랑과 화려한 미래에 대한 전망、조국의 평화적 통일을위한 그들의 절실한 념원과 승리에 대한 확고한 신심을 반영하는데 부족하며 현실의 뒤꼬리를 따라나다니며 그것을 비속화하며 인간들을 왜소화하고 있다。 우리는 이와 같은 결함들에 대하여 더는 참을 수없으며 우리 앞에 제기된 당적 국가적 과업을 완수하기 위하여 온갖 력량과 정력을 다 기울여야 하겠다。

그러기 위하여 우리 작가 시인들은 인민 대중 속에 광범하고 심오하게 침투하여 그들의 사상 감정의지들을 체현해야 하며 현실 속에서 어느것이 력사적 발전에 부합되는 본질적인 것이며 어느것이 우리의 전진을 가로막는 부정적 현상인가를 명확하게 식별할줄 알아야하며 현재에는 비록 적고 미약하나 낡은 것을 누르고 자라나는 새싹을 예민하게 발견하고 그것을 견결히 옹호 육성하는 관점에 서야한다。 그리하여 우리 문학 작품이 전후 복구 건설투쟁에 궐기한 인민들 속에서 로력에 대한 영예감 로력에의 헌신성、로력 혁신 운동、국가적 축적을 위한 절약과 물자 애호 정신、애국주의와 영웅주의 및 화려한 미래에 대한신심 등을 힘차게 불러일으키는 교양자로 되여야 하겠다。

이밖에 우리는 지난해에 의연 우리 문학 속에 내재한 결함으로 현실 묘사 인물 형상에 있어서 개념성과 추상성、갈등의 도식화、장평 소설과 풍자 문학의 부진 등을 지적할수있다。 그러나 이상과 같은 결함들이 점차 시정되며 극복되는 도상에 있는 것은 부인할수없다。

이상에서 우리는 지난一년 간의 우리문학의 창조사업을 총화하였다。 여기에서 우리는 부분적 결함에도 불구하고 우리 문학이 날로 장성하며 발전하고 있다는 결론을 얻을수있다。 이와 같은 토대 우에서 우리 문학을 一九五四년의 새해를 맞이하여 앞으로 더욱 활기있는 발전의 길을 걸을수있다는 전망을 갖게된다。 그러나 이와 같은 전망은 오직 부단한 투쟁과 노력 우에서만 얻어질수있는 전망임은 물론이다。 그리고 우리 문학이 앞으로 발전하기 위하여는 우리의 매개 작가 시인들이 문학의 당성 원칙을 고수하고 사회주의 레알리즘에 철저하며 문학예술에 있어서 맑쓰—레닌주의 미학 원칙을 우리 나라 현실에 적용한 우리 문학의 창작 강령으로 되는 경애하는 수령의 말씀에 충실할 때만이 비로소 가능하다는 것을 재삼 명심해야 하것다。 우리 작가 시인들은 一九五四년을 더욱 빛나는 문학 창조의 해로 만들기 위하여 총 진군해야 하겠다。

창작 활동에 있어서의 몇가지 문제점 (一)

—창작활동의 전진을 위하여—

리 찬 의

작년十월 조선문학회 제五회 대회 이후 회의 활동은 상당히 순조로운 움지김을 나타내기 시작하고 있다. 벌서 회의 기관잡지 조선문학은 三월十五일에 제一호가 발간되고 본호로서 제二호의 발간을 보았다. 뿐만 아니라 비평활동도 소설, 시, 평론의 분야에 이르러 상당히 활발하게 전개되고 대회에서 강조된 관념주의, 형식주의의 극복문제와 아울러 민주주의 문학운동의 발전을 위한 노력이 역시 실천적으로 전개되어 왔다.

필자는 본호에 제五회 대회의 소설보고를 쓸 예정이었으나, 이상과 같은 정세의 전진 위에 서서, 대회 당시의 보고서를 쓰기 보다, 우리들의 작품활동 위에 나타난 몇가지 문제점에 관하여, 오늘 문제점으로서 남겨져있는 문제를 역시 문제삼고 회내에 존재 하고 있는 약점과 편향들을 극복하기 위한 한가지 지적을 시도 할려고 한다.

오늘날 관념주의의 형식주의의 편향극복문제는 당면의 우리 운동에 있어서 의연히 최대문제의 하나로 되고 있으며 결코 우연한 사실이 아니다. 회는 여테까지 오랫동안 그의 극복을 위하여 최대의 노력을 다하여 왔으며 또한 지난 十月의 제五회 대회에서도 김달수의 일반보고 (조선문학 제一호 참조) 리찬의의 소설보고 남시우의 시보고 중에서 매우 상세히 작품의 구체적 내용에 의거해서 보고되였다. 따라서 구태여 반복하지 않겠으나 관념주의의 형식주의의 편향극복 문제는 오직 우리 문학회 뿐만의 문제로 되고 있는것이 아니라 민전 四전대회에서도 보고된 바와 같이 재일 전체 조선인 운동의 조직활동 상에서도 나타나 있는 중대결함의 하나이며 우리의 전반운동의 미숙성에서 나타난 문제이다. 이러한 리유로 관념주의의 형식주의는 극히 뿌리깊은 병근으로 되어 있어 우리 일조일석으로써 뽑아내 던지기는 매우 어려운 것이다。이문제는 그 성질상에 있어 금후 우리들의 실천 과정에서 극복해 나가도록 노력할 수 밖에 없는 문제이기 때문에 기회 있을 적 마다 수시로 취급되여 나가야 할것이다。

一、우선 첫째 문제로서 문제될 점은 역시 형상성(形象性)과 사상성(思想性)에 관한 문제일 것이다 이 두가지 문제는 꼭 통일적으로 리해되고 있다고는 단정할 수 없는 현상에 있다。형상성을 추구 하는데 너무 급한 남어지 민주주의적 문학작품으로서의 목적의식성이 등한시되고 혹은 망각되는 편향이 있으며 또한 반면 목적의식성을 강조하는 남어지 형상성과 예술성이 망각되고 혹은 필요없는것 같이 여기는 편향들이 있다。전자가 한개 예술 지상주의적 방향으로써 인류의 진보와 사회 발전에 하등의 리익도 주지 않는 반동적 이데올로기ㅣ로 되고 있는 사실은 현재의 부르죠아·짜ㅣ날리즘이 뚜렷이 밝혀주고 있다。후자에 있어서는 좌익적인 관념주의의 냄새에 가득찬 것으로 될 우려성이 있으며 까딱 잘 못하면 말만의 「정치에 대한 예술의 종속성」에 눈이 쏠려 형상성과 예술성을 도리여 부정하고 그때 그때의 선전문서처럼 되어야 한다는 옳지 못한 편향으로 된다。그결과 이는 대중을 생활과 민주주의와 평화를 지키는 관점에서 광범히 통일전선에 결집시키지 못하게 할 뿐만 아니라 도리여 대중을 전선의 대렬에서 분리시키고 전선을 약화시키는 방향으로 흐르게 하고 만다。그 본질에 있어 반동적 이데올로기ㅣ와 십보 백보라 할것이다。

이러한 두가지의 옳지 못한 편향들은 물론 절대 배격해야 할것이다。역시 형상성과 사상성은 우리들의 창작활동에 있어 분리시킬수 없는 것이며 또한 이 두가지 요소는 서로 합쳐지어 작품을 구성하게 됨으로 작품활동은 두가지 요소의 변증법적인 통일적 파악위에 나서야만 할것이다。

그러나 이점에 있어 우리의 리론적 리해는 관념적으로는 리해 되면서도 현실적으로 작품을 쓰는데 있어 과연 리해 되고 있는가 의심삼지 않으면 안될 바가 매우 많다。이는 물론 작품을 쓸 쩍과 다른 곤난성이 있기 때문에 그렇기도 하나 작품이 역시 작품으로써 나타나게 되면 작자의 의도를 떠나 한개 독립한 존재로 자기 주장을 하며 또한 사회적으로 영향을 주게 된다。

그러니 만치 우리들의 작품은 생활과 민주주의와 평화를 지키며 민족독립을 쟁취하는 관점에 선 것이라야 되겠고 조·일 량민족의 요망에 응할 수 있는것이 아니면 안될것이다。더구나 그것이 한갖 선전 문서로써가 아니라 인간정신의 기사로써 사회변혁의 방향에로 많은 사람들을 추동 시키기 위한 인간변혁의 기능을 다할 수 있도록 하기 위해서도 작품이 작품으로써 자기의 존재성을 주장할 수 있는 것이라야만 할 것이다。

그러기 위해서는 무엇보다도 그 작품이 형상성과 사상성을 구비하고 있지 않으면 안될것이다。

이상 추상적으로 길다랗게 론의를 끌어 왔으나 형상성과 사상성 문제에 관해서는 먼저 리은직 박원준 김달수등의 가장 대표적인 제 작품을 통하여 관찰해 보기로 한다。

리은직씨은 당면한 우리의 사회적 력사적 제문제에 관하여 朝鮮評論에「わが誇りを守らん」解放新聞에「젊은 사람들」「젊음을 아낌없이」등 적극적인 문제를 테ㅣ마로 하여 장·중편 소설을 발표하면서 정력적인 작품활동을 계속해 왔다。그러나 그 작품은 그 문장이 류조한 스타일 임에도 불구하고 형상성과 사상성 문제에 있어 근본적인 문제점을 내포 하고 있다는데서 여태까지 많은 론평들이 거듭되어 온 바 있었으므로 여기서는 세세히 언급하지는 않겠으나 특히 문제될 점에 관해서 살펴 보기로 한다。

「젊은 사람들」에서는 어느 중요한 군수공장에 스트라이키가 발생한 쩍에 권력이 무장경관을 대기시켜 놓고 스트라이키를 파괴할려고 폭력단을 보내어 습격시키는 장면이 그려져 있다。그런데 스트라이키 응원에 대기하고 있던 조선청년 행동대들은 폭력단을 됫자곳자로 쳐 뿌시고 경관대가 래습해 온쩍에는 벌서 란투가 끝나서 행동대들이 퇴각한 후였다는 것이다。이는 조선전쟁 당시의 조국방위를 위한 재일조선인과 일본로동자들과의 공동투쟁 문제를 취급한 것이며 성질상 매우 주목해야 할 작품이다。

그러나 이작품은 일본 민주혁명이 마치 조선인의 전위적 역할로써 전진되는듯 한 환상을 주는 중대한 오류를 범하였다고 않을 수 없다。일본민주혁명에 있어서의 일본 로동자들의 력량을 정당히 파악해서 이를 옳게 그려내지 안하고 다만 조선인의 조국방위를 위한 전위적 투쟁만을 강조하는데 끄친 점은 도리어 조선인 운동이 일본운동에서 가장 돌출한 전위적인 자리를 찾이하여야 된다는것이며 공동투쟁을 옳게 발전시키는 문제로써 역시 멀게 벗어났다。그러기 때문에 시회적 력사적 환경을 바르게 그리지 못하고 행동대의 실력행동만을 찬양하는데 중점이 쏠리고 말였다。

「젊음을 아낌없이」는 민족교육을 지키는데 노력해 온 교원의 활동을 그런 작품이다。주인공은 학교를 건축하기 위해서 기금모집 활동을 전개하는데 그 사엽이 매우 곤난하다는데서 협력을 안해주는 대중들에 질유하게 설득공작하여 끝끝내 학교 건축에 성공하고 만다는 것이다。그러나 조직활동에 있어、개인적 역할의 중요성을 강조하는데 역시 테ㅣ마의 중점이 흘러가고 말였다 할것이다。개인의 역할이 크다 할지라도 이에 협력해주는 대중이 있어야 만 사업이 성공되는 것이다。사업이 어려우면 어려울수록 그럴것이다。그러기에 주인공을 둘러싸고 나오는 대중들의 군중적 보습과 그의 역할이 하나도 묘사 안되고 종시일관해서— 영웅주의를 찬양하는 결과로 될뿐이다。 설사 개인의 역할로서 성공되였다 할 수 있더래도 그는 결코 부르죠아 영웅주의가 푸로레타리아 영웅주의에로의 내용적인 질적 전환을 이루지 않았더라면 성공안될 것이다.

이상과 같이 위의 작품들은 사상성에 관하여 치명적이라 해도 과언이 아닐만치 중대한 오류를 내포하고 있다。 뿐만아니라 작품상의 주인공들은 모두가 농밀한 감도(感度)위에 서서 묘시되고 있지 않기때문에 말하자면 형상성의 결여 때문에 소위 선인과 악인의「애기」처럼 되고 말었으며 작품의 형상성과 사상성은 그의 통일성 문제에 가기 전에 파탄되고 말였던 것다이。

박원준씨의 단편「徐令監とその一人息子」는 작년 六월 人民文學에 발표된 작품이다。 주인공의 외아들이 반미투쟁을 하다가 잡혀 들어가 중징역을 언도 받음을 계기로해서 그 무의식한 대중—즉 서령감이 의식화되는 과정을 그린 것이다。 그 구상의 건실성과 묘사의 객관적 수법에 있어서는 우리들 작품에 있어 한개의 드문 례를 뵈여주며 이점에서는 어느정도 성공 하였다。

그러나 의식적으로 객관적 묘시에 너무 힘을 집중한 탓으로 무의식 대중인—주인공의 정신적 성장 과정을 그리는데 성공을 하지못하였다。 이작품의 최후적 장면에 이르러 무엇때문에 이 주인공이 신문에 난 맥가—더—의 눈깔을 싱긋이 웃으면서 석냥 끝으로 찔러 뚫으는가 독자를 납득시키는데 있어 실패하고말었다 결국은 항상 부동적인 주인공의 무의식성을 강조하는데 끄친 감이 농후하다。 이점은 작자 자신이 주인공의 심리분석—즉 의식성장 과정을 목적 의식적으로 전개하지 못한데서 나타난 것이다。

객관적 묘시에 너무 힘이 집중된 탓으로 주인공의 심정과 사상을 주체적으로 그려내지 못하고 오히려 주인공의 가장 소박한 감정적 행동만을 조건반사적 (條件反寫的)으로 밖에 그려내지 못하였으며 테—마의 구체적 추궁을 하는데의 목적의식성 문제에 있어 실패작이라고 밖에는 말할 수 없다。 이는 오직 형상성과 사상성의 변증법적 통일이 불충분한데서 나타난것이며 작품의 의도가 어데 있는가를 애매화 시키고 만 점이다。

그다음에 있어 김달수씨 작「玄海灘」(筑摩書房刊)은 新日本文學에 만二년간에 걸치어 발표된 작품이며 현재 일본문단에서도 많은 반향이 이러났고 매우 높은 찬양을 받고 있다。

이 작품에서는 서경태 백성오 리승원 조광서등 여태까지 우리들 작품위에서 실현을 보지 못했던 일본제국주의의 식민지 통치하에 있던 인물상을 전형화하고 형상화시키는데 있어 매우 큰 업적을 남긴것이다

주로 그의 테—마는 서경태와 백성오라는 인테리의 두전형—두청년이 조선민족 으로서의 민족해방을 위한 옳은 방향으로 의식화하여 나가는 과정을 취급한 그

과정은 전자들과는 비할바없이 구체적으로——사회적 력사적 조건속에서 묘사되고 있다。뿐만아니라 주인공 서경태와 같이 그의 구체적인 의식과 민족감정을 묘사하는데 있어 가장「구체성과 진실성」(김일성)을 띠우고 있다。이러한 점들은 많은 인물과 사회적 환경 사건을 등장 시키면서 힘차게 민족해방을 위한 장편 서사시로서의 웅대한 로—맨을 그려내게 하였다

특히 식민지 민족으로서의 정신적 고통과 또한 민족의식이 희박한데서 나타나는 식민지 민족으로서의 인뀌아리올리티——·콤푸렉쓰(렬등감) 등은 여러 장면을 통하여 매우 구체적으로 진실성을 띠워 형상화되였으며 이작품의 예술적 가치를 극히 높혔다고 말하지 않을수 없는것이다。특히 일본에서 교육받고 자라난 반쪽발이 서경태가 부산 부두에서 일본인인체 하면서 련락선을 탈려다가 특고형사에 간파되어 구타 당하는 장면을 그려 냄으로서 매우 날카롭게 식민지 인간의 무의식성과 인뀌아리올티—·콤푸렉쓰에 대하여 심오한 비판을 가하고있는 점들은 그의 가장 성공한 례를 뵈여준다。

그리고 이에 앞서 일본여성 大井公子와의 련애를 버리고 조국에 돌아가는 서경태의 심정들은 주인공의 민족적 사상이 매우 희박한 주인공의 마음속 깊이 파묻혀진 그의 잠재적인 민족감정의 외침을 날카롭게 동찰하고 이를 형상화시키는데 성공하였다。 더욱 일제의 앞제비인 조선특고의 식민지적 성격에 대한 본질구명에 있어서도 여러 과장된 점과 결함들을 가지고 있으면서도 비범한 수법으로서 묘사하였다。한편 지주 출신이면서도 백성오가 민족해방전선에 참가하게 되는점은 양정중학교의 대검거 사건과 더불어 식민지 해방투쟁에 있어서의 인테리겐차ㅣ들이 놀았고 또한 놀수 있었던 역할들을 옳게 평가하고 독립에 대한 전민족적 통일전선의 확대 가능성을 형상화 하였다。

그러나 이작품은 물론 이러한 구상설정이 진실성에도 불구하고 결코 완전무결 하다고는 못할 것이다。鳴戸八之進에 대한 길다란 묘사와 백성오와 련숙이와의 련애관계 조국 광복회의 선언문 소개등과 같이 도리어 이작품의 치육(贅肉)으로 되고 또한 형상성의 과잉과 결여등을 나타 냄으로써 작품자체의 통일성을 손상시키는 약점들도 가지고있다。

위의 제작품을 통해서 볼적에 조선민족의 력사와 습관 또는 사회환경등을 그려냄으로써「가장 구체적이며 형상적인 감정과 사건 인물과 사상을 표현」(김일성) 하는데 있어「玄海灘」은 그 어느것보다 성공하였다。특히 민족적 사고방식(思考方式)으로써 가장 중요한 요소인 언어에 있어서도 조선어에 독특한 뉴앤쓰를 일본어로써 능히 살리고 일본어의 활동 령역을 넓혔으며 일본작품에서 구할 수 없는 독특한 가장조선적인 작품으로 되였다。이런점에서「玄海灘」은 형상성과 사상성의 변증법적 통일성을 실증 해준 작품이였다고 생각된다 (다음호에 계속)

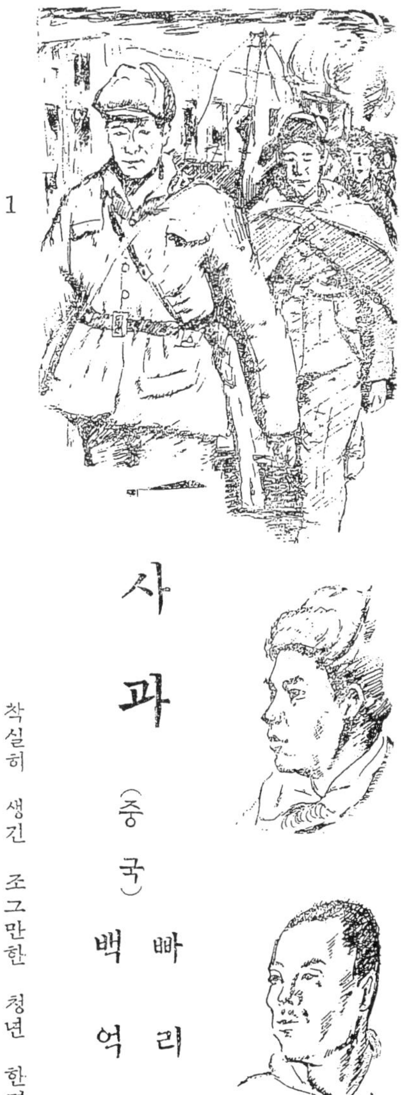

사과

(중국) 빠리 작

백억 역

1

미국 비행기 네대가 가을 날의 파리처럼 웅웅 비애스러운 소리를 내면서 사람들의 머리위를 스쳐지나 건너편 산마루에 가서 폭격을하고 있다. 전쟁생활에 익숙된 전사들은 이내 산언덕으로 흝어저 큰 나무 밑 적은 시냇가 돌창밑들에 음폐하였다. 전사들은 이런매에도 조용히 자기의 할일들을 하기에 바뻤다. 어떤 동무는 총을 소제하고 어떤동무는 탄환을 세고 또 어떤 동무는 신발을 동여매고 있는둥——

방공호 입구에는 얼굴이 붉게탄 다섯명의 전사들이 모여 앉였다. 청년단원인 그들은 지금 단의 반회의에서 지도원의 동원 보고를 듣고 이에 대한 토론과 전루 결의를 피명하고 있다.

착실히 생긴 조그만한 청년 한명이 호수같이 맑은 두 눈방울을 번쩍이였다. 그는 건너편 산미루에 불기둥이 솟구쳐 오르는 검은 연기를 바라보며 두손을 무릎 위에 가즈런히 모은 다음

「보고 하겠습니다」

라고 말하였다.

반장에게서 발언권을 얻은 그의 목소리는 마치 동으로 만든 쇠북종과 같은 음향과도 같았다.

「중국과 조선을 말하자면 두개의 팔과 같은 것인데 만일 그어느 한개의 손가락을 다친다고 하면 맘이 평안하겠습니까? 동무들 보십시요 미국 살인귀들은 조선을 불살르는 것이 저렇게도 흉악스럽습니다. 누가 주검을 보고 가만히 앉어 있을 수 있겠습니까! 눈을 뜨고야 어찌 저 꼴을 볼

수 있겠습니까!』

발언한 사람은 六반의 전사 마동무였다。그는 비록 보통때에는 아직도 어린애 다웠지마는 그러나 한번 회의에 나서게 되면 어른이 되군 하였다.

회의가 끝난 후 마동무는 산 언덕에로 뛰여올라 큰바위에 허리를 걸쳐놓았다。그 바위돌은 흡사큰 원탁과 같이 생겼다。바로 그 옆구리에는 손에 잡힐 나즈막한 소나무가 서 있었다。빽빽하게 가지들에 나붙은 잎사귀는 푸른 우산처럼 지금 내려쪼는 뜨거운 해볕을 받아들이고 있다。전사들은 휴식할 때마다 모두 여기에 와서 도람프를 가지고 노는 것을 즐기였다。회오리 바람이 한바탕 일어나서 마동무는 저고리의 둘째번 단추를 열여 제기였다。그는 아주 상쾌한 기분으로 바위돌 위에 앉아서 조국의 인민들이 위문품으로 보내준 적은 수첩을 꺼내 들였다。그는 제일첫장을 제끼여 모주석의 사진을 보고 또 맨 나중에 있는 중국지도를 펴치여 북경을 보고 다시 북경과 통하는 한 줄기선의 철로를 보았다。

『조국! 조국의 모든것이 다 이책에 있다。나는 그를 보위하기 위하여 머리에서 구슬땀을 흘리고 발바닥에서 꼬아리가 일어나도록 보행을 하였다。그러면서도 내 개인의 모든 것을 희생하는 것을 즐겨하였다……』

이러한 생각에 잠겨 있을 때 양덕명 반장이 조급하게 그에게로 뛰여와 몇마디 이야기를 건니였다。마동무는 몸을 일으켜 바위돌 위에서 뛰여나린 다음 반장이 가르키는 손가락의방향을 따라 언덕 밑 큰 소나무 아래에서 누렁소를 끌고 있는 한사람의 녀자를 바라보았다。헌 옷을 입은 녀인의 가슴에는 두어자 가량 되는 람빛 띠가 매여졌는데 마침 불어오는 산바람에 펄펄 나붓기고 있다。

두사람은 흥분하여 산 밑으로 뛰여 나려갔다。

포성은 멀지 않은 곳에서 은은히 들려오고 있는데 비행기는 또 다시 래습하였다。양덕명은 이 할머니를 방공호 안으로 안내하여 다리고 들어가고 마동무는 누렁소를 나무 잎들이 무성한 곳에로 끌고 가서 잘 수습하여 놓은 다음 방공호 안으로 들어 왔다。

사람들로 꽉 차게되였다。할머니는 전사들의 한 방공호 안은 사람 한 사람 마다의 옷음 진 얼굴을 보고 자기의 아들을 본 것처럼 흥분하였다。

방공호 밖에서는 산바람이 계속 불고 있으나 굴안 은 마치 사람이 없는 것처럼 조용하기 짝이 없였다。전사들의 배속에는 할 말이 없어서가 아니라 너무도 이야기 할 자료가 많어서 어느 것부터 시작할가를 망서리는 판이였다。잠간 사이를 지나 할머니는 머리 위에 이고 있던 보재기를 나려 놓고 즐기 시작하였다。그 보재기 안에는 또 하나의 적은 보재기가 나타났는데 퍽 시간이 걸려 풀어 헤친 그 속에서는 열아문개의 사과가 나타났다。그중 두개의 사과는 특별하게 흰 천으로 쌌는데 유별나게 더욱 붉고 더욱 컸다。사과가 조선의 특산임은 누구나 다 알고 있기 때문에 전사들은 기이하게 생각지 않았다。그러나 여름 유월인 이때에 사과가 어떻게 있겠는가?동무들은 제각기 자신에게 물어보았다。할머니는 그 사과를 여러 동무들 앞에 내여밀고 다음은 특별히 큰 놈 무알을 골라서 마동무 앞에 가져다 놓으며 말하였다。

『두 알은 마동무에게 주네、나머지것은 다른 동무들이 다 먹게』

마동무가 막 무엇을 이야기하려고 할때 할머니의 얼굴색은 급작스럽게 침울하여지며 무엇에 놀랬음인지 이내 돌아가버리고 말았다。

조선사람의 성격이 아주 고결함을 알고있는 전사들은 그들의 얼굴색이 침울하여지면 그 리면에는 반드시 어떤 곡절의 비상한 맘 아픈 애상한 일이 있는것을 짐작하게 된다。동무들은 저마다 남의 얼굴을 쳐다볼 뿐 걷잡을 수 없는 분위기에 한참 멍하고들 있었다。

2

이미 지나간 일이다。장진호 전투가 있은후 마동무는 이 조선의 할머니를 알게 되였다。그때 부대는 함흥 부근에서 휴식하고 있었는데 六반은 바로 이 할머니 집에 류숙하게 되였다。그날 이 할머니는 미국놈들이 버리고 도망친 낡은 삽을 가지고 문앞에있는 사과나무를 가꾸어주다가 지원이군 오는것을 보고는 삽을 흩어진 나무데미에 던지고 동무들을 방안으로 들어가자고 권하였다。동무들은 조선말에 익숙치 못하기 때문에 그가 무슨 이야기를 하고 있는지 누구든지 알어 들을수가 없였다。

그후 부대는 이 지방에 오래동안 머물게 되였다。전사들은 한가한 틈을 타서 조선 말을 배우기 시작하였다。一개월이 못되여 할머니도 적지 않게 중국말을 배웠다。그래 서로 이야기를 주고받고 할 때는 중국말 조선말 절반식의 뒤범벅이였지만 대체의 의미는 짐작할 수 있었다。

마동무는 총명하고 또 부지런하였다。六반 동무들 가운데서는 마동무가 제일 조선말을 많이 알어 듣는 편이였다。동무들과 조선사람들 사이에 환담이 벌어졌을때 다른 동무들이 알아듣지 못할 말이 있으면 마동무가 곧 통역으로 나섰다。

어느 날 밤 할머니는 또 전사동무들에게 와서

이야기하고 있었다。그는 자그만한 냄비 하나를 가지고 와서 입속 말로『사진』『사진』이라고 하였다。무엇을 가지고『사진』이라고 할까?마동무도 알수가 없었다。조금 뒤에 할머니가 냄비 뚜껑을 열어 놓은 다음에야 그안에 담겨 있는 것이 다름 아닌 석장의 사진임을 비로소 알게 되였다。

한장은 아주 파래고 초췌한 늙은이 사진인데 대충 짐작하여 한 六十여세 되여 보였다。이 늙은이는 할머니의 남편되는 어른이였다。이 늙은 할아버지는 지금부터 十년전 왜놈에게 붙잡혀 로동을 하다가 죽어버리였다고 하는데 그 시체도 어데 있는지 모르고 있었다。다른한장은 할머니의 아들이였다。그는 열 아홉살 되던 해 왜놈의 손에 체포되여 군대에 들어간 후「만주국」에 징발되였다。그후 그는 산속으로 도망을 쳐가지고 동북 항일 의용군에 참가하게 되였다。조선이 해방된 이듬해 집에서는 편지 한장을 그에게서 받았다。그때 그는 이미 중국 인민 해방군에 참가하고 있었다。그 다음부터는 영 소식이 끊어졌다

할머니의 이야기가 여기까지 이르렀을 때 동무들의 맘은 적지아니 무거워졌다。도리혀 이것은 할머니의 열정을 더욱 북돋아 주게 하였다。

나종의 사진 한 장은 그의 맨 끝 아들인데 금년에 열아홉살이다。여름 미제국주의자들이 북조선에 대한 침공을 개시할 때 할머니는 그를 인민군대에 입대시켰다。할머니는 그 사진을 손에 들고 마동무의 어깨 가까이 다가와서 이야기를 계속하였다。

『마동무는 내아들과 꼭 같아』

마동무의 얼굴은 붉어졌다。

할머니는 말을 뒤이였다。

『이 아이는 박진원이라고 부르네。키도 동무와 비슷하고 큰 눈방울에 눈섭이 퍽 길었지、아침부터 밤까지 잠시도 놀지를 않였어。마동무처럼 근처에서 칭찬을 받았건만』

동무들은 이 사진들을 모두 보았다。할머니가 이런 말을 하게 되자 동무들은 또 다투어가며 다시 한번 사진을 보았다。어떤 동무는

『얘!마동무와 같이 생겼다』또 어떤 동무는

『아니 아래 턱이 마동무보다 좀 넓다』류가는

『마동무가 이사진을 가지고 집에 돌아가면 어머니는 아마 자기 아들이 조선 의복을 입고 사진을 찍였다고 말할게다』라고 하였다。

그날부터 할머니와 전사들 사이는 더욱 가까워졌다。어떤 날 六반동무들은 그의 방공호를 파는데 로력을 방조하였다。전사들이 저녁 식시를 하고 있을때 할머니는 검은 자배기에 사과를 그뜩하니 담아 가지고 와서 동무들에게 권하였다。

그러나 전사들은 누구를 물론하고 먹으려고 하지 않았다。할머니는 성을 냈다。양덕명 반장이 아무리 해설은 하였지만 도무지 듣질 않았다。할머니는 이것은 나의 성의이니까 꼭 먹어야한다고 완강히 고집하였다。어떻게 할 도리가없게 되자 왕명 동무는 옆에서 의견을 내놓았다。

『먹어버립시다。먹은 다음 그에게 돈을 드리면 그만이지요』

전사들은 그제야 사과에 손을 대였다。

할머니가 전사들에게 말한자기의 신세 이야기에 의하면 건너편 산 밑의 그 사과나무는 五년 전까지 모두 지주의것이였다。그때 할머니와 박진원은 지주의 집에서 머슴으로 살고 있였다。사과나무에 그렇게도 많이 달린 사과를 모자 두 사람은 한알이라도 맛볼 수가 없였다。八·一五 이후 그들은 땅과 집을 받게 되고 또 그 다음에 와서는 과수원까지 분배 받았다。할머니는 길섶에 우뚝 선나무 등걸들을 가르키면서 말하기를

『동무들 좀 보라구 미국 놈이 와서 절반 이나 잘라 버렸지 만일에 지원군이 좀 더 빨리 오지 않였드라면 저 사과나무는 미국놈들이 모두 불살라 버렸을게야』

『미국놈들은 흉악합니다。할머니의 재물이 불살라진 것을 볼때 우리는 중국의 재물이 불살라진 것처럼 생각합니다』

마동무는 말을 계속하였다。

『우리들의 항미원조는 즉 인민들의 해를 없애려고 하는 것입니다』

『중국 사람 조선 사람은 다 좋은사람들이야』

할머니는 서투른 중국말로 이렇게 자기 혼자 중얼거리면서 전사들이 방공호 작업을 도와줄때 사용 하던 삽을 들고 문 앞에 선 두 그루 사과나무를 가꾸려 갔다。

오늘 전사들은 전선에서 또 다시 이 할머니의 모습을 보고 자기들의 가장 친근한 사람을 만난 것처럼 기쁘기가 한량 없였다。그러나 조금 전에 할머니의 얼굴색이 침울하여졌을 때、전사들의 맘속은 유쾌하지는 않았다。마동무는 할머니를 보고 자기의 어머니 생각이 급작스럽게 일어났다。물론 두분의 늙은이에게는 용모로 보아 서로 갈은 곳이 없였지마는 그러나 마동무는 친 어머니를 사랑하는 마음과 그 할머니를 사랑하는 마음이 한거번에 솟구쳐 올랐다。그는 이렇게 생각했다。

『어째서 세상에 돈 많은 놈들은 모두 배가 튀여 나오고 어째서 낡은 사회에서 고생을 겪고 난 사람들의 얼굴에는 주름쌀이 저렇게 많은가?』

『할머니 우리들은 할머니 댁에 놀러 가겠습니

다。댁에 넓직 하지요?』

마동무는 자기의 표현할 수 없는 심정을 억제하기 위하여 되는대로 한마디 툭 말을 던지였다。

『넓기는 넓지지 그러나 사람은 살질 않어!』

『왜 사람이 없습니까?』

『집이없으니까 그렇지』

찬 바탕 서늘한 바람이 방공호 입구로부터 들어 왔다。전사들의 정신은 한결 가뜬하여졌다。할머니는 계속 이야기를 하였다。봄철 우리 부대가 그 곳을 떠나 열 며칠째 되는 어느날 三十여대의 미국 비행기가 그 곳에 와서 도시 부근에 산재한 주민들의 초가집을 폭격하였다。할머니가 바로 부엌에서 밥을 잦치고 있을 때 였는데 누렁소는 반쯤이나 끊어진 고삐를 끌고 방문 앞까지 뛰여왔였다。할머니는 뜰안으로 뛰쳐 나와서 소고삐가 비행기 기총탄에 맞아 끊어진줄은 생각할 사이도 없이 소를 방공호 안으로 끌고 갔다。바로 이순간 비행기는 두 개의 큰 폭탄을 투하 하였다。방공호는 진동이 심하여 흙이 밑으로 떨어져 나려왔다。할머니의 가슴은 와들 와들 떨리였고 누렁소의 다리도 다쳤다。할머니는 방공호 밖에서 해방후 자기의 손으로 손수 지은 집이 검은 연기에 싸여 있음을 보았다。

그는눈물을 흘리며 소 대가리를 쓰다듬어 주었다

『소야!만일 지원군이 방공호를 파주지 않였다면 우리는 벌써 미국 강도에게 죽고야 말았을게다』

여기까지 이야기를 듣고난 전사들은 모두 그때 자기들이 그에게 방공호를 파주던 광경이 떠올랐다。그때 할머니는 극히 적은 방공호를 파려고 하는것을 양덕명 반장이 그의 식량과 가장 즙물들까지 넣을 수 있게 큰 것을 만들자고 우겨대였다。

마동무의 눈 앞에는 불연듯이 작년 겨울 어느날 불데미 속에서 어린 아이를 구해내던 광경이 번개같이 솟구쳐 올랐다。그는 지금도 똑똑히 기억하고 있다。그들이 그 지방에 숙영을 하여 사흘째 되는 날 적기는 그가 들어 있는집 이웃집을 모준하여 나려 꽂히였다。한팔、구세되는 어린 소녀가 집안에 걸려있는 자기옷을 가지러 들어가다가 그만 지붕에서 허무러져 떨어지는 집 재목에게 깔리웠다。마동무는 곧 물통을 들고 불길 속으로 들어가 소녀를 구해 내고야 말았다。

이것은 반년전에 생겼던 일이건만 마동무의 생각에는 바로 어제 일과 같이 눈앞에 생생하다。그는 할머니에게 감회 새로히 물어보았다。

『할머니 우리들이 불을 꺼주던 그 집은 지금 어떻게 되였어요?』

『새로 집 지여가지고 이사한지 한달도 못되여 또 전부 재가 되여 버렸지!』

할머니는 마동무에게 이렇게 대답한 후 다시 이야 기를 계속하였다。 비행기가 지나간 다음 그가 방공호 밖으로 나와보니 집은 아직 불길에 휩싸여 있고 주위에는 사람의 키만한 깊이의 웅뎅이가 몇개고 파져 있었다。 문 앞에서 있던 두 그루 사과나무는 뿌리도 보이지 않게 폭격을 당하였다。

『이 두 그루 사과나무를 생각하면 곧 아들 생각이 나군 하오』

할머니의 말에 의하면 八·一五 해방후 첫번째로 맞는 봄철날에 (이때까진 그는 과수원을 분여 받지 못하고 있었다) 박진원은 두 그루의 사과나무 묘목을 사다가 자기가 지은 새집 문 앞에 심었다。 그는 종일토록 묘목에 물을 쳐주고 벌레를 잡아주면서 보배와도 같이 여겼다。 一九五○년 봄날이 두 그루의 사과나무에는 처음으로 꽃이 피였다。 박진원은 기뻐서 날뛰였다。 그는 사과나무 밑을 왔다 갔다 하면서 가저마다에 송이송이 맺힌 꽃을 다라보며 어느 나무에 꽃이 더 많은가를 세이기까지 하였다。 할머니는 부엌에서 두부 맷돌질을 하면서 흥분하여 창 밖을 내다보군 하였다。

사과나무는 하루 또 하루 무럭무럭 자랐다。

미국놈들은 조선 침략 전쟁을 일으켰다。 박진원은 입대하여 집에서 떠날때 사과나무를 돌아다 보면서 말하였다。

『어머니 사과가 크게자라서 먹게 되면 나에게 몇알 보내주십시요』

할머니는 아들의 부탁을 잊지 않았다。 하루는 할머니가 제일 익은 놈을 몇알 골라 따가지고 우편국으로 갔다。 전쟁이 한창인 이때 우편국에서 전선행 소포를 받지 않고 있는 줄이야 누가 알았으랴。

할머니는 이렇듯 크고도 붉고 또 맛 있는 사과를 미국놈에게 빼앗기지 않으려고 갖은 애를 다 써서 간수하였다。 한번은 그의 집에 미국 군인들이 와서 사흘 동안이나 묵었다 놈들은 이동안 닭을 모주리 요정내고、 과수원에는 자동차 길을 닦고 부뜨막 위에는 똥을 두관이나 싸놓고 물 긷는 드레박은 오춤통으로 대신하였다。 할머니는 날이 저물어도 감히 집에돌아 가질 못하고 종일토록 산 기슭 돌창이에 몸을 숨기였다。 바로 이러한 무렵에 중국 인민지원군이 조선 인민군을 도와서 미국놈을 때려부시고 북조선을 해방시켰다。 할머니가 집에 돌아와 정성껏 간수한 사과를 다시 꺼내여 보았을 때 사과는 그대로 잘 보관되여 있였다。 다만 토지 개혁시에 분여 받은 과수원에서 수확된 사과를 지금 전사들에게 선물할 따름이라

고 할머니는 말하였다。 여게까지 이야기를 단숨에 하여 나려온 할머니는 눈앞에 놓인 사과를 손가락질 하며

『이것은 모두 문 앞에 선 그 두그루 사과나무에 맺힌 것이오。두 알만을 특별하게 천으로 싸서 놓은 것은 우편국에 가져갔다 가도루 가지고 온 것이오。난 이것을 반년 넘어 간수하여 오면서 편을 얻어 진원이헌테 보낼려고 하였지만 도저히 마땅한 인편이 생기질 않였구。이렇게 되고보니 내 맘은 아주 답답해질바께。소문을 들으니 당신들이 여기에 있다고 하기에 사과를 곧 가지고 온거요。자 이 큰 두 알은 마동무에게……』

마동무는 할머니의 이야기를 가로 채였다。

『아닙니다。어서 두였다가 할머니의 아들님에게 맛보게 하십시요!』

적기가 머리 위를 지날 때 부근에 주둔한 인민군들의 고사 기관총이 요란하게 퉁 퉁 하고 불을 토하였다。밖에서는 누가『참 잘 쏜다』고 외치고 있었다。전사들은 거기에는 조금도 관심하지 않고 아직도 조용히 할머니의 계속되는 이야기를 듣고 있었다。

『아니 그러지 말고 어서 먹우! 누가 내 아들이야? 당신들이 즉 나의 아들인걸、중국 인민 지원군과 조선 인민군의 전사는 즉 나의 아들이야!』

할머니는 지금 모든 괴로움을 다 잊어버리고 자못 긴장된 어조로『아들 하나가 나의 곁에서 떠났지만 수많은 아들이 나의 심장을 둘러싸고 있는 것일세』

라고 말하였다。

열흘전 할머니는 아들이 소속한 부대로 부터 박진원이가 화선에서 희생되였다는 편지를 받았다 그는 바로 주검에 림하기전 복부에 중상을 입고도 두 놈의 미국병을 따려 죽이였다。 편지를 받은지 이틀째 되는 날 할머니는 리 인민 위원회에서 전방에 식량을 수송할려고 하는 것을 듣고 위원장에게로 뛰여가서 자기를 다리고 갈 것을 요구하였다。위원장은 굳이 그를 만류하였지만 너머도 강한 요구를 하기에 다리고 갈것을 허락하였다。할머니는 전방에 갔다온 경과 이야기를 대충한후 시선을 마동무의 코에 멈추고 무거운 소리로 말하였다。

『잘 싸워주게! 나의원쑤를 갚아다오!』

이 부탁을 들은 전사들은 또 어깨가 무거워짐을 느꼈다。마동무는 사과를 자리에 놓고 허리를 꾸부린채 방공호 밖으로 나갔다。산 언덕에서는 전사들이 아직도 총을 소제하고 또 더러는 노래도 부르고 있었다。

반장이 마동무와 더불어 돌아올 때 할머니는 이미 소를 몰고 집으로 돌아가버려였다。

3

할머니가 이번 전사들을 방문한 것은 전사들에게 있어서 마치 상학과도 같았다。 그로부터 사흘이 지난후 전사들은 모두 화선에로 올랐다。 이번 전투는 종전 그 어느때에 비하여 보드라도 더욱 용감하였였다。 이 전투 행정에서 마동무는 부상을 당하였였다。 이 전투행정에서 마동무는 부상을 당하였다。

그는 담가 위에 담겨 위생원에게서 상처를 붕대하면서 전사들에게 둘러싸웠다。 위생원이 『끌났습니다』라고 할때 전사들은 담가를 들고 떠나려고 하였다。 양덕명 반장은 마즈막으로 한번 마동무의 얼굴을 쓰다듬으면서 그의 호흡 소리를 들었다。 반장은 그의 얼굴에 점점히 묻어 있는 흙을 씻어주였다。 마동무의 왼팔은 가볍씩 움직이면서 이불을 어루만지고 있었다。 그의 눈에서는 두 방울의 눈물이 떨어지고 입술이 조곰식 움직여졌다

목안에서는 동무들이 똑똑하게 알아 들을 수 없는 소리가 흘러나왔다。 『사과! 가져가게 그의 원쑤를 갚은……곤난 목마르다……다음날 먹자……』

전투에서 여가가 있을 때면 마동무는 몇번이고 두 알의 사과를 꺼내가지고 코 끝에 가져다 냄새도 맡고 보기도 했다。 보면 볼쑤록 사과는 더욱 크고 디욱 신선하여 보였다。 한편으로는 붉고도 맑진데 한편으로는 또 엷은 달빛도 섞이여 있었다。 마동무는 내가 어느때에 이 사과를 먹음으로써 할머니의 그원한 사무친 심정을 풀어줄 수 있을까 하고 두고 두고 생각을 거듭하였다。 만일 내가 한놈의 적을 죽이고 한알의 사과를 먹기로 하였다면 사과는 그제오전에 벌써 없어졌을 것이다。 만일 내가 하루를 전투하고 한알의 사과를 먹기로 하였다면 그 사과는 벌써 어제 다 먹어버렸을 것이다。 만일 내가 한놈의 적을 죽이고 한입식 사과를 먹기로 하였다면 아마 오늘 오후쯤은 다 먹게될 것이다。 그는 오랜 시간을 두고 생각한 끝에 마즈막으로 그 사과를 아직 배낭에 넣어가지고 다니기로 작정하였다。 그는 비록 삼주야를 계속하여 싸우면서 목이마르고 참기어려운 순간에 부닥치면서도 아직 이런 것쯤은 간난신고 라고 생각하지 않았다。 그는 맘 속으로 이렇게 생각하였다。 『좀 더 곤난한 때를 기다려 먹기로 하자!』 그런데 실제에 있어서 중요한 것은 이 두알의 사과가 귀한 것이 아니라 할머니의 일편맘이 귀하기 때문이다。 왜냐하면 이 사과를 가지고 자기는 원쑤에 대한 복수심 그리고 인민에 대한 사랑을 항상 각성시키고 있기 때문에……

4

一九五二년 사과 꽃이 활작 피여날 때 북조선은 전체가 연한 록색으로 변하였다。 三八선에서 비록 포성이 밤 낮으로 울리고 있지만 사람들의 얼굴에는 도리어 승리의 미소가 충만하였다。 마동무는 상처가 회복되자 곧 병원에서 나와 또 이내 전선으로 나가게 되였다。 그와 함께 퇴원한 二十여명의 전사들이 한 길에 서서 노래 부르며 뛰며 즐겁게 전선으로 향하고 있였다。 그들이 ○○부근에 이르렀을 때 마동무는 지난날 그곳에 숙영하던 이야기를 하고 있였다。 마동는 이 지방의 길에는 너머도 익숙하고 있였다。 어데는 다리가 있고 어데는 길이 꾸불어지고 어데까지 가면 올라가는 령마루 길이요 어데까지 가면 나려바지 언덕이라는 것을 하나 잊지 않고 이야기 하였다。 그는 일행을 인솔하는 왕간사에게 二○분 동안의 짬을 내여 집 주인하고 어머니를 만나보고 오겠다고 요청하였다。

그는 대번에 할머니의 집 앞까지 뛰여왔다。 발을 멈춘 그의 눈 앞에는 문 앞에 또 두 그루의 적은 사과나무가 심기여 있음을 보았다。 그는 나무 옆에 가서 활짝 펴진 이파리를 만져보고 주위의 낯 익은 산천 초목을 보고는 마치 자기집 문 앞에 온것 같은 환상을 느꼈다。 이곳에 있는 모든 것은 과거와 별루 달라진 것이 없였건만 유독 할머니의 집만은 「지하실」로 변하여버렸다

할머니는 집에 있지를 않였다。 마동무는 오래 머물지 않고 곧 대오의 뒤를 따랐다。 신작로에나 왔을 때 그는 봄 바람에 하얀 치마자락을 나붓기면서 책보를 옆구리에 끼고 마주 향하여 걸어오는 두 소녀를 보았다。 그중 한 소녀는 아주 낯이 익기는 하나 아무리 생각을 더듬어 보아도 어디서 만난 소녀였던지 도무지 잘 기억되질 않였다。 길을 걸으면서 꼼꼼히 생각하니 바로 一년전 불길 속에서 구해낸 그 소녀가 분명하였다。

그는 흥분하여 행군의 피로함도 잊어버리고 부지 부식간에 령마루에 이르게 되였다。 눈 앞에는 산모퉁이에 흰 꽃과같은 사람들이 욱실거리고 있였다。 남자 녀자 늙은이 젊은이 더러는 머리 위에 돌을 여나르고 더러는 등에 흙을 져나르며 거기 있는 다리를 수리하고 있였다。 마동무가 그곳에 이르렀을 때 그는 군중들에게 두 눈을 쏠리며 급히 지나가려고 하였다。 그런데 갑짜기 어데서부터 왔는지 알지 못한 두 손이 단번에 그의 배낭을 꽉 붙들어 버리였다 그는깜짝 놀래여 머리를 돌이켰다。 다름 아닌 그집주인 할머니였였다。

할머니는 삽을 놓고 마동무의 이미 회복된 상처를 본 다음 입속말로 칭찬을 하면서 눈물을

흘러였다。할머니는 입을 열었다。

『마동무! 동무들은 피와 살을 가지고 우리를 보위하고 있는 걸세……』

『아닙니다』 마동무는 대답하였다。

『당신들이 우리를 지원하기 때문에 우리는 전쟁에서 승리할 수 있습니다』

할머니는 마동무더러 부디 자기 집에 가서 쉬면서 밥을 지어먹고 떠나라고 하였다。마동무는 굳이 사양하였다。

『어서 빨리 가서 전투를 하여야 하겠습니다。평화가 된 뒤에 다시 놀러 오겠습니다』

그는 할머니에게 향하여 공손하게 경례를 한후 다시 길을 떠났다。할머니의 두 눈방울은 남쪽을 향하였다。그는 한 손으로는 삽자루를 쥐고 다른 한손을 들어 흔들었다。

『아들아! 다시 만나자!』

마동무도 머리를 돌이켜 역시 손을 흔드는 중에 갑짜기 홍분하여졌다。긴 나래가 돋친 것처럼 뛰며 춤 추는 마동무——그의 입술에는 방금 병원에서 새로 배운 노래 소리가 흘러나왔다……

(一九五二년 七월 조선 전선에서)

大阪朝鮮詩人集団 機関誌『진달래』

樹林文学同人会 〃『樹林』

川崎朝鮮人文学써ー클 〃『大同江』

愛知朝鮮人文学써ー클 〃『산울림』

新脈文学同人会 〃『新脈』

福岡県朝鮮人文藝同好会 〃『荒波』

神戸朝鮮文学써ー클 〃『포뿌라』

◇受贈誌 ▲「抵抗群」제一집▲오림준시집「異郷の壁を破るもの」▲「荒波」제二호▲「樹林」제九호 ▲「文化戦線」제三호 ▲「모종」四호

교문의 력사

남 시 우

제 一 장

누가 너이를 불러
「반쪽발」이라 하였느냐?

나면서 배운 말이 조선말이 아
니라 일본말 임에는 틀림 없다
넉자로 된 이름자를 의심하게
된것이, 철이 든 훨신 뒤 였고
거리에서 힌치마를 만나면
오던길 다시 돌아서던너이는,
인사 범절이 모두 왜놈을 닮고
조상을 생각하는 도리가 되지
못해
자식 귀한마음은
오히려 팔자 탄식으로 되고
고심한 타국사리에 의지할 하나
의 다리도 없어

따뜻한 집이 있을수 없던 너이
들이, 양다리 힘차게 땅을 밟고
버린 가슴팍으로 으젓이 거리에
나섰을 때

누군가
너를 불러 「반쪽발」이라하였다。

묻노니, 조국에 충직하려는 마음
이여!
八년의 세월은 첩첩 싸움의 봉
우리, 멀리 고향을 등진 이 땅
에서
걸어온 자취 하나하나밝혀 보라!

불타는 마음 밝은 회망으로 비
춰주던것은
그대로 꽃다운 우리의 자랑,
복바치는 가슴 백배로 싸움에
내닫게 하는것은
그대로 줄기찬 우리의 힘이였거니,
봄도 四월이면, 더욱 새로워 지
는가—오늘은 이 하늘에 다시
흑운이 도는데

자랑과 힘에 넘치는
그 노랫소리 울려 드높어라!
조선말을 못 먹였다 하여
「반쪽발」이라 하지 말지니

청년이여! 가자 내 노래와 함
께 그 마당으로,
영광찬 앞길을 닦는 그 교문
안으로!

제 二 장

1

빼라를 찍는다。
빼라는 밤을 새우며
열장은 백장으로
백장은 천장으로 불어 나간다。
손을 들때 마다
굵게 두줄로 발간 잉크가 번쩍이는
—私たちの學校をつぶさないで
早く授業をやつて下さい—
내마음을 그대로 백히는 말이
私達は朝鮮の子供です。
なぜ、私達は
朝鮮語で勉强してはいけないので
しようか？ — 또록 또록
한획, 한글자 튀어 나올듯,
굳게 다문 입에 말이 없이
몇시간이 이대로 흐르는가
쏘는듯 한곳에만 박은 눈빨은
상기도 노기에불꽃을 품어

등사판 한가운데 싸고
밀고 당기는 팔목과,
한장 한장 넘겨 재치는 빠른
손가락과
반으로 접고
접은데를 재바르게 뚫어내는
작은 주먹—

좁은 교실은
오로지 한길로 맺친 심장으로
말보다 더한 훈기가 서려
초봄의 밤을
자지 않는다。

밤。 —「동경」은 낮보담
밤을 자랑하여
별아닌 홍등이 하늘에 솟고
네거리엔 그늘 하나 지우지 않
았어도

「동경」에도 한복판
그것은 백촉 전등이 아니라
암흑이 함부로 무겁게 내려덮는
이 마당,
그 교실 마다에는

펄펄 끄리치는 촛불이
오늘은 번떡인다!

무엇을
그것은 가르킴인가,
번수없이 내닫는
창문의 젊은 그림자
무엇을 마음 먹음인가,

울며 소리치는 나무가지도
이밤만은 무심치 않는듯
바람에 부더치는 창문소리도
기더욱 밤의 긴장을 돋구어

마당에 울리는 걸음소리와 함께
덥게만 설레이는 이 가슴,
포성 울리는 전투의 밤을 나는
알지 못 한다。
탄우에 떠는 강기슭, 나의 마을
붉은 흙을 나는 밟지 못 하나
무엇을 의심하랴!
력력히 눈앞에 치서는
거대한 고등에 싸여
여기에 무엇을 의심할수 있으랴!

2

「선생님!」
왜 우리들은 입학식을 하지
못 합니까?
우리들이 왜 우리글로
공부하여서는 안됩니까?
四월五일을 애타는 마음으로 기
다리던 정호, 영철이, 말분이…
처음으로 입학하는 막동생을 앞
세워 교문에 들어서던 그날,

끝순이는 울며 집으로 뒷걸음
치고
한나절이나 교실 밖에
어정거리고만 있던 숱한 어린이
들, 선생님이 미웠음이 아니지
마는
풀길 없는 상심은 앉힐수 없었
다。
몇번째 다짐하듯 묻는 정호의
말은
그대로 참아 있을수는 없다는뜻
책가방을 들고
교문에 들어서는 하로 하로가
잊지못할 싸움의 기록이였으므로
다시 빼앗으려는
어떤 적을 겁낼수 있을소냐!
자리에 선채 뚫어지게 쳐다보는
정호— 요동없이 입을 다문 五
十명의 낯을 차례로 훑으면서
김선생은 말문을 연다。

「정호, 앉어—
우리들은 언제 어떤 때라도
이 교실에서 물러 설수는 없
다。
우리들은 어느 놈에게도
이 동무들을 내 줄수는 없다。」
「내가슴에 뛰는 피와
너이 혈관에 고동치는 줄기가
같은 핏줄일 바에는
나와 너이들이
떠러져 갈릴—그런일은 있을수
없다。」
「그와 같이 우리는 한 몸뚱
이고
그와 같이 우리는한길에 살고
그와 같이 우리는 한길에서
죽을 것을 맹세 하였다。」
「그러나
놈들은 우리에게 서로 떠러져
갈것을 강요하고
서로 가르치며 배우는 우리
생활을 박탈 할려 하고
서로 찾아가는 빛나는 희망을

불 살으려한다!
뿐만 아니라
우리들이 한자리에 모여
얘기하고 같이 노래부르는 그
것을
놈들은 무엇보다 무서워 하고
하로 아침 총창으로
파괴 할려 발악한다.」

죽는 것이 싫거던
내말을 들으라는 강도는
허튼 큰소리가
지나치는 바람결에도 빼쳐든 칼
끝이
면다는 말이 있드시

도망친 발자국은
하롯밤에 가실수는 없노니
대창일 망정 두눈 밝혀 뜨고
추격 날카로운 심판은 받고야
말것.

그날 부터 정호 영철이
그리고 교실마다에서는
밤에도 불빛이 끊지지 않고
공부 하던 책상은
그들의방으로 되였다!

3

정호는 지금 마당에 나선다.
별도 이 시각이면 잠을 부르는가,
막아서는 구름장 하나 없는 넓
은 벌판에
조으는듯 깜박 깜박

아침마다 소식을 전해주는 조례대
널판위에 주춤섰다간 앉아보고
멀리 눈이 아득한 운동장밖
밤의 하늘을 쳐다 보는 눈 앞에

거리에서 만나 악수 하던
일본 동무들이 떠 오른다.
번갈아 메가퐁을 잡아 쥐던
동무들의 핏발 선 낯이 떠 오
른다.

우리의 적은
당신들의 적이 아닐수 없고
당신들의 승리는
곧 우리 승리가 아닐수 없는
믿엽고 씩씩한 일본 학생 청년
들

한사람이라도 더 손을 잡기 위
하여, 한틈이라도 더 굳게 단결
하기 위하여
거리에 서고
직장에 들어 가고
학원을 찾던 나날이
굵은 신렴과 함께 왈칵 가슴밀
에
내키는 뜨거운 것으로
정호의 눈앞을 막는다.
얼마나 고마운 것이냐
이 기쁨을 안기는 벗들이여!
이 기쁨을 알게 가르친
나의 학교여! 나의 마당이여!
처음으로 정호가 여기에 서는
날—벌써 五년이 흘렀는가
두려우면서도 막을수 없이

새희망이 소스라쳐 일어서는
그날 그 아침……
정호는 그것을 기점(起點)으로
하여
모든 것을 생각 하고 싶었다。
모든 열매가 그 뿌리에서
눈이 돋고 꽃이 피어나는 것으
로 밖에
달리 생각할 길은 없었다。

—그런데 나의 동생들은?
나와 같이 기뻐야 할 이 마
당의 첫날을
아직 맛보지 못하는
나의 숱한 동생들은?

크는 새싹을
찍어 넘기는
어떤 도끼가 있는가
천하에 뚜렷하게 내 세워보라!

저도 모르게 빠드득
정호는 억음이를 맞문다。
사릴수 없는 피의 격동이 치밀어
빼젓이 힘이 오르는 양발굽은
땅바닥을 갈라 놓고만 싶듯。

4

벌서 동이 트는가
지붕 위에 나무가지가 고개를
처들고、어득 어득한 골목길엔
앞창 유리가 번들거리는데
잠 이루지 못하는 정호를
애꽃은 책망으로
영철이는 참지 못한다。

「그렇게 꼼꼼 해선 못 써
내일로 싸움은 끝나는 줄알아?
눈물이 다 뭐야!
죽음을 앞둔 패잔병 같이
아 그렇게 마음이 비장하기야?
잠을 좀 쿨쿨 자!
잠이 안 오거던
차라리 손을 들고 항복하고
말어!

깨친듯 정호는 눈멀을 씻어 본다
내일은 학교가 폐쇄된다고
죽음을 내려보는 이 마음
거기에
아모리 살펴도 내일을 지난
다음날의 모습은 뚜렷하지 않었다

왜 내마음이 이러는가!
길이 험난하고
아침은 아직 이욱한 암흑의
침통을 뚫고 나가야 됨을
알았을 진덴
싸움은
어찌 내일로 끝날수 있으며
앞을 막는 언덕으로
어찌 그 너머 펴진
들판을 보지 못하겠느냐?

제 三 장

1

二학년은 「히비야」
一학년은 동경역과 「신바시」
그리고 중학교 소년단
一천四백명은 도내 각 역두에

五八조 대열을 만들어
가두 선전으로ㅡ
투쟁위원 김동무의 지시가 끝나자
두줄로 열지운 분대들이
운동장 거득히
열찬 호명소리 의기를돋 구우며
제마다 솟음치는 힘을 보라는듯
언제나 그자리에 있는 직원실이며
음악당이며 낮은 교실 지붕이
아침 햇빛에
솟은드시 새로워
정다워라! 손길이 난 유리창문
드려다 보곤 다음 시간을 기다
리고、밖을 내다 보곤 다시
정신을 가다듬던
낮고 높은 그 창문들이
이날엔 모두 한가지로 입을닫고 그
림자 하나없는 교실을 지키는 구나
나가려라
오늘은 우리 아침부터 너를 마
스려는
도적을 막기 위하여

정호는 소대를 점검한다
맨앞에 영철이 말분이 윤재
그리고 작년 九州 일본학교에서
처음으로들어온 상만이……
보자기에는 책대신 선전문을 싸
며、이럴때는 내 일본말이 한몫
값을 한다고ㅡ
국어가 서툴어 욕을 보던
상만이 큰소리에옷음판이 터진다
「오늘 도내 전동포들도 우리
들과 함께요。
적은 경관을 교육청에 집결하여
우리의 항의를 제어할뿐 아니라
교활히 우리에조발하여 들것이요
우리는 어데까지나 합법적으로
일본시민들에 진상을 호소하고
놈들의 정체를 폭로시키는데
목적이 있오」
개인행동은 적을 돕는 행위、
반드시 지시에 딿아
공작을마치면
세시에 다시 학교에 집합합니
다」
둥글게 원을 그려 팔을 끼고
언제나 하는 투쟁의 노래 하늘
까에 떨치며
벌서 一분대 二분대 교문을 나
선다。
바람만 스치는 마당
갑작이 넓어진듯 정막한데
멀리 벽에 나부끼는 구호ㅡ
四・二四의 불굴의 정신을 지켜
학교를사수하라!
애국소년 김태일동무를 뒤따르
라!

2

동경ㅡ그 어느 역두에 우리 발길
이 가지 않은 곳이 있느냐?
그 어느 네거리에 우리 피타는
자욱이 스미지 않는 곳 있느냐?

길가는 사람도 주춤 거름을 멈
추고, 구경이 아니라
한마음으로 손목을 잡아 주던
믿음에 힘은 파도치고
싸움의 길 승리로 재촉하던 날
그 몇날이나 되더냐?

우리 백번을 어이 많다 하랴
승리를 위하여 발걸음 힘차고
정의에 타는 가슴 불길을 토할
때엔 날마다 우리는
이 길이 새로웠으니

무거운 잠을 깨트리는 종소리로
우리 고함을 외치리라
더러운꿈을 들부시는 폭풍으로
줄기찬 걸음 거리를헤치리라!

교문 밖에
역으로 들어가는 길거리에
파출소 콩크리ㅣ트 벽담 속에
눈알이 거치른 그놈들
사복(私服)은 패를 짜고 노려
섰다。

곤봉을 휘두르는 녀석들 보다
한거풀 휘장을 감고 눈을 속혀
먹는, 그 행실은 하나 더 교활
하고 얄미워
까므께가 오송도송한 상판에
넵다 한입 춤이라도 뱉아 줄듯

그러면 녀석은 낯을 돌리고
버실 비실 옆길에 든다

정호는 조심히 주위를 살핀다。
전차뚝을넘어 넓은 길까에
감짝같이 四천명의 개무리가 대
기하고, 마침내 이 거리를 휩쓸
어 교문으로 처들어 왔던
지난 三월의 그날이 어제처럼

그날도 녀석들은 이렇게 떼지워
파수를 서고
길가는 사람 앞뒤로 막아
조선사람이면 트럭에 묶어 실려
더니 ——
十條역두에서는 양쪽으로 두군데
一학년 어린동무들이

사무치게 호소성 골목을 울련다

3

벌써 새차례
여섯대식 한줄로 요란히 고등을
들며, 흰빛 몸집에 뚜껑까지 덮
은 장갑차대가 지나 갔다。

잉금이 산다는「宮城」앞 네거리
수도의 중앙 은행나무 가로수가
멀게 빼친 거리를 뚝 갈라끊으며
총구멍인냥 둥근 창문으로
철갑쓴 예비대눈알이 굶주린 개
처럼

빼라를 들고 한가운데선 정호
차라리 가슴이 시언 해 지게,
볼것을 보았다는 마음은
한칭 침착히 자리 잡히고
양손은 한결 가볍게 바람이 일
었다。
「フム 見せつけやがら—」
옆을 지나는 노동자
배알드시 한말 토하면

학생의 눈에도
길을 막힌 차부의 눈에도
참지못할 증오의 불꽃은 솟아

말은 없어도
정호의 마음 천근 무거운
신뢰를 잡는다。

한장 한장 접어 넣을드시
소중히 푸덕에 안고 빠라를 주던
五十이 넘은 어머니가
바쁜 걸음으로 달리는 차를 뚫아
길을 넘어서고
맞은 편에 서 사람마다
공순히 고개까지 수기는 말분이
흥분된 낯빛이 정호를 본다。

「다섯시가 되면 저놈들이
학교에 처밀어 든다!
차라리 내 목을 빼아 가라

아직도 움직이지 않는 말분에게
「말분동무 겁이 나는 가바?
싸움도 하기전에 놈들 꼴만
보고 그렇게 마음이 떨어?

「정호동무 그말밖에 없어
누군 겁쟁인줄 아나바。」

어데선가 바쁜 걸음으로 옆에와
서는 련락반 동무、정호의 손길
잡고—지금부터 三十분안으로
교육청입구에 집결하여 주시요
—신바시에서 二명 체포되였오
반드시五人조를 풀지 말것。」
정호는바삐 소대를 몰았다。

4

「こちらは丸ノ内警察署長であります。入口に立止っている方は危いですからすぐ解散して下さい。即時解散を命じます。」

동경도 교육청
동경도 교육위원회—
그 간판을 막아 겹겹으로 선
경관대、아래 윗칭 낭하에
넓은 회의실에
기개처럼 서서 꿈적하지 않는 놈
입이 비틀어지게 하품을 하는 놈

그앞을 철사로 창문을 얽어 맨
경시청 救急車가 거리를 시위하듯
스피까를 울려댄다。

정호는 한층더 큰 소리로 외쳤다
누군가 가져다놓는 책상위에 뛰
어 올라
사위에 무시무시 느러선 철갑을
처밀듯 주먹질 빼치며

무엇때문에 무력이 여기를 포위
하고 있으며
무엇때문에 장갑차가 이 길을
막고 섰느냐?고

지금 곧 정지하라 명령하는 놈들
차대를 밀고 이쪽으로 오면
둘러선 군중은 요동도 없이
우리의 입을 자갈로 채울테냐?
우리의말을 곤봉으로 막을테냐!

이런 대지가 몇시간이 갔을까…
말을 거부하고
주동이는 오직 한마디

ー도장을 찍느냐?
그렇지 않으면 폐교를 승인 하
느냐? 약속한 시간
다섯시가 되였으니 한마디만 허
라고
엷은 경관이 둘러 싸고
피를 노리는 잇발 금시에 물어
뜯을 듯
같은 일본사람으로서 당신은
가슴이 아프지 않느냐라는 학생
의 물음에도
조선사람이 조선말로 공부하는
자유를
왜 다시 당신이 빼앗겠느냐는
공산당 대의사의 질문에도
시계만 쳐다보는 그 눈깔이
벌서 한 일본인도 또 한 동양
인도 아닌 변질한 썩은 냄새가
돋쳐、 이처럼 발광하는 두려이
그를 지키고 섰다면
동무들!
잡을길 없이솟구치는 분격의 불
꽃을 한가닥 세심히 고누어 살
피자!
우리는 아는가
팟시즘이 무엇을
우리에게 원하고 있는가를!
보라!
놈들은 기다리고만 있지 않는가
목숨이 화구를 향하여불을 뿜을
때、 철판도 녹아 도망쳐야 하는
심장은 국어 죽지 않음을 우리
는 안다。
그것은 몇백만의 심장들을
싸움에 불러 이르키고
천지를 뒤헌드는 한호성을 거느
러옴이나!
사람의 길을 꺾고 짐승으로 되
여 조금도 꺼릴봐없는
인간살육의 마귀 팟시즘은
우리의 피를요구하여 총알을 닦
는다.
동무들!
지금 우리 피가 거리를 물들이고
발악하는 총구가 우리의 심장을
찾아 거리를 휩쓸어 들 때
그것으로 하여
우리의 통일과 단결을 파괴하는
엉큼한 욕심이 춤을 춘다며는ー
오냐、
빗발로 쏘다지는 마지막 공격을
위하여 명중탄、탄환을
오늘 우리는 재어두리라!

5

눈물! 그것을 우리는 조워하
지 않는다。
그러나
석양을 받는 마당에 홍성하니
뒤끓는 노랫소려 일시에 멎고
마이크를 흐르는 말소려에
왜 이렇게 가슴이 맥한단 말이냐
교문앞에

앞가슴 내어 밀고
적의 발굽을 막아 앞설것 다투던
정호 특별소대 동무들이,
뉘하나 물러서지 않는 대렬속에서
승리의 구호 높이던 一학년
동무들이
　너이들을 어찌 보구만
있겠느냐고 앞서거니 뒤서거니
　팔목을 끼던 어머니, 어머니들이
타는 눈길 한곬에 쏘아 밝고
바스라지게 양이를 물었다。
눈물, 방울, 누가 그것을
약한 자의 선물이라 하는가
그렇다! 우리는 이날
눈물을 쏟았다。
갈길을 몰라 아득한 설음에
울어 예던 밤에도
우리는 눈물을 조워하지 않였으나
승리의 믿음 햇발처럼 받아 안
았기에, 우리는 이날 四월九일을
눈알에 색여 넣는다。
맺히는 방울 방울
내일의 귀한 싸움의 보배로 삼아
영웅의 나라
오각별 황홀한 승리의깃발이여!
우리는
강철의 마음으로 너의 품에 뭉
　치리라!
그깃발 더욱 높이 치켜들어
八천만 인민을
불러 이르키리라!

제 四 장

1

우리들은 일본에 산다。
세상의 락을 내일에 믿고
인생의 환희를
내일이 뚜렷이 지켜 섰으므로
—부다고야—마을에도
항시 웃음이 멎지 않는 나의 집。
홀어머니가 끝내
일본귀신이 되여 더욱
이나라 일본땅에 원한은 깊어
반평생 맺친 세월의 고통이
한결 가슴에 복바쳐 와도
이맛상에 잡히는 주름을
오히려 잊게하는 기쁨은 있어
저녁자리에 앉으면
고향푸념이 지절은 여편네를
한눈으로 흘끼면서도
멋없이 콧마루가 더워지는 그리
　움을
악물고 꾹 참아 살아 온다。
동포여
나의
가장 친근한 사람들이여!
벌서 몇해련가 이런 세월이?
처음으로 이 주먹 속에
별을 그린 깃대를 잡아 쥐고
그렇듯 큰 믿음과
흥겨운 삶의 격동으로 하여

이국의 풍상도 옛처럼 괴롭지
않았나니ー

그것은
모두 내 나라가 주는 힘,
내나라가 안겨주는 기쁨이요
나래치는 희망,

고된 싸움에 눈앞이 흐려지고
길이 너무도 아득한것만 같아
영문없이 마음은
바닷속처럼 설레일 때도

모든 것을 략탈 당한노예의 반
생은, 어두운 력사의 한토막으로
이미 사멸한 과거로 돌렸기에
앞날은 그대로 자유요
쟁취한 자유에 마음껏 행복할
권리를우리는 놓지 않았다。

무슨 까닭으로 우리가
자식을 앞에 앉히고
떠돌던 옛날을 얘기하지 않으면
안되며, 어린 인생을
애처렵게 또 생각하여야 할

이유가 있겠느냐?

자식은 애비의 과거를
알아야될 의무가 없였다。
때문에 그것은 아비의 마음을
곱으로 기쁘게 해줄수 있었고
때문에 허로가
씨를 뿌리는 즐거움을 안아조웠다。

2

제자식만은 제마음대로 하겠다고

한사코 놓지않던 아비의
멱살을 잡아 비틀드시
ー어째 이게 네 자식이냐고

不禮者め、
天皇階下の赤子でないとでもいう
のか?
야꾸바에서 온 학무계 녀석이
잡아간지 三년, 정호는 열살때
해방을 맞였다。

외국말을 배우듯 조선말이
어렵고 서툴어
당초에 돌아가지 않는 제 입을
여지없이 밉쌀스럽게 생각한 것은

어린 가슴에 박힌
삭지못할 상처가 피우는 불꽃,
그 불꽃은
일쪽 한번인들 한숨과 울음으로
젖어 시들지는 아니 하였나니

열두살 먹는 봄
총과 마주선 전렬에 드러서는
눈동자가, 교활한 야수를 보아내고

피를 흘리는 싸움의 마당을
붉게 밟으며 넘나든 날에
억압과 박해는 오히려
어린 마음을 강철로 다려내였다

우리들이 피나는 돈 푼푼이 몸
아、판자를 사고 지붕을 고쳐
평생소원을 거기에서 이루워 보
겠다고、아침 저녁 아담한 글소
리 울리는 교청 마당 까—

살고 있는 땅이 이국이기에 더욱
우리 마음에 그것은 살들하였고
거기에 담은 정성은 두꺼워

어린것 책가방 들고 드나드는
아침 저녁이
반석、무거운 삶의 주초。

침략과 살륙의 야수가
만 인민의 가슴을 짓밟고
산과 들과 마을에 군화로 들어
앉으면서
파 헤치는 죄악의 력사
어이 우리 모르랴!

제국주의는 우리의 원수、
조선말을 빼앗아 간 강도와
조선글을 불살라 버리려는 도적과
그리고 또 번번이
이마당을 둘러싸던 구둣발과…
四、二四 불타던 하늘아 말하랴!
三、七의 핏발친 바람아 떨치라!
다시 누구에게
굴욕과 항복을 강요하여
살기찬 잇발을 내여 미는가

「六項目」을 강제로 덮어 씌우
므로 너이들 신하가 될것을 꿈
꾼다면 우리는 대답하리라!
양입 양귀를 모주리 얽어 매어
말대꾸 하나없는
충실한 앞자비로 강요한다면
우리는 대답하리라!
그렇다! 피를 탐내며
자유와 평화를 도적질 하는
제국주의 아메리까는

인간이
자기의 조국을 사랑하는
뜨거운 마음을 무서워 하고
평화로운 생활과
평화스러운 생활을 위하여
서로 사랑하고 단결하는 것을
가장 두려워 하는 것이니

우리의 무기
통일과 단결의 기치
일조친선의 노래 더욱 높이

멸치리라、
고립은 오직 멸망을 가져오는
것、승리는 단결에서만 약속될수
있는 것、
분렬과 오만을 우리는 추방하리라

3

정호는 지금 뜬 눈이다。
세차게 내닫는 싸움의 그림자가
이다지도 생생하게 가슴속에 되
살아 귀를 기우리면
술한 고함소리 들려 오는듯、
믿을 수 없었다
어이 우리 힘이 아직도 약해
분격에 치떠는 몸을
참고 엽눌리지 않으면 안되나
불다짐으로 달려든 원수 미제의
엄청난 아가리에 패망을 안겨
싸워 이겨낸 나라가 내 조국이
라면 어찌 내가 지금
원수앞에 굴복할수 있단 말인가

「우리는 분격만으로 적에 다
승할수는 없다는…말
다만 우리의 분격만으로 적을
이겨낼수는 없다는…말
우리학교의 문제를 자기 일로
전 일본인민이 들고 일어서는 날
그때 우리에 막아 설
어떤 적도 없다…는 말
연단에서 울려 내리던 그 말
들이 가슴을 주먹으로 쥐어
박듯 달려든다。
동포들!
그대는 자기와 행동을 가치할
몇사람의 일본동무를 가지고
있는가…
정호는 손곱아 헤여본다。
ちようせんにんにくー하고 욕질하
고 춤밸던 아이!
눌음터에 들기도 마음이 쭈리던
그때—남의 공을 함부로 찻다고
발길에 차이고
남의 놀음틀에 함부로 손을 넣
다하여 볼기를 갈기던 아이들
미워하는 그 마음과、
손을 빼치는 악수를
거부하는 그 생각을
정호는 겨누어 본다。
죄는 딴놈에 있는 것을 분명
알았을 양이면
내키는 앙심은 숙여라!
사무라지는 눈길은 숙여라!

4

싸움은 길고 또 험난하다。
四위가 바다인 이나라
바다에、땅에
전쟁 터를 닦고
四방에 대포를 재여
침략의 매만 노리고 선
적진 속에서
일쪽

우리는 경애하는 수령으로 부터
영광에 찬 칭호,
「락하산 부대」의 이름을 받았
나니
혁명의 전위
우리는
암흑한 밤을 밝히는
해방의 투사。
해덤벼 날뛰는 무리에
우리는
과의 접전을
오늘은
멸구지 않는다。
하냥 천배의 용기를 주는
우러 깃발이여!
그 품에 싸여 우리들,
오늘은
황망한 벌판에
전렬을 다시 고눈다。
평화를 사랑하는 일본인민들과,
반팟쇼의 벅차는 길에
빼젓이 나서는 일본인밀들과。

제 五 장

바람에 나부끼는 깃폭은
약동하는 심장을 말함인가!
거리에서
거리에서 미여지게 쏠려
펄펄 흰 옷자락이 불길을 스쳐며
언덕을 넘어서
광장으로 모여드는 발구름은
술렁거리는 파돗결인가!
단상 붉은 포장 위에
평화의 비들기 나래처 퍼덕이고
깊어 바다의 마음이로세
높어 천하 상봉의 은공이로세
경애하는 수령은
만가슴들을 한품에 휘감아 안으
신듯
四、二四
六주년은、
평화、교육、 생활방위의
굳건한 대열을 호령 하여
여기 전국 궐기대회를 갖는다。
일본 노동자가 단에 오른다。
학생대표가 올라 선다。
교원조합 선생이 들어 선다。
부인 대표가 꽃다발 안고 뚫는다
일본인민으로 하여
자기 조국을 반역케 하고
동족을 팔아
전쟁의 도살장에 쓸어 밀것을
꿈꾸는 아메리까여!
아세아의 인민으로 하여
서로 싸우게 하고、서로 죽이게
하려는 팟쇼ㅣ너에게 우려는 알
려노니
펴로 맺맥어진 우리의 친선이

강철도 녹혀 냄을
너이들은 알지 못한다。
불길을 휘잡아
장엄한 진격의 나래 퍼덕이는
이대렬!
거기 흐르는 맥박을
너이들은 알지 못한다。
악대소리 선두에 드높이
지금 언덕을 넘어
거리로 들어서는 일조(日朝)의
행렬!
아아 그대들
세찬 투쟁의 몇 준령을 넘어
여기에 뭉쳐 왔는가、
암담한 바다 몇 강수를 넘어
그대들 여기에 뭉쳐 들었는가、
정호도 품어 살았던 깃발
하늘높이 펼쳐 들고
빼젓이 지금 언덕을 넘는구나
四、二四 여섯해를 맞는 이 하늘
밝은 태양아래 그처럼
싱싱하게 앞 나아가라!
독자여! 언제나 그대들
내 노래의 주인과 함께
승리의 대렬속에
그 깃발 지켜 나서라!

一九五四년 四월二四일

◎ 작품현상모집 ◎

작년도에 제一회작품 모집을 하여 적지않은 성과를 걷운데 비추어 본회 에서는 금년에도「조선민주주의 인민공화국 창건 六주년」을 기념하여 제二회 작품 현상모집을 하려고 준비중에 있읍니다

많은 동무들의 참가를 기대합니다。

(※모집규정은 다음호에 발표함)

조선문학회 서기국

제一호合評会

지난 四월三일날 밤「조선문학」제一호의 합평회를 열었다。출석한 동무는 상임위원들과 회원들을 합하여 모두 아홉동무이였다。

비록 인원은 적었으나 매우 치렬한 토론이 전개되였다。「우리문학운동의 전진을 위하여」—김달수—에 대하여는 대체로 그 론점은 명시되였으나 「뿌찌부루적」「관념주의적」인 경향을 지적하는 이 보고 자체에도「뿌찌부루적、과념주의적」인것이 농후하다고 지직 되였다。

「뿌찌부루적、관념주의적」인것의 극복을 필자는「대중속으로!」라는 한마디로 결론지었으며、회 활동의 전체적인 방향에대한 구체적인 제시가 없다고 비판 되였다。「문학써ー클 운동에 더 큰 관심을 돌리자」—김민—는 좀더 써ー클의 실질적 활동을 포착하고、그에대한 친절한 지적이 필요하다고 비판 되였다。써ー클 문제를 다만 그 조직적면에서만 취급한것도 불충분하다고 지적되였다。시「나의 마당에서」—남시우— 는 일본인 교장 安岡를 민족교육 방위투쟁의 당면한 적으로 규정할수있느냐 없느냐에 대하여 토론이 열중되였다。결론으로 반동吉田정부의 민족교육 탄압에 한몫을 말고있는 安岡이는 본질적으로는 우리의 적이다。허나 전체적인 투쟁방향에 있어서 당면한 적은 교육위원회라는것이 지적되였다。이에 대하여는 차후에 다시 토론하기로 하였다。루포・「출장노ー트」—박원준—에대하여는 이날 합평회의 초점적인 격론이 전개되였다。토론자들은 이 루포의「관념주의적」인 점을 엄중히 비판하였다。추상적인 언어의 라렬과 관념의 공전으로 그려진 이 루포에는 동포들의 용감한 투쟁이 한낱 공식으로 바께 그려져 있지 않다고 말했다。「이와같이 쓰는것이「루포」라면、현지에 나가지 않고 신문기사를 모아서래도 쓸수 있다」는 의견들도 나와 루폴타쥬에대한 여러가지 문제들이 토론되였다。동화「토끼와 녹두영감」—류벽—은 문학회 제一회 현상모집 가작 작품으로 작자의 우리말에 능숙한점이 평가되었으나 시간관계로 작품내용까지는 구체적으로 비판 되지 못하였다。이상의 비판에 대하여는 작자들 자신도 솔직히 지적된 결함들을 승인하였다。이와같은 토론을 토대로 다음호부터는 각자가 쓴 원고를 일단 상호비판한 뒤에 시정하여서「조선문학」에 발표하고、발표된 작품을 다시 대중적으로 평가하는 모임을 조직하기로 결론 되였다。

★제二호합평회

때—— 五월二九일 (土) 오후 五시부터

곳—— 동경、上野・상공회관 회의실

▲ 독자들의 많은 참가를 기대합니다。▼

야담

죽음을 면한 종

허남기

우리 조선말에 숙맥(菽麥)이란 말이 있습니다。숙이란 콩을 말하는것이고 맥이란 보리를 말하는것이니까、숙맥이란 말하자면 콩과 보리란 뜻입니다만 흔히 세상에서 숙맥이란 말을 쓸때는 숙맥불변——、즉 콩과 보리도 잘 구별못하는 바보란 뜻으로 쓰이는것입니다。

헌데 옛날에 아주 이 숙맥이란 말에 꼭 들어맞은 량반이 한분 계셨습니다。물론 이런 량반이 불과 한사람이 있었을 리는 만무하고、헤아릴수 없을만치 많았을것은 틀림없는 사실입니다만 여기 함경도 풍산(豐山) 군수 박대감도 아주 이 숙맥이의 표본적 인물로서 둘째 가라면 분해 기절을 할 그런 대단한 량반이였습니다。이 박군수는 수를 전연 셀줄 몰랐습니다。제아무리 바보로서 근원에 이름이 난 사람이라도 나이 四十에 가까운 어른이라면 하나에서 열까지의 수쯤은 셀줄 아는법입니다만 이 박대감은 그것조차 변변히 못합니다。어떻개서 이런 량반이 과거(科擧)에 용하게 붙어 군수가 될수있었는지 신기한 일이라면 이 이상 더 신기한 일이 있을수 없지만 하여튼 풍산군수가 된것만은 틀림이 없는데 수를 헤아리는것은 요새 말로 소학교 一학년의 수학력 보다도 못한 이였습니다。그래서 박군수는 항상 뭘 셀때는 둘씩 둘씩 짝을 맞쳐 세서 짝이 맞어 떨어지나 남나 하는것으로 대중을 삼었습니다。이제까지 짝이 맞아 떨어지든것이 하나가 부족해지면 나종에가서 짝이 맞지않고 하나만 남게되니까 정확한 수는 몰라도 없어진것쯤은 판단할수있어 박대감은 별로 불편을 느끼지 않고도 살아갈수 있였든것입니다。

헌데 하루는 대감댁 종이 하두 배가 고프고 또 고기맛도 보구싶고해서 오리를 한마리 대감몰래 살짝 잡아서 먹어치우고 말았습니다。물론 이 종은 자기 주인인 박군수가 이렇게 철저한 멍청인줄이야 알수있였겠습니까。옛날 량반들이 다 그렇다싶이 이 박군수도 집안에서는 그저 선불맞은 호랭이 처럼 고함만 치고 매질만 하구 하기때문에 굽신굽신 하기가바빠 미처 군수의 위인을 살필 짬조차 없었든 것입니다。 그래 종이 오리를 먹어치운 그 이듬날 아침 군수가 여니때와 같이 뜰에 나와 오리를 세기 시작합니다。 종은 이것을 보구 이젠 틀림없이 경을 당하나부다 하고 기다리고있었드니 아니나다를가 박대감이 오리를세드니 한마리가 부족하다구 어느놈이 오리를 죽였느냐고 그저 벼락이 쏘다지기 시작했습니다。 아무말도 않고 잠자고만 있노라면 오리를 잡아먹은 그 종은 경을 면할수있는지 모르지만 그 덕택에 다른 아무죄도 없는 종들까지 혼이 날것이라、참아 그럴수는 없고해서 그 오리는 저가 하두 배가 고파서 잡아먹었노라고 바른대로 일러 받히고 말았습니다。 그랬드니 허릿뼈가 부러지라구 매를 얻어 맞은것은 더 말할것도 없는 일입니다。만 이 욕심많은 량반나으리는 죽으라고 매질을 해 놓고나서 또 이런 뻰뻰한 명령을 내루는것이 였습니다。——너 이놈 고약한놈 같으니라구 쌍놈의 신분으로서 량반의 오리를 잡아먹었다니 괴상망측한놈 당장에 때려죽일것이로되 특이 관대한 처분으로 래일 이때까지 죽이는것만은 참어줄터이니까 어떻게 해서라두 곧 똑같은 오리 한마리를 물어내란 말이야。알였어? 만약 그렇지못하면 래일 이때는 네놈을 오리따라 지옥으로 보내고 말것이니까——。이 말을 들은 종은、당장에 온 몸에서 핏기가 빠지는것같은 그런 눈앞이 감감해지는 감을 어떻게 할수없였습니다。 남의집 종시리를 해서 간신히 입에 풀칠을 해나가는 신세로서 어디가서 래일 이때까지 오리한마리를 사올 돈을 구해낼 재주가 있겠습니까。 그렇다구 그런 사정을 알아봐줄 상전도 아니고 암만 생각해봐도 신통한 수가 나질않습니다。 그래 종은 생각다 생각다 못해 이왕 매를 맞어 죽는 판엔 한마리 먹고 죽으나 두마리먹고 죽으나 마찬가질 게니까 또한마리 더 잡아먹고 고기맛이나 단단히 보구 죽을것이라고 또 한마리더 잡아먹고 말았습니다。 그리고 다음날 군수가 나타나서 자기를 죽여주기만 바라고 있었습니다。 그런데 그 이튿날 아침에 군수가 나와 오리를 세드니 대단 만족한 낯으로 하는말이——흥 그놈 용하기두허다。 기어코 오리를 사다 채워놓고 말았구나。 그리고는 군수는 안으로 들어가구 마는것이 였습니다。 이젠 속절없이 죽나부다 하고 죽을 때만 기대리고있어 종은 이것이 어찌된 영문인지 알수없어 멍하니 땅바닥에 주저앉어 오릿때만 바라보구 있었습니다。 종이 오리를 또 한마리 더 잡아치웠으니까 둘씩 둘씩 짝을 맞춰 세서 짝이 맞어 떨어진지라 처음 수와 같기로 군수나으리가 생각하길 종이 자기가 죽인 오리대신 한마리를 사다 채운것이라구만 안 까닭입니다。 기가 막힐 량반이 아닙니까。

大東野乘 慵齋叢話卷之五

독자평론

동화 "토끼와록두령감"에 대하여

…김 순 호…

전국작가예술가대회 결정서 네째에 다음과 같이 결정되어있다. 『우리는 아동들을 위한 문학예술사업을 더욱 왕성히 전개할데 대하여 특별한 관심을 돌려야한다. 오늘 우리 나라의 미래의 주인공들인 아동들의 정서를 교양하는 사업은 견 인민적 과업으로 제기되고 있다. 전쟁기간에 아동들의 정서는 거칠어지고 고갈되였으며 그들의 성격은 비 정상적인 생활을 통하여 의곡되였다. 이러한 실정에 근거하여 우리의 미래의 주인공이며 후계자인 아동들의 정서 교육을 강화하는 문제는 우리의 가장 중요한 당면 임무중의 하나로 되는 것이다.』

아동에 대한 이러한 지적과 분석은 일본에 거주하고 있는 우리 아동들 에게도 그대로 적응되리라 고 생각한다. 우리아동들은 조국전쟁은 직접 체험 못했지만 그대신 그들은 항상 민주 민족교육을 박탈할랴고 노리고 있는 적들을 앞에 두고 있으며 또 사멸해 가는 자본주의의 퇴폐적 아동문화 홍수속에 살고있는 것이다. 이때문에 우리아동들의 생활은 종시 비정상적인것이며 아동들의 성격은 퇴폐문화속에서 의곡 되기쉽다.

이러한 악조건을 극복 해가면서 우리는 조국아동들에 지지않도록 재일 十二만 조선아동을 고상한

써ー클 단평 ①

『樹林』 제九호를읽고

김 민

요지음 내가 받어 읽은 써ー클지, 동인지, 시집, 소설집등은 합계 다섯권이다. 그 다섯권이란 福岡현 조선인 문예동호회 발행의『荒波』제二집, 오림준시집『異鄕の壁を破るもの』, 『樹林』제九호, 東海조선문화인협회 기관지『文化戰線』제三호 李樹작품집『抵抗群』제一집등이다. 「荒波」는 주로 시, 수필등 작품을 싣고 「文化戰線」은 학술론문이 주며 소설 一편을 게재해 있다. 「抵抗群」은 단편소설 二편을 그리고「異鄕の壁…」는 시집인 만치 수십편의 시가 실려 있고 내가 여기에 간단히 론평을 시도하는 「樹林」에는 시, 소설, 평론, 번역시등이 실려 있다. 물론 이상의 전부에 대하여서도 반드시 비

도덕성으로 교양하여 장차 조국건설에 이바지하게끔 길을 닦어 줘야 할것이다。

나는 이 소론에서 조선문학 (재일 조선문학회) 찬간호에 발표된 동화 류벽씨작「토끼와 록두령감」의 비평을 겸하여 아동문학에 관한 몇가지 문제를 검토해보겠다。

× × ×

조선인민은 현재 그력사상에 있어 본적이 없는 위대한 영웅적 시대에 살고있다。

경애하는 수령 김일성 원수 두리에 굳게 뭉친 조선인민들은 우리조국의 침략자 미제와 그주구들에 항거하여 력사적 승리를 쟁취하였다。

또 조선인민들은 정전을 방해 파괴 하려는 적들의 음모와 꾸준히 싸워서 정전협정을 쟁취하였다

또 다시 조선인민들은「모든것을 민주기지 강화를 위한 전후 인민경제 복구발전에로!」라는 수령의 호소를 받들어 총진군을 개시하였으며 벌서 빛나는 성과들을 거두고 있다。

이와같이 조선인민은 참으로 영웅적 시대에 사는 영웅적 인민들이다。 영웅적 인민들은 영웅적 예술문학을 요구하며 또 영웅나라의 아동들도 영웅적 아동문학을 요구한다。

이러한 조선인민의 요구에 보답하여『우리의 사실주의적 인민문학은 우리 인민의 고상한 애국주의와 영웅주의를 진실하게 반영하면서 일찌기 우리 문학사에 있어 본적이 없는 드높은 질적 앙양의 길에 들어서고 있으며 당적문학의 기치를 높이 들고 인민들에 대한 교양적 역할을 빛나게 수행하고 있다。』(조선작가동맹기관지「조선문학」一九五四년 一월호 소재 한설야씨 론문에서) 동시에 전국 작가 예술가 대회는 전체 작가 예술가들에게『아직도 우리 문학예술 부문에 존재하고 있는 결함 일체 부정적 요소들과의 과감한 투쟁을 계속 전개할것을』(동

樹林

9호

수림동인

—곁·樹林 9호—

평활동이 전개 될것이며 또 전개되여야만 할것이지만 나는 위선「樹林」九호를 주의 깊게 읽기로 했다。

첫째로 권두에 실린 론단「동인지 樹林의 발전을 위한 몇가지 제안」—김석두—은 九호중 가장 빛나는 글이라고 생각한다。필자는「樹林」이 東京조선고등학교 동창회 기관지란 틀을 깨트리고「樹林」이란 집단 독자의 조직이 될것을 력설하고 있다。 그리고 그와같은 독자적=자주적인 조직으로써 광범한 동포들의 종합잡지가 될것과 아동들을 위한 문학 활동도 전개할것을 강조하였다 필자는 이와같

대회 결정서에서) 호소하고 전체 작가 예술가들이 맑쓰·레—닌주의 세계관으로 자기를 더욱 튼튼히 무장 할것을 요구하고 있다。

그렇다。 맑쓰·레—닌주의 세계관에 립각 하지않은 아동문학은 우리들의 후계자인 아동들의 생활의 교과서는 될수 없다。

(아동의) 계급성을 몰각 해서는 옳은 아동문학은 나오지 못한다 계급사회에 있어서의 아동은 계급적 존재이며 그러므로 아동문학도 계급투쟁의 한 형태이다。 이점을 떠나서 우리는 한페—지의 아동문학도 쓸수는 없다。

× × ×

우리 아동들은 뿔조아사회에서 흔이 보듯이 개개의 재산을 상속받는 소시민적 사람들이 아니고 그들은 조선 민주주의 인민공화국이라는 성스러운 보배를 계승할 사람들이다。 우리는 이러한 우리 아동들을 민주주의적 도덕성으로 교양 하며 그들 앞길에 어떠한 곤난이 가로 노여있더라도 이를 극복 해가는 강철같은 투지를 만들어 주어 장차 공화국의 건설과 발전을 위하여 적극적으로 참가 할수있는 자질을 양성해 주어야 한다

우리는 이러한 역할을 다할수 있는 아동문학을 써야 될것이다。

× × ×

동화 「토끼와 록두령감」이 의도하고있는 결론적 사상은 자식에 대한 부모의 애정문제 라고 생각한다。 어미토끼는 자식을 사랑하고 애비토끼는 모녀토끼를 살리기 위하여 자기를 대신 죽여 달라고 애걸 하는 말하자면 토끼정화 라 할까。 이 동화는 이렇게 짐승까지가 가지고 있는 어미 애비 사랑을 빌려서 부모의 애정문제를 암시하고 있다。

물론 육친애의 도덕관념은 오랜 력사와 전통을 가지고 인간생활을 규정하고 있지만 우리는 도덕의 절대성에 고집해서는 안될것이다。 도덕의 본질은 사회적인 것이며

이 론단하고서, 써—클간의 교류 써—클 협의체의 조직을 제창하고 있으며 그로 말미아마 조선문학회 조직은 더욱 강화되리라고 믿는다고 결론하였다。

이상은 주로 그 조직적인 면을 통한 樹林의 성격과 목적과 사업 제안을 한것으로서 대체적으로서는 나는 의의가 없다。 그러나「樹林」이 고등학교 동창생의 기관지 였든가 아니였든가 하는 문제에 그리 신경을 쓸 필요는 없다。(이 글을 읽은한) 필자는 써—클、동인회의 자주적인 활동을 승인함으로서 이와같은 문제를 재학인 한것으로 짐작되는데 「樹林」동인들의 중심적인 일꾼은 역시 고등학교 동창생들인것이 사실이다。 그러나 이와같은 재학인이 대단히 중요하다 손 치드래도 그것이 기계적으로 선언함으로써 그렇게 되는것은 아니라고 생각한다 다시 말하면 동창회 기관지로서 九호까지 내는 동안에 동창회 기관지인 까닭에 부닥친 문제점들

사회의 발전에 따라 도덕관도 발전하고 있다。도덕의 사회성과 계급성을 망각하고 절대적이며 맹목적인 육친애를 강조하는 문학작품은 현재 우리 조국이 요구하는 인민의 교양활동을 만족히 하지 못할것이다。

나는 이러한 협소한 육친애를 「토끼와 록두령감」속에서 느꼈다 사회적 시야를 가지지 못한 부모애만으로 어찌 사랑하는 아들딸들을 조국전쟁의 가렬한 싸움터로 내 보낼수가 있을것인가。

다음에 작중 토끼에 대하는 록두령감 아들 태도도 결함이 있다고 생각한다。어린이 감정속에 동물에 대한 애착심이 본능적으로 있는것은 당연 하겠으나 이러한 애착심은 대상의 본질을 충분히 리해시키면서 키워야 한다。

토끼가 다만 귀엽고 불상하니까 용서하자는 록두령감 아들의 어리광은 센치멘탈 휴ー메니즘의 인상을 농후히 주고 있으며 이러한 감상은 나가서는 우리의 적 까지도 불상하니까 용서하자는 무원칙성에 타락하기 쉽다。

아동의 정서를 키우는데 있어 우리는 이와같이 아동의 본성을 쫓아 자연 성장적으로 교양 해서는 안될것이며 그것은 항상목적을 지향하는 높은 사상성을 가져야 한다。

동화「토끼와 록두령감」속에서 토끼들이 취하고 있는 집체적 행동은 아동들의 좋은 교재라고 생각한다。우리는 아동문학을 통하여 아동들에게 자각적인 규률과 집체주의 정신을 배양 시켜야 한다 그것은 개념적 훈시로서가 아니라 작중의 구체적인 형상을 보여주는 동시 일상생활속에서 습관화 시켜야 한다。

× × ×

우리는 아동문학을 통하여 아동들을 조국에 대한 열렬한 애정의 정신으로 교양 해야된다 애국심은 민주주의적 도덕 중에서 가장 중요하고 결정적 특질이다。애국심은

특히 창작상에 있어서 나타난 여러가지 문제들이 제시 되지 않아서는 않될것이며 「동창생과 일반대중들을 구별한」것이 구체적으로 무엇인지를 알수 없다。이 문제가 제기되고 검토 비판되지 않는다면

문학동인지로서의 소위 필자가 말한「종합잡지」의 내용이 모호해 있는것이며 그러기때문에 나는「樹林」이 동창회 기관지로서 논 역활이 매우 모호하였든것 같은 인상을 느꼈다。다음에 써ー클간의 교류와 협의체조직은 문학회 자체에서도 루차 검토된 점이며 불원간에 실현될 것이라고 믿는다。이와 같은 제안에 있어서도 한개의 제안만으로서 끄치지 말고 그를 필요로하는 리유 특히 제九호 까지를 통한 활동 체험속에서 문제를 제안하여야만 그것이 발전 될것이다。다만「樹林은 독자적인 조직이며 이런 시업을 제안한다。특히 제안중의 협의 조직은 문학회 조직을 강화한다」는것은 원칙으로서는 옳

우리들 조선인민의 행동을 결정하고 그영웅적 정신과 용감성의 원천인 것이다。

이러한 애국심은 경애하는 수령 김일성원수 께서「전체 작가 예술가들에게 주는 격려의 말씀」속에서 가르켜 주신바와 같이『자기 조국의 과거를 잘알며 자기 민족이 갖고 있는 우수한 전통과 문화와 풍습을 잘 아는데서만이 생기는것』이다。

그러기 때문에 우리는 아동문학을 통하여 아동들에게 기천년에 궁하는 과거의 위대한 이야기를 해주어야 한다。 그것은 권선징악식의 달콤한 옛날 이야기로서가 아니고 피와 땀이 어린 우리 선조들의 로동과 생활을 생동히 묘사 함으로서다。

이러한 아동문학속에서 아동들은 자기 조국에 대한 자랑과 사랑을 가지게되며 또 로동에 대한 자랑과 사랑을 배우게된다。 그리하여 이 성스러운 조국과 위대한 로동의 계승자로서 자각을 높일것이다

다음에 나는 쏘베트의 작가 엠・이리인이 쓴거와 같은 아동을 위한 통속적 과학이야기가 나오기를 희망한다。과학지식은 아동들에게 과학적이며 유물론적인 세계관을 배양시키는 동시 자연에 대한 관심과 흥미를 제고 할것이다。

× × ×

소위「인격의 자유」라는 관념론적 허위 구호 밑에서 아동문학에는 아무런 외부의 목적도 세우지 말고 정치를 떠난 천진란만 한것이 되여야 한다는 개인주의적이며 예술지상주의적 아동문학을 우리는 배격한다。

우리의 아동문학은 아동들을 위한 혁명의글이다。일본에 있어서의 우리 아동문학도『당과 수령의 기치를 높이 들고』전진 하는 동시 문주주의 민족교육을 지키는 한 방패로서의 역할을 할수 있도록 그의 량적 질적의 발전을 기대한다

나는 이 소론을 끝마침에 있어

지마는 그것이 공식적인 것으로서가 아니라 어데까지나「樹林」자체의 이때까지의 활동을 통해서 실천적으로 제기 되였드라면 이 론문은 더 큰 관심을 이르켰을줄 믿는다。그런 점에서 필자는 다음호에서 이 문제를 좀더 구체적으로 쓸것을 기대한다。

박종상작「불량아」는 八호부터 계속되는 소설이다。상당히 긴것이 될것같다。가난해서 부친이 도적질하여 투옥된 동포가정、곤난한 살림속에서 두아들을 학교에 보내는데「도적놈 자식」이란 학교동무들의 모욕에 그아들들과 어머니는 참을수 없는 분을 느낀다。그래서 어머니는 조선학교에 다니든 아들을 일본학교에 전학 시킨다。일본학교에 입학은 시켰으나 역시 생활은 곤난하여 아들들은 학교에 가기를 싫어한다。 그때에 불량아(不良兒)를 맞나는데서 제二회가 끝나고 있다。오늘날 부닥치고 있는 문제를 정면으로 취급한점을※

교육에 관한 레—닌의 교훈을 다음과 같이 인용해 두겠다。

『아동문학에 있어서 가장 중요한것은 작품의 사상적 정치적 방향이다。』 끝

※ 주목해야 할것이다。아직 끝이 나지 않았으니 무엇이라고 속단하기는 어려우나 성호의 어머니가 자기 아들을 「도적놈 아들」이라고 불리웠기 때문에 동포아동들 선생님에게까지 분뇌를 느꼈다는것은 사실일것이나 그렇다고 곧 민단사람의 말에 넘어간다는 것은 부자연 스럽다。성호 어머니는 이 작품속에서는 아주 혼자 떠러저 사는 사람으로 되어 버렸다。그렇기 때문에「애비가 애비같잖고 에미가 에미노릇을 못하니……」라고 탄식하게 된다。적어도 조선인 학교가 있는한 동포들과 선생님들은 일본학교로 전학시키려는 어머니의 분뇌를 방관시 하지는 않을게다。

묘사에 간간히 감상적인것이 흐르고 이야기의 줄거리만 성급하게 쫓기 때문에 인물들이 실감적으로 육박해 오지 않는다。 다음 「새벽」은 일제말기의 조선 농촌을 그린것이다。소작농의 아들 황용이가 집을 떠나 (그 리유도 불명) 서울로 올라온후 그 부모를 구장、일경들이 못살게 구는데 황용이가 경찰에 잡히였다는데서 끝났다。역시 장편의 제一화다。이 작품은 전연 당시의 조선농촌을 모르거나 또는 안다고 하드래도 방관자의 립장이거나、제三자의 이야기를 들은 정도라고 생각된다。그렇기 때문에 이야기는 한개의 렵기적인것이 되고 무슨 연극 각본을 읽는것 같고 민족적인 또는 계급적인 저항(의식적이든 무의식적이든)이 없다。「저녁에 밥이라하여 빵한쪽을 먹였다…」니 작자는 아마 당시 조선농촌에서도 빵을 먹였다고 짐작하는 모양이다。

이작품은 무엇을 독자의 가슴속에 호소하며 힘을 줄려고 한것인지 모르겠다。(아직 一회로 속단하지는 못한다) 용어에 있어서는 「물련」「돈보리「「웨놈」「시혐한」등의 어구로 부터 황용이가 보국대 일을 하루종일 하고 억울한 심정으로 민족의 쓰라림을 가슴깊이 아프게 느끼며 한강 강변으로 나가는 장면등의 묘사에「애수」와「감상」의 극복이 요구된다。

손진형작「해방지구를 노래함」은 작자의 웅장한 시상한 알수 있으나 추상적이였다。관념주의의 극복—이것을 절실이 느꼈다。끝으로 나는「樹林」동인들이 많은 독자들에게 읽히고저 알기쉽게 꾸민 책의 체제를 높히 평가하지 않을수 없다。

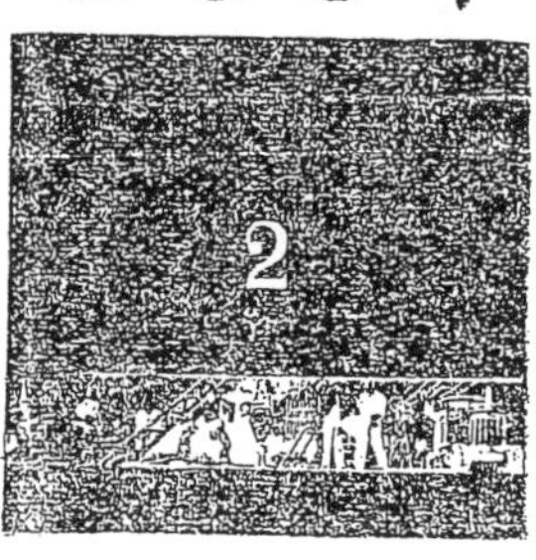

조국 문학 단신

조선 작가 동맹 출판시에서는 지난번의『춘향전』판본 출판에 이어 고려시대의 운문 작품집인『고려 가요』를 출판하였다。

이 서적에는『고려사』악지에 실려 있는 가요『악학 궤범』에 실려 있는 가사 그리고『문헌 비고』와『동국 통감』에 실려 있는 참요 리제현의『익제란고』四권 "소악부"에 실려 있는 민요 등 고려 시대의 운문으로서 현재 남아 있는 약 六○편의 작품중에서 조선인민의 민족적 전통과 우리 선조들의 고상한 사상 감정을 예술적으로 나타낸 순 국문으로 된 가요들만이 수록되여있다 그것은「신라향가」를 비롯한 그 이전의 가요들 보다 예술적으로 련마된 노래로써 계승 발전시킨 주옥편들이다

(로동신문 三월二七일호에서)

◈중국방문 문학예술인들

김은기씨를 단장으로하는 중국방문 인민 대표단 一행 중 김북원, 황건, 길진섭, 리서향, 림소향, 문학준, 리정언외 대표단과 동행한 예술단 일부 성원들은 중국문학 예술인들과 회합하고 쌍방의 문학예술 사업에 관한 의견들을 교환하였다 이날 중국측에서는 모순, 주향, 양한생, 소삼, 유백우 주립파, 퓸설봉제씨가 참석하였다

(로동신문 三월二三일호에서)

◈고대 문화 유적을 탐사

국립 원산 반물관에서는 도녀의 고대 문화 유적 탐사 사업에 착수하였다 강원도 지방은 예맥、옥저、녀진족들의 생활 모습을 찾아볼수있는 자연 동굴, 패총들이 적지않게 산재하고있는데 탐사 대원들은 강원도민들의 생활 풍습에서 민족 사료도 조사 연구할 것이다(로동신문 최근호에서)

◈조국에 소개된 쏘베트의 문학 작품

수 많은 쏘베트 문학작품들—고리끼의 작품을 비롯한「조야」「아들」「와씰리 쵸로낀」「증오의 과학」「무지개」「정복되지않은 사람들」「청년 근위대」「낮과밤」「인민은 조국을지킨다」「봇나무」「지하 주당위원회」「강철은어떻게 단련 되였는가」등 작품들은 조국에 번역 소개되어 전쟁시기에는 인민군 장병들 빨치산들과 전체인민들에게 무한한 힘을 주었다 특히 쏘베트나라의 사회주의 공업화와 농업의 집단화를 위한 시기와 위대한 공산주의건설에 있어서의 창조적 로력 투쟁을 제마로한 쏘베트문학 작품들은 오늘 우리나라 근로자들에게 훈륭한 정신적 량식으로 되고 있다 (조쏘문화 三월二一일호에서)

◇ 작가 동맹 기관지 「조선 문학」목차

조선작가동맹 기관지 「조선문학」의 최근호의 목차는 다음과 같다

※ 一 월 호

△一九五四년 새해를 맞이하여 인민군 전체 장병들에게 보내는 조선 인민군 최고 사령관 김일성원수의 축하문

△ 一九五四년 새해를 맞이하여 중국 인민 지원군 장병들에게 보내는 조선 인민군 최고 사령관 김일성원수의 축하문

△ 一九五四년 새해를 맞이하여 전국 인민들에게 보내는 조선 민주주의 인민공화국 최고 인민회의 상임위원회 위원장 김두봉 동지의 신년사

△ 인민경제 복구 발전 三개년 계획의 첫해 一九五四년도를 맞는 작가들의 창작계획에서

△ 해방탑(소설)을 ─2─ …한설야

△ 새해의 맹세(시)……김경일

△ 새해를 맞으며 (수필) …황 건

△ 당중二二四三三二호 (시) …아·베즈이멘쓰끼

△ 기적은 울린다(소설)…리태하

△ 거제도 (시) …서만일 △ 채석브리가다 (오체르크) …박 진

△ 다리를 건넌다(시)…허진계

△ 아침은 부른다 (시)…전동우

△ 리찌쓰와 씨모노브로 부터 조선 작가동맹에 보내온 서한들

△ 전진하는 조선문학 (평론) …한설야

△ 우리 문학에 있어서의 전형과 갈등문제 (평론)…김명수

△ 조선 작가동맹 중앙위원회 제五차 상무위원회에서

※ (一五○頁 값 一○○원) 편집위원 박팔양、홍순철、민병균、조령출、황건、김순석、서만일、김명수 책임주필 김조규

※ 二 월 호

△ 중기사수 (서사시) …주태순

△ 철규분대장 (소설) …김승권

△ 맹 세 (시) …마우룡

△ 감시병 (시) …신상호

△ 평양 (시) …김영철

△ 조국의 바다를 지키는 사람들 (오체르크) …박경출

△ 도표판 앞에서 (시) …민경국

△ 보병들 (소설) …씨모노브

△ 겨울밤의 크레물리 (시) …뜨와르돕쓰끼

△ 「싸우는 마을 사람들」에 대하여 (신간평) …박웅걸

△ 이오가네쓰베헤르에 대하여…리효운

△ 소설문학의 발전상과 전형화상의 몇가지 문제 (평론) …안함광 ※ 一五○頁 값一○○원─

걸 사진은 작가동맹 기관지 一九五四년 二월호 표지─

★★ ⊙ 평 론 ⊙ ★★★★★★★★★★★★

아동 문학의 전진을 위하여(二)

리 원 우

☆☆☆☆☆☆☆☆☆☆☆☆☆☆☆☆☆☆☆☆

이렇게 三편의 소년 소설과 一편의 동극은 자지의 작중 인물들을 통하여 자기의 모랄을 강조하고 있다。 그러나 임원호 작「남이와 썰매」에서는 인물을 형상화함에 있어서 계급적 관점이 미약하다。

「남이와 썰매」의 주인공 남이는 작가의 계급적 관점이 확연하지 못했기 때문에 불충분하게 그려져 있다。 응당 이 작품에서는 남이의 눈을 통하여 행복의 제도가 서있는 공화국 북반부와 암흑의 제도가 서있는 공화국 남반부를 대비하여 보여주였어야 될것이며 인민 공화국의 우월성을 강조했어야 한다。 왜냐 하면 남이는 서울에서 살다가 六、二〇이후 북반부로온 아이로 작가는 묘사했기 때문이다。 뿐만아니라 남이는 썰매를 타면서까지 서울에서 자기를 가르쳐 주던 선생과 그 선생의 말씀을 회상까지 하는 아이로 작가는 묘사했기 때문이다。

그러나 작가 임원호는 다만 이야기의 줄거리만 꾸미였을 뿐이다。 『로력해서 안되는 일이 없다。 끝 까지 싸워라』 등 여러 가지로 남이를 민주주의적으로 교양하던 선생! 그 선생의 말이 떠오로며 남이는 오그라진 썰매를 끝까지 고친다。 그는 다시 썰매를 타시작한다。 그는 지금은 어느 빨찌산에서 싸우고 계실 선생님 얼굴을 그린다……。

이것은 계급적 관점이 해이된 묘사다 — 남이가 공부하던 서울 학교는 민주주의적 학교인가? 하는 의심도 준다。 이것은 중요한것이 제거된 까닭이다。 남이가 선생을 회상하는 장면 즉—『로력해서 안되는 일은 없다。 끝까지 싸워야 해!』 하시던 선생님 얼굴이 나타나 보이는 장면에는 남이가 공부하던 서울학교의 교실 장면이 떠올랐을 것이다。 그 학교는 노예 교육이 실시되고 있는 침략 정권하의 학교일 것이며 그런 학교에서도 민주주의적인 것을 가르쳐 주던 선생은 응당 진보적 애국투사였을 것이다。 그 선생은 반동 선생들과 대립되어 있었을 것이며 학생들도 두 편으로 갈라져 있었을 것이며 그런 환경 속에서 그 선생은 남이에게 어떤 비밀적인 방법으로 민주주의적 교양을 하였을 것이다。

이 작품엔 응당 선생을 회상하는 장면에 반드시 그런 어느 면이 묘사 되였어야 한다。

그것을 묘사하지 않았기 때문에 결과적으로는 석을 폭로하는데 약했으며 우리 편 즉 우리를 긍정하는데에도 약했다。 인물을 창조함에 있어서 그러기 때문에 무엇보다도 중요한 것은 작가의 계급적 관점이다。 —누구를 그리느냐？

우선 이것이 확실해야 할 것이다。 동시에 중요한 것은 작가의 계급적 립장이다。

로동 계급의 립장에서 자기가 선택한 주인공을 바라봐야 할 것이다。 그러면 이상에서 례증한「남이와 썰매」의 주인공 남이는 누구이냐？ 남이는 미제 침략자를 반대하는 립장에 선 아이이며 六、二〇이후 공화국 북반부로 온 아이다。 즉우리 편이다

그러기 대문에 작가는 우리 편인 남이를 묘사함에 있어 우리 편이라는 것을 강조하기 위해서라도 서울의 암흑면을 주인공의 눈을 통하여 폭로해야 될 것이며 인민 공화국의 우월성을 례찬해야 할 것이다。 우리 소년 소설들엔 자기의 내용에 민주주의적 새 도덕성을 강조하기 시작하였다。 그러나 아직 작중 인물들에게 계급성을 부여하는 점에서 약하다。 이것은 곧 시정해야 될 문제이다。 이것은 작가들의 사상 문제와 결부된다。

작가들은 자기의 계급적 관점을 확립하기 위하여 맑쓰—레닌주의 습득에 있어서와 그것을 자기의 창조 생활에 결부시킴에 있어서 피어린 투쟁에로 나서야 할 것이다。

四、결 론

우리들은 비평 사업을 강화할데 관해서와 동요 동시에 대해서와 계급적 관점을 강화할데 대해서와 동화 작품들에 대하여 언급하였다。

여기로부터 우리들은 아동문학이 각 쟌르에 걸쳐 활발히 전진하고 있다는 결론을 지을수 있다

평론은 첫걸음을 떼였으며 동요 동시는 부정적 경향과 투쟁하고 있으며 소년소설은 인물 창조에 있어서 계급적 관점을 강화해야 될 과업을 세우고 있으며 동화는 구전문학의 전통을 계승하자는 문제를 제기하고 있다。 그러나 이상의 결론은 아동 문학의 질적 제고와 완성을 위하여서는 보다 맹렬한 투쟁이 전개되어야 하겠다는 것을 예고하고 있다。

우리 앞에는 아동 문학에 대한 리론을 체계적으로 수립해야 될 과업이 나서고 있다。 이것이 없이는 총칭 아동 문학이라고 부르는 동요、동시、소년 소설、동화、우화、동극이 의식적으로 발전할 수 없다。 동화와 소년소설의 한계성、동요와 동시의 한계성—등 초보적인 것들이 아직 리론적으로 규명되지 못하고 있는 조건 하에서는 기타 규명하지 못한 허다한 것물이 그냥 있는 조건 하에서는 아동 문학이 스피트를 가지고 발전할 수 없을 것이다。

이 사업을 촉진시키기 위하여서는 쏘련 아동 문학의 리론들을 받아 들여야 할 것이다。 막씸 고리끼의 아동 문학론——에쓰·마르샤크의 아동

문학에 관한 론문들, 쎄르게이·미할꼬브의 론문들이 급속히 번역 소개되어야 할것이다.

그 밖에 아루까지·가이다루의 소년들과 에쓰·마르샤크의 동화들과 엔·노쏘브의 소년소설들과 쏘련에서 가장 많은 독자를 가지고 있는 쎄르게이·미할꼬브의 동요 동시들이 소개되어야 할 것이다.

다음 우리 앞에 나선 과업은 전체 작가들로 하여금 아동 문학에 관심을 가지게 하는 문제다.

아동 문학 十一집엔 몇몇 아동문학 전문가들과 몇몇 신인들의 작품으로 편집되어 있다. 一〇집, 九집, 八집, 七집 이렇게 一집까지 거슬러 올라가보라. 언제든지 목차에서 볼수 있는 이름은 아동문학 전문가들의 이름과 신인들의 이름뿐이다. 이것은 무엇을 말 하는가. 기타 작가들 ── 즉 시인소설가, 희곡가들은 아동 문학에 참가하지 않고있다는 것을 말하고 있다. 아동 문학이란 누구에게 주는 문학인가? 아동들에게 주는 문학이 아닌가? 그 아동들은 누구의 아들 딸인가?

이래서는 안 될 것이다. 전체 시인 소설가 희곡가 평론가들은 아동 문학 즉 아동 문제에 대하여 관심을 가져야 될 것이다.

시인이 아동을 위하여 붓을 들면 동요가 쏟아질 것이며 소설가가 아동을 위하여 붓을 들면 소년 소설이 창작될 것이다.

대작을 쓰는 기간에 아동들을 위하여 김일성 원수의 항일 빨찌산 투쟁기에서 취재한 一천 백매의 장편 소년 소설「아동 혁명단」을 탈고했으며 시인 김북원은 아동들을 위하여 종종 동요와 동시를 써 주며 희곡가 송영은 一九五一년에 전국에서 상연된 아동극을 썼다.

전체 시인, 소설가, 희곡가들은 이분들의 모범을 받아야 될 것이다.

사회주의 레알리즘 문학의 창시자 막씸 고리끼는 동시에 아동문학 창시자였으며 레후·똘쓰또이는「전쟁과 평화」와 같은 대작에서만 위대성을 떨친 것이 아니라 아동들에게 준 작품들에서도 위대성을 떨쳤다.

우리의 아동 문제는 우리의 미래의 문제다. 그들은 우리가 양육해야 될 사람들이다. 우리들은 아동들에게 정신적 량식으로 되는 문학 작품을 쥐야 될 사람들이다.

아동 문학을 전문하는 작가들과 전체 작가 시인들은 이 사업에 열성적으로 참가해야만 할 것이다.

이것은 아동들에게 대한 부모르써의 공동적 의무인 것이다.

(끝)

｜편 집 후 기｜

文關連이 결성되는 지음에「조선문학」제二호를 예정대로 내게되는것을 기쁘게 생각한다。

그러나 文關連 결성대회에 보내온 작가동맹위원장 한설야선생의 편지를 손에들때 다만기쁘만 할수없는 긴장을 느끼지 않을수없으며 또한번 우리들의 문학운동의 발자취를 준엄하게 뒤돌아보고 앞날에 대한 확신과 결의를 굳게 하지않아서는 않되겠다。

제二호는 보시다 싶히 아직껏 부족한 점이 가득하다。제一호 합평회때 결의한대로 작품을 사전에 합평하지 못하였다。 인쇄、원고마감이 촉박했기 때문이다。

허나 그것보다도 더 큰 점은 좀체로 작품을 쓰지않는 회원들의 태만을 들수 있다。회원 각자는 회원으로서 자기가 한일을 다시한번상기하기를 바란다。써ㅣ클、동인회동무들 작품을 싣고저 애을썼으나 우리말로 쓰여진 작품은 극히 적고 몇편 있는 작품도 다시 손을 넘어야 하기 때문에 다음호에 밀수 바께 없었다。다음 호는 창작특집호로 낼 작정으로 이미 몇편이 놓이였다。 제一호의 배포에서 특히 느낀점은、동포대중들의 우리문학에 대한기대가 자못 크다는 점이다。 제一호는 가는곳 마다 날개가 돋인것 처럼 흡수되였다。 량적으로 질적으로 「조선문학」이 동포 대중들의 참다운 싸움의 무기가 되는 날은 그리 멀지 않다는 확신을 갖어도 좋으리라고 믿는다。

大阪지부의 결성을 보았고 愛知、京都、兵庫、東京지방의 지부 조직도 머지 않어확립될것이다 이름만의 지부가 않이라 실질적으로 싸우는 지부가 되어야 할것이다。 또 지금 각지의 써ㅣ클、동인회등의 활동이 눈부시게 전개되고 있다 본회에서는 이 조직을 망라한 협의체 조직을 진행하고 있다。끝으로 독자여러분의 날카로운 비판을 바라며 그와같은 비판을 지면에 반영시킬것을 약속하며 아울러 四월十七일에 본회 중앙상임위원회에서 조국작가동맹에 편지를 보냈다는것을 적어둔다。

(전문은 다음호에 게재)

一九五四년 五월十五일 인쇄
一九五四년 五월十六일 발행

조선문학·제二호
(값 六〇원)

편 집 남 시 우
인 쇄 해방신문사 인쇄소
발행소 東京都港區芝新橋七ノ一二
文關連內 제일 조선문학회

韓雪野의 2大名作!

조선인민군 건군5주년 기렴 문학상1등수상

력사

上권·下권·각 80원

해방탑

—장편 대동강 제2부— 값 80원

『력사』에 대하여

소설「력사」는 경애하는 김원수 께서의 장백산 빨찌산 투쟁 사실을 얼근 것이니만치 그 내용도 내용이려니와 로숙한 필치로 풀어내린 빼근한 박력이 손에 든다음엔 다 읽지 않고 견딜 수 없였다。

제一권에서는 우리 원수의 어버이 같은 교육애를 감촉했드니 二권에서는「황니허즈」및「시난차」투쟁에 걸친 사실 가운데 상상 못할 어려운 조건 환경을 박차면서 기묘 능난 한 전술 전략으로 치멸리는 왜적을 깨광정 같이 짓부시는 장엄 통쾌한 승리를 쟁취하여 굴욕에 떠는 민족의 원한을 풀어 주는 한편—모두를 한결 같이 해방에의 길로 이끌어 나가시는 김원수의 존엄성과 인정미와 조직력을 손쉽게 우르르고 맞 보고 따를수 있는 동시에 모든 악랄 무법한 탄압에 직면한 우리들에게 굳은 확신에 근거한 투쟁의욕을 북돋워 주는 작품이다

(해방신문평)

★ 국문 一반도서 출판

★ 소·중·고·교과서 출판

동경 **学友書房**

電(33)7634
振替 18779

東京都千代田區富士見町二丁目四番地

三　『조선문예』(朝鮮文芸)　在日本朝鮮文学会

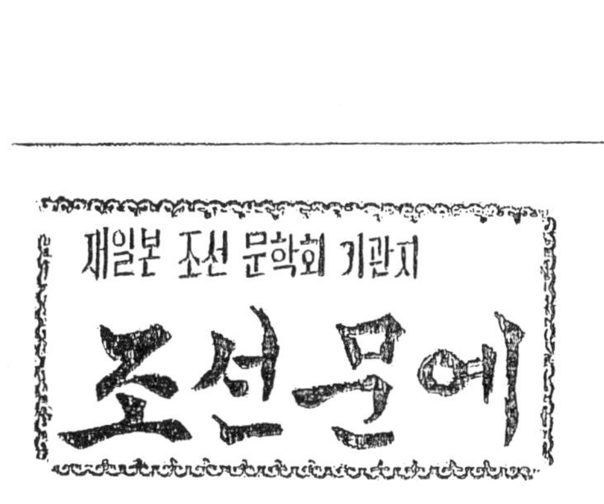

제3호 1956년 11월 10일 발행
在日本朝鮮文学会 常務委員会
값20원 東京都北区上十条2122

= 목 차 =

제二차 작가 대회 결정을 우리 행동 강령으로 더욱 힘차게 앞으로 나서자

력사적인 조선 로동당 제二차 대회 결정에 근거하여 문학의 당면 문제들을 토의하기 위하여 개최된 제二차 작가 대회는 끝났다。

제二차 작가 대회는 조선 로동당의、옳바른 령도하에 발전한 전후 복구 건설 시기의 문학을 중심적으로 분석하여 그 성과와 결함을 밝히였고、그 성과를 발전시키고 결함들을 극복하여 당 대회의 문학 예술 부문에 대한 지시를 실천할 방도를 토의 결정하였으며 인민 대중의 기대에 수응하는 우수한 작품들을 창작할 새로운 대책들을 강구하였다。

이러한 점들은 대회의 보고、토론 특히는 대회 결정에 명백하다。

우리 재일본 조선 문학회에 집결한 재일 조선 작가는 조선 로동당 제三차 대회의 결정과 선언을 받들고 조국의 평화적 통일과 지기들의 민주주의적 민족 권리의 옹호를 위하여 총련 두리에 굳게 결속하여 투쟁하고 있는 재일 六O만 조선 동포를 그 대중적 기반으로 하여 그 전렬 속에서 싸우고 있다。

이런 재일 조선 작가 을에 있어 제二차 작가 대회 결정은 응당 우리의 행동 강령으로 된다。 우리는 이 대회 결정을 비롯한 대회 문헌들을 심오하게 연구하여 이를 재일본이라는 우리들의 조건에 창조적으로 적용하여야 한다。

재일 조선 작가는 재일본 六O만 조선 공민과 청소년들을・우리 조국에 대한 무한한 사랑과 헌신성으로써 공화국 공민다운 도덕 품성으로써 백절 불굴의 강인성과 혁명적 락천성으로써 조국의 평화적 통일에 대한 신심으로써 교양하며 고무 추동할 임무를 가진다。 우리 재일 조선 작가는 조국의 평화적인 통일 독립과 자기들의 민주주의적인 민족 권리의 옹호를 위하여 견결히 투쟁하는 재일 애국 동포 — 우리의 긍정적인 주인공들을 높은 예술적인 수준으로 생생하게 형상화할 임무를 가진다。

우리 재일 조선 작가들은 조국의 평화적 통일을 촉진시키기 위하여 민족적 량심을 가진 남반부 작가들과의 련계와 교류를 강화할 임무를 가진다。

동시에 우리 재일본 조선 작가들은 조국에서 달성된 문학의 제 성과를 일본 인민들에게 널리 보급하여 량국 인민을 더욱 긴밀하게 단결시키는 데 이바지할 임무를 가진다。

이상에서 지적한 바 우리 재일본 조선 작가들의 임무는、우리 재일본 조선 문학회가 이미 특히 자기의 제六차 대회에서 뚜렷이 자기의 나아갈 바 로선으로서 내세운 바이며 또 그에 따라 구체적인 사업과 활동을 해온 것들이다。

이는、이번 작가 대회에서 송 영 씨가 우리 재일 조선 작가들의 활동에 대한 자기의 보고 토론에서、그 정당성을 인정하였을 뿐만 아니라 높이 평가하고 있는 바에서도 명백하다。

우리는 더욱 굳건한 신심과 념치는 영예감으로써 작가 대회의 빛나는 성과들을 우리의 가슴 깊이 소중히 간직한다。

동시에 우리들에게 부가된 영광찬 임무의 중대성을、다시 한 번 가슴에 아로새긴다。

우리 회에 결집된 재일 조선 작가들은 자기들의 사명을 완수하기 위하여 우리 작가들 자신이 로동자 계급의 의식으로써 자기를 단련하며 조국에 대한 뜨거운 심장으로 자기를 무장하며 조선 인민의 위대한 력사의 높이에서 재일본 六〇만 조선 공민의 현실을 포착하여 그들을 항상 깊이 연구하며、그 생활 속에서 자기 자신의 당성을 단련하며 로동자 계급의 혁명적 사상과 감정을 체득 주체화함과 아울러、우리 현실 생활의 진리를 훌륭하게 표현할 수 있는 예술적 기교를 자기 것으로 하는 데 쉬임 없는 노력을 해야 한다。

이상 과제들을 성과 있게 수행할 추체는 물론 작가 개개이다。 그러나 동시에 그것을 훌륭하게 보장할 우리 회의 사업도 또한 절대적 의의를 가진다。

여기에서 우리는 우리 회의 조직을 더욱 강화해야 하며 회의 활동을 더욱 활발하게 발전시켜야 한다

회원 작가는 회의 사업에 보담 적극적으로 나서야 한다。 회는 우리의 회다。

회 활동의 충실은 그대로 회원 각자 활동의 충실로 되여야 하며 그렇게 되도록 하여야 한다。

회원들의 창작 사업의 물질적 담보로 될 회 기관지의 정기적인 출판、작품집의 계속 간행 및 연구회 합평회의 조직 조국 작가 동맹과의 항상적인 련계 교류를 위한 사업 조국에서 달성된 문학 성과를 재일 동포들에게 침투시켜 그들을 고무 교양하기 위한 사업、남반부 작가들과의 련계 교류를 위한 사업、일본 인민들에게 조선 문학을 널리 보급하여 량국 인민을 더욱 긴밀하게 단결시키기 위한 번역、출판、기타 사업、등등 — 우리 회로서 수행하여야 할 당면 사업들은 모두 회원 각자의 리해 관계와 밀접하게 결부되여 있는 것들이며、또한 회원들의 이들 사업에의 적극적인 참가로써만이 성과적으로 수행할 수 있는 과제들이다。

우리들은、더욱 굳건한 신심으로써 넘치는 영예감으로써 작가 대회의 빛나는 성과 들을 우리의 가슴 깊이 소중히 간직한다。

전 회원은、작가 대회 결정을 우리의 행동 강령으로 하여 보람찬 우리의 창작 사업 문학 활동에 더욱 힘차게 앞으로 나서자!

〈一一〇페지 부터〉

출발을 하세요」

그도 전력이 있는 루미는 이렇게 기미꼬를 위로했지만 기미꼬는 머리를 저었다。

「자네는 아직 젊으니 어떻게라도 새 출발이 되지만、나는 이제 아무 남자도 믿을 수가 없이 됐어。 죽고싶은 생각도 드네만 뱃속 것을 생각하니 그럴 수도 없고 애비 없는 자식이라도 낳으면 어미라고 불러 주겠지」

기미꼬는 목메인 소리로 이렇게 대답하고 돌아 누웠다。

벽에는 아직 춘선이의 유까다가 그대로 걸려 있었다。

〔一九五六年 十一月〕

현실이 제기하는 기본적 과제에 대하여

남 시 우

우리들은 얼마 전 성과적으로 문학회 제六차 대회 사업을 종결 하였다。

—총련—의 애국로선에 굳게 결집된 재일 전체 동포들의 기대와 관심 속에서 뿐만 아니라 조국 전체 인민들의 특히 조국 작가 동맹 중앙 위원회의 뜨거운 배려와 성원 밑에서 우리 문학회는 자기의 나갈 바 영광스러운 과업에 대하여 획기적 방침들을 내세웠다。

그것은 우리들이 조국의 옳바른 문예 정책에 철저히 립각하여 제반 자기 사업을 점검 총화하고 총련의 애국 로선에 튼튼히 의거한 우리 활동 로선을 수립하였다는 데에만 그 의의가 그치는게 아니라 지금까지 우리들의 활동을 저해하고 그 내부 깊이 뿌리박고 있던 약점들이 기본적으로 명확히 지적되였으며 그를 극복 시정키 위한 제반 조직적 조치가 확립되였다는 데 더욱 의의는 컸다。

오늘 조국이 내세운 방대한 설계도 앞에서 우리 인민의 무한한 번영과 행복을 지향하는 길에서 문학회와 회원 매개에 맡겨진 임무에 대한 자랑과 자각을 더욱 드높이고 오직 대회의 새로운 방침을 철저히 실천할데 자기의 전 력량을 동원할 결의를 새롭게 다지면서 우리들은 우리 문학 활동 로상에서 제기되는 아직 밝혀 내지 못한 문제들에 대하여 토론과 연구를 더 한층 활발히 하여야 될 것이다。

나는 여기에서 제六차 대회에서의 토론에 립각하여 아직 충분한 론의를 보지 못한 우리 창작 활동 상에 봉착하는 문제들을 들면서 앞으로 그 토론의 전개를 위하여 몇가지 의견을 제기할려고 한다。

(一)

제五차 대회에서 六차 대회에 이르는 三년에 가까운 동안 우리 창작 활동에는 적지않은 성과가 있었다。

출판된 소설집 시집등 단행본이 여섯점 발표 작품수가 총화하여 七一편이라는 것은 우리들이 일본에 놓여 있는 현실적 조건들을 고려해볼 때 그 숫자로 보아도 절대 적은 량은 아닌 것이며 더구나 능히 우리들의 성과작이라고 할수 있을 작품들이 그 중에는 적지 않었다。

특히 재일본 조선인 운동을 일본 혁명의 일환으로 규정하셨으며 전체 동포로 하여금 三반투쟁의 강력한 일익으로써 조직 동원하였던 과거의 그릇된 정치 로선에서 필연적으로 운동의 정상한 발전에 결정적 타격을 받고있었던 문학 활동의 제반 사정들을 고려하여 우리가 상기한 기간내에 걷우운 성과는 결코 잠언 허담이 아닌 것이다

그러나 이번 제六차 대회에서는 그 토론의 대부분이 창작활동을 보담 왕성히하며 제고시킬데 대해서 였다

이것은 우리들이 자기의 쟁취한 성과에만 만족할 것이 아니라 오히려 자기에 내포된 약점들을 들추어 내는데 더 용감해야하며 우리 사업의 보다 큰 발전을 보장하기 위한 전체 회원들의 일관한 지향의 표현으로 된다。

五二명의 회원 그 모두가 부끄럽지 않는 활동들을 하였던가? 하지못했으면 그 원인은 어데 있는가?

문학회는 회원들의 의사와 난관들을 해결해 주는 조직적 담보로 되였던가?

이와같은 문제들에 토론이 집중되였던 것은 종래의 우리 문학회 사업이 당연히 제一의적 문제로 취급하여 론의하며 대책을 세워야 할 대신에 항상 버릇처럼하여 넘겨버리던 그런 무원칙성에 대하여 다시는 더 참을 수 없는 회원들의 한결같은 열의를 말하여 주는 것으로도 된다。

창작사업의 전진을 위하여 지금 우리들의 침체된 창작활동의 요인에 대하여서는 앞으로 우리들이 더욱 열심히 매걸음마다에서 밝히며 론의되여야 할 것이며 그것을 다만 한 마디의 말로써 작가 시인의 사상적 문제라거나 내지는 시간적 문제라는 지적만으로 돌려 두어 안될 것은 다시 말할 것도 없다。

그리하여 상기 기간내의 우리 활동을 좀더 세밀히 살펴 본다면 회원 五二명중에 상기 기간중 작품을 한편이라도 발표한 회원수는 불과 十四명이였다。

이것은 지금까지 전혀 문학 활동을 하지 못한 또는 하지 않은 극소수의 회원을 제외한 숫자의 三분지 一에 지나지 않으며 [illegible]히 가운데에도 三년 동안에 二편내지 三편의 작품 밖에 발표하지 못한 회원이 태반이 된다。

물론 우리 회원중 전적으로 문학 활동에만 자기 생활을 집중할 수 있는 회원은 극 소수이다。

반수에 가까운 회원이 교육 분야에 그 외의 회원은 언론 기관 혹은 각 단체 조직 기관에서 중첩된 임무를 맡고 있으며 우에 올린 十四명도 모두 문학회 이외의 기관에서 구체적 직무를 가지고 있다。

이러한 사실과 관련하여 발표 작품들의 내용을 정리해 본다면 소설 시를 總하여 국문에 의한 작품 十七편이 모두 교육 문제를 주제로 했거나 혹은 작품의 중심적 슈젯트로하고 있다는 사실은 역시 작품 활동이 대체로 교육 관계에서 사업하고 있는 회원들에 의함이 많았다

는 것과 결부되는 것이며 이것은 또한 우리 문학에 나타나는 경향이 그 주제에 있어다는 일면성과 편협성을 면치 못하게 하였다。

다시 말할 것 없이 현재 일본에 있어서 민주적 민족 교육을 발전 강화시키는 사업은 비수의적인 일본 정부의 정책 아래 재일 六○만 동포들이 그들의 기본적 인권을 옹호하는 문제와 아울러 민주적 민족 권리를 지키는 가장 핵심적 사업으로 되며 따라서 그것은 우리 문학상의 중요한 과제르 될 수 있으며 앞으로 더욱 이의 충실한 창작 활동이 요구된다。

그러나 주제의 긴요성에 비추어 많은 작품들이 혹은 작품의 구성과 자료의 선택과 인물들의 설정에 있어서 비교적으로 솜씨 있게 「째여진」 경우에 조차 광범한 독자들의 요구에서는 훨씬 뒤떨어지고 있었으며 문학이 우리 시대에 있어서 인민을 교양하는 사상적 무기로 되어야 뿐 아니라 그들의 미학적 요구와 수준을 한층 높이 이끌어 올려야 할 중심적 과업에서는 매우 락후되고 있은 사실에 눈을 가를 수는 없다。

례를 「벽신문」에 들어보자。

이것은 이미 「서분이의 항의」를 수편의 단편을 발표하여 많은 독자들의 기대와 관심을 사고 있는 김민의 「창조」 지에 발표한 단편이다。

「벽신문」은 중 학교에 갓 입학한 「복순」이와 새로운 민족적 자각과 함께 그에 의하여 지금까지 「반동」으로 불리어 온 아버지까지 사상적으로 변혁되는 우리 현실의 가장 흥미 있는 한측면을 들어 낸 작품이다。

그러나 현실에 대한 적극성과 커다란 교양적 가치를 가지는 이와 같은 주제의 설정이 결과에 있어서는 독자들의 하등의 감동과 공명을 일으키지 못했을 뿐 아니라 작자의 주관적 편견과 새로 형성되는 긍정적 성격에 대한 불충분한 리해로 말미아마 오히려 독자들의 반감을 일으키게 하고 말았다。

우리들이 처해 있는 현실에 객관적 립장에서는 무엇보담 이 작품의 가장 첨예한 사상적 모순으로서는 「복순」이와 그의 아버지에 대한 대립이 기본으로 되여이 할 것이며 이 모순이 해결되여가는 과정에는 그의 중요한 후원자로 새로운 복순의 생활인 학교의 「집단」이 있어야 될것이며 그 집단 생활 속에서 형성되여 가는 새로운 성격에 대한 예술적 형상화가 작품의 중추로 되였야 할 것이 였다。

그러나 작자는 복순의 고민과 분격과 눈물을 전혀 부자연한 「벽신문」 사건이 오직 그의 근원으로 되게 하였고 그를 둘러싼 선생과 학교 동무들과의 관계가 작품의 많은 부분을 차지하게 한 결과 아버지의 복순을 통한 「자각」에 이르는 과정은 그 발전 자체가 비론리적 일뿐 아니라 인간을 성격화하는데 필요없는 혼란과 산만성을 일으키고 말게 하였다。

그리하여 작자의 주관적 의도와는 반대로 작품은 오늘 우리의 학교들의 본질적 문제들을 추구하지 못하였으며 지어는 많은 부분에 있어 우리 학교의 객관적 현실을 외곡하는 결과까지 초래하였다。

이러한 실페는 다시 말할 것 없이 작자가 갖는 생활에 대한 연구의 빈약 또는 불철저에서 오는 결과라고 생각한다。

우리는 단순한 생활의 기록자가 아니다。 우리는 작가이기 전에 한 공민이며 혁명적 투사이다。

우리는 적극적으로 생활에 침투하며 생활의 진실을 발각해 내며 생활을 개혁하기 위하여 항상 그 최

전선에 동원되는 선동 선전가이다。

여기에서 우리는 낡은 사상 잔재로부터 해방된 새로운 인간 잠성을 촉진시키고 교양하는 이른바 인간 정신의 기사로 될 수 있다。

오늘날 우리들이 만약 실천에 대한 치렬한 노력이 없이 자기의 사상이 조국과 인민 앞에 충실히 복무할 공민의 립장을 튼튼히 고수하고 싶다는 주관적인 만족에서만 창작을 준비하고 있다면 당초에 작품으로서 결실이 없을 뿐 아니라 비록 씌여진 작품일지라도 그것은 다시 없이 빈약하고 조잡한 산물로밖에는 안 될 것은 당연하다。

례를 다시 림경상의 「새 출발」에 보자。

「새 출발」은 문자 그대로 과거 남로당 당원이였으며 젊은 청년으로서의 정렬과 기대에 불타던 주인공 동헌이가 일본으로 밀항한 이후 자기의 도피적 행위에 대한 자학심으로써 오래인 고민과 정신적 동요 끝에 마침내 새로운 생활 의욕에 출발되는 밀항 청년의 문제를 제기한 작품이다。

자기 현실에 대한 관념적 자책과 그런 자책에서 내심으로는 적극적인 생활에의 욕구를 가지나 막상 행동적으로 되지 못하며 무기력한 청년은 밀항자가 아니더래도 우리 주위에 많이 볼 수 있는 현상이며 특히 부패 타락된 자본주의 사회 환경 속에 살고 있다는 조건과 또는 그런 현실의 독소에 셔지없이 침식될 젊은 청년들을 앞에 두고있는 우리들에게 「새 출발」이 제기한 문제는 다시없이 많은 교양적 의의를 갖는다。

이런 의의에서 이 작품은 그 주제 자체가 무엇보담 청년들을 무기력하게 만드는 사회적 요인들에 대한 날카로운 동찰과 함께 거기에 매혹 당하는 사상적 부정면들의 해부가 예민히 들어나지 않고 다만 개인적 경험의 테두리에서만 그 심리적 경과를 쫓아 나간다면 그것은 완전히 기록주의적 사소설에 떨어지고 말 우려를 품고있는 것이였다。

그러나 작자는 작품을 발전시키는데 그가 가지는 사회적 의의에 대한 고려를 소홀히 하였을 멀 아니라 작품의 객관적 정치성을 과소평가한 데서 출반했기 때문에 전체가 개인 본위의 전말 기록적 함정에 빠졌으며 심지어는 「새 출발」에 대한 새로운 감동이 아니라 작품 전체의 뉴엔쓰가 주인공의 그 이전 생활에 대한 일종의 향수감까지를 자아내는 결과로 되였다。

좀 더 론의를 발전시킨다면 나는 이 작품을 읽고 사건과 인물들의 설정에 대하여 나아가 작품 자체에 대하여 몇가지 의문을 느끼지 않을 수 없었다。

첫째 왜 주인공 동헌은 하필 「판술」의 식객 노릇을 하지 않으면 안되며 끝내 KPP 기자로 되여야 했던가?

둘째 작품의 대반이 고향에 대한 회고 추억이면서 왜 주인공의 현실적으로 고향에 갈려는 생각에 대해서와 또는 일률한 고향 생각을 가

풀잎새

강 순

점클은 길에
타고갈 전차를 기다리며
쉬파람도 없이
건너다 뵈는 저 풀
이름없는 풀잎새
그 쬐고만 흰 꽃

산을 깎아내고
칭칭이 쌓아 올린 돌담
여기 볼모의 지평
빈틈없는 돌벽우
시싯바람에 불리어

로막게 하는 가장 절실한 문제들을 전혀 무시되고 말았으며 셋째는 「동헌」이 친형제처럼 따르고 그에게 크게 감화주는 주요한 인물인 판술을 왜 구태여 모리배 장사치로서 완전히 부정적 성격으로 내 세웠으며 그리고 특히 주인공 동헌의 사상적 발전의 계기를 순전히 판술이와의 개인적 관계에만 의거하게 했던가? 등이다。

작품의 슈제트와 인물을 이와 같이 설정했을 때 비록 이상의 의문을 충분히 납득시킬 설득력을 가진 문장으로써 사건이 발전 되여 나갔다 하드라도 과연 이 설불의 해명에서 어떠한 본질적 문제의 분석 또는 해결을 볼 수 있은 것인가?

가증한 일본 정부의 배타적 책동밑에서 인간으로써 최저의 생활권까지 잃고 있는 재일 六○만 동포들의 피어린 생활의 모습이 멀리 사라지고 만 이 작품에서는 필연적으로 독자들이 가장 살고 싶어하며 첨예한 형태로 대립되고 있는 새것과 낡은 것과의 대립에 대한 분석과 새로운 것을 승리에로 촉진시키는 기본적 문제점들에는 하등의 대답을 못주었을뿐만 아니라 생활의 진실성이 극히 희박하게 되고 말았다。

너는 구양 왔던가
죽을 지경에서
꺾이지 않은 너
차단한 돌에 발이 붙이자
그날로부터 비롯한 너의 휴혼
빨을 뻗대고
바위를 바수던
그 쇄석의 음향
뉘가 너를 우연한, 꽃이라 하리오
늠늠한 뿌리의 장함이여
찌고만 흰꽃
돌굴의 돌잎새여

그러므로 비록 사차스러운 문장으로서 깍고 치장을 붙인들 필경 그것은 그야말로 「동헌」이가 항상 모—든 행동을 「이불 속에서」 생각하듯이 독자들의 감동적인 실감을 불러 일으킬수는 없었다。

(二)

이와 같이 우리 작품들은 재일 六○만 동포들의 생활에 있어 매우 요긴한 문제들을 들고 일어 났음에도 현실에 우리 독자들의 한결 같은 목소리를 들어 주지 못했을 뿐 아니라 그들이 쌓아 올린 생활의 심도에는 가담도 없이 멀게 바께 반영해 내지 못하였으며 그 취급된 인물과 사건들이 빈약하고 따분한 것에는 이미 오래 전 부터 독작들의 불평을 받아 왔다。

종래에 이러한 실정에 대하여 우리 작품들의 질을 보담 제고하기 위한 론의들에서 우리들은 그 원인이 주로 작자의 예술적 수법의 문제로써 형상성의 부족에서 기인해 왔다고 설명해 왔으며 예술적 기교의 수준을 높이기 위한 대책들이 심각히 토론되면서 나아가서 일부에서는 그것이 정치주의적 편향으로 두렵게 경고되여 왔다。

「조선 문학」 장간호 합평회에서의 박원준의 「르 풀 타—쥬」에 대한 비판들은 아직도 우리들 기억에 생생하며 우리들의 창작 태도의 이른바 "비문학적" 경향을 배격하는 나머지 그것에 "정치성 과현" 이라는 부당한 욕설을 퍼 부었었다

이러한 우리들의 작품에・대한 평가와 또는 작품 활동에 대한 론의들 속에서 자기의 창작상의 고민을 해결하는 방도를 더욱 체계적이며 치밀한 리론적 학습을 강화할데만 구하게도 하였으며 분주한 활동에서

벗어나 정신을 차리고 좀 조용하니 작품을 쓸수 있을 생활을 요구하게도 하였다。

그리하여 누구나 자기의 「시간」을 크게 요구하였고 그렇게 되지 못하는 현실에서 마음은 초조만 해져 갔다。

공부도 되지 않는다 작품도 쓸수 없다—는 불평은 구체적으로는 「시간」이 없어 그렇다는 생각은 또 일면에서 작품을 발표할 기관이 없으니까 어떻게 해볼 도리가 없는 것으로 쓰지 못하는 원인을 합리화할수도 있었다。

뿐만 아니라 심지어는 일본에 살고 있는 동포들의 실상으로 보아 작품을 읽어주는 독자의 수가 극히 국한되여 있다는 것을 앞세우고는 당초에 일본에서 민족 문학 운동은 성립되지 못하는 것 처럼 생각은 경향도 없지 않었으며 이러한 데서 창작 활동이 부진한 큰 원인이 우리들의 예술적 기교의 부족에서 나아가서는 객관적 조건들이 만들어 내는 것으로 생각게 하는 경향을 조장하였다。

한 때 일본에 있어서 우리들의 문학 활동에 대한 평가와 특히 국문에 의한 창작 활동의 의위가 옳지 못하게 왜곡되였던 시기가 있었던 것은 사실이다。

문학회가 창건 이래 걸어 온 길에 대하여 우리들이 이루운 사업들을 더욱 체계적으로 리론화하는 사업과 아울러 전체 재일 조선인 운동사상에서 문학이 기여한 업적들을 평가하는 동시 운동 로선에서 나타난 제반 과오와 오류를 과학적으로 분석하여야 할 사업은 곧 우리들의 현실적 제문제들과 앞나갈 방향을 구체적으로 천명하는데 가장 중요한 사업으로 된다。

그러나 어떤 경우에서든 외부에 있는 약점들로 하여 우리 내부의 결함을 합리화하거나 또는 우리들 자체의 책임을 전가 회피할수는 없다。

우리 문학 운동에 대한 과소평가는 다만 우리의 의사와는 달리 외부에만 존재했던 것이 아니라 우리들 자체가 그를 옳지 못하게 평가하여 왔으며 그릇된 립장에서 있었던 거기에 우리는 더 큰 책임을 느끼지 않을수 없다。

「평론 활동」이 일관하여 부진한 원인도 실은 따지고 보면 여기에 있는 것이며 문학 실꾼으로서의 과제와 사명에 대한 불철저한 자각에서 온 그 외의 아무것도 아니었다

특히 상기 작품들이 갖는 기본적 결함이 우리들 창작의 많은 부면에 관계하고 있는 사실과 또한 이것이 우리 작가들의 생활에 대한 침투가 불철저하다는 데에만 그 원인이 있는 것이 아니라 작자의 사상적 심도 그 자체에 더욱 크게 근원되고 있다는데 더 중요한 문제를 제기하여 준다。

앞서 말한 바 우리들의 사업 접검과 비판 활동속에 잠재한 예술적 「기교론의」가 우리들의 기본적 과업을 성과적으로 추진시키는데 있어서 당면 가장 초점으로 되는 문제인것 처럼 리해된 것은 실지 작품상에도 여러가지로 영향되지 않을수 없었으니 그것은 특히 류 벽의 「갱소년」 기타에서 현저하게 볼수있다。

아는 바와 같이 류 벽은 동화 「토끼와 룩두령감」 「나는 연필입니다」 등으로 우리 아동들에 대한 문학적 정서교육이 크게 요망될 때 청신한 시정과 풍부한 표현력이 많은 독작들의 촉망을 받으면서 등장하였다。

동시에 「신맥」 三호에 발표한 「갱소년」은 지역의 젊은 조직 활동가를 주인공으로한 단편인 바 이 작자로서 소설로는 발표한 첫 작품으로 된다。

동포들의 큰 시련를 받고 있는 지역 활동가 나가는 그의 대중에 봉사하는 성심이런 노력으로써 이웃 「리로인」의 낡은 사상을 개조케 하는 이 작품은 우리 작품에 「활동가」를 정면으로 내세웠다는 주제의 적극성과 아울러 우리 주변에 있는 부정면들을 날카롭게 들추어냄으로써 대중들의 사상 감정을 선진적인 것에로 전변시키는 매우 중요한 문제를 취급하고 있다。

지역 활동가 「나」는 잠시도 마을 동포들에 생활과 조국에 대한 생각을 잊지 않는다。 그의 전 생활을 들어 오직 마을 동포들의 고민과 원망을 해결하는데 젊은 정열을 바친다。 아직도 일본 학교에 다니고 있는 어린이들의 정신을 개쳐주기 위해서 생활의 온갖 수단을 잃고 있는 동포들에 일본 정부의 사회보장을 적용시켜 주기 위해서 그리하여 아직도 새로운 시대에 사는 민족으로서의 자각이 없이 「취생몽사」로 살아가는 동포들을 눈뜨게 하기 위해서 전 력량을 바친다。

주인공의 이러한 활동을 통하여 마침내 「리로인」의 낡은 사상이 개조되는 과정을 독자에 보이려고 작자는 시도한다。 틀림없이 주인공 「나」는 우리 현실의 가장 적극적인 「전형」이며 작품의 슈젯트에는 우리 현실의 기본적 제 문제들이 포착되여 있다。

창작의 출발은 완전히 옳은 길잡에서 섰었으며 작자의 시도는 완전히 타당한 것으로 된다。

그러나 실지 작품이 전개되여 가는 속에서 작자는 독자에게 무엇을 보여 주었던가?

작자의 주관적 의도와는 전연 반대로 작품은 엄중한 결함을 폭로하고 말았다。

그것은 생활의 본질에 대한 작자의 파악이다。

전형의 성격을 창조하는데 있어서나 또는 부정적 인물의 취급에 있어 작자는 넓은 생활의 법칙성위에 사건을 발전시키는 것이 아니라 순전히 개인적 행적을 중심으로 작품이 한 개인의 뒷꽁무니를 딸아다니게한 결과 작중 인물들을 여지없이 생기없게 따분하게 만들어 내고 말았다。

우리들이 이땅에서 가장 선진적인 성격을 창조 할 때 그것은 집약적으로 해방이후 十년동안 재일 조선인민의 애국적이며 민주주의적인 투쟁속에서 형성된 성격으로 간주하여야 될 것이며 그것은 철저한 집단적 생활속에서만 이루어 질수있는 것으로 되며 또한 현실은 바로 그러하다。

그러므로 전형은 우리 운동은 조직 지도하는 우리들의 민주적 애국단체(조직)과 혈연적으로 관계되는 것이며 재일 동포들의 사상적 계몽도 주로 조직적 사업의 결과로 나서는 것이다。

이러한 본질적 문제의 파악이 불명확한데서 작자는 활동가 「나」를 전연 「조직적」이 아닌 인간으로 취급했을 뿐 아니라 현실의 발전을 전혀 개인의 활동 성과로 간주케 하였다。

이것은 이 작품의 구성과 발전에도 집결 영향을 준 것인바 작품전체를 「나」와 「리로인」의 대화적 방법으로 또는 「나」의 「회상」의 수단으로서만 이야기하게 하였으며 거기에 취급된 사건은 주인공 「나」의 개인 행동의 틀에만 얽매여 지지 않을수 없었다。

이와같이 예술의 일반화에 있어 치명적 결함을 내포한 이 작품에서 작자의 많은 에넬기-는 기교상에 특히는 「언어」에 받쳐지였다。

작품 첫 장에

비는 겨우 그쳤다。 나는 목적한 동포집에 당았다。 더 앞에 둥그렇게 지은 이랑에는 가로 줄을 지어 마늘이 심겨 있고 또 그 마늘 사이에는 고추 모가 간격 고르게 서 있는데 이랑 비탈과 고랑에는 상치가 오묵 조묵 어깨를 부벼대면서 부드럽고 윤택진 푸른 손들을 활작 활작 펴들고 있는것이 고국 마을의 채전과도 같애서 정답다 ― 등에서 볼수 있드시 몇번이고 닦고 고친 문장이라고 직감되게 공을 드린 「말」도 형상성에 있어 작품을 줄기차게 끌고 가는데 도움이 되는 것이 아니라 전편을 통해 작자의 자연 심리묘사나 긴 설화가 오히려 불필요한 것에 조차 장황한 말재조를 부리게 되고 만다。

작자의 고심한 「말」에 대한 노력도 요컨데는 그것이 보담 진실하며 객관적인 현실의 반영과 관계가 멀 때 거기에 피가 숨은 생동한 감동을 찾지 못할 것은 당연하며 작자의 판조적 경향과 작품이 풍기는 「사랑방 공론식」 냄새에 우리는 불만과 반발을 갖지 않을수 없다。

이 작품의 이러한 경향이 「갱소년」에 이어 발표된 「군수 대감」에도 많은 부분에서 발견할수 있는바 창작사업에 대한 론의들을 특히 작자의 사상적 문제에 관련하여 제기하는 것은 오늘날 다른 무엇보담 중요하다고 나는 생각한다。

(三)

지금까지 우리들은 특히 우리가 처해있는 일본이라는 구체적 조건 우에서 현실이 우리에게 제기하는 그 기본적 과제에 대하여 전연 론의를 하지 않았거나 혹은 그에 대한 고려가 극히 형식적이며 관념적이였다。

「생활 수기」를 쓰자는 구호나 〃루뽀르따-쥬〃를 왕성히 일으키자는 제창도 한낱 류행적 현상에서 제기된데 지나지 않았으며 진실로 일본에 있어서 조국의 평화적 통일을 달성하여 재일 六○만 동포들의 생활과 권익을 수호하는 투쟁에 있어서 우리 작자들에게 부과되는 과업이 무엇인가에 대한 그 구체적 천명에 있어서 리론적으로 불명확 하였으며 불철저 하였다。

재일 六○만의 애국 투쟁을 형상화한다는 일반적 과업 우에 한걸음도 나서지 못하는 것은 재일 六○만 애국 투쟁 자체에 대한 다시 말하면 재일 六○만의 생활에 대한 과학적 분석과 연구가 부족한 데서 우리 생활 가운데에 가장 본질적 모순들을 들추어 내지 못했음을 의미한다。

우리들이 정확히 우리 생활의 법칙성을 보담 정확히 판단하고 그에 대한 추구가 옳바른 사상적 립장에서 과학적으로 진전되였다면 재일 六○만의 생활을 창조하는 데도 당연히 가장 기본이 되는 본질적 문제들이 명확히 되였을 것이며 따라서 문학운동 자체가 더 활발 했을 것은 의심할 여지도 없다。

오늘날 재일 동포들이 놓여 있는 현상의 어떤 한 측면을 들더라도 일본 정부의 비법적 탄압과 책동들이 비저내는 그를 생활의 본질적 문제가 추구되지 않고 옳게 밝혀질수는 없는 것이며 따라서 우리들이 보담 생활을 전면적으로 포괄적으로 리해할 것을 요구한다。

이와같은 종합적 반영의 각도 우에서 오히려 우리들의 주제는 삶으로 더욱 다양한 측면들을 들고 나서야 할 것이며 우리 문학의 주인공들도 더욱 다채로운 생활의 부면을 등지고 나설 것이 필요하다。

우리 주위에 무수히 있는 조직 활동가들 속에서 학생들 속에서 교원들 속에서 또는 직안로동자들 속에서 이 시대의 특징들을 지닌 성격을 발견하며 그들의 본질적 특성의 가장 선명히 발휘되는 사회적 사건을 들어 내여 그들이 이 사회의 모순에 직면하여 어떻게 행동하고 살아나가느냐는 모습을 독자들 앞에 밝혀 내어야 할 것이다.

나는 여기에서 우리 작가들이 객관적 현실을 보담 총체적으로 인식할 문제와 결부하여 특히 일본에 있어서 문학이 등져야 할 계몽적 역할에 대하여 강조하지 않을수 없다.

그것은 현재 일본정부가 재일동포들의 외국인으로서의 권리를 일체 인정하지 않을뿐 아니라 그들의 반동적인 언론 문화 기관을 동원하여 아직도 조선 인민을 「렬등」한 민족으로 악선전하며 조선 인민과 일본 인민과의 우호 친선 관계를 고이로 방해 리간시키려는 구체적 현실 속에서 실지에 있어 우리 동포 대중들의 문화적 수준이 극히 열은 동시에 그들의 사상과 감정에 잔재하는 일제 잔재를 청산하는 것이

유품

김시종

네가 남긴게 아니다
남어있는것이 나의손에 있다

쭈그러진 표지의
일기장 속 깊이
공손히 개여있었던것

한장의 종이

주선을 단념히 그은체
三十의 생애는
엿가락 처럼 뻗혀있었더란다

줄어바진 몸에
조국에로의 길은 그리도멀드냐
"참으로 빨리 도라갈수만 있다면…
남일 외무상의 성명을
한귀 한귀 도막내듯 읽으며
중얼거리고 싶으든
비던가? 내던가?

가리우고있는 흰포의
젖가슴을 스치어
맥없는 사람처럼 쫄고있는
누구의
뽀라진 뺨
겨울의 아침빛이 한줄기
카ー팅을 뚫고 닿아있었다

극히 곤난한 사업이라는 것을 념두에 두고 있다.

이러한 사태에 관련하여 「총련」은 작년 결성대회 방침서에서 「조국의 평화적 통일 독립과 민주적 민족 권리를 위한 우리의 기본 과업에 있어 동포 대중들을 문화적으로 향상시킴에 특히 인민적 계몽 사업의 중요성을 강조하였으며 문화 운동의 활발한 전개와 아울러 전반적 학교 교육의 충실화를 그의 제일의적 사업으로 내 세웠다.

다시 말할 것 없이 동포 대중들을 진정한 애국 사상으로 무장시키는 사업은 조국의 통일 독립과 민주 발전을 위하여 가장 긴요하며 절박한 과업으로서 제기 된다.

그것은 우리들의 사상 교양 사업의 의의가 대중들에게 사회 발전의 합법칙성을 파악케 할 뿐 아니라 특히 일본이란 구체적 현실에서 부패 타락된 불죠아 사상을 반대하며 그들의 사회적 실천을 옳은 방향에서 보장하는 바로 거기에 있기 때문이다.

우리들은 일쯕 김달수의 「玄海灘」이나 허남기의 「朝鮮冬物語」등의 작품들이 일본에서 장성하는 무수한 조선 청년들에게 커다란 추동을 주었을 뿐 아니라 그들로 하여금 처

음으로 불타는 민족적 자각과 긍지에 눈을 뜨게 한 사실들을 살고있다。

뿐만 아니라 그것이 넓은 일본 동자층들에게 준 영향과 그로 인해서 조 일 량국간의 우호 친선관계를 썩 두텁게 한 정치적 의의는 다시 없이 컸다。

일본어에 의한 이들의 성과적 활동과 더부러 그를 한칭 더 높은 것에로 더욱 왕성히 하며 활발화할 것은 우리가 일본에 살고있다는 현실과 관련하여 매우 중요한 사업으로 된다。

그러나 만약 우리들 속에 우리 동포들의 「국어」 해득 능력이 「일본어」의 그것보다 훨신 비률로 낮다는 리유에서 또는 자기의 표현력이 「일본어」에 의함이 훨신 안이하다는 사정에서 편이적으로 「일본어」를 택한다면 그것은 확실히 다른 하나의 범수에 속하는 문제이다

문맹이 많다는 사정에 대하여 누구보담도 책임을 가저야 할 것은 우리 문화 선전 일꾼들이며 또한 민주주의적 민족 문화의 조속한 장성 발전은 반드시 우리 동포 대중들의 완전한 문맹 퇴치를 전제로 하지 않고 기대할수 없는 사실을 또한번 명심할 필요가 있다고 생각한다。

실지 「총련」 결성 이후 일년간 동포대중들의 조국을 향하여 배우려는 애국적 운동이 광범히 전개되는 속에서 조국의 문화 예술에 대한 욕구는 비상히 앙양되였으며 그를 해결키 위한 문화 계몽 사업이 참발적으로 발전되고 있다。

전국적 규모로 조직되여 가는 생활 학교 성인 학교 민주 선전실등의 대중계몽 기관이 증가되여 가고 있으며 또한 동포들의 절실한 요구를 토대하여 당면 문화사업의 기초적 문제로 되는 이 활동들이 적지 않는 난관과 애로에 부닥치고 있을 때 우리 문학 일꾼들의 중요한 선차적 과업이 바로 여기에 있음은 재언할 바 없다。

이런 의미에서 지난 제六차 대회가 우리들의 력량을 집결하여 당면 대중적 문화 계몽사업에 동원할 것과 전체 사업의 기본을 이를 위해 지향할 데에 강조 된 것은 특히 의의가 큰 것이였다。

우리들은 앞으로 이의 실천을 위하여 전 회원들이 노력할 것은 물론 조직적 방조와 조치를 더욱 치밀히 세워야 할 것이다。

지금 우리들은 첨예한 사상 투쟁 속에 살고 있다。

우리들이 지향하는 맑쓰 레-닌주의 사상과 전혀 적대되는 블죠아 반동사상이 정치적 권력 밑에 조장되고 있는 사회적 현실과 아울러 우리 대렬 내에 우리들 매개의 사상 감정 속에 깊이 잔존하는 일제 잔재 사상을 숙청하는 사업이 다시 없이 곤난한 사업인 동시에 우리 실정이 그것들이 온갖 기회를 타고 다양한 형태로 분장하여 존재할수 있는 가능성을 많이 가지고 있다는 점들에서 특히 우리 문학 일꾼들이 우리들 내부에 있는 부정적 현상을 폭로 규탄하는 작품 활동으로 서는데 없이 중요하게 제기된다。

실적 리은직의 「개새게」가 교활한 부정적 성격에 대한 날카로운 풍자로하여 많은 독자들에게 영향 주었던 사실을 상기하면서 앞으로 작가들의 예민한 눈과 귀가 우리 주변에 있는 온갖 락후된 현상들을 철저히 구명하며 그를 준엄하게 풍자하는 「펠리톤」 작품이 다량적으로 생산되어야 할것이다。

이것은 곧 당면한 재일 동포들의 통일과 단결을 강화하는 데 다시 말하여 재일 전체 六○만을 「총련

《十三 페지 下段에 계속》

제二차 조선 작가 대회 문헌

「조선 문학의 현상태와 전망」에 관한 결정서

제二차 조선 작가 대회는 「전후 조선 문학의 현상태와 전망」에 관한 한 설야 동지의 보고를 청취 토의하고 제一차 작가 대회로부터 만 三년간에 걸치는 전후 복구 건설 시기의 문학 정형을 분석한 기초 우에서 조선 로동당 제三차 대회가 우리 작가들에게 제기한 결정을 실천할 구체적 방도를 탐구하였다.

본 작가 대회는 조국의 평화적 통일과 제一차 五개년 계획에 예견된 사회 주의 건설을 전망하는 장엄한 력사적 모멘트에서 개최되였다. 본 작가 대회는 해방 후 우리 문학 예술이 달성한 창조적 성과에 대한 조선 로동당 제三차 대회의 높은 평가를 긍지감으로써 회상하면서 특히 전후 년간의 우리 문학이 그 이전의 어느 단계보다도 더욱 빛나는 사상 — 예술적 성과를 이룩한 사실을 만족스럽게 지적한다.

우리 작가들의 창조적 로력에 의하여 전후 문학에는 조선 인민의 영웅적 투쟁과 보람찬 생활이 더욱 더 다방면적으로 포괄되였다.

외래 침략자들을 반대하는 지난 조국 해방 전쟁 시기에 발휘한 우리 인민의 영웅적 투쟁과 숭고한 애국주의 전후 복구 건설 사업과 협동화 운동에서의 근로자들의 사회주의적 의식의 장성과 거대한 로력적 위훈, 조국의 평화적 통일을 지향하는 전체 인민들의 고상한 리념과 남 반부 인민들의 간고한 투쟁 전 세계의 평화와 제 인민간의 국제주의적 친선 등을 기본 주제로 한 작품들이 오늘 인민들 속에서 널리 애독되고 있다.

전후 문학의 기본 특징은 새로운 현실에 토대하여 사회주의적 사상성에 투철된 긍정적 주인공들을 아름다운 예술적 형상으로 창조한 데 있다.

우리 문학의 교양적 및 사회 개조

ㄴ의 깃발 밑에 굳게 결집시키는 사업에 기여가 되기 때문이다.

이와 같이 우리 문학회가 앞으로 그의 사업을 정상화하며 한층 높은 단계에로 발전시키기 위하여 창작상 특히 작자들의 더욱 열성적으로 대중 생활속에 침투 할 뿐 아니라 그에 대한 과학적 연구를 강화하여 갈 것을 가장 중요히 강조하면서 아울러 우리들의 사업을 리론적으로 체계화하며 옳바른 총괄을 위한 문학회 창건이후 활동 전반의 체계적 검토를 접단적으로 조직해 나갈 것을 특히 제기한다.

끝

적 역할은 전후 시기에 와서 그 어느 때 보다도 비상히 제고되였으며·인민 대중에 대한 사회주의적 교양자로서의 자기의 사명을 영예롭게 수행함으로써 당 문예 정책을 수행하는 과업을 영예롭게 실천하고 있다。

우리 문학의 국제적 무대에로의 진출과 외국 작품들의 번역 사업 및 작가 호상간의 래왕과 접촉 등에 의하여 국제 문학 교류 사업은 더욱 활발하여졌는바 이 모든 것은 평화와 친선을 위한 진보적 인류의 공동 위업에 기여하였다。 이렇듯 전후 시기에 달성한 우리 문학의 거대한 성과는 조선 로동당의 정확한 문예 정책과 우리 작가들에 대한 그의 옳바른 령도와 분리하여 생각할 수 없다。

당은 항상 사회주의적 리념을 사회적 미학적 리상의 기초로 하도록 작가들을 교양하였으며 눈부시게 전변하는 우리의 새 현실을 심오하게 연구하며 로동 계급의 사상 감정을 체득할 수 있도록 작가들에게 온갖 조건들을 보장하여 주었다。

전후 시기에 우리는 미 제국주의자들의 침략 정책의 직접적 결과인 남 반부의 퇴폐적 문예 사상 및 림 화、리 태준 김 남천 등 간첩－종파 도당의 반동적 문학 조류들을 폭로 비판하고 제국주의 이데올로기의 침습으로부터 당적이며 계급적이며 인민적인 우리 문학을 수호하였다。

우리 문학의 고귀한 문학 유산－특히 「카프」 문학의 혁명적 전통을 천명하며 그를 계승하는 사업은 이 행정에서 새로운 전진을 보았다

본 작가 대회는 우리의 성과가 의심할 바 없이 큼에도 불구하고 우리 문학이 당과 혁명의 요구와 우리 인민의 장성하는 정신적 수요에 비추어 아직도 뒤떨어져 있다는 것을 지적하면서 우리 문학 내부에 존재하는 결함들을 제거하기 위한 진지한 투쟁을 진행하며 자기 사업에서 작가적 책임성을 실충 높이는 것은 매개 작가들에게 있어서 의무적인 것으로 간주한다。

우리 작품들에 나타난 가장 심각한 결함은 현실 생활에 기초하여 그것을 진실하게 묘사할 대신에 작가 자신의 주관적 견해를 도해하는 도식주의적 경향과 작가가 내세운 사상 ― 주제적 과업에 복종되도록 생활 현상들을 선택하며 일반화할 대신에 이것 저것을 복사하는 기록주의적 경향과 현실에 존재하는 모순과 갈등을 예리하게 표현할 대신에 난관과의 투쟁과 성격적 충돌이 없이 주인공을 안일하게 「성공」 시키며 현실을 미화하는 「무갈등적」 경향 등이다。

이것들은 호상 관련되여 생활의 진리와 인간 성격의 전형화를 방해한다。 이와 같은 결함은 문학 작품 속에 인간의 개별적 운명에 대한 인류의 일반적인 진리를 포괄한 항구적인 사회적 문제성을 형상적으로 담을 줄 모르는 데서도 유래한다。

뿐만 아니라 우리 문학의 주제의 협애성 쟌르의 국한성 및 쏘젤의 단조성등도 반드시 퇴치되여야 할 결함들이다。

우리 문학 창작상의 이러한 결함은 우리 평론의 락후성으로 말미암하 문학의 선도자적 역할을 충분히 수행하지 못하는 사정과도 관련되여 있다。

우리 평론은 왕왕 선도적 리론과 문제성이 결여되여 있으며 비판 정신이 미약하고 교조주의와 예술에 대한 비속 사회학적 견해에 적지 않게 사로 잡혀 있다。

작가 대회는 이러한 결함들을 극복하고 우리 문학의 새로운 앙양을 위하여 전체 작가들이 조선 로동당 제三차 대회의 결정 정신을 받들고 왕성한 창작의 길로 더욱 힘차게

전진할 것을 강조한다。

조선 로동당 제三차 대회가 제시한 조국의 평화적 통일의 현실적 방안과 사회주의 건설을 위한 제一차 五개년 계획의 수행은 그대로 우리의 사회주의 사실주의 문학 앞에 나선 전투적 강령이다。

우리 문학 앞에 제기된 과업은 우리 근로 인민과 청소년들을 사회주의 사상과 공산주의 도덕으로 백절 불굴의 강의성과 혁명적 락천주의로 자기 조국에 대한 헌신성과 쁠로레따리아 국제주의에 대한 충실성으로 교양하는 데 있다。

이 사명을 수행하기 위하여서는 우리 작가들이 자체를 로동 계급의 의식으로 튼튼히 단련하며 고상한 인도주의 정신과 심오한 철학적 사색과 문학적 환상의 날개를 펼치고 예술적으로 우수한 작품들을 창작하는 것이 필요하다

그렇기 때문에 우리 앞에 제기되는 가장 중요한 미학적 과제는 사회주의 건설자 ― 긍정적 주인공들을 높은 예술적 수준에서 생동하게 형상화하는 문제이다。 이것은 현실에 대한 심오한 연구 없이는 불가능하다 그렇기 때문에 작가 동맹은 더 많은 작가들을 현지에 계속 파견하는 동시에 파견된 작가들의 사업을 더 한층 개선하여야 한다。

작가들은 근로 인민들의 생활 속에서 자기 자신의 당성을 단련하며 이러 저러한 인간들의 각이한 운명과 성격들을 리해하기 위하여 꾸준히 노력하여야 할 것이다。

작가에게 있어서 옳은 미학적 관점과 현실의 심오한 연구와 함께 우리 현실 생활의 진리를 훌륭하게 표현할 수 있는 예술적 기교를 소유하는 문제가 또한 중요하다。

우리 나라의 고전들과 외국의 선진적 작품들을 연구 섭취하며 작가 호상간의 창작 경험을 교환하며 미학상 문제들을 공개적으로 자유롭게 토론함으로써 작가들의 예술적 소양을 높이기 위한 구체적 사업을 동맹 사업의 중요한 부분으로 진행해야 한다。

개성의 보다 완전한 발현과 형식과 쓰찔의 독창성에 기초한 작가들간의 사회주의적 경쟁은 우리 문학의 발전을 더욱 촉진할 것이다。

최근에 이르러 우리 고전 연구 사업은 새로운 발전의 길에 들어섰다。 그러나 이 사업에는 아직 계획성이 미약하며 이 사업에 동원될 수 있는 가능한 모든 력량과 집체적 지혜가 충분히 발동되지 못하고 있다。 때문에 대회는 많지 못한 고전 문학 연구가들의 력량을 집결시키며 이 사업을 높은 수준에서 전개하기 위하여 고전 문학 분과 위원회를 신설할 것을 결정한다

작가 대회는 특히 아동 문학의 발전에 동맹이 신중한 주목을 돌려야 한다고 인정한다。

문학이 청소년 교양 사업을 위하여 지니고 있는 거대한 책임에 비추어 반드시 새로운 발전을 가져와야 하겠기 때문이다。

작가들은 형식의 국한성 및 단조성을 극복하도록 산문의 이야기체、운문에서의 시조와 같은 쟌르들에도 주의를 돌려야 하며 새 형식의 탐구를 지향하고 특히 풍자 문학과 씨나리오의 왕성한 창작에 류의 하여야 한다。

당 정책의 문학 령역에서의 구현을 보장하며 작가와 독자들의 미학적 력량과 문학적 소양을 배양할 우리 평론은 교조주의와 비속 사회학적 경향을 극복하고 문학 형상을 맑쓰―레닌주의 미학의 견지에서 심오하게 분석함으로써 사회주의 사실주의를 더 한층 발전시킴에 이바지하여야 한다。

전후 문학계의 특징적 현상은 신인들의 장성이다。

작가 대회는 새 세대의 진출을

중앙 위원, 지도부를 선출

작가 동맹 한 설야, 리 기영씨등

(평양 19일발=KNS)

제二차 조선 작가 대회는 16일의 최종 회의 에서 조선 작가 동맹 중앙 위원회 위원장 한 설야씨를 비롯한 45명과 동 후보 위원 8면을 선출하였다。

또 중앙 위원회 총회에서는 조선 작가 동맹 중앙지도기관을 다음과 같이 선출하였다。

▽위원장 — 한 설야

▽부위원장 — 박 팔양 서 만일 윤 두헌

▽중앙상무위원회 위원 — 한 설야 리 기영 박 팔양 서 민일 안 막 리 북명 조 령출 송 영 윤 두헌 김 승구 신 고송 박 세영 김 북원 (외 후보위원 2명)

▽중앙검사 위원회 위원장 — 리 찬

환영하면서 장성하는 새싹들을 지도하기 위하여 작가 동맹에 산민 육성 지도 부를 새로 설치하고 그들에게 부단한 방조를 주며 그들의 작품 발표에 특별한 배려를 돌릴 것을 강조한다。

이와 함께 작가 동맹 중앙 위원회 직속 작가 학원의 사업을 급속히 개선 확충하는 방향으로 조직적 대책을 강구할 것이다。

문학 작품에 대한 날로 커가는 독자들의 요구와 작가들의 왕성한 창작에 비추어 대회는 출판사 기구를 확충할 필요가 있다고 인정한다。

작가 동맹 중앙 위원회는 출판 사업의 질을 일층 제고시키기 위한 개선 대책을 강구할 것이다。

대회가 내세운 제 과업을 원만히 수행하기 위해서는 작가들의 창작 접단인 작가 동맹의 창발적인 활동이 요구되는바 이것은 지도부의 역할에 많이 의존된다。

대회는 동맹 지도 기관들이 총화 기간 창작 사업

지도에서 일정한 긍정적 성과를 거두었다는 것을 인정하면서 그에 존재하는 결함도 함께 지적한다。

작가 동맹의 중심 과업은 작가들의 왕성한 창작을 보장하며 문학상 제기되는 제 문제를 집체적으로 해결하는 데 있다。 그럼에도 불구하고 동맹 지도부는 매 작가들의 사업 정형에 응당한 주목을 돌리지 못하였으며 문학상 문제 해결에서 집체적 지혜를 충만히 동원하지 못하였다。

상무 위원회에서의 집체적 협의가 충분히 보장되지 못한 데서 동맹이 사무 기관화하여 창작상 문제들이 행정적 조치에 의하여 처리된 일도 있었다。

또한 각 분과 위원회들은 자기의 독자적 활동과 매 작가들에 대한 개별적 지도가 미약하였다。

동맹의 새 지도 기관은 이 모든 결점을 시급히 퇴치하고 일체 동맹 활동에서 민주주의를 엄격히 준수하며 전체 작가들이 호상 방조하며 자유로운 토론과 원칙적인 비판을 전개함으로써 창조적 열성이 들끓는 문학적 분위기를 조성하여 매 작가에게 고유한 개성의 창조적 개화를 보장하여야 한다。

본 작가 대회는 모든 작가들이 대회 전후의 지상 토론과 대회의 문헌 및 토론들을 신중히 연구하여 각 분과 위원회들과 지도부반들을 포함한 동맹 사업에서 새로운 개진 대책을 수립하며 창작의 새로운 앙양을 위한 보다 훌륭한 방책들을 강구 실천할 것을 새 지도 기관에 위임한다。

본 대회는 우리 내부에 존재한 이러 저러한 부정적 경향들과의 부단한 투쟁을 통하여 우리 작가들이 그 어느때보다도 당의 믿음직한 문학 부대로 단결되였다는 것은 당당히 자부하면서 앞으로도 계속 전체 작가들이 당 주위에 더욱 굳게 결속하여 조선 로동당 제三차 대회의 결정과 제二차 작가 대회의 결정 정신을 지침으로 하여 반동적 부르죠아 문학 조류와 그의 사소한 표현들과 비타협적인 투쟁을 더욱 강화할 것을 강조한다。

본 대회는 우리 작가들이 남 반부 정세에 대하여 항상 깊은 주의를 돌리면서 남 반부 인민들의 지향과 투쟁을 반영한 작품 창작에 더욱 노력하며 남 반부 문학과 문학계의 동향을 세심히 연구하는 것을 자기들의 고상한 민족적 의무라고 인정하는 데로부터 출발하여 동맹 중앙 위원회에 남 반부 문학 연구 분과 위원회를 설치할 것을 결정한다。

본 작가 대회는 조국의 평화적 통일을 위한 투쟁에서 남 반부 작가들의 힘을 단합할 필요성을 절실히 느끼면서 우리 작가들이 평화 통일을 지지하는 남 반부의 어떠한 개별적 작가나 단체와도 접촉하고 허심하게 협의 하며 남북 조선간의 문화 교류의 실현을 위하여 적극적으로 투쟁할 것을 다시 한번 강조한다。

본 작가 대회는 특히 오늘 미제 강점하에 어려운 환경 속에서 펜을 무기로 조국 통일 위업에 헌신하는 남 반부의 애국적 작가들에게 열렬한 형제적 성원을 보내면서 진보적 작가들을 선두로 한 더욱 더 많은 인사들이 민족적 량심을 지니고 조국의 통일 독립과 조선 문학의 찬란한 통일적 발전을 위하여 궐기할 것을 기대하며 또 호소한다。

끝

콘트 리별

람 경상

「이랏샤이마세」(어서 오십슈)
「아라 마쓰다-요」(아냐 주인이야) 바-텐과 계집들의 소리가 어둑컴컴한 카운터- 안에서 도어를 열고 막 들어선 춘선이를 맞이했다。

일여 덟쯤 되는 카운터- 앞의 높다란 둥굴 의자에는 안쪽으로 서넛쯤 남녀의 구별도 분명치 않은 젊은이들이 몰려 앉아서 쟈쓰 음악에 무릎 장단을 치며 양주 잔을 기울이고 있다。

「기미꼬와?」(기미꼬는?)
좁길다란 통로를 빠져 들어가며 춘선이는 누구에게라 할것 없이 물었다。

「마담、삭기가라、기붕가、와루이 까랏데 오、니까이다와」(안주인은 아까부터 기분이 나쁘시다고 웃층에 계셔요)

여우상의 계집이 얼른 받아서 대답하고 옆의 계집들과 눈짓을 하면서 서로 입을 삣쭉 거렸다。 춘서이는 모른체 하고 끝장 이층으로 통하는 급경사의 계단을 올라가서 판자 미닫이를 말 없이 열었다。

「난다 오끼데루、노、까」(뭐야 일어나 있군)

기미꼬는 자리를 펴 놓은채 웃목 경대 앞에 앉아서 화장을 하고 있다。

「아라 모-오、까에리 하야이와네」(벌써 오셨어요? 어째 빠르시군요)

거울 속에서 기미꼬는 힐끗 춘선이를 웃눈질 하고 다시 루-쥬를 입술에 댔다。

자리옷 밖으로 내민 희무래한 목잔등과 팔죽지의 움지김이 자꾸 춘선이의 시선을 끌었다。

「빠찡꼬도 이제 걸렀다、오늘은 영판이야」

춘선이는 이부자리 우에 벌떡 자빠지면서 천정을 바라보며 중얼댔당

그래도 눈은 자꾸 기미꼬의 잔등쪽으로 쏠린다。 춘선이는 질끈 눈을 감고 며칠 전 부터 배루어온 그 말머리를 찾으려고 했으나 아까 방안에 들어 올 때 까지도 그렇게 굳었던 결심이 뱀 앞의 개구리 처럼 기미꼬의 포만한 육체 앞에서는 완전히 풀기를 잃고 말았다。

「오늘도 또 이러고만 말건가」

춘선이는 끗대 없는 자기 자신이 원망스러웠으나 어떻게 할 도리가 없었다。

「왜 그러세요 요즘 왜 그렇게 뚱하고만 계셔요?」

기미꼬는 남자가 자기를 보고있지 않은 것을 알자 잡자기 화장 손을 멈추고 남자 옆에 몸을 던지며 엉받이 소리를 냈다。

「그까진 빠찡꼬 일、월 그렇게 근심할거 없지 않수。 될대루 되구 살아 갈대루 살아 가면 되지요 뭘 그것 때매!」

춘선이는 무표정한 얼굴로 잠잠고 듣고만 있다。 속으로는 딴장을 짚고 있는 것은 기미꼬도 알 수 있었으나 무엇인지는 잘 몰랐다。 남자의 심정을 짚기에 그리 둔치가 아님을 자부하는 기미꼬였만 춘선이를 대할 때는 어쩐지 자기의 척수가 잘 맞지 않았다。

그것이 기미꼬의 속간장을 그 때문에 더욱 그에게로 마음이 쏠리는 것일지도 모른다。

―그는 무엇을 생각하고 있을까―

기미꼬는 이러는 동안에 계신된 의식적 교태로부터 점점 무의식적인 진정의 교태로 변해 갔다。

「여보 참 오늘 누어 있느라니 혼자 별별 생각이 다 들더구먼요 내가 어떤 생각을 했는지 아시겠어요」

이 중년 부인의 미끈 미끈한 얼굴에 순간 소녀다운 홍조가 떠올랐다。

「무슨 생각을 했길래」

꺼림적한 생각과 동시에 어떤 기대도 뒤섞은 호기심에 춘선이는 신경을 도사리며 물었다。

「남의 일 같이 … 당신이 더 걱정해야 될게 아녜요?」

기미꼬는 샐쭉해서 갈곰한 눈초리로 춘선을 훌쳐 보았다。

「내가 어떻게 걱정해야 좋담?」

춘선이는 몸을 이르키며 눈짓이 말했다。하기 어려우나 해야될 말머리가 뜻하지 않은데서 나왔기 때문이다。

「남자란 그래서 늘 믿을 수가 없단 말예요。오늘도 그런 생각을 하니…」

기미꼬도 따라 몸을 이르키며 측은한 음성으로 말을 이었다。

「녀자란 아무래도 남자보담 먼저 늙는 법인데 내 나이 벌써 마흔에 가깝지 않아요!」

기미꼬는 자기보다 넷이나 년소한 춘선의 억실 억실한 몸매가 불안스러웠고 또한 투기까지 일군 하였다。

「근데 지금 어린애까지 낳게 되면 대뜸 할머니가 다 돼 버릴테니

그럴 때 당신은 ─」

남들은 그를 보고 설흔도 안되여 보인다고 하나 혼자 거울 앞에서 맨 얼굴을 들여다 볼 때 이마에 늘어가는 잔살로써 속절 없이 늙어가는 게몸을 아니 한탄할수 없었다。

기구한 운명으로 이 나이에 이르러 처음 춘선의 자식을 뱃속에 두고、기미꼬는 한없는 기쁨과 희망에 가슴이 부풀었다。

비록 조선 사람이기는 하나、아니 오히려 조선 사람이기 때문에 기미꼬는 춘선이를 믿었다。그래서 몸을 맡겼다。객적은 일본의 가정적 인습의 희생으로 기구한 운명을 겪게된 그로써 이렇게 된 것은 당면한 일이였다。

기미꼬는 춘선이와의 가정 살이를 꿈꾸었다。자기가 말아보고 있는 이 가게도 춘선이에게도 요즘 경기가 나빠졌다는 처리해 버리고 빼젱꼬 집을 걸우게 한 후 어디 구석진 곳에 가게 딸린 집이나 구해 가지고 알뜰하게 살아 보자고 기미꼬는 생각했다。

자기의 전력을 힐난하고 구속할 아무도 없는 곳에서 뜻뜻한 아해며 어머니가 되여서 조식을 짓고 아이를 기르고 할 것을 생각만 해도 기미꼬는 새로운 힘이 전신에 솟군 하였다。

그러나 이런 희망에 찬 즐거운 공상의 틈을 타서 홀연히 방정맞으 망상이 떠오군 하였다。

아직은 맵시로 보나 정력으로 보나 한창 때와 다름 없이 생각되지만 아이를 놓으면 갑자기 늙어진다는 녀자의 생리적 현상이 더구나 자기는 남자보다 넷이나 나이 많고 남달리 걸찬 그와 비교해 볼 때 기미꼬는 장래에 대한 불안이 가시지 않았다。

그런데 지금 남자를 두고 기미꼬는 이런 푸념을 하려던 것이 아니였다。혼자 누어서 즐겁게 공상하던 그것을 이야기하고 서로 의논하고저 한 것이 저도 모르게 풀썩 이런 푸념부터 앞선 것이다。

춘선이는 픽 웃으며 녀자의 말을 받았다。

「그렇게 늙기가 겁나거든 아이를 내뤄 버리지」

웃음의 말 같으면서도 매끈한 무개를 지닌 어조였다。기미꼬는 뜻하지 않은 남자의 말에 갑자기 찬물을 맞은듯 눈이 휘동 구래 가지고 한참 말도 없이 춘선을 바라볼 뿐이였다。

「당신은 그런 말을 다 롱담이라구 하우?」

롱담으로 받아 넘기기에는 너무나 매정하고 어굴해서 기미꼬는 말소리가 떨었다。

「롱담은 모순 롱담。그렇게 하는 것이 언니 몸으로 보나 좋을 것 같다」

춘선이는 자기가 끝내 매정한 놈이 되리라고 굳이 결심하였다。순리로 따져서 녀자를 납득 시키자고한 것이 자기 마음이 여린 까닭으로 하지 못했으니 이렇게 라도 해서 끝장을 맺어야 하다ー고 춘선은 자신을 다일렀다。

「누가 늙기가 그리 서러해서 한는 말인가요 당신만 나를…」

기미꼬는 그래도 남자의 말을 진정의 소리로는 듣기 싫었다。그러나 서러운 생각이 복 받혀서 말 끝이 흐리였다。

「서루 못 믿어워 하면서 살아야 좋은 수 없을 거요」

「당신이 날 못 믿어워 하듯이 나도 당신을 믿지 못하겠소」

춘선은 잠시 말을 끊고 기미꼬에게서 얼굴을 돌리며 지긋이 눈을 감았다。그리며 말을 이었다。

「해만 해도 그렇잖소。당신은 내 것이라고 하지만 그것을 누가 안단 말이요」

춘선이의 떨리는 말이 끝나기도 전에 기미꼬는 왈칵 남자에게 달려 들어 그의 멱살을 잡아 질 듯이 몸을 내 밀었다가 그대로 힘이 빠진듯 엉거주춤 팔을 내들고 파래진 입술을 움질 움질할 뿐이였다 말보다 먼저 울음이 터져나오면서 그는 자리에 엎질러졌다。

아랫층 빠ー에서는 맘보조의 멜로디가 기성을 떨고 있는데 이따금 계집들의 갱마른 웃음 소리가 폭발하듯 터졌다가는 또 뚝 끊어 지고 하였다。춘선이는 동요하려는 제 마음을 가다듬을려는 듯 련거퍼 담배를 빨아 삼키면서 속으로 생각하였다。

ー이렇게 할 수 밖에는 없다。내게 처자가 있고 불원간 내가 고국으로 떠나갔다는 소문을 듣게 되면、너도 나의 소위를 책망하면서도 리해해 주리라。아이만 없으면 또 적당한 남자가 나타나겠지。그러면 너는 나를 잊어버릴거고 오히려 내가 이렇게 한 것을 다행으로 아리라ー

춘선은 희무래한 어깨죽지를 움칠거리면서 흐느껴 우는 기미꼬를 내려다 보며 올밤으로 마즈막이 될 일년 남짓한 기미꼬와의 동서 생활을 회상했다。기약 없는 귀국의 전망에서 그를 만나 일본에서 영주할 생각조차 한적이 있었다。그러나 뿌리 없는 조선 사람의 생활이 날이 갈쑤록 조를리게 되고 고국의 번창 소식이 자꾸만 들리자 춘선이의 마음도 점차 고국으로 쏠리여졌다、그러던 차에 달포 전 부터 일부 동포가 귀국을 하게 되고 함경도 고향 소식도 알게 되였다。아우와 부친은 전란에 죽었으나 안해와 로모는 저를 기다리며 살아 있단 한다。열여덟에 장가를 들고 이듬해봄 일본으로 뛰여 들어온 춘선은 아내보다도 오히려 아들과 로모가 잊어지지 않았다。그러나 귀국을 결심한 연후에도 기미꼬를 대하면 그맘이 한나 웠다。허나 이제는 끝장을 맺을 때다。춘선은 기미꼬를 달래듯이 말했다。

「당신도 아직 그리 많은 나이가 아니니 이번엔 정말로 좋은 사람을 만나서 자식을 두고 잘 살아 주시구령 그리고 이 집은 당신이 좋도록 하시오 이제 나는…」

이때까지 엎드리고 흐느껴 울고만 있던 기미꼬는 남자 말에 번쩍 머리를 들어 독기띤 어조도 웨쳤다。

「일 없어요。다 가져 가요。이제 보기도 듣기도 싫으니 어서 나가요… 아니 당신 집이니 내가 나가리다」

기미꼬는 일어서서 옷을 갈아 입으려 들였다。

「내가 나가리다。이 집은 당신 것이요 방정 맞은 생각은 아예 말고 행복하게 살아가주시오」

춘선이는 벌떡 일어나 계단을 내려가서 바ー텐에게 무슨 귓속말을 남기고 줄창 바깥으로 나와버렸다。그리고 밤거리를 걸어 친구가 경영하는 근처 술집으로 향하였다。

며칠간 기미꼬는 전방 남녀들의 엄중한 감시 속에서 지냈다。맥이 풀려서 일어 날래야 일어날 수도 없어서 누어만 있었지만

「마마 너무 락심 마세요 세상에 남자가 어디 그뿐예요 장래를 생각하셔서 빨리 뒷덩이를 조치하고 새

＜여하 三페지에 계속＞

재일본 조선문학회 기관지

조선문예

《값20원》

1956년12월22일

제四호 발행

목 차

東京都北区上十條2-22
朝鮮大学内
在日本朝鮮文学会

제二차 중앙 위원회에 제출한
상무 위원회의 활동 보고

一、

—省略—

보고에는 제二차 조선 작가 대회의 력사적 의의와 그의 결정과 토론 정신에 의거하여 이번 소집된 문학회 二차 중위는 당면 우리들의 구체적 활동 방침을 구명하는데 전력을 다 할 것이 특히 강조되였다—

二、

제六차 대회가 있은지 六개월이 지났습니다。

우리들은 바로 六개월전、제六차 대회에서 우리 문학회의 전체 력량과 그 운동 방향을 조국 문학 운동이 지향하는 길에 튼튼히 집결시켜 우리들 사업 작풍에 있어서의 원칙성과 규률성을 보담 공고히 씽아 올림으로써 회원 전체의 의사와 력량을 한가지 방침에 집결하고 기관의 정상한 집단적 기능을 한층 제고할 것에 대하여 진지하게 론의하였습니다。

문학회를 회원 자기들의 조직체로서 회원 개개의 창작 사업을 방조하며 거기에서 제기되는 애로들을 해결하는 집단으로서 생동적이며 명랑하며 집체적 지혜가 자유롭게 개화할 수 있는 우리의 조직체로 생기를 불어 넣으려는 전 회원들의 살뜰한 노력과 열의는 무엇보담도 종래의 문학회 기관 운영에 깊이 잔재하고 있은 무원칙성에 대한 참을수 없는 불만으로써 표현된 것이었으며 우리 기관을 지배하고 있던 "걸치레"식 타성을 다시는 더 간과할 수 없다는 의지로 일치된 것이었습니다。

문학회를 문학을 하는 자리로 보담 「문학적」 분위기를 왕성히 하자는 많은 회원들의 의견 속에는 자신을 내부에 속구치는 치렬한 창작 활동에 대한 욕구를 보담 성과적으로 실천 할데 문학회가 강력한 조직적 창조자로 나서라는 바로 그 요구이였습니다.

이와 같이 조직 문제에 대한 론의에 집중되면서 우리들은 제六차 대회에서 조직 강화에 대한 대책을 취시하여 창작 활동 제고 기타 실련의 방침들을 세웠습니다. 그로부터 六개월 동안, 우리들은 이 방침밑에 전력을 경주하여 왔습니다.

나는 여기에서 이 六개월간의 활동을 총괄함에 앞서 지난 제二차 조국 작가 대회가 우리들 재일 조선 문학회 사업을 조선 작가들 활동 및 크게 격려하여 준 자랑스러운 평가를 드높은 긍지감 속에서 회상치 않을 수 없습니다.

그것은 무엇보담도 조국의 우리 재일본 조선 문학회 운동 로선의 정당성에 대한 평가이며 옳바른 로선에서 이룩한 우리 작가들 업적에 대한 찬양이며 또한 그의 진일보를 격려하는 고무이기 때문입니다.

조국에서 평가한바 그대로 우리들은 지난 六개월 동안의 우리 활동에서 주저없이 큰 발전과 진보를 지적할 수 있습니다.

첫째 지난 기간 우리를 활동 전반을 통하여 그 특징적 성과로 지적해야 될 것은 우리 문학 운동의 기본 방향을 천명할 데 대한, 리론적 및 조직적 사업입니다.

우리 운동의 기본적 방향성을 천명함에는 첫째로 우리들의 조국의 문예 정책에 튼튼히 립각하며 민족문학의 발전 방향에 대한 심오한 탐구로 되는 것인 바 그것은 무엇보담 조선 문학의 혁명적 전통에 대하여 정통하여야 될 것이며 해방이후 우리 문학을 눈부시게 개화 발전케 한, 기본적 담보로 되는 조국의 문예 정책의 우월성에 대하여 체계적으로 학습할 것이며 따라서 우리 문학의 그 기본적 특질로 되며 또한 위력한 무기인 문학의 당적 원칙에 대한 옳바른 체득에 대한 사업들로 됩니다.

우리들이 항상 말하는바 조직을 강화하며 확대하며 생기 발발한 기동체로 만들자는 것은 다시 말할 것 없이 우리 운동의 기본 로선에 립각한 수에서이며 동시에 천정한 조직의 강화 발전은 매 조직 구성원의 우리 운동의 기본적 방향에 대한 더욱 튼튼한 사상적 일치에서만 얻을 수 있는 결과일 것입니다.

그러므로 우리들은 우선 조국 문학을 더 충실히 리해하는 사업에서 출발하는 한편 각급 회의 (서기국 상무 위원회) 에서는 계속적으로 매 작가들의 애국적 사상을 제고하며 로동자적 감정으로써 자기를 무장할 데 노력하는 동시에 우리 문학 운동의 주체성을 확립하는 문제에 대한 리론적 토의를 거듭하여 왔습니다.

김 민, 리 찬의 남 시우 동무들의 평론은 바로 이러한 사업의 일관한 지향이였으며 대회 이후 三회의 연구회 합평회 감담회 등은 모두 조국 문학에 대한 학습 및 자기 활동의 기본적 과제를 더욱 천명하는 데 집중된 것이였습니다.

이와 같은 리론 연구 사업을 통하여 구체적으로 제기되였으며 천명된 것은 바로 「국어」에 대한 문제였습니다.

「조선어」를 생각지 않고 「조선문학」을 말할 수 없는 것은 명백한 리치이나 특히 우리들이 일본에 거주하고 있다는 관계상 또는 일본에서 오래 거주해 왔다는 관계에서 「국어」보다 「일본어」에 능통한 사실이 많은 실정에서 때로 문학 활동에 있어서의 언어의 문제가 편의적으로 리해되여 왔습니다.

대판 시인 집단 "진달래" 에서

제기된 「언어」의 문제를 계기로 하여 우리들은 우리들이 지향하고 있으며 또 현재 놓고있는 구체적 운동 위치에서 이 문제를 더욱 심각히 론의하였으며 그에 대한 옳바른 토론들을 조직하였습니다.

이것은 현재 재일 六十만 동포들의 조국에 대한 생각、특히는 조국의 문학 예술에 대한 요구가 날로 높아져 가고 있는 실정에서 대중 문화를 향상시키는 기초적 사업인 문맹 퇴치 대중 계몽 사업에 문학 일군들이 놀아야 할 역할이 어느때 없이 크고 중하다는 현실적 과제에 추동되면서 「문학」에 전심 하면서도 「국어」에 능숙치 못한 자체의 고민을 정당히 해결하는 길에 세우게 된 것이였습니다.

동시에 우리 상부 기관의 강력한 사업 조직 및 그 추진을 위한 정상적 기관 운영에서 오늘 우리 문학회 조직은 비상히 강화되였습니다.

박 춘일 김 윤호 동무등 十二명의 신입 회원이 새로 우리 대렬에 참가하였으며 이 기간에 조선 대학 「수풍」문학 동인회를 비롯한 수개의 지역 문학 써-클이 조직되였습니다.

특히 우리들 조직 사업에서 큰 성과로 지적되여야 될 것은 광범한 문학 애호가의 조직 및 기관지 「조선 문예」등 우리 출판물들의 정상적 "동자망"의 조직 사업입니다.

三人詩集 "조국에 드리는 노래"의 출판을 계기로 하여 동경都内를 중심으로 수 많은 문학 애호자를 집결하여 그를 기반으로 하여 문학 간담회 또는 지난 二十四일 東京에서 개최된 「朝鮮文学의 밤」을 성과적으로 조직하였습니다.

뿐만 아니라 "동자망"의 조직은 기관지 「조선 문예」의 정기 간행을 계획 대로 추진하는 데 적지않은 방조가 될 것입니다.

이러한 대회 이후 우리 조직의 일반적 발전에 대해서 지적하면서 한 시라도 잊을 수 없는 것은 조국의 우리에 대한 더할 수 없는 배려와 격려입니다.

다 아는 바와 같이 지난 우리 문학회 제六차 대회는 조국 작가 동맹 한 설야 위원장의 간곡한 성원 밑에서 조직되였습니다.

『조국의 평화적 통일과 공동의 평화 유지를 위한 사업에서 재일 조선 작가들이 달성한 창조적 업적에 대하여 높이 찬양하는 동시에 자기 사업의 보다 높은 발전을 위하여 더욱 용감히 투쟁하라』는 작가 동맹 중앙 위원회의 열렬한 격려는 그대로 우리 사업을 조직 발전시킴에 거대한 담보로 되였습니다.

그로 부터 한달 뒤 작가 동맹 기관지 五월호에는 회원 남 시우의 시를 게재하였으며 계속하여 六월초에 작가 동맹 중앙 위원회에서는 우리들에게 十 여통의 편지를 보내여 왔습니다.

그 편지들에는 해외에서 오래 그리운 조국 산천과 떨어져 살고 있는 우리들 불행한 형편에 대한 따뜻한 동지적 애정에 넘쳐 있을 뿐 아니라 이 땅에서 이룩하고 있는 우리 창조 사업에 대한 찬양과 또 그것이 반드시 조선 인민의 절실한 념원에 합치되며 또한 조선 문학 발전에 큰 기여가 되라라는 커다란 기대에 가득하였었습니다.

뿐만 아니라 七월에는 역시 회원 남 시우의 작품을 평양 방송을 통해 전체 인민에 소개하였으며 특히 지난 제二차 작가 대회에는 직접 우리들 재일 작가 대표의 초청을 받았습니다.

이 얼마나 영예로운 일이며 가슴 부풀어 오르는 일이겠습니까?、

일쪽 우리들 재일본 조선 문학 운동의 그 행정에서 과연 이로록 조국의 따뜻한 손길을 가슴 한복판에서 느낀 때가 있었겠습니까?

이와 같은 조국의 거듭되는 배려와 커대한 관심은 다시 말할 것도 없이 우리 문학회와 매개 회원들에게 자기들의 맡은 바 영예로운 임무를 보담 성과적으로 수행할 데 대한 고무적 의의를 갖는 것이며 우리들이 앞으로 조국 작가들과의 더 굳은 련계를 맺을데 대한 강조로 되는 것이 있습니다。

제二차 작가 대회에 초청을 받은 뒤 문학회 상무 위원회는 즉시 거기에 파견할 대표 二명 (남 시우 허 남기)을 선출하였습니다。

조국 작가 동맹에 전보로 이를 보고하는 한편 일본 외무성에 려권 하부를 요청하면서 민청 四차 대회에 파견되는 재일 청년 대표와 함께 일본 정부에 대한 요청 항의를 거듭하여 왔습니다。 그러나 이것은 결국, 일본 정부의 종시 일관한 비우의적 태도로 말미 암아 실현되지 못하였으며 二차 작가 대회에서는 대회 제一일 작가 송 영 선생이 「재일 작가들의 동지적 성원을 보내자!」라는 연설에서 여기에 대하여 미제와 리 승만 도배의 가증할 방해를 규탄하면서 전체 작가들에게 우리들의 사업 정황을 보고 토론하였습니다。

조국의 이와 같은 배려와 격려에 고무되면서 우리들은 이미 지난 六월에 제一차 귀국 동포에 의탁하여 六차 대회에 제반 사업 보고를 작가 동맹에 보냈으며 또한 지난 十월에 역시 조국 진학생에 의탁하여 작가 동맹 중앙 상무 위원회에 문학회 각분과에서 구체적 사업 보고 및 편지를 보내었습니다。

우리들의 사업 보고와 편지는 그때 마다 조국 통신·방송 등을 통하여 널리 소개되였을 뿐 아니라 재일 작가들이 항상 조국의 지향하는 길에 튼튼히 결집되여 있음에 축하와 찬사의 말을 아끼지 않고 있습니다。

동무들!

이처럼 우리들은 완전히 조국과 한 몸으로 되였습니다。

우리들은 자기의 매 걸음 마다에서 조국의 뜨거운 맥박을 가슴깊이 간직하고 있으며 매 걸음을 조국이 부르는 길에서 조국의 작가들과 한 마음으로 다짐하고 있습니다。

이와 같이 우리 문학회가 어느 때 보담도 조국 작가 동맹과의 련계를 굳게 하면서 자기의 구체적 사업을 조직 추진 시켜온 결과 우리들의 창작 활동에도 커다란 발전을 보게 되였습니다。

그것은 대회 이후 이 기간 사이에 창작된 작품수가 五차 대회에서 六차 대회에 이르는 三년 동안의 창작 총수에 달하고 있다는 것 만으로도 능히 증명됩니다。

우리들은 이 기간에 문학 총서 제一집으로 허 남기·강 순·남 시우의 三人詩集을 출판하였으며 기관지 「조선 문예」의 복간, 조선 문학 총서 제二집 〃단편·소설집〃의 편집 또는 지방 신문 지상 등을 통하여 우리들의 창작 활동은 과거 어느때보다도 활발하였습니다。

특히 나는 여기서 지방에 있는 우리 회원들의 활동에 대하여 반드시 언급할 필요가 있다고 생각합니다。

그것은 우리 회원의 반수가 모여 있는 동경 지방에 있는 회원들 보다 생활상 조건이나 문학 활동상 애로가 더 불리한 속에서 더구나 항상 문학 활동에서 제기되는 문제들 서로 론의해며 방조할 집단적 력량을 가지고 있지 못한 속에서도 그 동무들이 오히려 동경에 있는 회원 이상의 꾸준하며 진지한 활동들을 계속하여 활데 대해서 우리는 잠잠할 수 없습니다。

◈ 이하, 十七페지에 계속합니다。

1. 회원에 대하여.

제六차 대회 이후에 새로 입회한 회원은 박 춘일, 전 용순, 김 태생, 리 술삼, 박 성일(이상 東京) 류 지호, 부 자호, 조 삼룡, 정 인, 박 실(이상 大阪) 김 윤호(山口) 윤 광영(山形)의 十二명이며, 개인 사정으로 탈회한 회원은, 강 위당, 오 림준 二명으로,

현재의 회원수는 五七명으로 되는데 거주 현별로 보면 다음과 같다.

東京 三四명, 神奈川 六명, 大阪 一○명, 愛知 二명, 京都 二명, 兵庫 山口, 山形 각 一명

제六차 대회 이후 창작 문필 활동을 한 회원으로서 서기국에서 포착하고 있는 회원의 수는 三七명이며 회와 전연 련락을 끊고 있는 회원은 七명이다.

2. 회 기관의 활동에 대하여

서기국은 거의 매주 회합을 가져 자기 활동을 계속하였으며 상무 위원회는 필요에 따라 여러 차례 소집되였다.

그러나 상무 위원 중에는 자기 사업을 수행하지 않은 동무도 있었다.

3. 지부, 써클에 대하여

ㄱ. 大阪(회원 六명) 지부는 神奈川高校(三명) 愛知高校(二명) 東京中高校(七명) 朝鮮大学(五명) 등이 있는데, 《진달래》《神奈川高》《愛知高》《東京高》《水营》등의 문학 써클을 각각 지도하고 있다.

ㄴ. 회와 밀접한 련계를 가지고 있는 동인회, 써클로서는 전기한 《진달래》등이 외에, 《창조》(東京)《청구》(名古屋)《大村문학》(大村수용소) 등이 있으며 宮城県古川에 있는 일본인들이 중심이 되여 있는 문학 써클《苗床》와도 그에 참가하고 있는 동포 김 찬희 동무에 의하여 항상적인 련계를 가지고 있다.

또한 회원 김 창규 동무를 중심으로 남 시우 김 민 리 찬의 동무들에 의하여 편론 동인지가 준비되고 있다.

4. 독자망의 확립 확대에 대하여

제六차 대회 이후, 특히 최근에 와서도 많은 문학 애호가 문학 지망자들의 서신이 서기국에 오고 있으며, 고정 독자로 포착된 수만 하여도 七○여 명에 달하게 되였으며 그 수는 나날이 불어가고 있다.

이 중에는 장차 우리 회 대렬에 참가할 가능성을 가지고 있는 이도 적지 않다고 보며, 이들을 육성하는데 배려를 돌릴 것이 요청된다.

5. 회보, 기관지 및 출판 활동에 대하여.

회보 활동은 제六차 대회 이후 매월 쉬지 않고 계속되여 회원간의 조직적 뉴대의 역할을 충분히 놀면서 이미 제一一호에 달하였다.

기관지는 一一월에 와서야 복간 제一호(《조선 문학》을 《조선 문예》로 개제, 통산 제三호)를 내였다. 앞으로 제三호와 같은 체재로 발간될 예정이다.

九월에 조선 문학 총서 제一집으로 三인 시집, 《조국에 드리는 노래》를 출판하였다. 이어 제二집 《단편 소설집》이 준비중인바 금년내로 출판될 예정이다.

6. 연구회, 합평회 및, 문학 집회 사업에 대하여.

◈제一회 연구회— 五월 五일, 東京 《大都会》에서, 참가자 一二명, 《당면한 문화 활동의 기본 방향에 대하여》

◈제二회 연구회— 六월 二三일, 조선 대학 독서실에서, 참가자 一三명 《평양 시당 관하 문학 예술 활동가 회의에서 하신 한 설야 선생의 연설을 중심으로…》

◈출판 기념회— 九월 二〇일, 東京 《大都会》에서, 참가자 一六명 《조국에 드리는 노래》 출판 기념회。

◈제三회 연구회— 一〇월 一일, 조선 회관에서 참가자 七명, 《제二차 조선 작가 대회에 대하여》

◈대중 문학 집회— 《제二차 조선 작가 대회 기념 조선 문학의 밤》 一一월 一四일 조선 회관 강당에서 참가자 一二〇여 명。

제二부

(1)·제二차 조선 작가 대회에 대하여…… 위원장 남 시우

(2)·제二차 조선 작가 대회와 재일본 조선 문학회 사업에 대하여…… 서기장 김 민

(3)·조일 문학 교류에 대하여…… 상무 위원 허 남기

(4)·조선 문학에 대한 소감……축련 중앙 의장 한 덕수

제三부

랑독— 최 서해작 《탈출기》…… 극작 모란봉 리 은산

구성시— 《조국에 드리는 노래》 ……극장 모란봉 출연, 음악 최 동옥。

7· 조국 작가 동맹의 배려, 그와의 련계에 대하여

제六차 대회에는 조국 작가 동맹 상무 위원회로 부터 축전이 와서 우리들을 고무하여 주었거니와 그 후 거듭되는 따뜻한 지도와 편달 배려는 우리들을 자기 사업에서 더욱 자랑과 신심과 용기를 가지게 하는 원천으로 되고 있다。 그 대략을 간략하게 렬거하면 다음과 같다。

▽《조선 문학》 五월호에 남 시우 동무의 시 《조국에 뛰우는 편지》

▽귀국 동포 편에 제六차 대회의 보고와 같이 《新日本文学》 지 부쳐 드림。

▽七월 一일, 평양 방송 남 조선 시간에 남 시우 동무의 시 《교문의 력사》 랑독됨。

▽七월— 조국 작가 동맹 상무 위원 여러 선생으로 부터의 편지 접수。

▽회의 보고를 겸한 편지 드림。

▽九월 二八일— 제二차 조선 작가 대회에 재일 조선 작가 대표의 참가 초대 접수。

▽우리의 대표로 남 시우, 허 남기 동지를 결정하여 전보로 보고 (일정의 비우의적 조치로 실현 못 됨)

▽제二차 작가 대회에 축전 드림。

▽一〇월 一四일— 송영 선생, 작가 대회에서 재일 조선 작가들의 활동에 대한 보고 토론 (여러 차례 방송됨)

▽《조선 문학》 부록에 김 민 서기장의 한 설야 선생께 드린 편지 게재됨。

▽남 시우, 김 민, 림 경상, 리 찬의, 류 벽, 동무들이 각각 한 설야 엄 호석, 송 영, 한 효, 환 건 여러 선생들께 편지 드림。

▽상기 편지 내용을 평양 방송에서 보도함。

이상에서 보는 바와 같이, 조국 작가 동맹의 우리들에 대한 배려 지도 그와의 직접적인 련계가 그 어느 때보다도 긴밀화되였다。

동인회, 써클들과의 유기적인 련계가 확립되면서 있고, 독자망이 급격히 확립 확대되고 있다。 매일 같이 써클, 독자들로부터 오는 서신이

나, 《조선 문학의 밤》에 모인 一二○여 명이란 동원수로만 미루어 보더라도 우리 사업이 이제 큰 발전의 길에 들어 서고 있다고 확신할 수 있다.

우리는 이번 중앙 위원회를 계기로 하여, 회와 련락을 끊고 있는 회원의 잠을 깨우고, 회비를 납입치 않거나, 회에서 맡은 임무를 수행하지 않는 무책임한 회원이 한 사람도 없이 하여 우리 문학회의 이 사업의 발전을 보장해야겠다!

＝이 상＝

닭에 남기

한 치 눈 앞을 분간 못 할
이 땅에 짙은 어둠 속에서
도
닭아 너는
장차 올 새벽을
철석같이 믿기 따위에
한 울음 크게 우는구나

얼음장 천지를 싸덮고
모진 눈바람
살을 베고 뼈를 꺾는
이 밤의 지대에도
닭아 너는
기어코 먼동은 트고야 말 것
을
비쉬처럼 확신하기 따위에
대담히 한 울음 하늘높이
러는구나

닭아 너는 라팔수
너는 선구자
너의 첫울음 어둠을 물리치고
너의 둘째소리 삭풍을 쫓고
너의 셋째울음 해를 부르니

닭아 내 너를 본받아
서투른 누조나마
이 땅의 밤과 추위위해
노래하고저 맹서함을
너 웃으려나

닭아
너 용감한
해의 기수야
어떠한 환경속에서도
추호도 서슴치 않는
영광의 선구자야

콘트

화해 (和解)

류벽

이럴 때— 안방에 장모가 와서, 이 삼조에서 독수공방을 하게 되여 미처 잠이 오지 않을 때— 헨, 춘식이는 의례 물을 청하였다。

그러나 오늘 밤은 그럴 수 없다。

이럴 때, 흔히는 안해가 무엇인가 볼일을 만들어, 물을 청하기 전에 오기도 하였다。

그러나 지금, 그것은 더욱 기대할 수 없는 일이다。

춘식이는 일이 틀린 것을 깨달았다。 깨닫고 보니 오히려 마음이 안정되였다。

그는 몸을 돌려 바로 눕고, 크게 뜬, 눈으로 어두운 천정을 쳐다본다。 쭉 사지를 펴고 힘을 준다。 피로한 팔 다리 뼈마디들이 뚜뚝 소리를 내는듯 기분이 쾌하였다。

그러고는, 언제나 자기가 색다른 행동을 하였을 때에는 나중에 다시, 그것을 검토하고, 자신을 납득시키는 론리를 세워야만 하는 춘식의 버릇이 시작된다。

《어디 갔어요?》

외 나는, 이렇게 소리를 지르며 화를 내였을가? 모처럼 오신 장모가, 반갑다고 맞아 주는 것을!

《어딜 나다니고 있어? 이렇게 늦게까지—!》

《다녀 오셨어요?》

하고, 생긋 웃으며 들어 서는 안해에게, 다짜고짜 지른 고함 소리。

그렇다! 닷새만에 집에 돌아 온 나는 응당 은근히, 미소 띤 안해가 맞아 줄 것을 기대하고 있었던 것이다。 그 안해가 집을 비웠으니 어찌 화가 나지 않을 것인가?

그러나 모처럼 딸네집이라 와 보니, 사위의 덕없는 짜증— 장모의 노염 역시 알 만하다。

안해는 —。나다니긴 어딜 나다녀? 바쁘다면 일상 꾸짖 듯이 나가라는 녀동 회합에 갔다 오는 줄을 뻔히 알면서도 고함은 왜? 무슨 유세인고? 어머니가 와 계시는 앞에서……

항상 유순하면서도, 친정 손님 앞에선 언제나 맞짜증을 내는 안해가, 입을 삐여문 것도 당연한 일이다。

춘식은 어두운 천정을 쳐다보며 싱긋하였다。

스스로 노염을 풀고 난 그는 눈 앞에 한 풍경을 그리였다— 양버들 가로수가 늘어선 쪽 곧은 신작로에 석양이 비껴 있다……— 좋아 하는 그리운 고향의 풍경。

단잠을 이룰 때의 그의 버릇이였다!

끝없게 뻗은 신작로, 아득한 저쪽 끝이 가물가물— 한없는 멀이에로 흐려진다……

《좌르릉— 》

현관 문—해도 그는 동시에 부엌 문이기도 하지만 — 열리는 소리에, 춘식은, 번쩍 눈을 떴다。 안해가 아침을 짓자 나 가는 소리일 것이였다。

뗑 뗑…… 안방에서 여섯 시를 치는 시계 소리가 들린다。

여덟 시간 이상을 단숨에 자고 난 춘식은 머리가 까분하였다。 차고 일어나 이불을 개였다。 양복 바지를 줏어 입고、웃통은 속 샤쓰 바람으로 밖으로 나왔다。

밝은 햇빛을 안고 두 주먹을 쥐고 팔을 내들려 보니、어떤 놈이라도 잡고 씨름이라도 한 번 해 보고 싶은 힘을 느끼였다。

춘식은 부엌쪽을 곁눈질하며 울타리 밑 양지짝에 와서 국화를 굽어 보았다。

쭉쭉 힘차게 자란 줄기들에 넙적넙적 붙은 잎새들이 이슬을 물고 햇빛을 반사하고 있다。

춘식은 그 잎을 스치였다。 이슬 방울이 뚜두둑 땅에 떨어지며 손 바닥에 차겁한 감촉이 즐거웁다—

《왜 잎이 노릇할가? 거름이 모자라는 것일가?》

춘식은 집 앞에 나가、동경으로 떠나던 날 아침에 건져 올려 놓은 헤채 또랑 찌끼 마른 것을 세수대야로 나르기 시작했다。 거름을 주자는 것이였다。

부젓가락을 가져다가 국화 뿌리 언저리의 다져진 땅을 파기 시작한다。

《잎이 노릇한 것은、질소가 모자람일 것이니……》

하다가 그는 문득 국화 재배에도 그 독특한 재배법이 있을 것을 생각했다— 일본 같이 국화 재배가 성행하는 곳이고 보면 의례 그런 참고서도 있을 것이다。 그런데…… —

춘식은 손을 멈추고 일어나서 물끄러미 국화를 굽어 보며 다른 생각을 하였다。

《내가 하는 일이란 모두 이렇게、리론적으로 캐여 연구도 하기 전에 그저 어림짐작과 빈약한 경험만으로 해 가고 있는 것이 아닐가? 역시 그렇다!》

그러고 보니、이번 총련 결성 대회에 갔던 걸음에 〈김 일성 선집〉을 사고 〈근로자〉구독을 예약하고 온 것이 더욱 대행으로 생각된다。

그는 다시 쭈푸리고 앉아、오늘 민전 사무소— 장차는 총련 사무소로 될— 에 갔다 돌아 올 때、서점에 가서 〈국화 재배법〉을 다쩌요미해 올 것을 마음 먹으면서 날라다 놓은 거름으로 파 헤친 자리를 우선 덮었다。

《좌르릉!》

소리에、춘식은 돌아 보았다。 구정물을 집 앞 헤채 또랑에 갖다 버리고 오는 안해가、치마자락에 바람을 일으키며 부엌으로 사라졌다。……화가 날 땐 언제나 재빨라지는 안해였다。

춘식은 심굿하며 손을 털고 대야를 들고 일어났다。

춘식은 팔을 쭉 뻗어 대야를 부엌으로 내여 밀었다。

《물 좀 주오!》

안해는 흘긋 고개를 돌렸다가 모른척을 하고 그릇을 씻는 손이 더 빨라졌다。

《좀、물!》

겨우 안해는 막 씻어 든 사발로 바께쯔의 물을 퍼 가지고 대야에 부었다。

《더!》

안해는 역시 말 없이、물을 떠서 붓는다。

순간、덥석! 춘식은 안해의 사발 쥔 손목을、흙 뭍은 자기 남은 손으로 잡았다。 안해는 뿌리려 한다。 춘식은 손에 힘을 준다、안해가 고개를 들러

9

쏘아 본다。 그러나 남편의 눈에는 벙긋、웃음이 피여 있다。

《그만 화해하자오、응?》

확! 안해의 두 볼에 핏기가 솟아 퍼졌다。 안해의 이런 수태 머금은 표정이 제일 좋다。

《자、사화!》

《아이꾸、고기 타구만!》

안해는 다시 손을 당긴다。 과연 풍로에 놓인 적쇠에선 생선 토막이 포란 연기를 올리기 시작했다。

춘식이는 다시 한 번、꾹! 손아귀에 힘을 넣었다가 놓았다。

모두 아침 상에 둘러 앉았다。

아직 마음이 편치 못한 장모는 슬금슬금 딸과 사위의 눈치를 보아가며、외손주에게 반찬을 마련해 주너라고 바쁘다。

《함메、꼬ㅡ》

옳게 하지도 못하면서 기어코 손가락을 잡은 아기는 서툴은 솜씨로 밥을 떠 가지고 고기를 청한다고 귀염을 피운다。

《처남은 일 잘 합니까?》

춘식이가 장모에게 하는 말이다。

《아따、인사 빨리도 한다!》

안해가 티를 넣었다。

《바빠 못 하면 이틀날 아침에라도 해야는 거지 뭐!》

《뭣이 그리 바쁘던고?》

《화 내너라 바빴지! 허허…》

《?…… 어느새 화의를 했을가?》

하고 장모는 의아하는 눈치로 딸과 사위를 번갈아 바라본다。 그러나 감겼던 마음은 제 자리에서 풀리었다。

《자네는、그래 왜、덕 없는 화를 잘 내나 말다?》

《덕이 없기야 왜 없어요? 장모님 닮아 어서 보고 싶은데、없으니까 화가 났지요、뭐。 장인께서도 젊으실 땐 그래셨을 걸요! 허허…》

춘식이는 좀 얼굴을 붉히며 너털댔다。

《아이고 참、며칠 못 봤다고! 자네 장인이야… 호호…》

장모는 흐뭇하여、접시 고기를 편신 뒤적거리며 웃는다。

《호호…… 아버지도 젊으실 땐 어머닐 정말…후후……》

안해의 장난 어린 눈은 제 말에 시고 단 맛을 더한다。

《고약한 것!》

어머니는 민망한듯 딸을 나무랜다。

《핫하하…》

춘식은 다시 소리치며 웃었다。

(一九五五·一一)

10

개이지않는 하늘

단편

김 민

비는 여전히 끝칠줄 모른다。가끔몸에 감칠듯이 밀려오는 찌러분한 바람에서는 곰팽이 냄새가 난다。

같은 장마라도 그 내림세는 물론이거니와 무엇보다도 일본 특유의 쯔 유라는 계절의 곰팽이 낀 훈훈한 이 공기가 박 영환이는 딱 질색이였다。

활짝 개인 날씨에는 묶어둔 노끈을 끊어버리고 공중 높이 날라가기를 원하던 T데파ー트 옥상의 고무광고 풍선도 오늘을 비에 지친듯이 훌쭉하게 쭐어들어 낮게 떠 돈다。뿐만 아니라 『신추 대 특매!』라고 쓴 광고 기폭도 빌딩 옥상에서 내려 드린채 칠석 그 벽에 느러져 붙어 있었다。

그러나 거리는 비가와도 여전히 웅성거린다。수 많은 사람들이 이 장마에도 무슨 경황이 있는지 가지각색의 우산과 우창을 하고 빗발에 서리며 오간다。

택시와 자동차가 사람들을 그득 싣고 그 육중한 몸을 디틀대고 빗속을 달린다。직업 안정소에는 실업자들이 우글거리나 거리는 그런것은 아랑곳 없이 여느때와 다름 없었다。

『제ー길할, 이 놈의 날씨는 개이지 않을 작정인가원』

박 영환은 슬그머니 골이났다。활짝 개이기를 간절히 바랐다。그러나 바로 두어 시간전 임금을 받을 때에 박 영환은

『세라 내일도 이대로만 퍼 부어라』

고 대삼 기뻐하였던것이다。

히、야、도、이、로동은 비가 오는 날에는 요행 취로표(就労票)만 탈수 있다면 현상 쯔、메、쇼、에서 샤를 마시며 대기하게 되니 일은 하지 않게 된다。다른 로동자들은 이런 때면 흔히 장기를 두든지 그렇지 않으면 서로 어깨주무르기를 하든지 또는 잡담을 하군했다。그러나 박 영환은 이런 때면 으례 한 구석에서 책을 읽었다。그것은 그가 사회과학을 전공하려는 남다른 욕망이 있가 때문이기도 하였으나 남 조선에서 밀항해온지가 불과 석달도 안되며 따라서 일본말이 서투러서 될 수 있는대로 남과 이야기를 하지않기 위해서도 그렇게 했다。

물론 그는 등록증도 없었으며 취로표도 사진은 자기의 것이나 다른 천구 한테서 빌린것이였다。

『각세이상, 고넷신데쓰네(학생 참 열심이구려)』

오늘도 일본 로동자들은 기특하다는듯 또는 잘 어울리지 않는다는듯 칭찬비슷이 이렇게 건니군했다。

『헤헤… 하…』

박 영환은 될수록 이렇게 얼버무리군했다。

『저ー 박동무 오늘 저녁에 조국 영화가 있는데ー』

이렇게 동포 로동자들이 권할때 마다 박 영환은 주위를 돌려보군했다。반가우면서도 혹시 누가 자기를 밀항자라고 알까바 마음이 오싹해 지기때문이였다。

『흥… 각세이상이라?』

박 영환은 이 말이 자기의 심정에 맞는것이라고

믿으려고 하였다。그러나 불과 三개월 바께 안되나 언제까지 이렇게 쭈구리고 사람의 눈치를 보며 살수는 없지않은가? 더욱이 조금 해방 전쟁이 한창인 이때에 이렇게 로동판에 자기를 감추고 있어야 한다는 말인가? 과연 무엇 때문에 살고 있는가? 인민 군대는 부산 근처에까지 밀려 왔다는데---

박 영환은 처마밑에 우두커니 섰다가 비가 쉬이 멎을것도 같지않아 책점안으로 다시 들어섰다。늘 보든 책들 뿐이고 별로 신기한것도 없었다。그러나 남조선에서는 좀체로 볼수 없던 사회과학 서적들이 수두룩했다。돈을 주고 사기는 못하였으나 그것들을 바라만 보아도 어쩐지 기뻤다。기쁜것이라고 생각하려했다。

마침 그 때였다。등뒤에서 자동차의 경적(警笛)이 났다。그는 본능적으로 뒤를 드리켜 보았다。대형의 검은 자가용차였다。빛발이 그 자가용차의 푸른 유리창에 마구 쏟아졌다。자동차 좌석 쪽에는 진한 곤색 양복을 입고 죠 넥타이를 맨 젊은 신사가 앉았고 그 옆에는 한 녀자아이가 앉아있었다。운전수는 창문에서 목을 쑥 빼들고 이 쪽을 바라본다。

박 영환은 시선을 돌리면서 손에 들었던 책을 의미없이 넘기였다。

그런데 자동차는 그 자리를 떠나지 않았다。뿐만 아니라 도어가 열리는 소리가 나더니 그 녀학생이 책점으로 들어왔다。어두운 안방에서 내다보고 있던 책점 주인이 안경을 바로 잡으며 바삐 전방으로 내려온다。

『아노- 아노- (저어- 저-)』

녀학생이 두리번 거리며 묻기시작한다。

『아노-에-고 홍 아리마슈까。(저 영어 책 인쇄까?』

주인은 어리둥절해서 귀에 손을 모으면서 『헤? 에?』하고 다시 묻는다。그때 박 영환은 말투로 보아 그 녀학생이 조선 사람이 아닐까고 직감했다。

그래서 얼굴을 번쩍 들고 그쪽을 바라보았다。분명 조선 아이다。어데서 본듯도 싶었다。그러자 그 녀학생도 박 영환의 얼굴을 빤히 치어도 본다。녀학생은 검은 학생복을 걸치고 다 떠러진 흰 운동화에서 흙탕물이 고이는것을 본다。그리고는 작달막한 키와 량볼이 홀쭉하고 수염까지 섬뜻섬뜻한 얼굴과 흰 것인지 검은 것인지 잘 모른 등상모를 쓴 박 영환을 서슴지 않고 빤이 치어다 본다。

영환은 붉으스레한 원피-스의 허리를 질끈 매고 입너른 흰 모자아래에 검은 단발 머리가 설레설리 내린 그 포동진 소녀를 어데서 본듯하였으나 이름이 선뜻 생각나지 않았다。

『저어 김선생님 아니쇼?』

말은 녀학생이 먼저 꺼냈다。

『저- 누구든가? 영자、아 안 영자 아니요?』

두 사람은 그제사 금시 손을 맞 잡을듯이 닥아섰다。

그는 틀림없이 안 영자였다。박 영환은 그가 五학년 때 담당했던 경상남도 내무부 장관 안 ××의 딸 안 영자인것을 알았다。

『그래 조선에서는 언제---』

박 영환은 무슨 말 부터 해야 옳을지 몰랐다。머리를 쓰다듬어 주고만 싶었다。안 영자도 어쩔줄 모른다。

박 영환은 사범학교를 졸업한 후 첫 담임으로 이

학생들은 담당했던것이다。그것은 불과 三년전인데—
『우리 아버지도 여기 와 계세요。한국 전쟁에서 공산군이 부산까지 쳐들어 왔을 때에 비행기로 왔어요。 二주일 전이야요』
『…온 가족이 왔나?』
『아니야요。할머니는 가기가 싫다고 하기에 부산에 계셔요』
『그럼 아버지두…』
『네、아버지도 같이 왔어요。선생님은 언제 왔어요?』
박 영환은 말을 잇지 못하였다。무엇이라고 말해야 좋을지 몰랐다。무엇 때문에 왔느냐고 물어도 시원한 대답을 할수가 없었다。그러나 그는 자기의 허수례한 차림을 머리에 그렸다。『선생님!』이라는 말이 어쩐지 가슴에 아팠다。
『그래 무얼하고…』
박 영환은 다시 말머리를 붙잡으려고 하였다。그러나 자기도 「무얼하고」 있는가? 하는 반문이 앞섰다。그것은 비록 남 조선에서 리 승만 통치를 반대하다가 「밀행」해 온것에 틀림없으나 여기에 와서 있다는 이 사실— 순간 그는 문득 자기가 도피해 온것이 아닌가고 생각했다。도피라니 천만에… 그는 자기를 솟구쳐 떠 받들듯이
『그래 전쟁을 어떻게?』
『네 공산군이 막 쳐 드러온다기에 그만 아버지는 비행기로 떠났어요。그래서 영철이、아시지요 우리 동생… 영철이의 자전차— 아버지가 미국에 갔을 때 사온 자전차만 겨우 싣고 왔다나까요』
영자는 그 다급하던 모습을 오히려 자랑스레 선겨줬다。박 영환은 먼저 그 아버지가 무엇을 하는가를 알고 싶었다。
『아버지요? 대통령께서 돌아 오라고 전보가 왔어요。그래도 아버지는 한국에 가기 싫대요。아이 싫어 나도 가기가 싫어요。일본에는 참 없는게 없어요』
『그래 아버지는?』
『네、지금 미군 제八군이라는가요、거기에 나가는데 저게 아버지의 차…』
그때 차안에 있던 청년이 어느사이엔지 영자 옆에 와섰다。
『자 가지』
『이 분이 박 선생님이야요』
『네— 자 빨리 가자』
그 청년은 부산 거리에서 흔히 볼수있던 그런 마까오 신사였다。그의 말투나 몸매로 보아 최근 일본에 들어온것에 틀림 없다。
『…그럼 선생님 한번 놀러 오세요 네? 일본말을 몰라서 큰 일이야요。난 미국학교、영어학교에 다니게 되는데 영어 가리쳐 주세요 네…』
빗발 속으로 자동차는 소리없이 미끄러졌다。영자의 흰 손목만 보이면서…
주소도 가르키니 않고 가 버렸다。
박 영환은 비를 그대로 맞으며 거리에 나섰다。빗발이 아스팔드 위에서 희게 튀였다。같이 일본에 왔어도 오는데는 여러 길이 있었구나。
있음직한 일이라고 짐작 못한것은 아니지만 이렇게 딱 마조서고 보면 박 영환은 자기를 또다시 도리켜 보았다。도피가 아니다。나는 도피자가 아니다。여기에서도 싸울 사람들이 눈앞에 마조서 있다—
그는 이렇게 울 부짖으며 빗발을 그대로 맞으며 걸었다。그는 어쩐지 불끈 힘이 되살아 오는 것을

13

느꼈다。

학생 선동의 명목으로 부산 경찰서 류치장에서 혹심하게 받던 고통이 되살아왔다。구타 당한 다리가 다시 아파지기 시작하였다。

그는 혼자 속으로 「미국학교」 라고? 흥 피를 바꿔 불생각인 모양이지 어림두 없지…… 결코 나는 저놈들과 같이는 되지 않으리라—

이렇게 중얼거리며 마구 걸었다。

그러나 영장의 손목을 꼭쥐고 한마디를 건느지 못한 자기가 가슴 답답했다。

곰팡이 핀 바람은 그에게 연신 빗발을 막무가내로 퍼 부었다。

= 끝 =

나의 집은 남쪽에 있다

남 시 우

차라리 앞 뒷 문을
꽉 꽉 처닫고 싶어
이리 복바쳐 눈알이 아플진댄
차라리 버리고 잊고도 싶어。

十년이 지났더란다—
때마침 창공에 맑은 바람을 안고
가만히 길뚝에 올라 서노라면
뭉클 가슴이 데려앉는 것은

그것은 그리움。
날에 날마다 마음속에 사려 둔
그것은 나의 사랑
알뜰한 행복의 약속이란다。

국화꽃은 피였느냐
새 이엉도 덮였느냐……
고향은 멀 수록
생각은 아롱지는 것이었으나

무척 해러운 꿈에 시달렸기에

인제는 오직 더센 분노의 불길로만
억수로 솟구치는 증오심 속 거기
큰 희망이 자리잡게 되였더란다。
네가 그럴드시 나에게도
자애로운 어머니가 있다。
네가 그렇듯 나도
한 누나와 아우가 몹시 보구싶다。

아는가！ 사람으로 하여 이처럼
어미를 찾아 빼저리게 하고
또한、무엇이 나로 하여금
참아 이겨내는 의지를 가르쳤던가

아아 조국은 멀고
그리고도 가까운것。

남과 북이 없이
오로지 하나 삼천리를
한줌안에 넣어 조국인
숫한 나의 친구들 속에서

죽기 전에만 돌아오라시는 어머니
그윽한 사연을 받아 들고
이렇듯 핏줄이 더워짐은
줄기찬 장래에 뻗는 힘이 일지니

평화 통일의 길을
고향 어머니 품에 늠늠히 안기리라
평화 통일의 깃발

제二차 중앙 위원회의 경과 보고

찬 비 내리는 一一월 二五일 一二시 부터 동경 조선 회관 소회의실에서、제二차 중앙 위원회는 열리였다。 출석한 중앙 위원은 김 태경、성 윤식、리 승옥、림 경상、류 벽、김 민、남시우의 七명 (유고 련락 결석 중앙 위원 — 박 원준、강 순、리 수)이였고 수품 문인 三명이 방청하였고、총련 중앙 시무국장인 최원、윤 봉구씨도 후반 토론에 참가하였다。

서기장으로 부터 있는 일반 보고에 이어 류 벽의 조직 보고、림 경상의 재정 보고가 있었고 이들 보고에 기초하여 조선 문학 발전에 있어 력사적 사변으로 되며 또 대회 토론에서 우리 재일본 조선 문학회의 제二차 조선 작가 대회의 제 결정을 재일본이라는 우리들이 선 조건에서 어떻게 구체적으로 적용 활동할 것이며、특히 그러기 위해서 우리 회 사업에서 약한 고리들을 어떻게 극복할 것이냐에 토론이 집중되였다。 토론은，련락이 없이 어 중앙 위

고향 마을에도 휘날리게 하리라!

나의 집은 남쪽에 있다。
갈이 바다를 넘었으면
갈이 바다를 건너 가자던
친근한 나의 벗들아

반가울손—
너와 나
광명한 마을 마을을 찾아
나란히 서는 아침을 위하여

오늘 우리는
또 몇걸음 더
그 날을 앞당겨 놓는게다!

一九五六・九

원회에 결석한 중앙 위원들의 무책임성과 관련하여 제기한 김 태경 동무의 날카로운 비판에서 출발하여 우리들 사이에 아직 잔존하고 있는 회 사업에 대한 소극성과 무책임성이 지적되였고, 우리 회원 개개가 자기의 문학 활동을 회의 활동과 통일시키는 지점에 반드시 자기를 내세워야 할 것이며, 회 기관은 그렬도록 자기 사업을 짜야 할 것이라는 것이 토론되였다。

우리는 서로 뒷 공론이 없어야 하고, 회원 호상간, 회원과 기관 사이에 서로 맞보고 의견을 토론해야 한다。 그러기 위해서는 회 사업이 회원의 리익과 밀접히 관련되여야 한다。 그 하나의 조치로서, 회의 기관지, 총서 등에 되도록 많은 회원의 작품을 게재하여야 하며 해신을 비롯한 기타의 출판물에 회원들의 많은 작품들이 발표되도록 특히 회 기관은 노력하여야 한다

그리고 제六차 대회 이후 활발화해진 회의 활동을 안받침해 줄 작품 활동을 더욱 왕성하게 해야 하겠다. 창작 활동의 「왕성」이 없이 문학회 활동의 「왕성」이 있을 수 없다 회원들은 각자의 창작 사업에 더욱 많은 정력을 쏟아야 하고, 회 기관은 백방으로 그를 방조하여야 한다。 우리들은 조국과 재일 동포들의 기대에 상응하는 질과 량의 작품을 창조해 내는데서만, 자기 지향하는 바 길에서 많은 임무를 완수할 수 있는 것이다。

이상 토론의 요점만을 기록하였으나 토론을 마치고 회의는, 일반 보고를 승인하였다。

총련 중앙 사무국장 윤 봉구씨는 최근의 활발한 문학회 사업에 많은 찬사를 보냄과 동시에 따뜻한 다과를 내놓으시며 앞으로의 우리 문학회 사업에 총련으로서도 적극 방조를 주실 것을 약속해 주었다。

밤 七시, 토론에서 카질 받은 문학에의 정열을 각자 가슴에 안고 산회하였다。

계속 中央委員会 報告

금후 활동 방침

山口에서 새로 우리 회에 가입한
김 윤호 동무나, 고-베에서 출로
우리 중학교 학생들과 더불어 하로
같이 문학에 대하여 이야기하고 있
는 리 수 동무나, 나-고야 김 대
견 동무나 또는 대판 지부에 소속
하고 있는 동무들을 비롯하여 지방
에 있는 회원들의 대부분이 자기의
작품을 서기국에 보내고 있으며 그
들의 활동을 방조해 줄데 대하여
거듭 문학회에 요청하고 있습니다。

이와 같이 대회 이후 우리 문학
회의 사업은 일반적으로 상양된 분
위기 속에서 발전 강화되고 있습니
다。

동무들

그러나 우리들 앞에는 허다한 애
로들이 가로 놓여 있으며 우리들의
발전을 저해하는 난관과 애로를 뚫
고 나가는데 가장 중요한 관건으로
될 문학회, 조직적 결속에 적지 않
는 결함이 있습니다。

나는 이번 소집된 제二차 중상
위원회가 제二차 조선 작가 대회
결정에 철저히 의거하여 당면 우리
들의 구체적 활동 방침을 밝히며
그를 성과적으로 실천해 가는데 있
어서 반드시 해결 극복되지 않으면
안될 제반 약점들을 제거함에 거대
한 담보로 될 것을 확신하여 마지
않습니다。

앞서 말한바 우리들은 六차 대회
이후의 자기 활동에서 조직적으로나
창작 사업상에서 적지 않은 발전을
지적할 수 있으며 그는 마땅히 크
게 평가될 수 있습니다。

그러나 랭정히 우리들 주위를 살
피며 자기를 반성해 볼 때 아직도
우리 회원들 사이에는 사실 숨길
수 없는 상거가 있으며 리해의 차
이가 있으며 회에 대한 발표하지
않은 이러 저러한 생각들이 마음
속에 있습니다。

「하는 짓이 어쩐지 마음에 들지
않아」하는 동무가 있으면 한쪽에서
는 「문학회는 어쩐지 문학을 하는
분위기가 아니야」하고 또 한편에서
는 「그저 작품만 쓰면 그만이지—
ㄴ 조직이니 운동이니 하는 것은
그리 타당한 일로 마음에 들지 않
는 나머지 문학회를 추진하는 사람
는 따로 있는 것이며, 그런 조직과
는 뚱지고 그저 제 맘에 맞게 문
학을 공부해 가려는 생각들이 없다
고 할 수 없습니다。

실지에 상무 위원이 상무 위원회
에 조차 잘 참석치 못하는 사실과
간담회 합평회 등에서 일반 독자들
보다 회원 수가 적게 모이는 례들
로써 미루어 아직 우리 회의 사업
조직과 기관 운영이 완전히 자기의
것으로 간주되지 못하는 회원들이
적지않으며 그렇게 만들어 놓는 약
점들을 아직도 우리 상무 기관은
가지고 있다고 지적치 않을 수 없
습니다。

나는 이것이 우리들의 운동의 기
본 로선에서 제기되는 리해의 차이
가 아니라 이것은 주로 우리들의
사업 작풍상의 문제라고 생각합니다。

문학회는 자기의 것으로 가깝게
생각할 수 없으면서도 항상 작품을
쓰자고 속다짐하고 있는 회원들과
우리는 정말 솔직하며 동지적인 비
판 정신으로써 서로 이야기하여야
되겠습니다。

문학회는 바로 회원들의 문학 활
동을 저해하는 기관일 때 존재할
수 없는 조직이며 회원들의 요구와
고민이 해결되는 조직이 아닐 때
그는 사무 기관으로 떨어지고 말것
입니다。

우리들은 이미 六차 대회에서 회
원 상호가 투철하며 동지적 비판
정신에 립각함으로써 우리 문학회의

원칙성을 보람 공고히하며 명실 공히 회원 스스로의 문학회로 생기있게 운영해 갈 것을 다짐하였습니다。

나는 지난 제二차 작가 결정서에서 "작가 동맹의 중심 과업은 작가들의 왕성한 창작을 보장하며 문학상 제기되는 제 문제를 집체적으로 해결하는데 있다"고 지적된 바 우리 지도 기관의 사업 작품에 대한 문제를 한번 다시 강조하면서 전체 중상 위원들의 열의있는 토론으로서 문학회가 진실한 우리의 문학 집단으로서 그 집단적 기능을 원만히 발휘할 수 있는 활발한 발언들을 특히 요망합니다。

三

이번 소집된 제二차 중앙 위원회의 의의는 무엇보다도 제二차 작가 대회의 획기적 성과를 자기의 것으로 만들며 제二차 작가 대회가 제시한 조선 문학 운동의 기본 방향을 구체적으로 실천해 갈데 우리 문학회의 전 력량을 더욱 튼튼히 결속하는데 있습니다。

그러기 위하여 우리들은 당면 우리 내부의 조작적 약점을 주저없이 들추어 내었으며 그를 시정할데 기탄없는 토론을 집중하였습니다。 우리들은 이제부터 문학회에 대한 관조적이며 방관적인 립장에서 떠나자기 스스로 주인다운 책임성과 적극성을 발휘함으로써 회내에 한점의 검은 그림자도 자리잡을 틈을 주저 말 것이며 한마디의 군소리와 뒷공론도 새여나올 사이를 만들지 말아야 하겠습니다。

동지적 비판이 없는데 진실한 애정이 있을 수 없으며 진실한 애정으로 얽히지 않고 어찌 이역 수천리에서 고난 많은 우리 사업을 성취할 수 있겠습니까?

선배 회원은 따뜻한 손으로 후배를 손잡아 이끌어 주어야 할 것이며 자기들의 후대를 키워 내는데 보담 책임성을 가져야 할 것이며 또한 회원들은 서로 겸손하며 존경하며 소중히 여기며 서로 채쭉질하여 발전하여 가야 할 것입니다。

우리 문학회가 한가지 방침 ― 조국이 내 세운 위대하며 광휘에 찬 사회주의 사실주의의 문학 건설의 가치밑에서 어찌 한마음으로 화목하게、한뜻으로 결속되지 못하겠습니까? 결속하지 못할 서로 단합하여 사업하지 못할 하등의 리유도 없습니다。

우리들이 이 시대에 같이 살고 있는 영광 찬 조선 공민의 자각을 가슴에 아로새길수록 우리들이 이 시대에 사는 자랑스러운 조선의 가수로서 조국과 인민 앞에 문학으로써 이바지하는 영광을 간직할수록 우리들은 우리들의 집단인 문학회의 조직을 더욱 공고 발전시킬 데 한 사람 같이 일어서야 할 것입니다。

나는 회원 전체의 의지와 력량을 일치한 지향에서 발 맞추어 당면 다음과 같은 사업들을 조직 추진할 것을 제안합니다。

첫째 제二차 작가 대회의 제반 문헌을 연구 학습하며 그를 대중적으로 소개 선전하는 사업을 조직해야 되겠습니다。

그러기 위하여 우선 문학회 각급 기관에서 더욱 진지한 연구 토론회를 조직해야 할 것이며 회원이 중심이 되여 해당 지역 기관들께서 의식적으로 간담회 연구회 보고회 등을 조직할 것입니다。

둘째 우리 회원들의 창작 사업을 왕성히 함과 동시에 그 길을 제고할데 대해서입니다。 앞서 말한바 단 一一월 만에도 소설 六편 시 四편이 편집부에 투고되여 있듯 창작 활동은 비상히 앙양되였습니다。

이와 같은 회원들의 창작을 보담 우수한 수준에서 획득할 수 있게 하기 위한 조직적 체제에 대해서 심중히 고려하여야 되였습니다。

각 분과 위원회 확립을 조속한

시일에 완수하여, 우선 분과 중심의 합평 사업을 제고할 것이 필요하다고 생각합니다. 합평은 다만 륜독으로 그칠 것이 아니라 반드시 합평회에서 집체적 토론을 거쳐 작자에서 회송되거나 「편집부에 회부되여야 할 것입니다.

동시에 발표된 작품에 대한 비평사업을 일층 강화 할 문제가 제기됩니다.

이미 「三人詩集」이 출판되여 三개월이 되나 아직 거기에 대한 평론 일편 발표되지 않고 있으며 뿐만 아니라 우리 회원의 작품에 대한 로평은 전무하다 해도 과언이 아닐 만치 일반적으로 비평 활동은 침체되고 있습니다.

작품에 대한 감상 단평 등에 많은 회원이 참가할 것을 특히 요망합니다.

이와 관련하여 「문학 연구회」 사업도 반드시 개선 강화되여야 하겠습니다.

셋째, 복간된 기관지 「조선 문예」를 반드시 계획대로 정기 간행을 보장할 문제입니다. 당면 가관지 사업의 가장 큰 애로는 재정적 문제입니다. 일부 유지자들의 찬조나 거금에만 의저되여서는 정상한 간행은 불가능 합니다. 이를 보장하기 위하여는 첫째 회원 각자의 책임성 위에서 편집 배포 수금 문제가 일원적으로 해결되여야 할 것이며 그를 성과적으로 수행하기 위하여 광범한 문학 애호 독자망을 착실히 조직할 것입니다.

문학을 대중화하는 기본 방향에서 보아도 우선 가까운 「독자망」을 조직하는 데서부터 출발할 것이 가장 타당할 것입니다. 이 독자망을 중심으로 회원들은 랑독회 감상회 또는 간담회 등을 의식적으로 조직하여야 할 것이며 그것이 우리 사업을 강화 발전시킬 수 있는 대중적 력량으로 될 것입니다.

회원 한 사람이 十명의 독자를 의무적으로 획득합시다!

넷째 우리 기관의 실무 능률을 한층 높여야 되겠습니다. 이것은 회원들의 가장 기초적 임무인 회비의 납부와 일련의 활동들에 대한 보고 련락들에 대해서입니다.

회보 사업이 계획대로 추진되면서 우리 기관의 실무적 기능이 정상화되여 가는 한편 아직 수개월의 회비 체납 또는 소여의 련락 둔절들이 허다합니다.

회비는 매월 월액을 납부토록 금월부터 실시 하도록 하여 일체 련락 사무를 제때에 실천합시다.

동무들!

내가 제기할 의견은 대략 이상과 같습니다.

오늘 우리 앞에 제기되고 있는 과제는 말할 바 없이 크고 중대합니다. 그러나 우리들은 자기의 청년다운 젊은 가슴이 항상 조국과 함께 있으므로 더 할없는 행복을 느끼고 조국이 가르치는 길에서 오로지 자기의 온 정력을 받쳐 나갈 때 자랑에 넘치는 영예를 간직하게 되며 자신찬 신심에 가득하게 됩니다.

오직 우리들은 우리 문학회의 가일층의 발전을 약속할 획기적 계기로서 이번 二차 중앙 위원회의 성과를 쟁취하기 위하여 한길로 마음을 쏟을 뿐입니다.

그리하여 우리에게 안기인 조국의 깊은 관심과 기대에 한걸음 더 가깝게 다가설 것이며 또한 그를 자랑스럽게 과시합시다.

동무들의 열의있는 토론과 집체적 지혜가 아낌없이 여기에 어우러질 것을 다시 한번 요망하면서 나의 보고를 마칩니다.

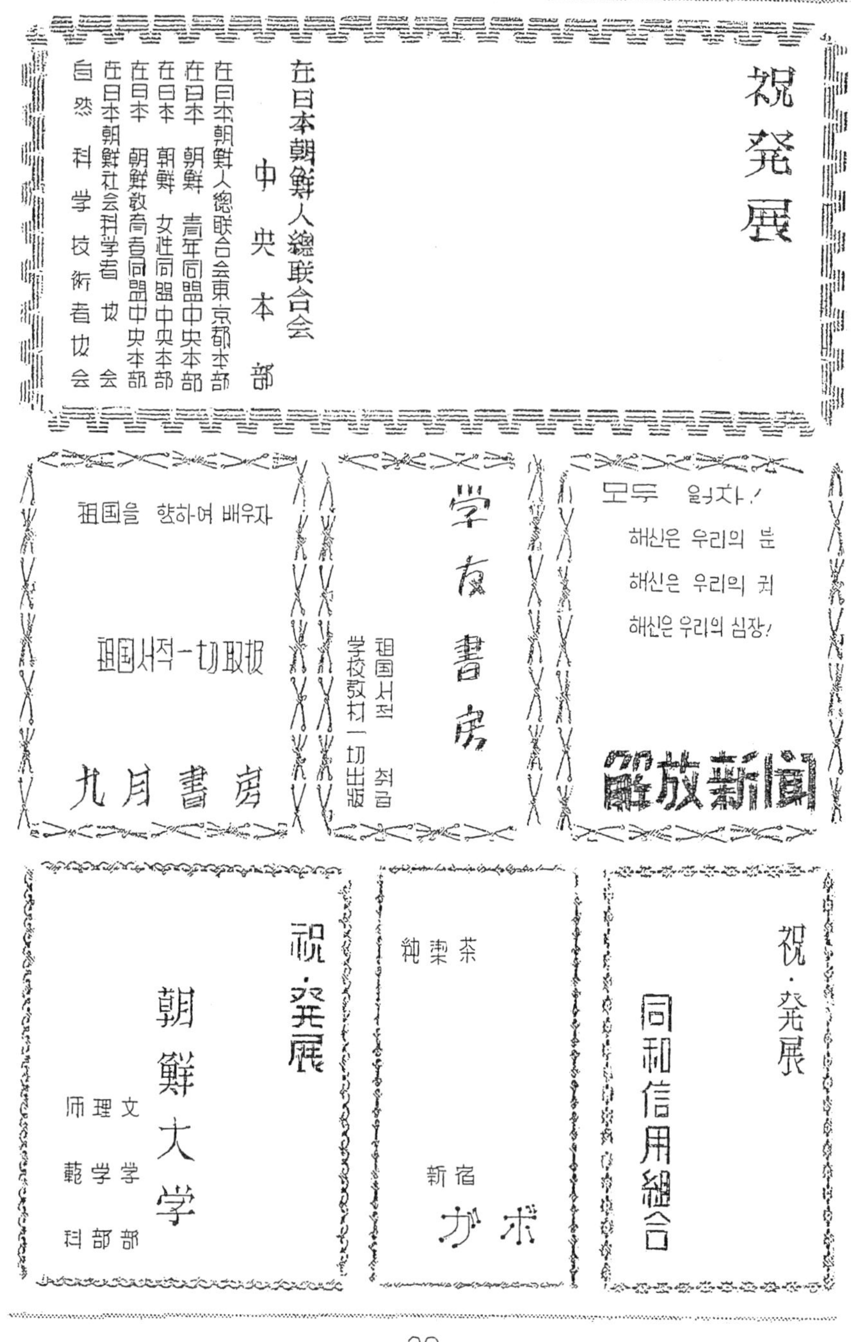

祝発展
在日本朝鮮人總联合会
中央本部
在日本朝鮮人總联合会東京都本部
在日本朝鮮青年同盟中央本部
在日本朝鮮女性同盟中央本部
在日本朝鮮教育者同盟中央本部
在日本朝鮮社会科学者協会
自然科学技術者協会
祖国을 향하여 배우자
祖国서적一切取扱
九月書房
学友書房
祖国서적 취급
学校教材一切出版
모두 읽자!
해신은 우리의 눈
해신은 우리의 귀
해신은 우리의 심장!
解放新聞
祝・発展
朝鮮大学
文学部
理学部
師範科
純喫茶
新宿
ガボ
祝・発展
同和信用組合

재일본 조선 문학회 기관지

《目次》

1957. 1

발행. 在日本朝鮮文学会 .〈東京都北区上十条2-22〉

문학 창조 사업에 보다 큰 성과와 결실이 있으라!!

1957년 新春

在日本朝鮮人総联合会
中央本部

在日本朝鮮青年同盟
中央本部

在日本朝鮮民主女性同盟
中央本部

東京朝鮮学園

朝鮮大学

東京朝鮮中・高級学校

学友書房

九月書房

預金은

同和信用組合

新宿
明月館

池袋
大成園

西新井病院
設備・完備
東京，足立

朝鮮奨学会

在日本朝鮮映画人集団

日光

東上線大山

ガボ
—新宿—

—池袋—
郷歌園

十條
平和園

新宿朝鮮人商工協同組合

東京観光自動車株式会社

삼각산이 보인다

조 벽 암

내 요즘 남쪽 창을 열면
의레껏 찾아보는 버릇이 들었다。

맑게 개인 날씨면 신기루냥
아득히 솟아 오르는 삼각산

그도 내가 반가운지
창 앞으로 가까이 다가 선다

이렇게 가까운 거리련만
멀게만 여겨지는 가슴이 미여지누나

애비없는 어린것 들이
헐벗고 굶주리는 신음소리가

아들 잃은 늙은 어머니의
원쑤의 발길에 채우는 소리가

그도 목이 메여 차마 말 못하는데
그 밑에서 숨 가쁘게 들려 오누나

내 눈엔 때 아닌 먹구름 일어
억수로 퍼부어지는 설음의 소나기

눈물 속에서도 분노의 번개는 쳐
어언중 삼각산도 산산이 부시러 지누나

나는 지긋이 입술을 깨물며
창문을 도로 닫고

五개년 계획의 나의 설계도를 편다
그들에게 곧바로 뚫린 길을 찾아

《조선 문학 十二월호에서》

신년 첫호를 내면서

새해가 밝아왔다.

조선 인민들의 번영과 행복을 앞당기는 장엄한 인민 경제 五개년 계획의 첫걸음을 내여 디뎠다. 이와 같은 거창한 전진에 발 맞추어 조국의 작가들도 자기의 창작 五개년 계획의 첫해 창조 사업에 들어섰다.

조국 통신들의 보도에 의하면 조국의 전체 문학 예술 일꾼들은 조선 로동당 제三차 전당 대회와 제二차 조선 작가 대회의 결정에 호응하여 궐기하고 섰다 즉 각 문학 예술 단체들에서는 문학 예술가들의 맑스 레닌주의 미학의 리론 연구와 예술적 기량의 향상을 원조하기 위하여 작가 동맹 중앙 위원회에서는 매주 금요일에 문학 야회(夜会)를 갖고 있으며 미술가 동맹 중앙 위원회에서는 매월 제二, 제四 월요일에 《월요 강연회》를 그리고 작곡가 동맹 중앙 위원회에서는 매주토요일을 《작곡가의 날》로 정하고 문예 리론과 창작 경험을 교류하고 있다. 뿐만 아니라 중앙의 직장 문학 예술가들을 위해서는 《월요 강연회》를 갖고 있다. 이와 아울러 조국의 작가들은 조선 로동당 중앙 위원회 一二월 총회 결정 정신을 받들고 제一차 五개년 계획의 초년도를 맞이하는 공화국 근로자들의 증산 투쟁을 형상화하기 위하여 평양을 비롯한 지방의 많은 작가들이 각지의 중요 공장, 기업소, 광산 수산, 사업소와 농촌으로 가고 있다. 평양 시내의 작가들 시인들을 평양 방직 종합 공장, 곡산 공장, 철도 공장, 고무 공장 건설성 산하의 각 트라스트에 들어 가고 있으며 또 일부의 작가들은 흥남 지구의 중요 기업소에 파견되고 있다. 또 이밖에 많은 작가 시인들이 각자의 공작 지역에 파견되고 있다.

생활의 진실을 반영하기 위한 조국 작가들의 이 눈부신 노력들은 또한 당 선언 및 제반 결정들과 제二차 조선 작가 대회의 제반 결정들을 자기들의 창작 지침으로 삼는 우리 재일 조선 작가들을 무한히 고무해 준다.

우리들은 지난 해 동안에 조국 작가들과의 두터운 련계를 도모함으로써 그 어느 시기보다도 눈부신 활동을 해 왔으며 희 활동의 토대를 더욱 튼튼히 만들었다。

그러나 아직도 우리들은 허다한 약점을 극복 못하고 있다。그중 무엇보다도 먼저 지적하지 않으면 안될 것은 재일 동포들의 문학 예술에 대한 그 어느 때에도 보지 못할만큼 장성된 욕구에 충분히 보답하지 못한 점이다。당 선언을 받들고 조국의 평화적 통일을 촉진하기위해 일어선 재일 동포들의 투쟁은 작년에는 민족적 단합으로 특징 지어졌다。

뿐만 아니다 자문 강요、생보 삭감을 비롯한 일련의 탄압을 반대하며、한미 우호 통상 및 항해 조약、한-일 회담 반대 등 일련의 애국적 투쟁이 전개되는 속에서 재일 작가들이 과연 얼마나 자기들의 창작 생활을 이와 적극적으로 결부 시켜 왔던가?

우리들은 새해를 맞으며 이 점을 특히 명심하지 않을 수 없다。대부분의 회원들이 물론 여러가지의 악조건이 있었으나 그러나 한 편의 작품도 쓰지 않았다는 사실— 우리들은 이와 같은 현상에서의 탈각을 위해 전체적인 고무와 원조를 교류하여야겠다。물론 우리들이 놓여 있는 환경과는 다르며 우리들의 생활 조건 역시 극심한 곤경에 빠져 있다。《작품을 쓰자、》고 누가 말하기 전에 우리 자신들이 자기를 채찍질하면서 항상 이 말을 되풀이하고 있다。

그러나 다짐은 항상 다짐 그것만으로 그치고 결의는 하낫 자위(自慰)로 끝나기 쉬웠다。올해는 우리 모두다 더 많은 더 좋은 작품을 쓰는 해로 삼아야겠다。그러기 위해서는 우리들은 더욱 조국、문학을 깊이 연구하여야 하겠으며 조국 작가들의 현실에 대한 적극적인 참예의 정신을 우리들 것으로 삼아야겠다。

말로써가 아니라 창작으로 뒷방 공론의 토가 아니라 대중을 선두에서 맞대기 찌질이 아니라 원칙적 입장에서의 심오한 비평으로 —

금후 본 《조선 문예》지가 놀 역할은 그 어느때 보다도 크다。수개 매의 대작은 물론 바래는 바이지만 우리는 금년 단편、수필 등 단막 형식의 작품들을 더 많이 쓸 것이며 독서 평・작품 단평、신인들의 작품들도 계속 이에 발표해 갈 것이다。

본호에서 보다싶이 이와 같은 우리들의 지향을 아직 불충분하나마 실현되여 가고 있다。현실에 대한 더 깊은 인식 — 이것은 새해를 맞는 우리들의 과제가 아닐 수 없다。

(김 민)

신년 축사

새해를 맞이하여 당신들의 새로운 창조적 성과를 축하합니다。

조선 작가 동맹 중앙

5

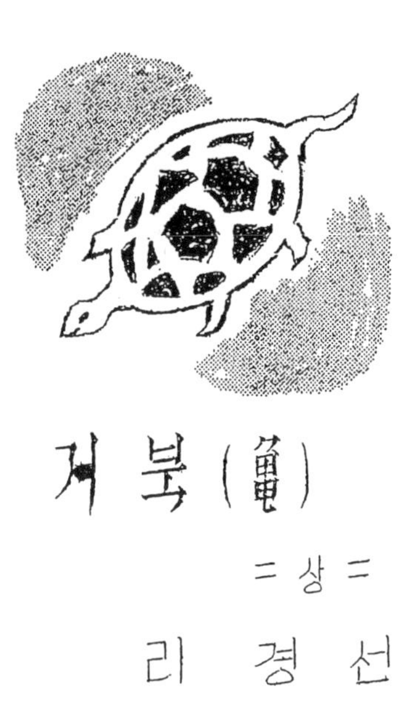

거북(龜)

=상=

리경선

「아즈머니! 여게요 여게 이렇게 서서 밀으루 보구 있었다우!」

앞서서 비탈길을 주춤 걸음으로 닫던 오무웅 소년이 오묵은한 나무다리에 당도 했을 때 이가 빠진듯이 말목이 두어개 떨 어져나간 빈터에 발을 드디고 서서 이렇게 말하는 것이였다。

이어 오 소년은 련성 코를 훌쩍거리는 버릇이 오늘은 넙적한 턱까지 우으로 훌쩍훌쩍 치키며 데 윤이가 이 강에 떨어져 통 행인에게 건져질 때까지의 경과를 숨을 고쳐쉬여가며 내려외이는 것이였다。

잦은 걸음으로 따라오던 원이 엄마는 다리밑을 내려다 보았다。강물은 폭이 좁고 물세역시 세지는 않았으나 수심이 그리 얕아 뵈지도 않아 어린애들이 만간에 실수 할지경이면 지나가는 사람에게나 못 다들리는 한 애목숨 하나 쯤 삼켜마시기엔 가사로운 펄거울로 보였다。"그래! 이런 곳에 우리 원이가!" 생각만 해도 아랫도리가 설설 떨렸다。

「상급반이나 되고 게다 통학반장 께나 된 것이 학교가 파하면 애들을 몰고 이내 집으로 돌아 올게지 뭣하러 이런 곳에로 왔노?」

「내가 말 문이 터지기만 해봐라! 너 엄마까집엣건、사무소 너 아저씨 할바라도 못 당 할 줄 알고?」

이렇저렇게 속에 절절 끓고 있는 가시돋은 말들이 원이 엄마 꽉 봉해져 한쏘다 지는 리유는 오늘에 있어선 깊이 사물을 큰 별 할줄 아는 교양에서나 어룬스런 아량에서 셈 솟는 자제는 아니였다。

겁에 파랗게 질린 오 소년이 두둑한 입술이 허술히 다문채 불불 떨리고 팔다리 마져 덜덜 떨리고 있는 꼴을 보니 일상 오만 경수에 오 소년을 나무라지 못하게하고 이 소년을 잘 따르는 키둥이들 원이、오늘은 강물에 빠져 물방울이 뚝 떨어지래는 엄마의 입을 연 손구락으로 걸쳐

틀어막고 헤걸하듯 눈앞에 어른거리는 때문이였다。
윤이 엄마는 마음을 가다듬을려고 애를 썼다。집안을 치르다가 엉겁결에 뛰여 나온 사기 차림 차림을 저속어 마음에 꺼리며 오 소년이 앞서 가르쳐는 데로 원이를 보호하고 있다는 일본집 대문을 들어섰다。

문안에 발을 드디자 어닌지 정돈안된 넓은 정원에 여기 저기 허리꼬인 빛가신 화초들의 초라한 모양이며 바람도없는 날에 권못에 엎드린 락엽들이 모양이 윤이 엄마의 방아 찧는 가슴속을 오히려 진정시켜 주었다고는 하나 현관 가까이 들어섰을 때 물에 젖은 교과서 노-트 칠문 윤평화 반적 백일초 가지우에 물방울이 뚝 떨어지는 란도셀, 물젖은 옷조각! 이런 것 들을 볼 때 고만 담 뛰고 들어온 도적놈의 자신을 잃고 가겁에 도망치듯 이 부끄러운 물건들을 주섬주섬 묶어 달아 날 수있는 일이라면 얼마나 좋을까?!

이런 생각까지 불현 듯 일어났다。그러나 따르르 현관문이 열리고 만나야 할 이 집 사람들이 줄줄이 나와 황겁해 하는 타국 나어린 어머니를 반갑게 맞아 주는 데는 이제 란을 모면한 사람같이 훈훈한 안도감이 발끝까지 흐르는 것을 아니 느낄 수 없었다。

「엄마! 이거 오마쯔리후꾸! 이거 만화책!」

기다렸다는 듯이 튀여나온 원이 이 첫 말에는 고만 이제 만나는 사람들 끼리이냐 인사의 배듯한 첫 문을 고개치는 다정한 웃음 소리로 활짝 열어 재쳤다。

윤이는 사실 유가다에 남색 오비를 뒤로 묶고 머리는 전에 없이 옆으로 가리마를 따서 빗 자욱도 나란이 반자르하게 빗겨 있었다。아무리 달래여도 안 벗겠다는 소위 오마쯔리후꾸를 겨우 겨우 달래여 갈아 입히고 만화책을 옆에 낀 원이를 오 소년과 앞뒤에 서서 대리고 나와 전차를 라고 역에 당았을 때엔 어슬어슬 하늘에 엉킨 전선들도 어둡고 흐게 내려누를 황혼이였다。

역에는 윤이 아버지 그리고 같은 뜰안에 사는 동포 아즈머니 서너분이 기다리고 서 있었다。

「웬일이요、거게가 어디길레 그런 델가 강에 빠졌단 말이오?」

「원 드러운 물이나 홉씬 마시지 않았나?」

또 한 아즈머니는 원이 엄마 귀에다 꽉 대고 이렇게 타일렀다。

「큰탈 나기전에 좋은 오바상을 데불어다 겁풀이를 얼핀 해주어야 애가 괘하지?!」

윤이 아버지는 이 아즈머니들과는 좀 떨어져

수다스런 인사들이 이만저만 끝나기를 기다리고 않노라는 전과 다름없는 의젓한 태도였다
오 소년은 아까 역에서 내리면서 부터 아무 눈에도 띄지 않았다。 윤이는 떠들석 한 속에 아즈머니들이 사다주는 과자사과 봉지를 가슴에 를안고 이다지도 떠들 석하는 영문과 자기와는 깊은 관계는 없다는 듯이 어리둥절하고 엄마 속에 꼬여 들듯 치마통에 딱 붙어 서있다。 이 어리둥절한 속에 오 소년의 존재도 지금 윤이 머리 속에선 잠간 사라졌다。
이 때였다。 오 소년이 어머니가 늦게야 알려줘 윤이 어머니 두 손을 잡고 수다스럽게 반기며 윤이를 바라보는 두눈에는 완연히 눈물까지 글썽거렸다。
「다시는 가지마! 그런델 가문 이번은 죽는다니께!」
떼 들은 앞치마를 얼굴에 갖다대고 눈물을 닦는데 동리 아즈머니들은 오히려 서로 얼굴들을 맞 보고 서 있다。 바로 그 옆에 섰던 아즈머니가 혀구리를 쿡 쑤시며 말했다。
「얘들을 거기까지 데리고 간건 집에 애레요、큰세! 우리 아이도 같이 따라가 하마트면 다— 들 모조리 큰일이 날뻔 하지 않았나뵈」
「불행중 다행이 지오! 다행!」
또 한 아즈머니가 말을 맞 받았다。
오 소년이 어머니의 얼굴은 이 말을 듣자 험상궂게 찌그러졌다。
「그 놈이 다께오(무웅) 욕실할 자식은 어디 갔노?」
그는 이제라도 곧 붙잡아 휘두를 듯이 앞치마 뒷 고름을 풀어가며 역안을 두리번두리번 돌려 보았으나 아들은 보이지 않았다。자식의 불찰로 걱정과 소란을 끼쳐 미안하다는 생각은 아닌 것 같았다、여러 사람들 속에서 창피를 당하고 있다는 분노와 무슨 일에고 남에게 아니 꿇일려는 성벽이 〃이꺼진 일로 내가 기를 꿇이다니〃하는 원통스런 마음이 타는 불꾸에 또 한 줄기 쌍불 꽃이 되어 무한 다 오르고 있을 뿐이였다。
다— 들 역을 나와 설렁설렁 걷기 시작한 때였나〃역구내 벽 뒤에 숨어 이 모든 광경을 귀로 듣고 있던 오 소년이 펄석 나와 윤이 아버지 앞에 머리를 숙으렸다。
「아저씨! 미안합니다」
오 소년은 떨어지는 눈물을 옷소매로 씻 씻으며
「아즈머니! 미안합니다」
윤이 엄마가 아닌 다른 아즈머니 앞에 다서

고개를 또 숙으렸다 이때 덥석 오 소년의 어머니가 달겨 들더니 소년의 목 덜미를 뒤로 잡아 재겼다 아즈머니들이 다아들이 일단 떼어놓았으나 어머니의 상기는 쉬이 내려 까라 앉일 것 같아가 않았다。

오 소년은 덤비는 엄마의 손길을 피하여 이 몇 사람의 사이를 숨박곡질 하듯 치마뽁을 잡아당겨 감기며 숨어 보았으나 어머니의 기세가 그리 심상치 않음을 알자 역앞 로—타리 쪽을 비호같이 뛰여나가 건너편 어둔 컴컴한 술집 좁은 골목을 비벼 쏘았다。

윤이 엄마는 오 소년의 잡아끄는 손 심에 혹크가 풀린 치마꼴을 여미며

「이제 고만 둡시다요 누가 뭐라고 시비를 않지 않소? 됩다 우리가 미안치 않소?」

그러나 오 소년의 어머니는 소년의 뒤를 쫓아 뛰쳤다。

이 광경을 보던 윤기가 별안간 엄마손을 놓고 아버지 곁으로 달라 붙으며 울기 시작했다。

「うちにかへろうよ、 こわいよ、 こわいよ」

그 날 밤 젊은 두 부처는 새벽 첫차 고동 소리가 들릴 때 까지 잠을 못이루었다。윤이가 한시간에 서너차레식은 크게 놀래시고 상을 지프리고 그 모양은 마치 단밤만여 어린 넋을 짜그러트릴려는 단말마의 허덕을 련상시키였다。때때로 오 소년의 이름을 크게 부르기도 했다。

이튿날은 일요일이였다。윤이 아버지도 오늘은 놓는 날이므로 진종일 집에 있었다。

윤이는 두 볼에 핏기는 좀 가시였다고는 하나 원기는 여전하고 아침결엔 집안에 붙어 있던 것이 애들이 뛰떠드는 소리가 들리자 궁둥이를 들다 놓았다 하더니 고만 뛰어나가 뜰에서 오금떠몰래 뛰였다。윤이 노는 벗들은 거이 조선아이들이였고 그애들은 같은 소학교 동학반 애들이였다。

애들은 하고 한날 만나는 얼굴이나 모이면 절검고 거이 똑 같은 작란들이 매일 되 풀이 되였건만 작란이 갖다주는 유쾌로운 예감은 늘 새로운 흥미가 샘솟듯하여 애들 가슴 속에서 들끓고 저녁 때가 되여 뿔뿔이 헤여질 시간이 오면 같은 집에 몰려 살지 못하는 것을 원통히들 여겼다。때때로 일본 애들이 섞여 놀때가 있었으나 입는 것, 몸 단장이 허주레하고 깨끗치 못한 가난한 집아이들이였고 이애들은 같이 놀다가도 도중에서 빠져나가 버리군 했다。

어떤애 들은 어머니 되는 일본 사람이 곰 볼

그러 와선 대려가기도 했다。오늘 이렇게 하루 종일 놀수 있는 일요일에 오 소년이 안 보이는 것이 그들에게는 이우 없는 섭섭할 일인 것 같았다。

「아 병원뒤에 가보자!」

언니 아이가 먼저 꾀는지 애들은 그리로 우르르 몰려갔다。병원 뒤 먼지 석탄 찌거리들이 동산 지어 높직이 쌓인 이곳에는 지금 오 소년이 꼭 와있을 시간이였만 그러나 여기도 안 보였다

윤이는 낯익은 일본 할머니에게

「다께짱! こないの 朝から来ない?」

성급히 물었으나 낯익은 일본 할머니는 가제쟈마밑에서 퍼내어 김이 뭉뭉 올라오는 석탄 찌거기우에 닿을 듯이 숙그오린 얼굴을 찌지켜 잠간 웃어 보일 뿐 석탄똥 줏기가 바쁜 듯이

「今日は、見えないよ!」

한마디 할 다음이였다。

애들은 다시 울안으로 몰려왔다。요세아이들 사이에도 레스링 노름이 한창 류행이였다。

「야로! 고오이! 카라데 쪼푸! 고오이! 리기도-산!」

윤이 엄마는 집앞 우물터에서 뽐푸로 물을 뽑아내며 빨래를 헹구는데 이 속에 뒤서기인 윤이 독청을 들으며 얼굴에 저윽이 안심스런 미소가 흘렀다。

「어머니! 김 일선수도 리기도-산도 どっちが強い? どっちがえらい?」

몇번이고 똑 같은 질문을 하던 윤이 말이 생각나 킥킥 웃음까지 나왔다。

「언니! 혼자 빨래하며 무어가 우수웨요? 안녕하십니까?」

고개를 사푼 숙이고 닥아 앉이는 것은 여자대학에 다니는 본자였다。

「웬일이요? 공일에 놀러나 영화나 가지 않구? 또 무슨 일로 다니오?」

「그런데요 오늘 신문 보셨지오?! 砂川 기지 측량하는데 반대해서 네! 학생들이며 토지에 사는 사람들이 경관대하고 충돌해서 막 부상자가 나오고 한일!」

윤이 엄마는 처음 듯는 일이였다。빨래하던 손을 멈출 가만이 생각을 엮었다。아침 조반상을 내린후 남편이 뒤적거리던 신문에서 얼핀 본 그것, 그 까먼 사람들이 길에 진을 친모한으로 서있고 한쪽에는 빨래방망이 같은 것을 들고 떼리고 붙잡고 밀리고 하는 사진이 그것이 아닌가? 뚜렷이 아침 조간에 크게 박혀전 사진들이 머리

에 떠올랐다。

「미국놈들이 일본으로 원자 폭탄 기지를 만드는데 반대하는건 당연한 일이지! 원자 폭탄을 여게 두면 우리 조선은 끝 이웃이 아닌가?!」

윤이 엄마는 지금까지 들은 말들이 있어 이런 긍정을 가슴 속에서 찾고 있었다。

윤이 엄마는 앞치마 호주머니에 손을 드민채 남편이 이쪽을 보아 주기를 한상고 바라는 거동이였으나 남편은 무엇을 할런지 머리를 저쪽으로 돌래 뒤 지고 앉아있고 일순 혼란한 생각만 머리속을 헝클었다。

「부상해서 입원 한사람들이 약값에 좀 보태는 원이 되겠지요」

본자의 이 말은 주저하는 안 해의 맘속을 채죽하는 것 같아 윤이 엄마는 헐 헛 비누 사다 남은 돈 팔십원을 캄파주머니에 넣었다。

「여기다간 주소와 이름을 써주세요 도장은 손도장이래두 좋구요」

윤이 엄마가 손이 젖어 못 쓰겠다는 핑계로 남편에게 캄파장을 돌린데는 한 두가지 리유가 있었다。소학교를 겨우나온 그는 글씨가 대단 서툴렀다。그러나 또한 리유는 씩한 처녀 봉자 같은 사람에겐 모를일! 돈 팔십원을 캄파주머니에 던지는 자거 태도가 그렇듯 주멀주멀 무미였은을 봉자는 어떻게 읽었을까? 팔십원 돈 내기를 아까워 하는 깍정이 구두쇠로는 안로아 주었기를 봉자에게 간절히 바라는 마음이였다。

윤이 아버지는 주소와 이름을 쓰고나서

「봉자, 거기 부상한 사람 속엔 조선 사람도 들어 있어?」

하고 물었다。

「조선 사람은 없지요、혹 전 학련 속에 섞여 들어간 사람이 있다해도 조선 사람의 이름으로나 조직의 이름으로서는 아니지요」

「봉자, 그건 어떻게 생각해? 로선 전환 후[11]에 일본에 있어서 내정 간섭을 말기로한 결의와는 배치되지 않을가?」

「배치요? 조선 사람의 조직 이름으로는 이 투쟁에 참가한 일도 없지만 지금 말씀은 무얼 의미하는지요? 조선 사람이 개인적으로 한사람이라도 참가한 경우를 전제로하고 하시는 말씀지요? 또는 부상한 일본 사람들에게 우리 조선, 사람들이 약값을 모아주고 있다는 사실에 그렇다는 말인지요?」

빳빳히 굳어진 봉자의 표정을 보자 윤이 아버지는 담배를 두어모금 빡빡 빨고서는 간신히 마소를 지어 보였다。

「아저씨! 로선 전환 로선 전환해서 마치 쓰기 좋은 방아지 마냥 아무데나를 편리 한데루 마구 갖다 부쳐서 얼부의 사람들에겐 대단 편리한 도구처럼 되여있는데--- 아저씨가 지금 생각하듯 그런 것이 로선 전환에 대한 해석은 못되겠지오?」

봉자의 유성에는 렬이 놀라로이고 점점 야무지게 말머리는 풀려갔다。

「아저씨가 언제가 휴-마니즘을 찬양하던 말을 들은 기억이 있어 말인데요 가장 상식적이고 인도적인 견지에서 일본 정부가 현재 우리 동포에게 강요하고 있는 지문 등록에 관해서 아저씨 의견을 말씀해보세오!, 조선 사람이면 누구던지 일본 정부가 취한 협소한 비 인도적 비 상식적 조치를 반대 안할 사람 없겠지오! 내정 간섭이 된다고 그냥 따라가서는 확실히 굴욕이 되고 말겠지오」

윤이 아버지는 봉자와 더토론할 필요를 안느꼈다。그러나

「외국인 등록은 조선 사람에게 만 국 한된 것이 아님을 알고있나? 일본에 거주하는 또는 출입하는 외국인들을 상대로 한다는 것을--」

이러한 솔몃한아유는 자기 지식의 한 계안에서 일어난 확신에서 있고 봉자들은 일방적인 편협성을 주장한 사람들에 대한 소위 지식인으로서의 자존이기도 했다。

「그들의 이도의 목표는 어느 외국 사람에게 있는지 아세요?」

봉자의 이 질문을 윤이 아버지게는 확실히 이외였다。

봉자의 가느단 입술은 약간 떨리고 눈은 일종의 종오감을 띄워 이 자존심 높은 신사와 대결하고야 말 기세를 보이였다。

윤이 엄마는 지금 남편과 봉자 사이에 기필리익이되고 좋은 말들이 벌어진것 같아 빨래를 언를 펼치자 언거주춤 뒤어오는 판인데 윤이 학교 남선생이 오 소년을 뒤시고 세우고 들어서는데 맞다쳤다。

별안간 나타난 손님들은 두사람 사이의 토론을 완전히 중단시키고 말았다。남교원은 미소까지 띤 윤이 아버지에 비해 얼굴이 확근 거리게 빨개진 봉자를 거머진 손아 커속에서 그 조심이 거머쥔 손에서 약간 떨리고 있는 캄파장 캄파 봉투를 눈치채곤 지금 이곧에서 두사람, 사이에 있음직한일들을 국리해 보았다。

놓자는 툇마루에서 싫어서 뿌리치듯 홱 나가버렸다。

「칼파는 제대로 받은 모양인데‥‥」

남교원은 고개를 기우뚱하며 허리를 굽혀 구두를 벗었다。

오 소년은 하루밤 사이에 넙적한 턱이 네모지게 뚜렷이 윤곽이 떠보이고 콧날이 성성해 가득이나 허옇지 못한 얼굴에는 먼지가 뚝 앉아 보였다。석탄 줏기에 두꺼비 잔등같이 거츠러진 두 손을 무릎우에 꽉 부치고 고개를 푹숙이고 앉인 오 소년의 머리를 남교원은 뒤흔들듯 거츨게 어루만지고 윤이 아버지게 인사를 시키고 오 소년은 끝 집으로 돌려보냈다。

남교원은 오 소년이 어머니게 쫓겨나 집에 들지를 못하고 밤사이 도보로 학교까지 와서 자기 교실에서 밤을 드센 이야기로 말을 꺼내었다。

「저애는 저래도 학교 안에서는 한차례도 나무랄일은 한적은 없던것이 이번은 통학 반장으로 큰 실책이지오 애가 그리 영글고 다기지다는 것을 아닌데‥‥ 애들이 무척 따르지오‥‥」

남선생은 오 소년에 대해서 이런이야기를 했다。

「애들이 잘 따른다고 못당할 중한 책임을 지워서야 되나요? 첫째 저에는 가정적으로 보아 애들의 모맴으로 내세울수는 없는 애지오 아버지는 술만 먹고 구석에 박혀 낮잠이나 자고 어머니는 장사로 집에 안 붙어있으니 제손등 목덜미에 떼하나 못 벗기고‥‥ 그런 뒤떨어진 애이죠‥」

「병원뒤 석탄동을 거른날 없이 주으러 다니니 공부할 틈도 없을텐데요?」

안해도 따라부처가 맞장구치듯 내미는 말씨는 어제 사건을 잊지못해 책임의 추궁에 굳을 파고 들려는 것 같아여 남교원은 입을 딱 다물고 들고만 있다가 호주머니에서 담배를 꺼내 손등 우에 두세번 쿡쿡 찧고는 불을 부쳐피워 물었다。

「그런데 일본 학교에도 통학반잔이라는게 있나요?」

말머리를 돌리고 싶은 윤이 엄마가 남교원을 똑바로 쏘아 물었다。

「그런거 있을리 있습니까、바로 근처에들 학교가 있스니까요」

남교원이 시름없이 대답했다。

「전차간에서 감도넬이나 가방들고 코흘적 거리는 소학생들은 다— 우리 조선 사람에로만 알면 틀림 없어‥‥」

이것은 윤이 아버지의 말이였다。

윤이 눈에는 까박까박 졸음이 왔다。어른들이

께다가 어머니 마저 한몫이 되여 리해안되는 어래운 조선말로만 주고 받고 하는데는 불만도 생겼다。

「김 윤철!」

「예 옛!」

남선생의 불으는 소리에 졸리던 눈이 번직 띄고 놀라듯 큰 소리로 윤이는 대답했다。

「いんちゃんは、学校の先生が呼ぶ時は、예! 라고 하고 うちにかへったら、はい! か、うん! しか言へないのか?」

이 말을 할 때 아버지의 말씨는 약간 존엄짜지 고여보였다。

「ちがうんだよ! 김 윤철の時は、예! でしょう。かなむら いんちゃんの時は、"はあい"だよ」

윤이 이말에 그만 다-들 웃었다。멋적은 아버지의 웃음 소리가 더길에 두어주비 구비치는 속에

「김 윤철! 말해보시는 어제 간곳에는 무엇이 있었습니까?」

남 교원이 두손을 맞 모아쥐고 허리를 굽혀 윤철이 맑게개인 눈속을 똑바로 드려다보며 물었다。

「예! 알았습니다!」

「始めぼくが、行ってみよう、行ってみよう、오무웅に 言ったんだよ! だって、ぼくの学校や家には、ホも何も何もないのに、あすこには、何んでもあるんだもん。毎日、電車の窓から見ているもの」

남교원은 눈을 슴벅이며 여전이 윤이 눈속을 읽고 있었다。

「ぼくね、かめが居るかと思って、こう立ってみていたんだよ」

윤이는 벌석 이러서더니 다리를 벌이고 그대로 시늉으로 해서 보였다。

「そうしたら、ぼくの背中を自転車が、ぱあんと、ぶつたんだよ、くやしかった!」

윤이 설명이 여까지 온 때 다-들 그만 큰소리를 내여 웃기는 했으나 이 세 사람의 머리속엔 제각기 다른 생각이 뜬 구름처럼 돌고 있었다。

어머니는 아들이 죽지 않고 살아 왔다는 한도감에 또한번 훈! 한 요행을 느꼈다。윤이 아버지는 지금 자기가 어렸을 적에 자란 그국 산천의 늦인 가을 벌판을 눈앞에 그리고 있었다。갈꽃이 바람에 해옇게 휘 날리고 빗가신 홍살이 가지가 휘어진 좁은 길을 허리에 책보를 매고 뛰면 한없이 즐거웠다。그리고 이런 살풍경한、거

리에서 자라는 아들 윤이를 그는 불행하다 생각했다。윤이가 숨었는 강짜로 꼴려간 마음을 아버지는 알다가도 남았다。

남선생의 가슴은 여기 앉인 아무에게도 알길이 없었다。윤이 말을 들으며 처음에는 윤화한 미소가ー 그리다간 한줄기 서글픈 그림자가 두개의 선명하게 그려진 눈섭아레서 이러났다。이리고는 표정은 다시 빙그레 미소를 더듬어 윤이에게 가만이 보드럽게 물었다。

「김 윤철! それで、かあか、すっぽんかは、とったかね」

그만 웃음들이 터졌다。윤이 어머니는 앞 치마로 얼굴을 가리고 마구 웃었다。

남선생은 다시 담배를 피어물었다。

「벌써 부터 계획하고 있습니다 미는 학교안에 빨리 조그만이 놀이터가 서야겠습니다。화단 련못은 커녕 그네 철봉 하나없시 애들을 놀리려고 하니ーー」

「힘이 들겠지오 정말!」

윤이 어머니가 남선생의 말끝을 받아 맺았다。

「윤철군! 만듭시다、아버지 어머니들의 힘을 합하면 련못 位、すぐ、出来上っちゃうね」

윤이는 남선생의 이말에 펄떡 뛰었다。

「わあい! 와아이!」

그리다간 무슨 생각이 났는지

「선생님! それよか、早く 인민 공화국에 かえたちが、いいぢやない?! 선생님 言うたもん、대동강に行ったら 一ぱい、もしもし、かめさんが、居るんだって」

그리고는 여보! 여보! 거북님! 내말 들어보오ー 노래로 윤이 흥분은 옮아갔다。

열시가 거이되여 남교원을 바래보내고 남편은 자리에 돌아오자

「집세가 일이처원 더 가더래도 이왕이면 푸른 잎、붉은 꽃도 있고 먼지가 안나는 그런 깨끗한 동리에 집을 얻어 어디 착해 보이는 아이를 하나 골라 윤이 동무를 삼게하고 아이를 좀 점잖게 기를려는 생각은 없어 윤 엄마!」

처음에는 심상치 않게 말을 툭 던졌다。

「윤이 매일 떠버리구 몰래 댕기는거 보라니까 상놈이 생기 영락없이 애가 천해가지 않나? 오무능이와 석탄동은 다ー 안주으려?」

점점 준적지어가는 남편의 말투는 확실히 한가지 결의를 굽어보게 했다。

「난 아무데두 가기싫어요 이제 겨우 쌀한막 마늘 한쪽 허물없이 꿔여 먹도록 올안 사람들라

[以下、不明部分は原本のまま]

[illegible]

[illegible]

[illegible]

계속하였다 [illegible]

[illegible]

[illegible] 하였다。

[illegible]

[illegible] 죽

[illegible] 참거두

[illegible] 되고 [illegible]

않으며 [illegible] 취듯기

을가늘지 못한 남편이 [illegible] 몸을 부실

힘을 잃었거든 화에간 안해는 한시하고 남편의 [illegible]

도려사는 이곳을 떠나지 말라 마음 먹었다。

여기를 떠나는 것을 바다에 고기가 물을 하직

하는 것 처럼, 그 처럼 두려운 일이 아닐까?

오히려 윤이에게도 정다운 동무 친구들을 버리고

떠나는 것은 섭섭한 일이되고 말것을---

안해는 자리에 누어도 눈이 말똥말똥 정이 안

왔다。어느 때에는 바느질을 하였다、내직을 하다가

또 남편이 돌아오면 죄나 지은 사람처럼 일거리

를 구석으로 밀고 밤상을 차렸고 남편과 아들이

잠든후에 팔목이 시큰거리도록 바늘을 노렸다。그

[illegible] 취산 소파

[illegible] 이다

[illegible] 하지 않니? 이번 [illegible]

[illegible] 되나?」

이런말을 남편에게서 들을때마다 마음이 몹시

없고 그것이 대단 섭섭한 일이되어 [illegible] 그러

나 가끔

「그럼 차차 접어치워!」

하는 남편의 건성말에 대꾸를 못하고 그만으로 끝

내면서도 안해는 그말을 처음이 좀 가엽게 간직하며

왔다。그러나 오늘 밤 안해는 지향했는 결심을 하게

지친 나그네와 같이 관사가 신을 벗겨졌다。

안해는 잠자는 아들이 베개우로 내던진 두팔을

겉우의 이불 밑으로 드리밀고 랑어깨를 꼭꼭 누

었다。두 팔개를 내던지고 자는 버릇은 배속에서

떨어지면서 부터의 좀 처럼 안고쳐지는 윤이 버

릇이였다。나서 얼마 안되서의 일이였다。

「저놈이 배속에서도 저렇구 있었단 말이지 배

속에서는 만세만 불를 었었구나!」

사무소 사람에 바쁜 오 소년의 아지씨가 지나다

들려 이렇게 작란 말을 주고 가더라 안해의 얼

굴에는 미소가 흘렀다。

《이 하 차 호 에 계 속》

公論

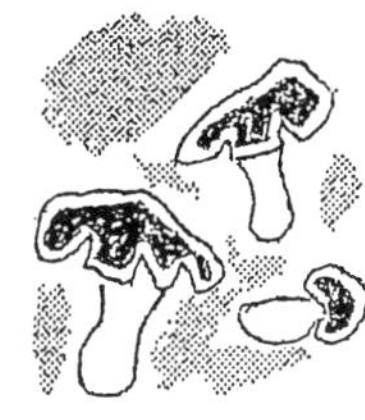

나의 금년 관상

탁 희 수

낫을 놓고 기윽자를 모르는 소위 무식한 자라도 유식한 사람들 새에 끼여서 오래 어른거리고 있으면 어느덧 감화를 받아 선 지식이나마 몇 자 그적거리게 되는 법이라 해서

「서당개 삼년에 풍월을 진는다」란 속담이 있다。이 속담이 보편성이 있는 것이라면 나 같은 자도 몇 년 동안 곁방살이 같이 유식한 분들 틈에 어울려 들면, 검고 흰 것 쯤이야 모를것이며 크고 작은 것 쯤이야 알아먹게 되지는 않을가?

하나, 나에게는 아마 별다른 속담이 하나 생겨야만 할 것 같다。나의 직장에는 퍽도 훌륭한 분이 많다. 그리고 이러한 환경속에서 몇 년을 치르고 지났으니 어지간한 사람 같으면 돌 구멍은 못뚫어도 종이에 송곳 구멍 뚫는 소견쯤 생겼을 런데 소견은 커녕 깨진 그릇 맞추기도 못하고 있다。바로 「복배지수」의 종류다。

손을 휘젓고 력설하는 바람에 완전히 넘어가고, 론리성에 의한 원칙론에도 또 한걸음 물러서고 다음에는 「동양적 인정이라 할가 감성적인 면을 앞세워 오면 그만 일은 다 되먹는다。햇볕에 눈녹듯이 나의 생각은 사라져 버리고 만다。살만한 것조차 몇 걸음이나 되로 물러서지도 못하고 꽉 막혀버리는 수도 있다。

고양이 목에 방울달기와 같다。

어느날, 쥐들이 모여서 대회를 가졌다。

「고양이를 어떠한 방법으로 피할 수 있을가?」

「고양이 목에 방울을 달면 그 소리를 듣고 다들 피할 수 있겠지」

「됐다, 그것 참 좋은 걸—」

모두가 찬성 박수를 치고 좋아하는 차에 한 쥐가

「가만 있거라, 그런데 누가 고양이 놈목에 방울 달러 가겠는가?」

하고 묻자, 고만들 말문이 꽉 막혀 버렸다。

그렇게 하고 이렇게 되면, 서북 좋을 가마는, 사실에는 불가능한 경우가 많다。그러나, 이럴 때도 누구의 탓으로 삼겠는가, 못살면 집터라도 잘못 택한 탓으로 치듯이, 본래의 됨됨을 한탄할 따름이다。그것도 훌륭한 선비를 속에서 와 산상담한지 오래전이라, 어찌 자탄이 없으랴! 필요한 지혜와 견식이 없는 주제에 어찌 선비들과 서로 교제를 할 수 있으랴! 말똥 모르고 어찌 마의 노릇한단 말이야!

그러면서도 새해가 되면 뭘 새삼스러히 머리속에 머뭇거리고 그려 본다。그렇도 한 두개 그려보아、아니 떠 올랐다는 것이 아마 적절한 표현인 것 같다。지난 해도 그랬고 그전도 그렇다。래년도 이 모양이라면 어리석은 나의 커막힌 꾀라고 할것이다。

이것、저것 생각하면、나의 관상은 결국 막다른 골목에 다달은 것 같다。오히려 그렇다면 안심이다。여기에 개화 만발이란 여념조차 예측할 수 있어 순수가 벌어질 수 있단 말이다。왜냐하면 한 계절의 운명도 극도의 반동시기 다음에는 반드시 새로운 상양기가 닥쳐온다는 것은 력사는 가르치고 있기 때문이다。또 누구든지 궁지에 빠진다 하더라도 한도가 있는 법이고 이라도 저리도 헤여날 방도가 없이되면、반드시 새로운 살길이 열리는 법이 아닌가?

뭘? 궤번은 그만 두라고요? 네、죄송합니다。저의 금년의 관상을 잘 보십시오마는…… 네? 몹시 밉살스러운…… 잘 들기지 않습니다。큰 소리로 여쭙시오、고만 하라고요? 네 고만 두겠습니다。깨끗이 단념하고 돌아서는 것이 현명하다는 것쯤이야 이놈이 알고 있습니다。

새해잡감

손 진 형

해외에서 생활함이 이미 십여년이 되고 보니、그럭저럭 설맞이도 열 몇 번 했는가 보다。그러나 새 해를 맞을 때마다 어릴 적에 느꼈던 그런 흐뭇한 재미를 맛 볼 수 없다。어쩐지 일본에서의 설맞이는 싱겁고 민족적인 독특한 향기를 숨죽여 버린다。그러므로 다른 사람들은 모르겠건만 어릴 적에 포근한 부모의 품을 떠나、조국을 등지고 천길 만길 낯설은 일본 땅으로 왔던 나는 명절이 돌아오면 사무치게 향수를 느낀다。명절중에도 설날이 더욱 그렇다 새 바지 저고리에 대님을 매고 수놓은 주머니를 배젓하게 차고서는 어깨 동무들과 세배를 한다고 철모르게 싸다니던 한 갈피 애틋한 추억이 부풀어 오른다。아낙네들의 흥겨운 널뛰기에 지꿎고 심술궂은 훼방을 놓던 남달리 장난 꾸러기였던 자기 과거를 회상하고는 살짝 방긋 웃음을 짓는다。한 토막 한 토막 추억의 실마리를 더듬어 과거를 거슬러 올라 가면 웃음이 울음이 기쁨이 슬픔이 한 방울로 맺혀 북바쳐 오른다。

설날은 부모와 헤여지고 있는 나에게 불타는 희망과 더불어 한 떨기 애수를 자아낸다。해방

이 되여 심년이란 세월이 흘러갔건만 그냥 해여진채 한 번도 상봉하지 못하였다。그래도 빈번한 서신 련락으로 아직 몸건강하다니 기쁘기 짝이 없으나、환갑이 넘은지 오랜지라 항상 각정과 한숨이 가시지 않는다。

만나고 싶어도 만나지 못하니 이게 도대체 웬 일이냐? 부모형제와 같이 살 수 없다니 이 어찌 억울하지 않으리? 말하기에는 너무도 답답하고 거북하다 원한의 골수에 사무친 우리들은 이 불합리의 원인을 너무도 똑똑히 알고 있다。

모든 고통과 불행은 코쟁이가 받든 인공적 三八선에 있다。조국의 평화적 통일만이 눈물과 슬품 대신에 웃음과 행복을 준다。

새 해를 맞이하면 누구든지 다 새 것을 찾는 법이다。새로운 결심으로 계획을 세우며、새로운 희망을 품는다。나도 다른 사람에게 못지 않게 새로운 희망을 품고 계획을 세웠다。평화적 통일 위업에 참가하는 길은 여러가지로 있을 것이니、나는 교원으로서 교육 사업에 첫째는 더욱 힘을 씀으로 청소년들의 지식 기능과 도덕적 품성을 보다 제고시키는 것이 이 사업에 기여하는 길이라 확신한다。

둘째로서는 문학 회원으로 있었지만 아무 것도 한 일이란 없기 때문에 새 해에는 이 방면에 조금 더 노력해 볼까 한다。난 지금 미숙하지만 로문학을 전공하고 있으며 특히 체호브를 연구하고 있다。

그런 관계로 어색하지만 번역을 하여 발표해 볼 작정이다。

조국에서도 번역 문학을 창작문학으로 규정하여 번역 사업을 중요시 하고 있으며 이 사업의 발전을 위하여 노력하고 있는 것 같다。

우리 문학회에서는 비단 창작뿐만 아니라 이 사업에 대한 따뜻한 배려와 지도 있기를 요청하는 바이다。

「조선 문예」신년호부터 회원 「공론」란을 새로 두었다。

이것은 루차 지적되여 오던 기관지를 전체 회원의 것으로 또 기관지에 보다 많은 회원의 의견을 반영하자—는 우리 주장을 구체화 하나의 노력이다。

앞으로 우리 문학회 사업을 한칭 활발히 함에 「공론」란이 크게 기여하리라는 것을 기대한다。

〈편집부〉

오무라 조선 문학회
작품 특집

오무라 수용소의 하늘

정 헌 성

오늘도 곱구나
명주같이 엷은 하얀 구름을
안고
바다를 내려보는 하늘은

오무라 수용소 철장넘에는
검푸른 바다가 조을듯이 설레
고
고기잡이 짜아가면서
평화로운 생활을 그래왔고
있누나----

바다가 보이는 오무라 수용소
일본의 남단 바다가에 우뚝히
통조림같은 집이 나란히
수백의 철장과 갓들어 있는곳

그곳은 일제와 피어린 싸움의
마당
탄압과 박해위해
오각별 공화국 깃발 내세우고
우리를 석방하라
자유를 달라
울분에 끓은
불꽃같은 넋시가
밤 하늘에도
별처럼 치솟는 곳

그 철장 넘에는 잔잔한 들판
이 넓고
송아지 방울 소리에 꽃나비는
쌍쌍이 쪽이고 높은 감시답을
넘고서
얼사 춤추고 오누나

들판이 보이는 오무라 수용소
이따금 숨보다 가픈 기관총
소리가
하늘을 진동하고 불을 뿜고
바람을 뚫은 소리

20

미식군사 련습이 화산처럼 벌
 어지는 곳
그곳엔 무섬모르는 조선인이 사
 는곳
철장과 목방안에는 슬기로운 사
 랑과
희망이 들끓고
조국에서 세계에서
우렁찬 성원은 찾아든다
보라 이국 철장에서
노도와 같이 기세높이
애국가를 부르는 조선 공민의
굳센 모습들을

아ー
그리운 부모 고향 산천은
우리들 없이도 이름・다울가
우리 선조 무덤 앞에
술과 꽃을 올려
이국 땅에서 피어린 서름에
 서름에 저졌든
옛 이야기를 말할 수 있는
날이
 어느 날일고 고흔 하늘이여

밀항자의 수기

申 基 錫

동무여
내가 현해탄을 건너올 때
이렇게 말 했니라
「내 땅을 〃월〃 가에 파라먹
 고
내 형제를 〃제네랄・모ー러스
 〃의
〃모르못토〃로 만들랴는
흉악한 늙은 철지 리 승만아
너는 끝끝내 내 심장
내 심장은 빼았지 못하였구나」
또 동무여
내 말은
이렇게 계속되였니라

「내 눈동자가 하나만 남고
내 팔이 하나만 남고
내 다리가 하나가 되여도
흉악한 늙은 철지 리 승만아
너의 목에 비수를 박을 때까
 지
내 싸움은 영 끝칠줄을 모를
 것이다」
동무여
내가 현해탄을 건너 올 때
내 마지막 말은 다음과 갈했리
 니라
「송구밥을 지어먹고
너덕옷을 걸친
내 엄마야 누이야
흉악한 늙은 철지 리 승만이
천갈래 만갈래로 찢어 지는
 날
우리 다 같이 하ー얀 쌀밥을
 먹게 된단다!」

고래장

신 기 석

방안은 얇든
마지막 국어 시간이 였습니다

현대의 질풍에 끌려와
북해도 탄광에서 한쪽팔을 잃
은
검주 박동무가 남은 한팔을
웃뚝 쳐 드는 것이 였습니다

「강사동무 질문이 있습니다
고래장 이라는 것이 무엇입
니까」

강사는 손에 쥐어주듯
차욱차욱 설명을 해주었습니다
연방 고개만 끄떡대는 박동무
는
이윽고 또 팔을 쳐 드는 것
이였습니다

「강사동무 알았습니다. 그렇다
면
꼭 〃고래장〃을 해야될 영감
쟁이가 있습니다」

또릿또릿한 박동무의 눈동자가
六〇와트 전등을 매섭게 반사
하고
겨울바람은 창틈에서 악을 쓰
고
열두얼굴은 박동무를 지켰습니
다.

「강사동무 그것은
팔십넘은 노망쟁이 리 승만이
입니다」

옳소!, 그렇다!,--- 방안은
치미는 공민의 소리로 꽉 찼
습니다
추위는 강사의 손틈에 깃들어
도
강사의 가슴은 맑고 맑아졌습
니다

「그렇습니다 동무들
〃고래장〃의 마지막 임자는
리 승만입니다」

벗과 멀어지면서

김 창 율

너 내 미리 시절이
그리고 즐겁던 곳에
죽엄과 공포가 깃누리던 날
벗이여 나의 어린 시절의 벗
이여
너와 나 고향을 눈물로 버렸
구나

지금은
고향 앞 나룻터엔
퍼덜거리던 물새떼도 간곳 없

단결된 우리의 힘

정 병 수

첫겨울의 하늘도 맑게 개인
十一월 二十二일. 일본의 남단
원한과 굴욕에 찬 오무라 수용
소에서는 전피수용자가 새로 만
들어진 운동장에 모여 제각기
자기편의 이기라는 환성 이 수
용소를 뒤흔들고 있었다。
이날은 오무라 수용소 유사
이래 처음으로 당국이 주최한
전체 피 수용자가 참가한 운동
회였다。
평소에는 만날 수도 없고
특히 조금 떨어져 있는 구 수
용소의 녀자들은 얼굴 빛 조차
볼 수 없는데 이날처럼 전체
동포가 참가한 모임은 전에 없
든 일이였다。
당 선언을 행동의 지침으로

고
다정턴 웃음 소리도 간곳 없
으리---
물결 소리만 외롭게 출렁일
고향

그래도 고향이길래
찾아간다는 나의 벗이여
안녕히 가시라 조심 조심 가
시라
난 정의 길로 가련디
영원의 길 찾아 꾿꾿히 가련
다

허지만
벗라 내
마음과 마음
정과 정이 멀어져가는 순간이
여
왜 이리도 내 가슴 울렁이느
냐

기적소리 날적마다
산 고네 지날 때 마다
나의 벗의 모습
남 조선으로 가는 벗의 얼굴
눈에 서슴거리네

아ㅡ이 순간이
우정의 몸부림이라면
어린 시절의 회상이라면
미제에게 죽엄을 주는 순간이
라면
남 북 가는 길이
어찌 두 갈래 길이냐

알뜰한 나의 벗이여
괴로운 리별의 길
이웃고 다시만날 확신의 길
잘가시라 조심 조심 가시라

삼고 삼천만 인민이 한결같이 염원하는 남북의 평화적 통일을 촉진하기 위한 민족적 단합 사업을 여름 있는데로 꾸준히 노력해 온 우리들에게는 큰 정치적 의의를 가지고 있었고 당선언을 구체적 행동으로 실천하는 귀한 마당이기도 하였다.

이날 우리들이 취해야 할 행동 태도에 대하여는 자치회 상임 위원회의 복안을 대중적으로 토의하여 결의로 적절한 방침이 만장 일치로 가결되였다. 이 방침은 당일 전체 동무들에 의하여 자각적으로 또 정확히 준수되였다.

이러한 중요한 의의를 가지고 있는 이날 "운동회의 성과를 축하한다" 라는 축전이 總聯총련과 島根縣동에서 도착되여 많은 동포들의 우뢰같은 박수속에 피로되였다. 이 축전은 우리들에게 대한 재일 동포의 배려가 얼마나 깊은가를 말하여 주었고 이 운동회를 한층 빛나게 하여 주었다.

이날 운동회는 의기양양한 우리 팀의 이니시아찌브에 진행되었으며 질서정연한 행동과 고상한 공화국 공민의 품성은 전체 동포들의 호의와 찬양을 받았고 민족적 단합을 이룩하는데 빛나는 성과를 거두었습니다. 더구나 "우리 팀" 은, 남 조선으로 귀국하게 될 동포 백여명과 녀자 四○여명으로 구성되였는데 처음부터 끝까지 경기 성적은 우리가 최고점을 차지하여 도디어 자랑스런 우승을 쟁취하였든 것이다.

이날 우리들이 거둔 정치적 성과는

一, 민족적 단합의 일층 전진되였다.

二, 공화국 공민의 품성과 우리 자치회의 위신이 한층 더 높아졌다.

三, 우리들 자신도 공화국 공민된 영예와 긍지와 자각을 높였다.

즐거운 운동회가 진행되고 있는 도중에 녀동 중국지방 협의회에서 파견된 七명의 어머니들로서 구성된 위문 시찰단이 래방하여 손수 우리 대표들과 면접하고 육신도 미치지 못할 따뜻한 애정으로서 우리들을 위문격려하였고 또 재일 동포의 지성어린 구원금 一○·○○○ 원과 수십점의 의류도 가져왔다.

이렇게 하여 뻗치는 구원금품은 우리들의 힘과 무기가 될 것이며 귀국 투쟁을 보다 힘차게 할 것이다.

경기 성적에서나 기타 모든 점에서 압도적으로 우세하였고 또 총련에서 격려도 받은 우리들은 기쁨을 금치 못하여 가장 행렬에 나섰든 농악대의 흥겨운

리즘에 맞추어 오랫동안 춤추고 놀았다。이리하여 오무라의 즐거운 어두워갔다。

〈一九五六년 十二월 五일〉

大村 수용소 동지들과 나

김 윤 호

최근 大村 수용소에서 나에게 편지가 오고 있다。내가 이 동지들과 서신 교환을 하게 된 것은 김 종식 동수를 통하여서였다。지금에 와서는 약 二0여명의 동지들이 나와 직접 간접적으로 서신을 교환하고 있다。이름도 모르고 나이도 모르고 물론 얼굴도 모른다。그러니 전부 동지로써 부르고 있다。나는 자기가 하는 민족 교육 사업과 문학 운동을 하는 과정에서 지금과 같이 영예감을 가진 것은 처음이라 생각한다。

大村 수용소에서 발간될 소내 문학회 기관지도 내가 편집、인쇄 알선을 하기까지 되여 책임을 새삼스러히 느끼는 바이다。

지금 이 기관지는 원고 정리 다 되여 나에게 부송했다 하는데 당국의 부당한 탄압으로써 중지 당하려 하고 있다。끝까지 싸워 간행을 쟁취하리라고 어제 온 편지에 적혀 있다。

그런데 나는 처음 편지를 볼 적에는 그 동지들을 격려 고무 하려고 했으며 당연히 그것이 정당한 일일 것이다。

그러나 요사이는 도리여 내가 그 동지들에게 격려 고무 받고 있는 형편이다。일전에 나의 첫 딸이 탄생했을 때 그 동지들의 축하장이 왔는데 그것은 마치 인쇄로 한 것 같이 아름답게 되여 있으며 그와 같은 훌륭한 것은 여간한 정성이 들지 않으면 안될 것이라 생각한다。

그리고 우리 학교의 내 담당하는 학급에 온 편지도 마치 자기의 커여운 아들 딸이나 동생에게 옆에서 머리를 쓰다듬어 가며 소군 소군 이야기하는 것 같은 내용으로 되여있다。

지수 관계상 감동을 다 표현치 못함을 억울히 생각한다。지금도 나는 그 동지들과 어깨를 짜고 빙긋 웃으면서 떠돌고 있는 감을 느끼는 바이다。

오무라 동지들에게
격례와 원조를 보내자！
오무라 동무들과
보다 굳은 련계를 맺자！

長崎県大村市松並町
大村収容所内
大村朝鮮文学会

김 교장과 남 선생

김 대 경

김 교장이 M중학교로 취임한지 일년이 채 못가서 교내에선 어느 사이에 교장을 「시 아버지」니 독불 장군이니 하고 별명이 붙게 되었다。

처음엔 이 별명이 은연중 교직원끼리만 쓰이던 별명이 었는데 네중엔 이 별명이 대중들에게 퍼지면서 「시 아버지」란 별명은 김 교장 본명도 되려 별명이 더 많이 불으게 되게 까지 되였다。원래 「독불 장군」이란 말도 그렇거니와 「시 아버지」란 말도 「시 어머니」란 말과 함께 그리 반갑지 않은 말이며 존재임에 틀림이 없는 말이다。그런데 一년이 다 저물고 三、四년이 지난 오늘날에도 「시 아버지」란 별명은 교장 없는 데서는 흔히 교직원 끼리는 「시 아버지」가 이러니 저러니하고 교장을 교육자로 평가도 해 보고 정치 조직자로도 론리해 보군 하였다。

그런데 김 교장을 「시 아버지」라고 불으게 된 것은 다음과 같은 사연에서 온 것이다。

四년전 이른 봄철이 였다。학교에선 신 학년도 준비에 눈코 뜰 사이 없이 바뻤다。이 당시 M학교에 남일환이란 교무 주임이 있었는데 이 위인은 어찌 거만 불손했는지 안하서 교직원끼리 잡담이 벌어지기만하면 시초부터 자기 자랑과 조직 간부들에 대한 독의에 찬 욕설과 비방을 하군하였다。그러면서 자기는 K국립 대학을 나왔으니 이런 허졸하고 생활 보장이 안되는 학교에 처박혀 있는 것이 자기로서는 정말 마이나스가 되자 푸리스는 안된다고 하며 두덜거렸다。

그런데 처음 남일환이란 선생이 조직에서 추천되여 M학교도 취임해 왔을 때 교내엔 젊고 새로 취임 해 온 교원 五명 밖에 없었다。이때 학교에서는 신 학기를 앞두고 교내 작책 문제가 장기간 학부형 리사회와 교직원과 합동하여 여러가지 토론되였는데 결국은 교장은 적임자가 없음으로 림시 보류 해 두기로하고 교무 주임 선출에 토론이 집중되였다。그러나 교무 주임도 마땅한 사람은 없었다。그런데 어찌된 셈인지 교원들이 자무 남 실환 선생이 적임자라고 주장하기 시작했다。

그것을 남실환 선생은 다른 교원과 비교해서 보면 나이도 지긋할 뿐만 아니라 교편 생활에 二년간 경임이 있었다고 하면 장담도 하고 거기에 K국립 대학까지 졸업했다니까 가장 적임자라는 것이 였다。

학부형 리사회에서도 내심으로는 걱정도 하면서도 밤도 깊어가고 교원들이 적임자라고 주장하는 바람에 남 선생이 교무 주임으로 결정되고 만 것이다。

그런데 남 선생은 교무 주임으로써 취임한지 한달이 다 못가서 교원들에게 미움을 받게 되였다。그것은 첫째 한달이 지나도 직원회는 커녕 딴 교원들이 무슨 문제를 의논할라치면 첫 말도

「아이 그런 것도 못 하겠소?」

하며 조소와 경멸에 찬 어저로 대하였다。그것 뿐만 아니라 수업 시간 때 학생들 가운데 조금이라도 잡담하는 학생을 발견만 하면 당장 그 자리에 세워놓고는

「넌 영어에 二단계다。내 같은 선생한테 배우면서 잡답하며 공부를 게으리는 놈은 때려마자야 그 버릇을 고친다」

하며 성을 와락 내여 학생을 다짜 고짜로 때려 놓고는 채 시간이 안되였는데

「오늘은 선생이 기분이 나빠서 수업을 못하겠다」

하고는 교실에서 빠져 나와서 이번에는 그 분분울이를 젊은 교원들에게 하였다。

이렇게 직원실 분위기가 침울해지고 젊은 교원사이에 교무 주임에 대한 불평이 자자해지는 팔에 김 교장이 이 학교로 취임해 왔다。

며칠전에 김 교장이 이 학교의 교장으로 취임해 온다는 보고를 들었을 때 남 선생은 맹렬이 반대 운동을 읽으켰다。

교육에 경험이 전연 없고 조직에서 걷풍치기

로 훈련하던 사람을 교장으로 추대한다는 것은 귀중한 학생들을 교육 교양하는 한 교원으로서는 자기의 양심에 용서치 않고 학교를 망친다는 것이 였다。

물론 남 선생이야 조직자다면 둘어 놓고 욕질 하니면 비방을 잘 하는 사람이니까 그럴 수도 있지만 얼굴도 이름도 모르는 사람을 보고 교장이 자격 문제를 운운하는 일이란 얼처구니가 없는 사람이기도 하였다。

김 교장은 학교에 들어 오자마자 교원들 앞에서 간단히 취임 인사를 하고 되이어 남 선생과 단 둘이서 금후 학교 교육 사업에 대해 남 선생의 의향을 묻기도하고 교장 자신의 포부도 말했다。그런데 어찌된 셈이지 남 선생을 말하는 격이 본심에가 아니라 반은 빈정거리는 것 같기도 하고 능청 맞게 딴 소리를 해 보기도 하면서 도저히 남 선생의 동향에 대해 갈피를 붙잡을 도리가 없었다。

김 교장은 자못 마음이 불쾌하지면서도 꾹참았다。그래서 운동장과 교실을 골고루 도라도 보며 상기된 얼굴도 학생들에게 이름도 물기도 하고 팔을 걷고 책상 운반하는데 한몫 끼기도 하였다。그런데 학교는 전체적으로 보아 볼골이 아니였다。직원실이나 교실이나 할 것 없이 벽들은 누덕해 군데군데 떨어저 어수선한데 소제가 잘 안되여 그런지 직원실은 마치 숯쩡이 토굴속 같이 종이쪼간과 등사 잉크와 먼저 투성이로 엉쿠러져 노왔다。밖앝은 휘황청 밝은 화창한 봄날이 것만 유리창문에 뿌영게 깔아 앉은 먼지 때문이지 직원실 안은 어수룩한 데다 매케한 냄새까지 풍겼었다。

학교는 신 학년도 준비로 책상 운방아랑 교구 정리랑 매우 분주 했었다。그런데 이렇게 교내가 왁짝지걸하게 떠들며 분주한데 이런 것을 아랑 곳 할 것 없이 직원실 한 복판에서 몸을 의자에 비스듬이 의지하고 마도로스 파이프를 물고 덤덤이 앉아 헌실문을 꺼내여 시선을 던저보기도 하고 독일어 사전을 열어 보기도 하며 허송세월을 보내는 위인이 바로 남 선생였었다。

가끔 젊은 교원이 뭣을 물으러 오면 시꺼은 눈섭을 추겨 올리고 얼굴바닥 보다 더 크게 보이는 눈 알을 굴려가며 명령하는 것이였다。

「교원이란 사람이 소학교 애들 같이 일일이 귀찮게 물으러 옴이 대관절 어떻게 된 셈이요?」

이 말을 직원실로 들어 올려 하던 교장 선생이 듣고 주춤 발 걸음을 멈춰섰다。젊은 교원이 반색을 하여 직원실을 나오자 이번에는 학생이 남 선생 앞으로 다가서며 헐러 벌덕거리며 묻는 말이다。

「선생님 도서함을 여는 열쇠 주십시요?」

그러자 남 선생은 무 표정으로 서랍을 열고 열쇠를 잡고 바로 학생을 주었으면 좋을텐데 열쇠를 손에 잡고서 휙 하게 직원실 마루 바닥으로 내던졌다。학생은 모욕을 당해서 그랬지 인사도 않고 열쇠를 주우려고 걸어 갔다。이때였다。문을 열고 김 교장이 다급히 직원실로 들어 오면서

「동무! 그 열쇠 줏지 말고 가만이 서 있이요。남 선생님! 선생님 손으로 저 열쇠를 줏어다가 이 학생에게 주어 보내시요!」

학생이 삽시에 걸음을 멈추고 얼떨떨 김이 우두컨히 섰는데 남 선생은 긴 장되면서 얼굴이 화끈 달아 올랐다。

얇은 입술이 오들오들 떨리며 그대로 앉아 있었는데 김 교장의 시선은 무서우리만치 남 선생을 쏘아보며 그의 동태를 응시하였다。지금이라도 막 불 벼락이 터질듯 직원실은 괴괴했는데 남 선생의 숨결 소리마는 두더러지게 가쁘며 높아졌었다。

「얼른 못 할까?」

김 교장이 남 선생에게 추상 같은 호령이라도 하는듯 웅결진 음성으로 명령한다。그제야 남 선생은 자기 손으로 내던진 열쇠를 자기 손으로 줏어다가 학생에게 주었다。그 손은 약간 떨렸으며 얼굴빛은 파라졌다。오장륙부가 터질것 같고 피가 꺼꾸로 거슬러 올라오는 것만 같다。

남 선생은 지원실 문을 화닥닥 열고 운동장으로 나갔다。화닥닥 힘껏 열어 미는 바람에 유리창문이 쨍그렁 소리를 내며 유리가 깨여지고 말았다。남 선생은 종종 걸음으로 얼굴을 푹 수기고 어데론가 나가버렸다。

감 교장은 이날 밤, 밤이 새도록 잠을 못잤다。낮에 남 선생과의 충돌했던 것이 꼬리를 물고 눈자위에 자꾸 얼른 거리기 시작했다。남 선생에 대해 취한 자신의 태도가 너무나 당돌한것 같고 감정이 앞서버린 것만 같다。

시비를 따저 문제를 밝히고 차근차근 타일른다면 그런 결과는 초래 안하지나 않았을까? 그렇게 본다면 학생들 앞에서는 교원의 과오가 적던 크던 능력이 있던 없던 교원의 위신을 존경은 못하더라도 손상은 시키지 말아야 할것이 아니였던가? 고---

뒷날 김 교장은 학교에 출근하여 곧 직원회를 소집했다。그런데 어찌된 셈인지 열두시가 지나서도 남 선생은 나타나질 않았다。하루가 지나고 한달이 지나도 남 선생은 연전히 자취를 감추고 말았다。

최근 풍설에 들건데는 남 선생이란 위인은 그후 S현으로가서 민단 간부로 일하다가 민단의 추천으로 남 조선 어느 대학에 주교수로 갔다는 풍설이 들려오나 그것은 정말인지 거짓말인지 알 도리가 없다。김 교장은 가끔 교원들 앞에서 이렇게 롱담을 하군한다。

「시어머 머리채는 잡았을 때 잡아치라는 격으로 웃사람이고 밑에고 간에 자기의 마음에 거슬리면 한바탕 해 볼 작정이지 그자리에선 가만히 있다가 뒤돌아서서 콩이니 팥이니 하는 사람은 쓸모가 없는 사람인줄 압니다。

그런데 내가 좀 엄격해서 그런지 내 앞에서는 자기의 주장을 뻗히려는 선생님의 매우 적은데 아마 이러다가는 "시 아비"란 병명은 영 벗어나지 못할 것 같은데 제발 우리 아들놈 장가들땐 "시 아비"란 별명마는 부르지 말도록 부탁하겠습니다。허허허---」

호탕한 웃음을 터뜨려 놓고는 금방 했던 롱담을 말끔이 잊은 듯이 학기말 계획을 짜시는지 교원들에게 의견을 물기도 하고 철자 틀린 것을 고처 달라고도 하면서 시간 가는 줄을 모른다。

엄격하면서도 다정하고 다정하면서도 날카러워 젊은 교원들은 오늘도 무의식 중에 "시 아버지"란 말이 교장 앞에서 불숙 튕겨 나와 교원끼리 얼굴을 맞대여가며 한바탕 웃음보고 터저 나오군한다。

조선문예

재일본 조선 문학회 기관지

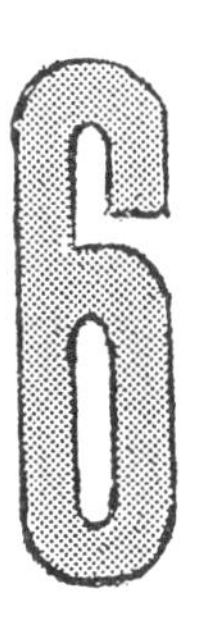

1957.4

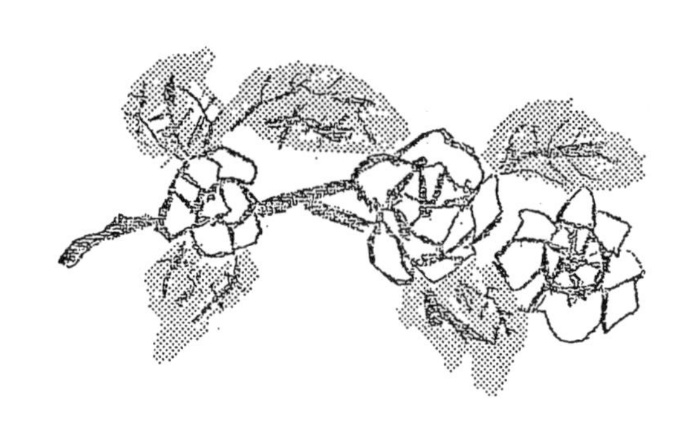

내 용

권 두 언

기관지 제六호는 예정보다 한달 늦어지고 말았다.

서기국의 실무적 무리도 있었으려니와 주로 된 원인은 재정적 문제에서 였다. 지금과 같은 체제로, 기관지 매호에는 약 六천원 각수로써 해결된다.

그것을 회원 五七명을 헤는 우리 문학회가 매월 감당해 내지 못하고 있을 뿐아니라 지금까지 서기국 사무비등에서 二만여원의 빚을 질머지고 있다.

솔직히 말한다면, 교원이다, 신문 기자다 하여 남달리 바쁜 소조로 뛰어다니는 서기국 상임 위원 동무들은, 지금 이 적지 않은 빚으로하여 골치를 앓고 있다.

이번 권두언에는 이런 딱한 말부터 앞서고 말았다.

누가 좋은 말을 하기 싫으랴만, 좋은 말을 틀어막고 있는 병집을 우선 좀 들어 내야만 되겠지 않겠는가.

실로, 우리들이 기관지를 복간한 이래, 변변치는 못하면서도, 회원들의 창작 활동을 활발케하는데 적지않는 도움으로 되였다.

매호마다 새로운 회원들이 작품을 들고 나왔으며, 편집부에는 전에 없이 원고를 싸 무져두게까지 되였다. 새 작품이 하나씩 나타날 때 모두들 얼굴에는 정말 즐거운 웃음빛이 피였고 그것을 한달이고 두달이고 손안에서, 햇빛을 못보게 할 때 모두들 낯빛은 한 없이 어두어지고 만다.

권 두 언

좀 더 과장한다면、그야말로 "일희일비"의 현상인 것이다。때로는 "기관지"니 "출판"이니 장단만 치지 말고 우리 힘에 알맞게 일을 짜자 ―하는 생각으로 뒷공무니를 빼불려 소극적으로도 되며、또 때로는 이런 사정 "오불관언"이라는 심정들이 원망스럽게도 된다。알고 보면 우리 회원들 치고 누가 바뻐지 않고、누가 돈 걱정을 하지 않겠고、또 누가 "문학"을 사랑하지 않겠으며 그에 대한 불타는 열정이 없겠는가!

혼자 골돌히 머리를 싸 매고 시름을 하다가고、서로 손잡고 만나서 낯을 보구 몇말 하는 속에서는、그저 스르르 모든 걱정들이 사라지고 마는 것이렸다。

그리하여 모두들、말은 하지 않으면서도、마음속으로는、수십년전 ― 암담한 세월에 우리 선배들이 어떻게 싸워왔던가 ― 새로히 가슴에 아로새기는 것이였다。이것이 무슨 "고생"이라고 할 수 있으며、또 우리 앞에 막아 서는 장벽들이 무슨 기맥힐 타격으로 될 수 있겠는가。자화자찬도 아니요。또 자위자만도 아니다。

우리들 제二차 중위가 있은 뒤 재일 조선인 운동에는 많은 전변들이 있었다。지문 등록 반대 투쟁、생활 옹호 월간 투쟁、그리고 총련 제八차 중위、한미 조약、및 한일 회담을 반대하는 투쟁으로、공화국 공민의 기본적 권리를 지키며、사회주의 五개년 계획 첫해에 들어선 장엄한 조국의 새 건설에 호응하여、우리들도 자기의 투쟁에서 빛나는 성과들을 쌓아 올렸다。

또한 그 사이에는 이와 같은 전체 재일 조선인 투쟁을 반영하며 취급한 작품들이 적지 않게 창작되였다。일쯕 우리들은 모일 때 마다 창작의 부진에 대하여、또 창작의 질적 제고에 대하여 많이 이야기하였고、지금도 이야기되고 있다。물론 모든 회원들의 활동이 일양하게 왕성하여졌다는 결론은 부당하나、실제로 지금 우리들은 창작된 작품의 "발표" 기회가 적음에 부닥치고 있다。

조국에서도 요청이 있을 뿐 아니라 우리들 스스로 자기 창작을 조국에 반영시키기 위해 노력하여야 될 것이나 그러기 위해서도 일본에서의 보급이 선결되지 않으면 안될 것이다. 이런 의미에서도 기관지는 틀림없이 매월 발간되어야 하겠으며, 그를 보장하기 위해 회원의 힘을 더 한칭 집결시켜야 되리라 생각한다.

매월 백원의 회비만 완납되여보라, 얼마나 우리들 짐이 가벼워지겠는가.

지난 三월에도 작가 동맹 중앙에서는 두번 간곡한 편지와, 지시가 있었다.

현재, 우리들이 놓여있는 정치적 립장으로 보아, 우리 사업을 일칭 제고시키며 정상화하며 또한 조국과 우리들과의 련계를 튼튼케 하는데 대한 구체적 편달 지시로서 우리들로 하여금 용기 백배케 하였다.

서기국에서는 이에 딸른 제반 사무적 집행을 추진시키고 있는 바, 오는 제三차 중앙위원회, 그리고 제七차 대회를 지향하여, 우리들은 보담 큰 자기의 창작적 성과로써 이에 보답하여야 될 것이다.

우리들의 창작 사업이 제고되면서 회의 기관 사업이 정상적으로 운영되여 감에 큰 전진을 보고 있으나, 아직도 우리 조직이 전체 회원의 요구를 집결하며 그 기대에 충실히 되여 있다고 할 수 없는 면들이 적지 않다.

六차 대회 결정을, 또는 더욱 발전되며 심화되였던 二차중위의 토론들을 구체적으로 실천해 감에 앞으로 서기국은 전력을 다 할 것이다. 뿐만 아니라 회원 각자가 더욱 관심과, 애정을 돌려, 우리들의 걸음 한자욱 한자욱을 보담 충실한 것으로 하기위해 나아가 우리들의 조직적 단결을 굳게 하기 위해 항상 힘 써 줄것을 요청해 마지 않는다.

우리들의 모든 의견과 욕구를 회에 반영시키자!

그리하여 오는 七차 대회를 우리들의 거대한 발전의 계기로 만들자!

거북(亀)

＝중＝

리 경 선

가을도 깊어 가는데 얄궂은 비가 주책없이 주룩주룩 내리다가 뚝 그친 맑게 개인 일요일 날 윤이 학교에서는 운동회가 있었고 또 다음 일요일엔 관동 지구 조선인 학교 총련합 대운동회가 있었다. 오늘 일요일도 남편은 이리 저리 복덕방을 찾아 다녔고 운동회같은 건 애초부터 가 볼 생각도 안했다.

저녁이 되여 늦게야 운동회에서 돌아온 안해가 남편을 보자 오늘 하루 가을 해볕에 붉으레 끄신 얼굴에다 손수건 부채질을 해가며

「참 좋았어유 참 좋았다우!」

조선 저고리 앞가슴에 붙인 학부형표는 떨 생각도 없는 것 같았다.

「어떻게 좋았단 말이야!? 운동회도 좋구 나쁜고하나?」

신문을 뒤적거리던 남편은 운동회 이야기가 신통치 않은 상 싶었다.

「운동회는 좋구 나쁘고 하는 것은 아니지오! 그저 재미 있거나 시시하거나. 그런데 참 좋았다니까요!」

남편은 이제 그윽히 그 말이 좀 듣고 싶었으나 이런 때 경솔히 입을 버리고 싶지는 안았다.

「소학교가 열셋 동경 중학교 고등 학교 생도만 이천명남아 그리고 조선 대학 요꼬하마 이바라기 그 수 많은 학생들이 학교기를 들고 인민공화국 기를 선두로 운동장에 입장하는데는 꼭 삼십륙분 걸리드군요」

「인민 공화국 노래 うたったんだよ」

윤이가 옆에서 첨견했다.

「그것이 그렇게 참 좋았어요 말인가?」

「당신은 눈으로 안보니까 말이지. 눈으로 안본 사람은 몰라요 글세! 우리 조선 학생들이 윤이 같은 꼬마에서 부터 쉬염 터 슬적 잡힌 대 학생에까지 나는 저것들이 다 우리 조선 애들이로구나! 우리 동포들이 이런 고초속에서 나서 기른 애들이로구나! 생각만 해도 눈시울이

자꾸 뜨거워지드군요」
안해는 부엌으로 내려가 풍로에 부채질만은 파닥파닥 해가며 낮지 않은 음성으로 말을 또 잇었다.
「그런데 참. 요번에 왔던 남 선생이 주인께서도 같이 오셨느냐고 이렇게 묻던데요. 그러구요. 오늘 운동회에서 들었는데 남 선생과 봉자는 련애중 이레요」
봉자와 남 교원이 련애중이란 말은 처음 듣는 뜻외의 소문이였다. 듣고보니 그들은 만날 수 있는 사람들 끼리 만난 것 같고 그럴 듯한 배필이 될것도 같아 흐흥! 그때 툇 마루에서 그렇게도 눈치를 안보이더니…… 그러나 남편은 오늘 운동회 구경에 풍선같이 부풀어 오른 안해의 들뜬 가슴속을 달삭없이 푹 누러버릴 적당한 대목만 찾고 남 선생과 봉자의 련애 이야기에도 흥미가 없는 듯 아무런 의견도 안 던졌다.
그날 저녁 밥상을 맛 받고 앉은 후라야 남편은
「오늘. 나가서 방을 하나 얻었지!」
불쑥 말을 내 밀었다.
안해는 가슴이 두근 내려 앉이는 것 같았다.

안해가 운동회 구경이네 녀맹 모임이네 조국 쎵화 구경이네 나가 다니는 동안에도 남편은 쉬는 틈을 타선 방 구하러 다니기에 쉴 틈이 없었고 오늘 겨우 목적을 잡은 것을 알 수 있었다.
사실 그 동안 일본 동리에 방 구 하는데 이만 저만 애를 쓰지 안았다.
매일같이 다녀도 집은 마음에 적당한 것이 쉬이 나오지 않았다. 덕 없이 비 싸거나 또 어느 정도 적당하다 생각되는 것엔 조선 사람이라 거절당하고 또 싼 것은 살림이 불편하게 만되여 있어 기가 풀려가는 하루 날 한 궁리가 솟았다.
윤이를 강물에서 건저 준 일본 집엔 그 후에 인사도 갔었고 사람들이 차별없이 퍽 친절하여 보여 이런 집건을 말해보면 곧 해결되지나 안할가? 하는 생각이였다. 그래서 오늘 재수 좋은 꿈이나 들어 맞칠 듯이 아침 결에 들렸더니 문제는 쉽게 해결되였다.
남편은 집에 돌아 오자 오늘은 윤이 일로해서 살게된 일본 집에 방을 얻게된 것을 가족을 위하여 무슨 좋은 도리나 한 것 처럼 마음은 혼자 슬몃이 괘로운 중이였다.
「거게를 가문 아이 학교는 또 어떠갈 작정이

얘요? 다른 학교로 옮아갈 작정은 아니우?」
윤이를 일본 학교로 보내겠다고나 안할가、안해는 그것이 몹시 걱정 거리였기도 했다.
「학교야 그리 급히 서둘지 않아도 되지、이번일 갈해선 단번에 일본 학교에로 옮겨 놀 생각도 있으나 앞으로 중학교 대학교 기회도 었고…… 그리고 우리가 별안간 일본 동리로 이사하고 아이까지 일본 학교로 옮겨 보우 사람들이 우리를 어떻게 보나?」
안해는 남편이 윤이를 일본 학교로 곧 옮기지 않겠다는 의견엔 좀 안심은 되었으나 이 말이 대한 조리를 결한 말이라 남편을 맞 대고 나무라고 싶은 마음 뭉게뭉게 솟아 오르면서도 이왕 남편에 따르는 안해의 몸이오 자식 교육을 념려하는 남편의 최선의 방침일 진젠 이제 남편의 기분을 상하게 해 보았던덜!(큰 보람 없는 일을!) 또 자식을 교육시키기 위한 어버이들의 고생이란 이런 것이기도 하려니…… 정말 남편이 말하듯 윤이가 그 처럼 으젓하고 훌륭한 남자스런 신사가 된다문야! 또 이런 살긋한 생각까지 가슴속으로 기어드는 것이였다.
「일본 동리를 가문 자네에게도 배울 것이 많지、첫째 례의도 배우고 무엇보담 아이를 온순하게 만들려면 어미되는 사람이 아이를 소중히 할 줄 알아야지、전 번에 강에 빠진 때만 해두 일본 어머니들 처럼 애들이 학교에서 돌아올 시간에는 오야쯔를 준비하고 어머니가 꼭 집에 붙어 있어 보우、애들이 지향없이 멀리 나가 늦게까지 안들어오구、일요일이라 아침에 나가 밤되여야 늦게 돌아오구 그렇게 주책없이 되나?」 〃가지오、가! 따라가지오〃
안해는 이제 고개를 끄덕여 보였다.
이사 온 동리는 지금까지 살던 동포들 마을 보담은 환경은 말 할 것 없이 좋았고 윤이 학교도 세 정거장이나 가까왔다、윤이가 빠졌던 강이 좀 걱정은 됐으나 집과는 거리도 있고 또 애들이 놀다가 부지 부식 간에 떨어지게된 그런 됨됨은 아니였다. 소학교에 다니는 집 주인 아들과는 그전 일로해서 서름 낯아는 사이이라 윤이는 무엇보담 만화책을 맘대로 빌려 볼 수 있는 것이 흐뭇한 즐거움을 갖는 것 같았다.
이제는 철이 늦어 매미 거뚱 벌레 매뚝 이 등을 못잡아 억울해 하는 아들한테는
「봄이되면 아버지가 一ぱいとってやろうね?」

8

만사에 실망이 없도록 희망을 부풀어 넣기에 애썼다. 윤이 엄마는 장에 갔다 오는 길에 이제는 가을철이 되여 훨신 빛싸진 거북 한 마리를 백 이십원을 주고 사왔다.

녀름 철 오십원식 할 때 못 사준 거북이를 비싼 값을 주며 이제 사온 리유는 애가 좋아하는 동물이니까! 라는 것 보담은 다시는 그 무서운 강밋을 내려다 보지 못하도록 하는 어버이의 조심스런 마음에서였다.

안해는 만사에 일본 사람들 앞에 조심했다. 김치를 담궈 먹는데 마늘을 넣을가? 말가? 남편에게 의논했다.

「入れっちゃえ、入れっちゃえ. 何んでも入れっちゃえ」

이것은 멋도 모르고 윤이 ― 그저 백가지가 다 ― 생소롭고 재미 있어 까불어 대는 소리였다.

이윽고 남편은

「마늘을 조금만 넣도 냄새가 날가?」

「나구 말구요、일본 사람들은 조선 사람인 줄만 알면 안 먹은 마늘에도 냄새가 난다는걸 ― ―」

「안 먹은 마늘에도 냄새가 나? 그럴리가 있나? 허나 그렇다면 안 넣기로 하지 남들이 싫어 하는 걸 ― ―」

안해는 그날부터 김치에도 생선 조리는데도 내장 굽는데도 일절 마늘 양념을 안 쓰기로 했다.

집안이 차차 가다 듬어 정돈되고 윤이 일본 벗으로 삼을 집 주인 아들과도 서로 사이가 기특하여 가는데 윤이 어느날 학교에서 자기 동무들을 대여섯 대리고 왔다. 그전 마을에 통학반 아이들과 처음 보는 아이도 두 셋 보였다.

"남편이 돌아오면 곧 상을 지푸리 겠구나!"

윤이 어머니는 이 궁리 저 궁리, 마음을 조리다가 과자를 나눠주고 애들을 겨우 집으로 돌려 보냈다. 윤이도 따라 나갔다. 그런데 윤이 아버지가 회사에서 돌아오고 저녁 밥상이 거이 준비되여도 윤이는 안 돌아왔다.

"이 애가 어디를 갔을가?"

그런데 옆방에 사는 유치원 계집애도 안 보여 집안은 온 떠들석 했다. 윤이 엄마는 먼저 살던 동리에 윤이 동무들을 찾아 보는 것이 위선 상책이라 치고 곧 역으로 뛰였다. 일본 사람들은 숲과 강을 헤매고 드려 다보고 찾았다.

9

아직 함께 놀아 본 일도 없는 두 아이가 같은 곳에 갔으리라고는 아무도 안 생각했다.
윤이 엄마가 부라낳게 역에 뛰어가 개찰구를 들어서자 이때 마침 윤이는 전차에서 내리는 길이였다. 미요짱, 이라는 옆방 계집애도 같이 내렸다. 뜻외 봉자가 손을 끌고 있었다.
봉자의 말을 들으면 애들이 미요짱을 데리고 나간 사연은 이렇하였다.
이것은 이삼일 전일ㅡ 윤이가 아침에 학교에 나가는데 계집애가 윤이를 보고 일본 애들이면 누구나 해보고 싶은 소리
「죠ㅡ센징、죠ㅡ센노꼬오」
라고 말했던 모양이다. 윤이는 학교에 가서 이런 말을 속 시원히 동무들에게 다ㅡ말하고 모다들 모여
「にくたらしいおんなめ!」
라고 욕 들을 해보고 분해한 모양이다. 어떤 아이는 그 일본 애를 부모 없는 곳에서 한차례 때 렸으면 좋겠다고 했다. 또 어떤 아이는 골목에 섰다가 유치원에서 돌아오는 길에 돌맹이를 던지고 도망해 버리자고 했다. 오 소년은 말했다.
「안된다、알되! 아직 학교에도 안 가는 유치원 애를 때리면 불상하지 안나?」
하여간 한번 얼굴이라도 보자는 의견이 돌아 애들이 몰려왔다.
애들은 일본 계집애의 호박 같이 살찐 얼굴을 보자 "저 까짓 것이ㅡㅡ"
분노가 쳐 받쳤다. 애들은 어떻게 꼬였는지 계집애를 대리고 나가 윤이네가 이사하고 난 빈 방에 계집애를 한 가운데 놓고 둘러앉았다.
「むかしは、にほんはつよかったんだ、そして、わるものだったんだ、ぼくらのちようせんをぶんどってちようせんじんをいじめた。わるいものとなかまになって、もっともっと、いぢめようとしたんだけど、せんそうにまけちゃった。にっぽんが、せんそうにまけたのしっているか?」
사 학년 한 아이가 다지자 계집애는 큰 눈을 말똥말똥하고 고개를 끄덕끄덕했다. 이번은 치바에서 통학한다는 삼 학년 아이가 말했다.
「いまは、ちようせんがにっぽんのうえだぞ、にっぽんは、そうりだいじんもなにをしても、アメリカにそうだんしないとしかられる、ちよせんは、てんで、ちがうよーー」
「いってまいります、ただいま!」
한 아이가 모자를 벗고 일어서더니 머리를

곱다랗게 수기고는
「この、ちようしだよねェ!」
이러고서는 껄껄 웃고 두 무릎을 량손으로 쥐고 도로 앉았다. 다른 애들도 따라 웃었다.
「ちようせんは、アメリカともせんそうして、かったんだよねェ、김 일성 장군は、りきどうざんより、つよいんだよねェ」
윤이 하고 싶은 말은 아직도 많은 것 처럼 따라 웃지도 못하고 입을 자꾸 주멀주멀 노렸다. 두 주먹은 아직도 꽁꽁 쥐인채로였다.
오 소년이 늦게야 들어왔다.
「동무들! 안되! 안되! 안된다고 말했지요」
그리고는 계집애를 이르켜 세웠다. 울안 아즈머니가 우물에서 쫓아 나와 애들을 흩어 보내고 시뭇시뭇 울려는 일본 애를 대리고 쉬선 봉자에게로 가서 의논 한 것이였다.
윤이 엄마는 고만 기운이 풀려 얼빠진 사람처럼 멍하니 봉자의 말을 그저듣고 있다가 봉자의 손을 끌어 당겨 쥐고 한 손으론 자기 이마를 짚었다.
「기운을 내세요, 아무래도 사과 해야지요. 단단히...... 그리고 언니 우리 애들은 아무 잘못도 없는거 언니도 알고있지?」
봉자는 윤이 엄마 귀 밑에 얼굴을 대고 용기를 북 돋아주는 것이였으나
「이일을 어쩨! 봉자! 동포 마을에 살 때는 나도 이렇게까지 맥 없지는 않았는데...」
고개를 늘어뜨리고 앉아 집을 나가는 봉자의 발 굼치를 멍하게 바라보며 한숨까지 짓고 있다가 어슬 저녁이 된 후 남편과 앞뒤에 서선 고개를 썩썩 수기며
「すみません、すみません、ほんとに、もうしわけございません」
하고 울안을 돌았다.
윤이는 잘 하던 심부름도 요세는 안할려 들고 먼저 동리에선 새벽에 깨어나 벗들과 울안에서 한 차례 몰려 떠들고야 아침을 먹고 하던 아이가 뒤흔들어 이르켜도 뿔뿔이 골을 내며 이불속으로 파고 들었다.
「윤이! 두부 かってきてねェ」
「ゆかないよ!」
아버지가 결에서 눈을 똑 바로 뜨면 마지못해 사가지고 들어왔다.
집에는 매일같이 늦게야 돌아왔다. 집 주인 아들과는 만나면 곧 잘 놀았으나 그러나 비오

는 날이나 진탕 시간을 주체 못하는 일요일을 제외하고는 찾아가며 까지 놀려고 한했다. 들이서 노는 곳은 거이 뜰안이였다. 노는 도중에 근처에 애들이 몰려 와 밖으로들 몰려 나갈 때는 윤이도 휩쓸려 나가기는 하나 어정어정하다간 집으로 되들아 오군했다. 일럴 때는 정해놓고 다다미우에 들어누어 흥흥대거나 뜰로 내려가 련못에 거북을 못견디게하고 노는 수 밖에 없었다. 시름없이 혼자 노는 아들을 보면 어머니의 마음도 천근이나 무거워져갔다.

이사온지 헤아려 보면 한 달이 겨우 되였건만 어쩐지 날과 달이 길어뵈고 앞으로 앞으로 어색한 일만 자꾸 닥쳐 올 것 같아 만사에 자신이 없었다.

노루같이 길죽한 다리에 짧은 즈봉을 입고 몸을 옹그리고 집을 나가는 윤이를 보면 그저 외투도 못사 입히는 겨울이 하루에 닥쳐올 것만 같아 어머니 마음은 설래여만 들고, 생활의 괴로움은 하루하루 목에 걸린 올게미가 졸라져가듯 긴박을 아니 느낄 수 없었다. 술도 오십원·백원, 간장 한되 가득 사는 것도 어쩐지 뒷일이 두려워 절렁절렁 반되를 사드리고 목간통에서 십원을 더내어 머리 감는 것도 밥짓다 남은 불에 물을 끓여 감곤했다.

오늘 안해는 저녁밥 짓는 풍로 곁에서 노끈으로 붉끈 가로 묶은 신문지 봉지 뭉태를 하나 주었다. 펼쳐보니 그것은 타다 남은 석탄 브스럭지였다.

그놈을 한 좀 쥐여 술우에 언쳤드니 노—랗고 빨간 불꽃을 올려 석탄 똥 답지 않게 제법 홀홀 잘 탔다.

〃야! 신통이도 잘 타네, 이러니까 일삼아 주으러 다니는 사람들이 있는걸! 이런게 있는 곳이 대관절 어디일꼬!

밥과 국을 끓이고도 아직도 밝안 불꽃을 드려다 보고 있으니 어딘지 마음 한 구석이 환히 티여오는 것 같았다. 그 석탄 똥 이야기를 무심코 저녁밥을 먹으며 남편에게 말했다. 이 말을 들은 남편의 노여움은 이만저만한 것이 아니였던지 기썽고 윤이를 하나 치고 말았다.

아버지의 묻는 말은 하나하나 호통이 같았다.

「석탄 똥을 어디서 주었나?」

「누구와 같이 주었나?」

윤이 엄마는 앓은 무릎팍우에 열손 구락을 버리고 앉아 식식거리는 아들의 뒤모습을 보니 그만 가슴이 아파 못견디였다. 자기 경솔을 책

하였다·정말 부질없던 짓! 빨간 불 꽃을 바
라 볼 때의 솔곳한 어림이 이 일을 이렇게
저지르고 말지않았는가? 가슴속에 잡잡히 서린
생활의 괴로움이 꼬리를 물고 치밀어 올랐다.

「윤이! ごめんねェ! 어머니 わるいわねェ」

어머니의 말소리는 우름 섞여 떨렸다.

「ぼくのせいやないんだよ、오무웅이のせいだよ、あまり
おゝいから·ぼくがおいてやるといったんだよ!」

지금까지 입을 다 물고 식식거리고만 있던
윤이가 소리를 버고 울었다.

그 이튿날 오후 오 무웅 소년은 윤이 집에
와서 윤이 아버지가 돌아오기를 기다리고 있었
다. 물론 윤이 아버지의 오라는 명령이 있었기
때문이였다.

그 동안 윤이 엄마는 오 소년을 붙잡고 미
안하고 민망스러운 생각에 속이 닳고 애가 탔
다.

「석탄 통 이야기는 전부 윤이가 가르쳐 주
어 알았다고 말하시오 네!」

「윤이가 학교에서 저의 교실 문 밖에서 나
를 오라고 해서 나가니까 석탄이 많이 있다고
말 했어요!」

「글쎄 글쎄」

윤이 어머니는 공연히 안달이 났다.

남편은 돌아오자 마자 언제나 말 쑥지 못한
오 무웅 소년을 얼굴만 보아도 화가 뭉구름
노르듯 복 바치기 시작했다.

「가르쳐 주었다고? 네가 윤이 보고 이곤
방에 석탄 통이 있나 알아보라고 부탁했지?」

「아닙니다. 말 안했습니다」

「그전 동리서도 매일같이 대리고 나가 석탄
통을 줏게하더니---네가 여까지 쫒아와서---」

「언제부터 줏으러 다녔나?」

오 소년은 손구락을 몇개 꼬부리더니

「열흘 됩니다. 사회주의 대 혁명 가념일 날
학교가 쉴 때---」

열흘이나 되였다는 말에 남편은 더욱 놀래고
화가 치 밀었다.

「돌이서 줏는데 보는 사람은 없더나?」

「동리 일본 아이들이 보고 있었어요」

이 말에 남편은 눈을 치켜 뜨고 버쩍 무릎
팍을 꿇고 일어서더니 오 소년의 뺨을 휘 갈
겼다. 오 소년은 그저 무릎을 꿇은양 량손으로
키를 싸고 머리를 수가고 앉았다.

「이 돼지를 처럼 추한 자식 같으니, 남의
애를 왜 그런 곳에 대리고 가? 술처 먹고

13

낮잠만 자는 너 애비하고 같이 좇으러 가려무나---다시 남의 자식 끌고 그런 데를---」

남편의 손 바닥은 다시 치켜 올랐다.

보다 못해 윤이 엄마가 왈칵 달겨들어 오 소년의 앞에 버티고 남편이 치켜든 팔목을 잡았다.

「이게 웬일이오, 내가 키하면 남도 자식이 커할게지 여니때 당신 같이 않게! 이 애가 무슨 나쁜짓을 했단 말이오?」

「무엇이?」

남편은 안해를 또 노렸다.

「무엇이 어쨌단 말이오 석탄 똥 안줏고 사는 자기 사리는 어떻길레!」

「자기사리! 자기사리라니?」

전에 없이 건방지게 나오는 안해의 말 투에 어번은 안해가 밉기 시작했다.

「석탄 똥 주어다가 가난한 사리 보탠 것이 무엇이 그리 큰 죄래서 남의 애를 그렇게 치단 말이오!」

싸움은 부부 싸움에로 옮아 갈 것 같았다.

「이런 일본 동리까지 와서 윤이 놈이 석탄 똥 좇으러 다니는게 교육적으로 얼마나 나쁜지 모른단 말이지!? 일본 동리는 뭣하러 이사 왔나?」

남편은 얼굴에 괴로운 상을 그리고 맥 풀린 사람 처럼 허무한 눈 동자로 안해의 눈을 뚫고 섰다.

〃윤이를 앞 세우고 내가 석탄 똥을 좇으러 갈까도 했는데---〃

남편의 얼굴 상을 보니 참아 하고 싶은 이 말은 나오지 않았다. 남편의 가슴에 화살이 되는 말! 삼가서 못내 밀었으나 오늘 이 광경 속에서 쏘아보고 싶은 안해의 말 임에는 틀림이 없었다. 오 소년은 윤이 어머니 〃빨리빨리〃 뒷 손질 하며 서드는 등에 슬 몃이 빠져 나가 헐 떠러진 가방을 흥청거리며 비탈 길을 내려 돌아 집으로 돌아갔다.

남편은 그 날 회사에 가서도 어제 오 소년을 치던 자기의 맘속을 깊이 드려다 보고 싶지는 않았다. 오 소년같이 버러지 같은 인간층의 애들은 매일같이 욕설과 매에 익어 어제 일도 레사롭게 받기도 했겠지--- 이처럼 자기를 위안하기도 했다.

이러다가 한 가지 새로운 생각이 ――그것은 확실히 내부의 정신적 변동을 의미하는 하나의 뚜렷이 떠 올랐다.

「윤이를 일본 학교로 옮겨놓자!!」

여기까지 생각이 다쳐지자 그는 오늘까지 여론이고 체면이고 교려하던 일이 자식 교육에 진정으로 성의적이 못되였던 자기의 비렬과 란량으로 생겨진 일이였음을 뉘우치게 되였다. 그는 마음을 가다듬어 아들을 전학시킬 시기 경제 문제, 가까운 학교에 수속등 계획을 짜 보았다. 그리고 어제 일로 몹시 동요 되였을 아들의 마음을 어루만져 주는 것은 자식 교육의 기술로 생각되여 오는 공일에는 윤이를 갈이 대리고 나갈 것도 계획 세웠다.

공일을 기다려 아버지는 아들을 대리고 오래만에 동물원에로 나갔다. 윤이는, 오래만에 아버지와 손목을 잡고 거리에를 나오니 어깨가 들먹하고 기분이 좋았다.

애들이 거이 그렇지만 윤이는 특별히 동물들을 좋아하는 아이였다. 학교 들어가기전 이층 세방을 빌려 살때 어디서 강아지 한마리를 줏어다가 기엉이 기룬다고 도무지 의논을 안다서 딴을 흘린 일이 있다.

「早く朝鮮にかへったら、広い庭で動物をたくさん飼いたいな!」

「개、고양이 소、말、닭、염소 집오리 それから、아버지 家で飼う動物まだあるねェ、何んだ?」

아버지는

「ないよ、それしかないよ」

라고 말했다.

그러면 윤이가 낄낄 웃으며

「ねずみ!」

아버지를 골리고서는 좋다고 발을 구르며 웃었다.

「動物の中で、いちばん馬鹿は何んだ? コソコソどろぼうは、なあんだ? 獅子のとしは、いくつだ?」

또 질문이였다. 아버지는

「馬鹿は、吕だろう、コソコソは、ねずみの野郎、さて、ライオンは何年生きるかなア」

「ちがうよーだ、馬鹿だからカバ、コソコソどろぼうすりはリス! ししは十六さい!」

그리고는 손 벽을 치고 발을 동당거리며 웃었다. 이렇게 넓은 곳에 아버지와 더불어 각가지 동물들이 살고 있는 오리들을 누비고 지나가는 윤이 마음은 얼마나 즐거웠을가! 대때로 손에든 캬라멜 봉지를 하늘 우로 휘휘 올리고 주루루 앞으로 달아가 껑충되여 그놈을 받고 하는 아들의 모양은 아버지께도 한없이 즐거움을 돋구워 주었다.

15

치금 윤이 부자가 앉아 쉬는 벤치 쪽으로 오노보리상(お上りさん) 시골 할머니가 손에 든 주머니 끈을 흥청거리며 뒤뚱뒤뚱 걸어오더니 옆에 와서 같이 걸터 앉았다.

「坊やは、学校行ってるのかな! かわいい坊ややな!」

「はい、行ってますよ」

윤이 아버지가 대답해 주었다.

「家はどこだんねェ、名前は何んちゅうの?」

윤이 량미간에 쌍주름이 섰다. 그리고는 아버지를 힐끗 쳐다보더니 심판을 기다리는 죄수모냥 고개를 푹 수겼다. 윤이 아버지는 한참 있다가 마지못한 듯이

「私達は、東京ですよ、名前は允ちゃんといゝますよ」

「東京の子達はええな、こんなおもしろいもの、たんと見られるさかい」

윤이는 아버지 옷소매를 끌었다. 아버지도 아들의 심정을 알고 곧 따라 이러섰다. 또 그것은 아들만이 체험하는 위태스런 대목은 아니였다.

「윤이! にっぽんの学校はいいなと思わないのか?」

묻고 싶은 말이 이 기회를 슬적 타고 나왔다. 윤이 말동말동한 눈을 똑 바로 뜨고

「ぼく大きくなったら、お医者になるの?」

아버지 얼굴을 두리번두리번 쏘왔다.

「日本の学校行ったら、お医者になるんだって、誰が言ったか?」

「だって皆、言っているんだよ、서 충길という子そう言ってお父さんが、つれて行ったんだよ」

「それで、서 충길という子は、何んといったの」

「そりゃー いやだというのきまってるよ! 僕の学校とてもおもしろいんだもん!」

「先生は、서 충길という子に何んか言ってなかった」

「言ったよ! 日本の学校は、朝鮮人にはよくないんだって! すぐ、さびしくなるよ! って」

점점 새로운 생각에 잠겨가는 아버지는 돌아오는 길에 또 이렇게 슬슬 물어 보았다.

「윤이! 此頃どうして 어머니のいうことききかないのか、ちょっときかんぼうになってきたな!」

아들은 잠간 동안 대답이 없었다. 길우에 돌맹이를 툭툭 차던 발을 멈추고 아버지 눈 속을 쿼지듯 살되드니 입을 뾰루퉁이 내밀고.

「だって、어머니가 いつもつまらないことというからだよ、とうふや、すみやに行って、いゝもの下さい

いゝもの下さいばっかり言うから、豆ふやの子、あいつ、ぼくがその前通るたんびに〃ぼくのうちのとうふくさってやいないよ〃なんて言ったり、炭屋の子だっていじめてばっかり---」

윤이 얼굴 빛은 여름 하늘에 소낙이 구름 몰려오듯 삽시에 어두워졌다.

「どうしてそんなこと、아버지 어머니に話さないのだ？ 話さないと分らないだろう！」

아버지 말씨에는 순간 노기까지 살돋았다. 윤이는 수멸 주멸 하더니

「つまらんこと、又言うからよ、ぼくが漸々困っちまうもの、今の話とうふやの子に言っちゃ駄目だよねエ」

윤이 이 말에 아버지의 가슴은 두근했다.

어린 애 답지 않게 맥 풀린 목 소리!

육친 역시도 못 믿는 듯이 아버지 눈 속을 뒤지던 아들의 불신 만으로 거미줄 친 눈동자

여덟살 된 아들이 어느곳에 어느사이 이런 조심스런 심려와 절망이 깃드렸나?

심금을 긁고 지나가는 한 곡조의 갈 피리를 듣는 것 같은 울적을 느끼였다. 아버지는 아들을 꼭 껴안아 주고 싶은 충동을 느꼈다.

「そんなこと位、何んでもないじゃないか？ ようし、父ちゃんが---」

「いやだよ！ そんなこと、又とうふやに言うんだろう？」

아버지의 머리속은 이제 혼란해 졌다.

그대로 묵과할 수 없는 문제들이 지금 자기와 피와 뼈를 같이한 아들 윤이 우에 무거운 바위처럼 짜누르고 있는 사실을 괴롭고 조급스레 아니 느낄 수 없었다.

〃아들은 확실히 고독한 존재이다〃

그러면 아버지된 자기 자신은 어떤가? 해저문 바다에 지향 없는 조각배 모냥 의지 없고 외롭지는 안한가? 이렇게 뭅시 뒤흔들리는 리유는 어디 있는가? 근간에 없던 감상과 자탄에 윤이 아버지는 홈씬 심정을 적시였다.

《이하 차호에 계속》

17

고향에 띄우는 노래

김 태 경

어기영 어기영 어기여엉 어기여엉
구성진 노래소리냐
자혜론 어머니의 자장가냐
이국땅 수만리에
쟁쟁히 울리는 그소리
부드럽게 곱게 거세게
나의 흉금을 친다
나의 맥박을 뜨겁게 한다

만리창과 푸른 물결 우에
황혼이 깃들어
나의 어머니들이
나의 누나들이
하루의 수확고를 자랑하는듯
거무틱틱히 끄시린 두팔뚝엔
근로에 다져진 억센 삶의 노래가
귓전에 쟁쟁히 울리고
눈자위에 선히 얼른거린다

거기가 바로 내가 나서 자란 고향이란다
거기서 나의 잔뼈가 굵고
나의 조상들이 고히 잠든곳
제주도 북촌리 란다

오 북촌리 북촌리
북풍한설이 사나워서 북촌리냐
남녘땅 북켠에 자리잡아 북촌리냐
찬바람 해적 무리 안가슴으로 막아서니
　북촌리냐
따스한 남풍이 솔솔 불땐
서모봉 잔디도 푸르러
흐뭇한 보리이삭도 패여
종달새도 재갈거라였는데
북촌리 북촌리
그 옛모습이 간곳이 없다니

그 옛날
뒤웅박을 맨채
조개겁질 동맹이로 판매질하며
관청 은행을 들부시며
왜놈들의 간담을 써늘케한
해녀 폭동 사건때도

기둥한개 가득 못하고
왜놈들은 벌벌 떨렸건만----
리 승만 괴로군은
마을을 불질러
우리 의 어버이들을 어린애들을
학살했다니
그래서 지금은
험상궂게 타다남은 기둥만이
앙상히 보려 였고
맑은 셈에
물장구를 치며 서로 내외하던
마을 아가씨마저 인젠
흔적이 없다니

문석아!
내 사랑하는 친구야!
우리 마을 북촌리는
맥박이 끊어졌나부다
피를 토해 거꾸러 졌나부다
고동이 멈췄나부다
그렇지 않으면 생의 노래를 거두웠는가?

아니다 아니다

동맥이 끊어진 것이 아니라
생의 고동이 멈춘 것이 아니다
향긋한 동백꽃 그윽한 시절
다시 탐스런 생도알 처럼
피여 올 꽃들이
범나비 부르듯이
우리는 계절을 기다리는게지
찬 겨울을 모라내는게지
그래서
문석아!
그러기에
너 상치 않을 몸이라도
험껏 마음껏
평화 통일에 마을 사람들을
  불러 일으키라
글재주가 용헌 네가 아니냐
왜놈들과 싸워 환성을 지르고
괴뢰군을 무찔러 공화국기 휘날리던
四八년 항쟁의 피가 점점히
  흐르고 있는 우리 마을이 아니냐
집을 세우고
고깃배를 띄워라!
참된 삶을 막을자는 없을 게다

그것이 평화 통일의 길이다

문석아!
그 땐 너와 나와 앞장을 서보자
그래서 너는 노를 잡고
나는 돛을 감아
흰 돛대 훨훨 날리며
참았던 노래
십년의 회포를 확 털어나 보자

(二月 五日)

《二五페지 부터》
또한 착실한 안해였다.
아렇든 자취도 없이
흘러한 행복이 그리워.
맘 익은 벗에게만.
머리를 드리우고.
가끔 당설인다.

--쏘련 문학잡지
〈대시원〉 제二호에서—

회원소식

▼ 류 벽 — 본회 七차 대회를 앞두고 지방 회원과의 련락을 긴밀하게 하기 위하여 四월 초순부터 약 일주일, 관서·구주 지방을 순회하였다.

▼ 안 우식 — 世界文学(잡지)에 「戦后の朝鮮文学」이라는 제목으로 론문을 발표.

▼ 김 민 — 잡지 朝鮮問題研究에 「戦后の朝鮮文学」이라는 제목으로 론문을 발표하였다.

※ ※

▼ 시집 〈불씨〉 간행 — 회원 강 순 동무를 중심으로 십 여인이 모여 국문 시 잡지를 三월초에 간행.

▼ 조선 문학 연구회 — 김 윤호 동무를

보고 및 소식

▼ 지난 3월초、작가 동맹 출판사에서 《조선 현대 문학 선집》에 수록될 리 북명작 《질소 비료 공장》—日本訳 "初陣"—의 字本을 구하여 보내달라는 요청을 받은바、서기국에서 지난 4월 1일에 그 "筆写"를 보내였다.

▼ 지난 3월초 및 3월 20일에、작가 동맹 중앙에서 문학회 회원의 동맹에의 "가맹"에 대한 지시가 있었는바、서기국에서는、금번 이 지시가 갖는 의의를 옳게 파악하며 침투시킬데 수차의 토론을 거듭하였다.

지난 3월 26일부 공문에도 지적한 바와 같이 당면 회원들의 활동 보고를 서기국에 반영시키는 동시、작품들 및 "상케-드"를 시급히 보내 줄 것을 요청한다.

중심이하여 山口県에 거주하는 문학 애호가들로 조직되였다.

▼ 민청 십주년 기념 문예 작품 심사— 본회에서는 민청의 위촉을 받아 남 시우、허 남기、김 달수 동지들이 참가하여 응모 작품을 심사하였으며

또한 남 시우 작사로 민청가를 제작、

▼ 조선 고전 문학 소개 — 김 민 허 남 기、림 경상 동무들이 조선 민보 지상에 조선의 고전 문학 작품을 소개하고 있으며 앞으로도 계속 집필할 것이다.

제四차 연구회

지난 八차 상무 위원회에서 결정된 제四차 연구회를 다음과 같이 개회하기로 되였다、앞으로 매월 一회 정기적으로 조직 될 것인바 많은 회원 및 애호가들의 참가를 기대한다、

▼ 시 일 四월 一一일 오후 六시

▼ 장 소 조 선 대 학

▼ 보고자 리 승 옥

돌아가는 그대

장 평

六十만의 노래소리
신궁외원에 파도치던 작년 메-데-에
우연히 맞났을 때
오끼나와 학생의 스크람에서 뛰여나와
어깨를 잡고 손목을 흔들던
그대의 뜨거운 입김이여

운송부의 림시배달이나 니꼬욘으로는
학비를 어쩔 수 없어
두달에 세번씩은
병원에 피 팔러 다니든 그대

지난 날
"동양척식회사"가
농토를 강탈한 구렁이 같은 수작과
토지를 빼앗기고
만주로 흘러간 농민들이
만주 사변 유발의 낙시밥으로
리용당한 이야기를
잠잠이 듣고 있다가
쥐고 흔들던 그대의 감촉이
지금도 손아귀에 훈훈 하여라

아버지와
누이와
큰 어머님을
태평양 전쟁 포화 속에 잃고
운신이라고는
출가한 사촌 누님 뿐이란
그대 이야기 들었을 때
— 우리 조국 전쟁에서
부모를 잃고
중국
루-마니아
항가리-로 흐터저 간
어린이들의 화보를 본 때와 같이
내 가슴 분노에 타고 아펐거니
네온의 오부라-트에 싸원
살인
기만

스토립
깽 등 등
곰팡이 나는 동경의 공기 저주하여
동민하는 개고리처럼
입을 잠가버린 N 했더니----

쓰디쓴
식은 차를 마시며
─ 래일은
스나가와 투쟁에 간다든 밤이
마지막 맞남이였던가?

제비도 도라올 무렵이기에
교문을 떠나
토지를 강탈 할려는 원쑤놈과의 싸움에
활화산처럼 노호하는
오끼나와로 도라갈 그대여!

조용히
채혈관을
그대의 정맥에 겨누우는
스미에 양의 한결같은 련모를 품고
고향으로 도라갈 그대여

그대 도라갈 길 남쪽이고
나 도라갈 길 북쪽이오나
남과
북에 걸처 덮인
피무든 손은 한놈의 손
붉게 타오르는 마카로니의 정렬과
천세의 형장으로는 굽이지 못한
춘향의 절개로
놈의 손
태우고
지키자든 맹서
어제와 같고나

217 三 『조선문예』(朝鮮文芸)

부다페쓰트에서

야로슬라브·쓰메랴꼬브·작
김 한 석·역

자기의 로씨야를 싸워이겨 -
안해와 어머니에게
작별의 끼쓰 남기고,
병사는 다른 나라들을
힛틀러의 쇠사슬로 부터
건지기 위하여 나갔었다.

그를 이끈 것은 별과 깃발이
였고.
첫쭉과 독수리가 아니였거늘.
그는 간곡한 전투를 겪으면서
웽그리야의 심장에 다달았다.

그는 거기서
전투에 전투를 거쳐 사웠다.
비록 조상들의 무덤 가까이
타번진 제 고향의 농가집들을
고쳐 세우며

자레의 상처들 마저
미처 치료치는 안했을 망정
그의 맘 속엔
굳은 희망이 깃들었었다.
오직 귀환할 수 있을
것이라고.

-----부다페쓰트의 타오르는
벽 곁에서
영웅적인 주검으로 쓸어졌다.

로씨야의 농부로
태여난 그는
그리운 땅에서 저멀리
떨어져 있었건만.
그에 의하여 해방된
온시민은 제아들과 같이
간직하였다.
해마다 군대들이
해방을 라팔 불 때면,
부다페쓰트 온시민은
그의 무덤으로 당두하였고
그의 발 밑에 꽃다발을
얹었다.

진실을 말하면 그의 속에는
옛 이야기에서와 같이
무덤으로 부터
쏘베트 병사는 [illegible]
일떠 설만한 비상한
힘이 있었다.

그는 총탄으로 뚫인 외투를
입고
정적과 침묵을 깨뜨리고,
일떠섰다. 오직 승리한
용모의 화석처럼.

차디찬 아침, 새벽 녘에
파시쓰트의 총탄과 견고 싸운
그는,
산머리 기념비 곁에
의식 위병으로서 초조를
지킨다.

반란의 날에, 그의 무덤에로

반도의 무리들이 떼를 지어,
밀려들고·배신의 타격으로
　협치며
철봉과 곡괭이로 찌러머였다,

자체들의 인민을 두려워하면서
슬그머니 스며들어
　거들먹 거렸다.
소군대며 파렴치 하게도
들의 좋개와 같이 욕설대였다,

----제뻴리의 로동자들의
　잡희는
피문은 치욕을 씻기 위하여
로씨야의 병사에게
기립으로써 경의와
영광을 보낼 것을 다졌다.

나는 찬 그 강당에
있지 않았으나, 맹세한다,
로동자들이, 일궈섰고,
그도 함께 일떠섰다고,

그는 또다시 순결한 외투를
입고 일떠섰다.
려명의 붉은 깃발 밑에—
멸망한 파씨스트의 손으로
　부터,
로동자들의 손으로써
소스라쳐 나섰다.

〈신세계〉 一월호에서—

안 해

쓰테빤·슈치빠체브·작
김 한 석·역

덧없이 몇해는 지났다.
남편은 무뚝뚝한 손짓으로
하품어린채 침대속에서
　안해를 껴안 것만.
전과 같이, 귀엽고, 사랑스런
당신이여 하고 부르지 않은다.
니자마저 습관이 되여버린다.
다만 진정 구슬픈 때에만,

뜻밖에 〈화〉하고
　한숨을 토로한다.

몸과 같이 교묘한 거울이
두손에 감돈다.

허리를 살핀다면—
　아직도 가냘프고,
젖가슴 만은 유달리—
　보다 둔중 하다.
가미말 십장은 뜨겁게
　맥박치고
입술은 좀 두려워리고,
눈빛은 빛갈을 잃었다.

세파으로 두손은 거칠어
　졌건만---
안해는 남편과 아이들의
　잔걱정으로
희피 코저 하지 않고
안해는 모범적인 어머니 일
　것이며,

《一一〇 페지에 계속》

경 고

「한·미 우호 통상및 항해 조
약」을 체결한 리 승만 도당과
미국에 주는 노래

허 남 기

그곳이 설혹
어둡고 차다고서
너들 그곳에
용솟음치는 피와
불타는 가슴이 없다고
생각지 말어라

그곳이 설혹
백 자 부피의 얼음짱으로
천 겹 만 겹으로
둘러싸인 데라고서
네들 그곳에
부릅뜬 눈과 불끈 쥔
주먹이 없다고
예단치 말어라

코를 쥐여도 분간 못 할
어둠을 네놈들 그곳에
뿌리고
살을 베는 추위와
피에 굶주린 총칼을 네놈들
그곳에 깔고

산과 물과
들과 인민을
송두리채 빼앗을려는
흉악한 책략을

네놈들 이제 꾸몄다구서
미제야 리 승만아
네들 일각 괴뢰들
잊지를 말어라

입을 틀어막히고
혀를 베이고도
사람들은 고함쳐
규탄할 수 있고

손가락을 잘리고
팔을 꺾이고도
인민들을 칼 둘리고
총 쏠 수 있고

네놈들 깐 얼음과 어둠이
얼마나 두텁고 질다해도
그것을 뚫고 아침을
불을 수 있는
무진한 조선의 백성의 힘이

그 어둠속 그 얼음속
그속에 가쳐있는
사람들의 가슴마다에
간직되여 있다는 것을

오오 네놈들이
아무리 강탈하고 징발할레도
할 수 없는 곳
그들의 가슴 깊이
간직되여 있다는 것을

一九五七년

첫 춤 돌

류 벽

「아무래도 한번 더 단단히 따져 봐야겠다」 중얼거리며 · 분회장 최 성수는 박 선야의 집 방향으로 자전거 머리를 돌렸다. 아가는 여러 사람들의 만류로 그만 하고 두었으나, 끌리는 대로 총무 김 동무 집에 들려 한잔씩 더하고 혼자 나오는 지금, 박 선야의 그 괘씸한 말을 다시 생각하니, 최 성수 부회장은 그대로 돌아 갈 수가 없었던 것이다.

× ×

오늘밤은 넓은 가네꼬 아주머니 집에서 이 북부 분회 신년회가 있었다. 이십 청년부터 륙십 로련에 이르는 이십여 명이 한자리에서 술을 나누고, 주기가 돌고 흥이 돋으니 노래가 나오고, 젓가락 장단에 춤도 벌어졌다. 로소동락의 연회는 바야흐로 한창이다.

한데, 이 때 한 사변이 일어났다.

『노들 강변』 춤노래 판이 끝나고 자 드세요 자 자네도, 하고 서로 술을 권하너라 즐거운 화기가 도는데, 여태 잠자코 점잔을 빼고 있던 박 선야가 문득 소리쳤다.

「요새 젊은것들이란 버릇이 없기가 정말, 이것!」

순간 온 좌중은 잔을 든 채, 한주에 젓가락을 대인 채, 숨을 끊고 놀랜 시선들을 박 선야에게로 모았다. 박은 케—쓰에서 피—쓰 한 개를 꺼내 물고, 철콕 라이터로 불을 당기곤 어깨를 버쓱하며 말을 잇는다.

「오늘이 초사흘인데, 오늘 여기 와서야, 과세 안녕하셨소, 한 것도 인사랍시고, 부형 동갑 어른들 앞에서도 벌건 홍시 낯작을 쳐들고 좋다 놀자… 이것! 멀었어 멀어!」

단번코 박은 연기를 후— 내뿜었다, 좌중은 설렌다. 훌쩍— 술 마시는 소리, 떨거덕— 젓가락 놓는 소리…

여기서 최 성수 분회장과 박 선야의 론쟁이 벌어졌다.

세배를 오가는 피차의 폐를 덜자고 미리 이 신년회를 준비한 건데, 공연한 말로 판을 식인다고 분회장이 탄하는 말에, 박 선야는 그것 누가 모를가마는 어하튼 교육이 멀었다고 응했다.

헌데, 이 『교육』이란 말을 계기로 두 사람의 론쟁은 더욱 격해졌다.

거기에는 서로 묵은 감정이 있었던 것이다. 지금도 회합에 잘 나와 말은 많으면서도, 언제나 자기를 다른 사람들과는 구별해서 내로라 하는 박 선야가, 최 성수는 아니꼬왔다. 방금도 제가 이십 청년을 멀었다고 나무란다면, 륙십이 된 나에게 세배를 오지 않은 저는 어떻단 말인가?

그러나 박 선야은 박 선야대로, 자기 분회의 책임자라고는 화되 학식이 낮은 최 성수쯤은 안중에 없었다. 자기는 대학을 나왔고, 조련 시대에는 현본부 재정부장까지 지낸 대간부였다.

지난 봄에도, 이 구주(九州)에 우리 중, 고급 학교가 되여 학생 모집이 한창일 때, 우리 애들은 장차 대학을 가얄 테니 조선 고등 학교엔 보낼 수 없다는 박 선야와 최 성수 분회장은 대덕으로 충돌을 한 일이 있었다.

그래서 박 선야의 「교육이 멀었다」는 말을 계기로 교육 론의가 벌어졌는데, 그 교육이란 내 아들은 일본 학교지만, 너희들 자식은 조선 학교란, 그런 건가고 최 성수가 따지게까지 되였다.

「우리 고등 학교? 좋소! 보낼 아들이 있고 돈이 있는 량반은 얼마든지 보내시죠. 좋잖소!」

박 선야는 넝글넝글 웃으면서 비꼬아들였다. 순간, 최 성수는 창자가 뒤집혔다. 그는 박 선야보다 가난하고 아들이 어렸던 것이다.

「뭣이 어짜고어째! 아가릴 벌이면 민족, 교육하면서, 제 자식들은 일본 학교로 보내는, 자칭 대간부는 어느놈이냐, 응?」

최 성수는 팔을 걷으며 쪼그리고 앉았다. 그러나 좌중 사람들은 그를 만류하며 데리고 밖으로 나왔었다.

× ×

마침내, 최 성수는 자전거를 몰고 『빠찡꼬 百万弗』란 붉은 네온이 눈을 끔벅이듯 명멸하고 있는 박 선야의 전방 앞에 당았다.

「자— 왔다. 두고 봐라!」

최 성수는 번듯 자전거에서 내렸다.

그 때 마침, 네온이 탁 꺼졌다. 그리고 그 전방에서 나온 한 그림자가 가로등을 등지고 선

29

채 다가오는 최 성수에게 인사를 하였다.

「아저씨! 과세 안녕하세요?」

「누구라고? 순이냐! 이제 끝났니? 과세 잘 하고?」

그는 박 천야의 전방에서 일을 하고 있는 순이였다.

「네·그런데, 아저씨! 자금 저 후미끼리 너머로 가세요?」

순이는 분회장 자전거가 향한 방향으로 오른손을 들어 가르켰다. 밤 깊은 거리가 적적히 뻘어 있었다.

「응, 그래--- 무섭니? 같이 갈가?」

최 성수 분회장은 할 수 없이 대답하고, 자전거를 밀며 걸음을 옮겼다. 순이는 좋아라 따라왔다. 최 성수는 머리가 뒤로 당겼으나, 데려다 주고 다시 돌아오지 하고 단념하였다.

그런데 그 집 앞에 당고보니, 들리시라는 순이의 말을 거절할 수가 없었다. 최 성수는 들어가서 순이 홀어머니하고 맞절로 새해 인사를 하였다. 순이 아래 삼남매는 나란히 이불 속에 잠이 들었고, 딸이 돌아올 시간을 겨누어 굽고 있던 떡을, 어머니는 손님과 딸 앞에 갈라 놓았다.

「순이가 시집갈 첫꿈을 꿨다는데·금년엔 좋은 사윗감을 구하셔야 겠어요!」

분회장은 큼직한 손으로 떡을 집으며 건강한 얼굴에 웃음을 피웠다.

「네—? 분회장께서 하나 골라 주쇼! 호호-」

「아이고, 아저씬! 거짓말씀만---」

순이는 손등으로 얼굴을 가린다.

「거짓말이 참말이지 뭐야! 하하--」

분회장은, 지금껏 감겼던 마음이 여기에서 후근하게 풀어졌다.

이윽고 그 집을 나왔을 때, 순이와 그의 어머니는 갈림길까지 분회장을 간곡히 바래다 주었다

그래서 최 성수 분회장은 자기 집 길로 밖에 갈 수가 없었다.

그러나 그는 다음 갈림길목에서 자전거를 세웠다. 오른쪽으로 굽으면 박의 집으로 갈 수 있다. 어쩔가? 망서린다.

그의 눈 앞에, 아까 자기를 만류하던 사람들의 친근한 얼굴들이 떠올랐다. 그리고 또 신뢰에 찬 순이 모녀의 눈추리가—

그리자 번득, 한 생각이 떠올랐다.

「—그 많은 얼굴, 시선들이 나를 옳다고

말해 주지 않았던가! 그럼, 박 선야를 내가 주먹으로 치기 전에 벌써 그를 이기지 않았는가. 입만 깐 그보다 일을 하는 내가 진실 간부다. 좁게 굴지 말고 돌아 가자!」

최 성수 분회장은 소리 없이 웃으며 밤하늘을 쳐다보았다. 지금껏 용을 쓰고 있던 자기의 왜소한 모습과 점잔을 빼고 앉은 박 선야의 거창스런 모습이 순간 겹쳐 떠올랐다가 사리지자 뭇별이 속삭이듯 내려다보고 반짝이고 있음을 깨달았다.

까분해진 최 성수 분회장의 가슴엔 자랑이 부풀어 올라 거득히 자리를 잡기 시작했다.

다시 자전거를 타고 집 방향으로 베탈을 밟으며 ㅡ 아저씨! 지금 저 후미끼리 너머로 가세요? ㅡ 하던 순이의 귀여운 모습을 새삼스레 눈앞에 그리며, 분회장은 궁리한다.

ㅡ정말, 순이 신랑감으론 누가 좋을고? ㅡ

(一九五七、一)

발행

東京都北区上十条二ノ二二

朝鮮大学内

在日本朝鮮文学会

조선문예

조선문학회

목 차

표지 · 허 남기

제七차 대회를 앞두고

지난 四월, 확대 상무 위원회에서 문학회 제七차 대회를 七월에 연기 할것이 결정되였다。 그것은 대회 일자가 四월이면 교장(敎場)에 있는 많은 회원들이 참가키 곤난 하니라는데서, 특히 이번 대회가 그 어느때 없이 창조적 의욕이 비등된 분위기에서 소집되는 것인 만치, 하기 방학을 앞둔 시기를 택하여 한 사람이라도 더 많은 회원이 대회에 참가 할수 있도록 주로 회원들의 편의를 생각해서 였다。

대회는 七월 二十一일에 소집된다。

이번 제七차 대회는, 재일 전체 동포들이 조국의 평화적 통일 독립과 그들의 민주적 민족 권익을 지키기 위하여 일어 선, 철석 같은 통일과 단결의 위력을 시위하고, 우렁찬 전진을 다짐한 총련 三전 대회가 있은 바로 직후에 소집되며, 또한 우리 재일 작가들과 조국 작가 동맹과의 련계가 직결되였으며 날로 가강하여 지는 조건 속에서 소집하게 된다。 작년 四월 제六차 대회 이후 一년여의 우리 활동을 회고 해 볼 때, 여러가지로 마음에 맺쳐 드는 감개가 자못 크다。 그러나 이 지나 온 一년을 생각함에 있어서 우리들은 어느 때 보다도 조국을 가까웁게 생각하게 된다。

지난 제六차 대회에 보내 온 한 설야 위원장의 격려를 비롯하여 오늘에 이르기 까지 특히 지난 제二차 조선 작가 대회에서의 "재일 작가들에 형제적 성원을 보낼데" 대한 보고와 결정이 있는 뒤 기관지, 지를 위시한 수백여 서적이 계속 보내어 오고 있으며, 또한 재일 작가들의 작가 동맹 가맹에 관한 실무적 사업이 구체적으로 추진 되면서 있다。

바로 이와 같이 조국의 기대와 또한 전체 재일 동포들의 드높은 관심 속에서 우리 七차 대회는 열리게 된다。

지나 온 一년동안의 우리 사업에 대한 조국과 재일 전체 동포들의 평가를 우리들은 영예롭게 간직하면서, 이번 七차 대회는 六차 대회 이후의 모든 활동들을 총화하는 동시에 총련 三전 대회 결정에 의거한 문학 활동의 방침을 수립하는데 기본적 임무가 있으며, 그것은 또한 조국 작가 동맹이 제시한 방향을 구체화하는 것으로 된다。

총련 三전 대회 결정에는 재일 작가들의 창조적 활동이 기본적으로는 올바른 방향에서, 발전되고 있음을 지적하면서

권 두 언

사진도 전체 애국적 동포들의 요구에 충분히 보답하고 있지 못한 현실에 비추어 작가들의 창작의 질을 높일 뿐 아니라 량적으로도 더욱 왕성하여져야 될 것을 호소하였다。

제二차 조선 작가 대회에서 《재일 작가들에게 형제적 성원을 보내자》는 작가 송 영 씨의 보고 토론은 조선 작가 동맹과 그 성원 전체 작가들의 공동적 념원이라고 전제하면서 다음과 같이 말하고 있다。

「첫째는 우리들이 쟁취한 성과를 제때 제때 알리며 작품들을 보내드리며 투쟁에 대한 구체적 방향도 상의하기에 힘 써야 겠」으며 「재일 작가들은 여기에서 배우고 참고하고 연구하여 그것을 재일본이란 현실에 적응 시켜야 할 것이다」라고 하였다。 그리고 계속하여 「우리들의 작품과 창조 활동들을 재일 조선 문학회를 통하여 첫째로는 재일본 전체 동포들에게 애국주의적인 고무와 격려가 되며 그것이 곧 평화적인 조국 통일의 커다란 힘으로 될 것이며」 동시에 「그것은 민주와 평화를 사랑하는 일본 인민들에게 우리 공화국의 문학의 전모를 인식시킴으로써 그것이 곧 공동의 적 미제를 반대하는 조·일 량국 인민의 우애와 친선과 단결에 이바지 해야 겠다」고 지적하면서 「재일 작가들을 영광스러운 우리 조국 조선 민주주의 인민 공화국의 자랑찬 공민으로서 그 권리를 옹호하는 투쟁이 곧 자기 작품들 속에 반영되여야 할 것이다」라고 강조하였다。

지금 우리들은 제七차 대회를 한달 앞두고 있다。

제二차 작가 대회 이후, 우리들은 조선 문학이 전진하고 있는 자랑찬 길에 자신을 더욱 튼튼히 립각하기 위하여, 그 토론과 결정 정신을 연구하며 심화하는 사업을 조직하여 왔다。

바로 우리들의 지향이며 구체적 지침으로 될 작가 동맹 결정에 고무되면서 또는 재일 전체 동포들의 애국적 열의에 호응하여, 우리들은 제七차 대회를 보다 드높은 창조적 성과로서 맞이할 것이며 그를 우리 창조 활동의 새 전변으로 만들 것이다。

우리들의 모든 힘과 요구와 의견을 제七차 대회에로 ― 〈六월 五일〉

《남 시 우》

거북(亀)

＝하＝

리 경 선

그 날부터 아버지의 마음은 심란 그것이였다。틀림없이 무교육한 우에 방정까지 맞은 안해가 자식의 교육 도정 우에 놓여진 커다란 장애물이라고 확신을 가지고 단정 지우고 있으면서 지금에 이르러 안해를 교육시키는 것도 자신없고 화나는 일이였다。

안해는 오늘 아무레도 자기의 내직없이는 닥치는 손님도 물론이려니와 이 모양갈에선 도무지 이 겨울을 날것 같지 않게 마음이 졸려 몇번 망서리다간 고리짝밑에 박아둔 내직 운반할 때 쓰던 큰 보재기를 꺼내 책보에 싸고 양복 마도메 내직을 찾아 동포들 마을을 휘돌러 오려고 문턱을 나서는 길인데 정복 경관 하나이 종이 쪽지를 들고 이 집 문패와 맞다쳐보고 서 있는 꼴에 부다쳤다。

경관은 틀림없이 윤이 집을 찾고 있었고 안해가 받아보는 종이 쪽지는 래일 열시에 구역내 소관 경찰서 소년과로 아들을 데리고 출두하라는 남편 상대의 호출장이였다。

그 날 저녁 두 부처는 경찰서에 호출당할 리유를 제 각기 궁량해 보는데 도무지 짐작되는 점이 안나왔다。

윤이 엄마는 아들을 붙잡고 뒤숭청 거렸다。

「何かわるいことやったなら、なんでも言ってみて！店で鉛筆や消ゴムなんかとったりは、しないね！友達とよその家の垣根に上って柿とか、いちぢくなんかをとったりはしないね，」

아버지도 무엇을 물어 볼가 해서 입을 버리다가 그만 두었다。 엄마의 다짐에 눈을 노랗게 뜨고

「ないよ！ そんなこと、ぜったいにないよ！」

한 생고 채우처 대답하는 아들의 태도가 오히려 꼴보기 언짢아

「もういいよ！ やめてよかろう」

소리를 낮지 않게 지르고 벽을 안고 돌아누워 억지로 눈을 감았다。

이튿날 경찰서 소년과에는 윤이 아버지 혼자

만 출두했다。

「お一人だけですね」

형사는 의자를 권하는 형세이나 이 쪽에서 담배를 내놓자 라이타를 얼른 그어 불을 부쳐 주는 거동이나 따는 막상 조심스럽게 취급하노라는 태도였다。

「あの……花子ちゃんの事件に協力してもらいたいんですがね」

花子ちゃん事件！ 그것은 요새 윤이네 사는 구역내에서 일어난 계집아이 실종 사건이였다。

「あの、病院のうらで何時も石炭くず拾いの呉という子の名前は、やっと分りましたがね、くれ・たけおでしたね」

윤이 아버지는 무슨 영문인지를 몰라 량미간을 좁혀 찌우고 담배를 피워 물고 총총히 생각하는 것이였다。

「それで、お宅の息子さんと遊び仲間の朝鮮学校の生徒達の名前と年令を調べたいんですが……お子さんを呼んで調べたりしてもね……で、金村さんでしたら、お願いできるかと思いまして——」

형사는 이렇게 슬쩍 어루달래놓고 흰 눈알을 솟구쳐 윤이 아버지의 눈치를 한껏더우로 떠서 보았다。

윤이 아버지는 앙가슴을 총알이 꿰뚫고 들어가는 것 같은 충격을 느꼈다。

이제는 호출한 사연도 알겠다。 담배가 손구락 틈에서 마구 후들리는 것을 겨우한 몸음 길게 빨아드렸다。

「うちの子とその友達らが、何をしたというんです？」

「いや、何をどうしたというわけじゃないけど、私の方では一度事件があってこんなに手懸りがつかめなくなると、一度前のことを調べるのが仕事の順序になってましてね」

몸은 비스듬이 의자전에 팔꿈치를 고이고 거드름이 한 쪽 다리를 길게 내 뻗는 태도 속에는

"우리는 당신들에게 이런 사건에 대한 취조를 할 권리가 있소, 사실 당신 아들은 이런 사건에 혐의를 받을 만한 배경한 전과를 가지고 있지 않은가？"

이러한 조소와 억누름이 짙으게 풍기고 있는 것이였다。

(5)

입술을 떡 다시드니 종이를 꺼내 무엇을 쓰려
들었다。
윤이 아버지가 종이를 휙 끌어 당겼다。
〃金允哲、満七才〃
「息子は、自分の子供からこの通り分っていますが
他は知りません。この事件には 私も息子もおそらく
あの子達も何の関係はないでしょう―― 失礼します」
이름과 생년월일 주소 쓴 종이를 형사 앞으
로 세차게 내밀고 벌떡 이러서 문을 밀고 나
왔다。
피우던 담배를 번질번질한 장화에 때리듯 내
던지고 층층계를 빨리 내려오는데 부다치듯 뜻
외의 이런 장소에서 봉자를 만났다。 바로 뒤
에는 오 소년이 난데 없이 빳빳이 풀이선 츠
메케리 깃우에 거북이 같이 목을 쳐 올리고
입을 다물고 서 있었다。
윤이 아버지는 봉자를 옆으로 끌어오는 호출
당한 사연을 이야기했다。
봉자는 이 말을 듣자 오각별 인민 공화국기
마크를 가로 부친 코―트 깃을 련성우으로 치
켜 손아귀속에 목을 에며싸며 입술을 꼭 다
물고 눈 동자는 아롱아롱 분노를 참지 못하다
는 모양이였다。

「넌 학교에 가서 공부하고 있어! 아무런
내용도 없이 부르거니까 애들은 안나와도 아
무 일 없는 거야」
오 소년은 봉자를 쳐다 보았다。
「그러면 무웅이는 지금 아저씨 말데로 학
교에 가서 공부하시오、내가 대신 얼른 다
녀 올게---」
봉자의 이 말은 오 소년에게는 기대 외의
설득이였다。 말보담 앞서 고개를 절래절래
흔들고 단단히 준비된 결의를 표했다。
「저、저도 봉자 누님과 같이 경찰서에 다
녀 오겠습니다。 빨리 다녀오면 어머니도 안
심합니다。 선생님이며 · 동무들도 안심하지오」
봉자가 재빨리 오 소년의 안색을 뒤지고
「그럼 갑시다、가서 무엇이던지 똑똑이 말
하면 되지오?」
봉자는 한쪽손으로 깃을 여미고 무릎으로
옷 섭 자락을 차며 오 소년을 얼싸듯 같이
끌고 층층계를 올라갔다。
윤이 아버지는 회사에 돌아와 책상앞에 앉
아 담배를 피워 물어도 손 끝은 지금도 떨
렸다。 몇해동안 별탈없이 근무하는 이 일본
사람 회사 생활속에서 오늘처럼 조선 사람이

라는 막대한 의식이 이처럼 자신을 무력하게 만들고 큰 소리로 웨치고 싶도록 자신을 아프게 기손하는 날은 없었다。 자신이 조선 사람이라는 존재를 부정 할려고는 안하면서 동족에 대한 자존과 긍지를 못가진 사람들!

조국을 떠나 일본에 거주하는 사람들 사이에는 일부분이 이런 사람들이었다。 윤이 아버지 처럼 고등 교육을 받은 사람들 층에 그 수는 더 많았다。

그들은 몸소 부닥쳐서 비로소 웨치는 사람들이였다。

점심 시간이 되여 윤이 학교 남 선생에게 전화를 걸고 오늘 집에 돌아가는 길에 좀 들리겠다고 전화해 두었다。

윤이 아버지가 학교에 찾아가는건 이번이 처음이였다。 아들 입학식에도 안해를 보냈고 그후 종종 있는 학부형 회의에도 한번도 참가해본 일이 없었다。

남 교원은 이날 교동 주최 각 학교 교원 친선 시합에 나간다고 배구 련습을 하다가 운동모를 뒤로 재켜 쓴냥 뛰여나왔다。

윤이 아버지는 위선 오늘 아침 경찰서 소년과에 갔다온 사연을 말하고 애들이 혹시나 불리워 못가도록 대책을 세울 필요를 말했다。

남 교원은 언제나 활겁해 하거나 심각스런 얼굴을 짓는 청년은 아니였으므로 오늘도 태도는 늠름했다。

「경찰에는 제가 갔다오지오, 그게 빠르리다」

그리고는 운동복을 가라입고 바-바리를 팔에 걸쳐든냥 학교를 나왔다。

남 선생의 거름은 빨라서 앞서 걷다간 돌아서 윤이 아버지게 말을 넌누고 했다。

「그 유치원 일본 계집애 건 때문 일본 경찰에서는 우리 애들을 일종의 범죄자로 취급하려드는 게지오?」

윤이 아버지는 이 말에 고개를 겨도 모르게 잦게 끄덕였다。

「그렇지만 설투 당투안한 일이 아니오? 남 선생! 문제는 어린애들에게 주는 타격이 아니겠어요?」

윤이 아버지는 아직도 분노가 안 풀린 어조이였다。

「그럼은요, 이런 일로 해서 우리 애들에게 주는 타격과 손실은 큽니다。 지금 말씀에 오무웅이는 경찰에 자진갔다 왔다는데 저가 생각키엔 그 애 쯤이면 별 걱정안됩니다만 오무웅

(7)

이는 그래도---」
남 교원은 그전 일이 얼핏 생각나 오 소년에 대한 칭찬을 펼쳐보려다간 걷우어 버리기는 했으나 오늘 오 무송이를 누구에게라도 머고 자랑하고 싶은 생각이 가슴속에서 날개치듯 이러서는 것을 느꼈다.
「기껏 성장해가는 우리 애들의 민족적 자랑이 이상한 모양으로 찌그러져 버린다면!」
남 교원의 이 말은 물론 윤이 아버지의 생각과는 대단한 거리였으나 그러나 파고 들면 두 사람이 관심하는 바는 똑 같은 기점에 곧 도달할 수 있는 문제 같기도 하다.
「아무런 방도로 래도 애들을 출두안시키도록만 하면 되겠지오?」
이번도 앞서 걸던 남 교원이 뒤돌아보며 말했다. 역까지 오자 윤이 아버지는 역앞 조그만 술집으로 남 교원을 끌었다.
남 교원에게 하고 싶은 이야기가 정말 심금을 헤쳐놓고 펼쳐놓고 싶은 이야기들이 많지 않은가?
훅훅 드려마시던 술이 얼건이 돈 때 윤이 아버지는 남 교원의 손목을 푹 쥐였다. 그리고는 꼭 끌어 쥐였다가 내 던지듯 손맥을 놓고 책상우에 두팔을 어울려 고개를 수겼다.
「나는 이제 거짓말 쟁이 아버지가 되네요, 봄이되여 꽃도 피고 새싹이나면 윤이 좋아하는 벌레를 상자 가득 잡아 주마고 했는데---」
목 소리는 약간 떨렸다. 남 교원은 이 말이 무슨 의미를 말함인지 몰랐다.
「적어도 이달 금음까지는 셋을 집을 다시 구해 내지오」
오늘은 십일월 이십 사일이였다. 술에 센 남 교원은 얼굴 가득 미소를 띄우고 고개를 끄덕끄덕해 보였다.
「가구 말구요. 꼭 가지오 더럽고 먼지가 일고 비가 오면 질펑질펑. 가난한 우리 동포들의 사는 마을! 거게가 우리들 고향이지오 그래도 우리들이 거주권이 있고 우리들 인권이 자못 행세되고 그리고 동포들의 경제 생활의 토대가 약간이나 확립되여있는 곳 애들에게도 두말없는 고향이지오, 제 이 고향이라요」
「하하--- 알겠습니다. 제 이 고향! 이제 알았습니다.
남 교원은 벙그레 웃고 있는데 윤이 아버지는 다음 말에 목소리가 떨렸다.
「어버니 나라에 돌아갈 때까지, 고생해야지오

十二월 二일、올 해도 마지막 달에 들어선 첫 공일날 그날 아침 동경은 서리가 내린우에 안개가 자욱이 끼였다。

짐이 다 실린 때 어머니가 운전대곁에 윤이를 안고 앉고 남은 세사람은 짐곁에 웅기 중기 박혀 앉았다。 남 교원이 사는 동포 마을에 마침 방이 있어 남 교원의 소개로 지금 윤이네는 그리로 가는 길이다。

윤이 아버지가 곁에 앉은 오 소년에게 말을 걸었다。

「우리 윤이 かわいがってあげてな! 兄ちゃんだから… 그리고 곧 우리 조선 중학생이 되지오! 손과 발을 깨끗이 씻고 다녀야지오!」

「녜!」

오 소년은 고개를 크게 꺼덕였다。 목청도 컸고 소리도 야무졌다、윤이 아버지 가슴 속엔 얽혔던 넝쿨줄이 풀려가는 안도감이 흘렀다。

봉자에게 말을 걸어보고 싶었다。

「봉자! 약혼을 너머 오래해 두면、김이 나가버리는 걸! 결혼을 빨리 하도록 하지! 남 교원 같은 남자는 놓치지 말도록 그렇기 위해서는!」

「결혼을 빨리 해야한단 결론이지오?」

봉자는 거저 웃고 있었다。

「남 선생이 월급이 얼마인지 아세요? 그리고 저는 알바이트 학생---」

「응、내가 이제부터는 윤이 학교 학부형 회에 좀 나가봐야겠구먼、정말 나는 지금까지 조선 교원들이 월급이 얼마인지도 모른다니까---」

이 때였다。 싸늘한 바람속을 뚫고 절렁절렁 오 묵은 나무다리에 차가 당도 했을 때 무엇이 꺼먼 것이 운전대에서 휙 강으로 던져지는 것을 윤이 아버지는 보았다。

윤이 아버지는 강을 내려다 보고나서

「今の、何んだ? 윤이?」

운전대 바로 뒤벽에 귀를 대고 쾅쾅 두 들겼다。

「아버지! 거북だよ! もういらないんだ!」

윤이 도로 벽을 쾅쾅치고 큰소리로 대답했다。

윤이 아버지는 눈을 감았다。 이제 윤이 엄마는 강을 건너 보며 이런 것을 생각하고 있었다。

"우리 윤이가 거북에 혼 팔려 이 강에 빠져 죽을 번하다、살아난건 참 다행한 일이였지! 그리고 일본 사리란 어디를 가도 괴롭기는 하지만 오늘은 영락없이 친정가는 맘이로 구나---"

차는 강을 안고 비탈 길을 내려 돌아 전차 선로 길을 맞끼고 남 교원이 사는 동포 마을로 곧추 달렸다。

〈 끝 〉

(9)

조국에 드리는 노래
조국작가동맹에서 온 편지

지난 五월 二十七일 작가동맹 중앙 위원회 김 순석 동지로 부터 본회 상무 위원 허 남기 동지에게 반가운 소식이 왔다。

우의와 애정에 넘치는 사연들에서 우리들은 한결 조국의 따뜻한 품속을 몸으로 감촉하는 듯하나 작가동맹과의 기관적 련계만 아니라、조국 작가들과 우리 회원들이 서로 같은 나라、같은 시대의 문학의 일꾼으로서의 우교를 두텁게 하자는 말을 우리들은 지나들을 수 없다。

앞으로 회원들의 더 활발한 활동을 통하여 조국 작가들과의 련계를 깊게 함에 더 큰 노력이 있기를 바라면서 련기에 편지 (초)를 소개한다。

〈편 집 부〉

허 남기 형께

멀리 전투적인 악수를 보냅니다。(중략)

지금은 사월 대동강의 어름이 몇일전부터 떠나기 시작했고 모란봉의 진달래 벗、살구나무들에 봄의 기색이 들기 시작했습니다。

예로 부터 류경이라 성급한 수양버들들은 머리를 풀어헤치고 길가는 사람들께 봄을 숨쉬게 합니다。

바다와 들、공장과 밀림들에서도 봄에로 접어들면서 五개년 계획의 첫해 첫분기에 자기들의 계획을 다들 넘쳐 달성하고 있습니다。

그 쪽은 어떠 하신지요。

(중략)

형의 저작 〃화성대의 노래〃 〃조선의 겨울 이야기〃등 작품들과 〃조국에 드리는 노래〃는 많은 시우들이 감동을 갖이고 읽었으며 오래 기억에 남으리라는 것을 말합니다。

또한 그곳에서의 형들의 조국의 평화적 통일을 위한 지고 숭고한 사업에 문학 작품을 무기로 하여 투쟁하고 있음을 견 신민이 알고 있음을 알립니다.

우리 조국에서의 제二차 작가대회 이후 우리의 사회주의 사실주의적 시 문학은 보다 높은 앙양의 길에 들어섰습니다.

애국적 문제성으로 충만된 쩨마가 다양하게 개척되기 시작했으며 격렬하고 높은 시대 정신이 매시행을 높이 울리고 있습니다.

생활의 진실로 하여 많은 작품들은 독자 인민들의 심금을 울리며 싸우는 인민들의 수중에 혁명의 무기로 되고 있습니다.

조국의 문화적 보물고에 우리가 기여할 우리의 시문학을 생각할 때 우리는 재일 조선인 시인들의 높은 업적을 그대로 떼어 생각지 않습니다.

제二차 작가대회의 결정에도 있는 바와 같이 재일 조선인 시인 작가들과의 보다 긴밀한 련계와 교류의 강화는 같은 목적으로 고무되는 한 가정안의 작가 시인들인 우리 전체를 격려합니다.

지금 공화국에서는 조선로동당 중앙 위원회와 정부의 배려에 의하여, 《조국에 드리는 노래》가 작가동맹 출판사 간행으로 출판될 예정으로 있습니다.

뿐만 아니라 허 남기 형의 기타 작품집과 남시우 형의 작품들도 우리 말로 번역 소개할 계획이 진행중에 있습니다.

또한 일본의 진보적 시인들의 시집 (종합) 은 지금 번역중에 있는바 이 시집에는 박 팔양, 박 세영, 리 용악 등 오래인 시인들이 번역에 열중하고 있습니다.

우리 시 분과 위원회에서는 앞으로도 계속 우리의 기관지 《조선 문학》 《청년 문학》, 《문학 신문》 등에 형들의 작품을 계재하고 싶으며 형들과의 문학적 련계뿐 아니라, 친우 시우로써의 교우를 갖이고 싶습니다.

우리의 시 문학을 위해서 이 일은 반듯이 필요한 일이며 이 교우는 또한 우리를 한 가정의 형제로써 더욱 긴밀히 련계

〈이하 三二페지에 계속〉

단편, 허남기

김 시종 동무의 일문 시집 『지평집』에 관련하여—

1

나는 김 시종 동무의 시의 애독자다. 나는 김 시종 동무의 일문 시집 『지평선』을 훌륭한 시집이라고 생각한다.

그러나, 나는 이 시집이 우리 문학 운동에 있어서 보기 드문 수확이고, 나는 이 시인이 흔치 않은 예리한 감각과 시재를 지닌 시인이기 때문에 더 한층 참을 수 없는 저항을 느낀다.

2

나는 이 시집의 제 一부 《夜を希うもののうた》를 읽으며, 그 속에 그려진 《薄明》《新聞記事より》, 《富士》, 《規律の異邦人》, 《あせた乳房》《夜よ、はよ来い》, 《タロー》《南の島》, 《処分法》, 《知識》 이하의 모든 시에, 내가 최근 몇 해 동안 쫓아 다니던 세계, 그리고 그 세계를 너무나 성급하게 쫓아 다녔기 때문에 내 자신 나의 드딤돌을 잃고 만 그 세계와 같은 세계를 발견한다. 물론 김 시종 동무가 이 시집에서 그려낸 세계는, 내가 조국 해방 전쟁 전후부터 그리던 그 세계와는 판이한, 선명한 세계고 예리한 감각과 치밀한 구성으로써 그려진 세계이기는 하다만—

3

나는 시 그 자체로서는 《処分法》, 《墓碑》, 《富士》, 《キャメラ》 같은 시를 사랑한다.

그러나 나는 이러한 시들이 조선인 김 시종 동무의 시라는 것을 알 때, 일종의 공허한 감을 느끼지 않을 수 없다.

4

나는 조선인 시인이 일본의 반제, 반미 투쟁을 그려서 안된다는 것은 아니다. 그러나 조선인 시인이 그리는 일본의 반제, 반미 투쟁과 일본인 시인이 그리는 일본의 반미, 반제 투쟁과는 분명히 다른 어떤 각도가 있어야 할 것이라고 믿는다.

나는 최근 필요가 있어 지

난 몇 해 동안의 나의 시작을 모조리 읽어 봤다。 그리고 역시 그 시의 대부분에서 나는 공허한 감을 금하지 못했다。

예술은 속일 수 없는 것이고, 예술은 어떤 방편을 위해 있을 수는 없는 것이다。

5

나는, 시에서 가장 중요한 것은 우리가 서 있는 발의 위치고 각도에 있다고 본다。

이것은 우리가 국어로 시작을 할 때나 외국어으로 시작을 할 때나 다 같겠지만, 특히 국어가 아닌 다른 민족의 언어로써 할 때는 일각이라도 잊어서는 안될 문제라고 생각한다。

6

물론 이 시집에 수록된 시의 대부분은 一九五三년에서 五五년까지의 작품들이고, 어제 오늘의 작품이 아니다。

그리고 이 一九五三、四년이란 우리 재일 조선인 운동만이 아니고, 일본의 민주 해방 운동 전체에 많은 오유와 독단과 혼란이 있던 해이다。

그러나, 내 생각으로썬, 정치엔 자기 비판이 있을 수 있고 청산이 있을 수 있지만, 문학에는 그것이 있을 수 없다고 믿는 까닭이다。 문학이란 그렇게도 엄격한 세계다。

7

나는 이 시집의 제 二부 《さえぎられた愛の中で》에 그려진 재일 조선인의 모습을 일부러 취급않는 것이 아니다。

나는, 이 시집의 저자 김 시종 동무가, 이 시집을 짜 내고 난 뒤에 발표하고 있는 일련의 시가 역시 이 《夜を希うもののうた》의 계렬이라는 점을 잊을 수 없기 때문에 이 시집의 전반에 더 치중해서 말하는 것이다。 그리고 그의 작품으로는 이 제 二부는 비교적 초기의 작품이고, 또 시의 형상에 있었어도 제 一부에 비해 떨어지는 면이 적지 않기 때문이다。

8

나는 김 시종 동무가 자기의 발판을 다시 한번 살펴볼 때가 아닌가 생각한다。

그리고, 발의 위치와 발의 각도를 다시 한번 확실히 점검할 필요가 있지나 않을가 생각한다。 나는 이것이 김 시종 동무의 시에 지금 나타나고 있는 공허한 선우숨- 《夜よ、はよ来い》나 《梅雨の夜》에 나타나고 있는 그런 헛된 노력에서 그를 건져주는 모멘트가 될 것이라고 믿는다。

9

김 시종 동무의 시집 《지평선》은 주목해야 할 시집이다。 그리고 시인 김 시종 동무의 시

〈이하 三二페지에 계속〉

(13)

아흐멧드에게

나짐・히크멧트 작

안 우 식 역

아흐멧드여 조선에서는 비가 오겠지?
너는 총구(銃口)를 따라
땅바닥에 엎드리며 진흙 속을 기여 다니겠지?
이마에는 피줄을 돋구며
안개 끼인 눈으로……
아흐멧드여・너는 누구를 죽이려 가는거냐?

일곱개의 대양 건는 저편에는
　　아낙네들과 함께
　　너의 마나똘리야가 남아 있다
아낙네들은
　　올해는 세금을 못바쳤지、
부홍빛이 소는 죽었다
아우는 없다
품팔이로 떠났단다……
아흐멧드여、너는 누구를 죽이려 가는거냐?

일곱개의 대양 건는 저편에는
　　마을 사람들과 함께
　　너의 아나똘리야가 남아 있다
올해는 마을 사람들도 지주의 앞잡이에게
　　자기들의 땅을 요구하여
　　헌병들과 싸웠는데
너의 어머니는 부상을 입었다
이웃집 둘르손은 학살당하고
나의 고향 사람들은 옥에 끌려 갔어……
아흐멧드여、너는 누구를 죽이려 가는거냐?

아흐멧드여・너의 손을 보아라
보습에서 떠난 그 량손을
저녁마다
　　밥상에 앉아
쇄빨까세서
　　지짐이를 나눈 손들이다
주홍빛의 소의 머리와
사랑스러운 아이샤의 머리를
　　똑같이 정답게
　　쓰다듬어 준 손들이다
지주 앞에 나섰을 때
힘 없는 분노에

뒷머리를 쓰다듬었던 손들이다…
그것은 몇번이나
　길 가는 사람에게 길을 가르쳤으며
　물을 떠다 주었더냐
더는 없을 슬픈 날과
　더는 없을 괴로운 날에
이 손은 쉴 새 없이
　로력과 고민을 계속하였다.
이들
　너의 량손을 지금
　　똑똑히 보아라
팔뚝까지 피투성이
아흐멧드여, 너는 누구를 죽이려 가는거냐?

이 나라는 또 하나의 군대를 보았다.
그들은 위대한 북방에서 찾아왔다.
그들은 실제의 압제에 이겼으며,
이 땅에 행복의 묘목을 심었으나,
아무런 대가도 바라지 않았다.
그대들이 떠날 때
이런 말로써 전송 받았으니
<용서하십시오. 형제들이여.
　이 고마운 마음을

어쩌면 당신들에게 알리겠는지
　잘 모르는 것을
당신들에 대한 생각은
　영원히 가시지 않을 것입니다
연기 나는 공장의 굴뚝 속에
　공장에서 울리는 싸이렌 가운데
우리들의 밭에 심은 황금의 씨들 속에
　우리들의 웃음 띤 눈동자 가운데…>
아흐멧드여, 봄에는 이런 새벽들이
　이따금 있는 것이다.
집을 나서면
앞에 벌어지는 세상은
　마치 좋은 소식과도 같은 —
북조선 사람들에게는
아침에나
저녁에나
　그들의 나가는 마치 이와 같았지
자유는 말을 가졌으며
　땅은
모조리 나누어져서
철도.
　금.
　　석탄.

논발에 내리는 비,
산에서 부는 바람,
바다
　구름·
　　햇빛·
학교
　공장
　　탁아소·
　　　병원
　　　　공원은
공동의 것이다
인민들은 행복했는데
아흐멧드여, 너는 누구를 죽이려 가는거냐?
누구를?
아흐멧드여, 이것은 이 세상에 실현된
너의 꿈이 아니냐?

---아흐멧드여 조선에서는 비가 오겠지?
너희들 때문에 집이 잿더미가 된 부녀들의
　간난이는
쓸어진 어머니의 젖가슴에 매달려
　비를 맞으며 아직 울부짖고 있을가?
너는 이 모든 것을 모르고 있는거냐?

그렇지 않으면 너는 벌써 매몰해졌느냐?
미국병들이
　신샌에 처들어 왔을 때,
아흐멧드여, 너도 그네들과 함께 줄 저어 갔느
냐?
발가숭이로 한 사람들에게
벤징을 퍼부어 불 지르는 것을,
　너는 보았느냐?
아흐멧드여, 너는 사람들의 머리를
　일본칼(日本刀)로 깨뜨렸느냐?
너는 사리원에서
머리칼을 휘여 잡히여 목매여 달린
사람들에게 총구를 대지 않았더냐?
나는 살고 있다.
　산샌리에서 눈동자를 찔린 소년의
기념 사진을 찍은
　。 미군 쌔-잔트(軍曹)를
이 사진은 너도 가졌을런지 모르겠다
로동 영웅의 상장과 함께
그 이마를 못으로 벽에 박힌
부 말소를----
아흐멧드여, 누가 모르겠느냐
　너희들이 발을 태워버리고

거리를 파괴해버린 것을—

조심해라
너처럼 헐값의 죽음의 무기는
미쓰터— 클라—크에게는
헗단다
알겠느냐! 아히멧드
너는 장질부사의 쥐보다도 싸다는 것을
아히멧드여, 조선에서는 비가 오겠지?
멀지 않아 비는 그칠 것이다
너희들은 바다로 휩쓸리거나
스스로 도망치게 될 것이다
말도 말라. 아히멧드여,
<내가 무얼 할 수 있겠느냐?>고
행복해라!
만일 네가 너의 집을
너의 마을을
너의 나라를
조끔이라도 사랑한다면—
행복해라.
만일에 아히멧드여,
너의 집을
너의 마을을

너의 나라를
팔아 먹은 놈들에게 원쑤를 갚을려면
행복해라
만일에 네가
어린이들의 시체로 가득찬
구덩이에
너의 인간성을 쓸어버리지 않았다면
행복해라
우리들, 토이기 사람들은 용감스런 인민들이다
만일에 너에게 용감성이 한토막이라도 남았다
면
행복해라
너의 어머니를 위하여
너의 어린 것들을 위하여
성실한
토이기 인민의
이름으로
아히멧드여
나의 형제여
행복해라 그들에게
너의 형제들에게!
<一九五二년>
로어판 "히크멧트 작품집"에서

(17)

詩

한국 뉴-스

전 화 광

횡 돌러싼 철조망에
주룩살만의 얼굴을 비벼대며 우는 로인
고사리 같은 손으로 철조망을 쥐고 놓지
않은
젊은 색씨에 업힌 어린애의 표정

피로와 울음을 담은 얼굴의
코흘리는 아이들
피난하기에 정신 빠진 중년남자
추위에 이가 맞지 않게 떠는 로파
웃는 얼굴처럼 우는 얼굴에 눈물 젖은 녀인
이런 비극의 주인공들의 얼굴들이
카메라가 움지겨 위치를 옮기면서
뒤로 물러 간다

거기에 열살쯤 된 소녀가
비에 젖은 얼굴을 손으로 쓰치며
이쪽을 보는 표정이
너무 나의 딸과 같아
설음품고 바라볼 때
그 소녀의 치마짜락을 만지며
겨우 걸어 다니는 어린애가
빨갛게 벗은채 아장아장 걸어 나온다
아아 고아이였다---
나는 일순간 또 눈을 부릅뜨고
숨을 가다듬는다
그것은 륙십 넘은 로파의 얼굴이
지금은 생사 불명의 어머니와 너무나 같다
깜작 놀랐다
의자를 일어서며
어머니---하고 부르고 말았다

화면은 사정 없이 일변하여
길다랗게 둘러싼 철조망에
백의의 군중이 아우성치며
그 앞을 멍텅구리 같은 표정의 미병이
총을 메고 이리 왔다 저리 갔다 한다

얼마쯤 후에
한 대 두 대 세 대 네 대
트럭과 지ー프가 나타난다
거기에는 시체와 부상병을 실어다
흙탕과 눈이 녹은 진탕에
아우성치던 군중들은 왕ーㄱ하고
환성을 올리 듯이 손을 들어 웅성거린다

환성이 아니고 비명이였다
벌둥지를 흔들어 놓은 듯한 수라장
그 속에서 아이고!ー
고막을 깨트리는 녀인의 소리가 들렸다
그러나 그것은 나만이 들은 소리였다
그 뉴ー스는 무성 영화였던 것이다

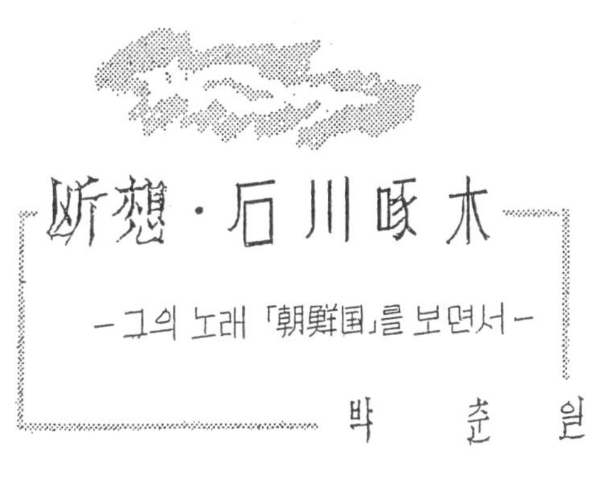

断想·石川啄木

ー그의 노래「朝鮮国」를 보면서ー

박 춘 일

나는 어릴 때부터 啄木를 사랑했다。 지금도 역시 啄木의 생애와 그의 문학을 사랑하고 있다。

이는 啄木와 그의 문학에 대해서 리론적으로 안받침된 그런 면보다 오히려 나의 감성적인 심정이 그렇게 隷는 듯 싶다。 허나 나는 그것으로서 좋지 않을가 생각한다。

일본에서 나서 자란 조선인 ー 이런, 기묘한, 이방인으로서의 대게 있어선 그 이상을 바랄 수도 없거니와 또한 바랄 필요도 없다고 생각하기 때문이다。

올해도 다시 啄木가 그 형난에 찬 생애의 막을, 한마디 「부탁한다」는 말로써 닫아버린 四월 十三일이 돌아온다。

그날을 앞두고 나는 나의 그윽한 마음의 한구석을 열어 그를 생각해 보고저 한다。

명치 四十三년 十월, 若山

牧水의 주제로 간행된 잡지 「創作」에、啄木는 몇편의 노래를 실었다。 그 안에 다음과 같은 노래가 있다。

地図の上朝鮮国にくろぐろと
墨をぬりつゝ秋風を聴く

이 노래는 널리 알려져 있는 듯하면서 실은 그렇지도 않은 것 같다。

金田一京助가 엮은 『一握の砂、悲しき玩具』(新潮文庫)의 유습(遺拾) 등에는 전기 「創作」에 발표된 몇편의 노래는 게재되어 있으나 이 노래는 빠져있다。

短歌로서의 작품상 결함 때문인지 또는 달리 무슨 이도가 있어선지는 모르나 여하튼 그러한 경우가 많은 까닭으로 이 노래가 사람들 눈에 띄기가 드문 것 만은 사실이다。

나는 나대로 이 노래를 해석하고 애송해 왔으나 이 작품의 모티브가 무엇인가에 대해서는 전부터 의문을 품어왔다。

허나 허다한 그의 短歌 속에서도、또한 시、소설 등에도 조선에 관한 작품은 이 노래 밖에 더는 없는 것 같다。 일기에도 역시 그러한 부분이 없다。

그렇다면 이 「朝鮮国の歌」는 다면다감한 啄木의 순간적인 발상에 기인하는 것일가 —

이런 꼬리 없는 실마리의 가락을 더듬 듯 해온 나는 요즘 啄木의 평론 『百回通信』을 읽으므로써 그 의혹의 약간이 풀린 듯이 느껴졌다

이 『百回通信』은 啄木가 「前々から望んでいた下宿の借金及び夫人の薬餌料まで手が届かなかった」ので「生活上の行詰りを打開する意味で……地方新聞へ通信文を送ること」를 결심하여 「岩手日報」의 주필이였던 은사 新渡戸仙岳氏에게 자기 중정을 호소하여 발표한 글이다。

그리하여 명치 四十二년 十월 五일부터 동년 十一월 十九일에 이르기까지 二八회에 걸쳐 연재되였다가 그후로는 두절된채 말았던 모양이다。 좌우간 이 『百回通信』이 그러한 사정 밑에서 쓰여졌고、그 一六회 및 一七회에 「伊藤公の評」라고 제목한 통신이 있으며、그 안에 다음과 같은 문장이 있다。

十月二十六日　天曇る。…飛報天外より到りて東京の一隅には時ならぬ驚愕を起したり。

—— 人心忽ち騒然、百朝の一時に湧くが如く———
 公は二十六日午前九時哈爾濱ステーションに着し——諸人と歓を交はしつゝある間に突如として韓国革命党青年の襲ふ所となり、腹部に二発の短銃丸を受け、後半時間にして車室の一隅に眠れるせ。
 ——— 而して吾人の哀悼は愈々深く——其損害は意外に大なりと雖ども、吾人は韓人の愍むべきを知りて、未だ真に憎むべき所以を知らず。寛大にして情を解する公と亦、吾人と共に韓人の心事を悲しみならん。(방점 인용)

라고 쓰여 있다.
 『韓人の心事』란 무엇을 가리키는 말일가? 그것은 一九〇四년의 〈日韓議定書、第一次日韓協約〉 一九〇六년의 "統監府開廳" 그리고 이러한 일본 제국주의의 조선 침략을 반대하여 일어난 一九〇八년 (명치 四十一년)의 조선 인민의 전국적 봉기—— 이들을 가리키는 말임에 틀림 없을 것이다.
 조국을 빼앗기게 된 이 비극 속에서 통분을 금치 못한 『韓人の心事』를 啄木는 그 가해자인 일본인이란 모순된 립장에서 시달리면서도 한편, 그의 동족들에게 [illegible] 빨리 눈깨우치고저 한 것이다. 이것은 또한 『百回通信』 제二〇회의 글에서 永井荷風의 「新帰朝者の日記」를 평하면서 啄木 자신이 다음과 같이 단언한 것으로써 더욱 명백히 될 것이다.
 夫れ国を愛すると否とは、彼の教育家と共に、机上に云々すべき空問題に非ず。真に愛する能はずんば去るべきのみ。真面目に思想する者にとりては実に死活の問題たり———
 여기에서 우리는 먼저 이 문제가 啄木 자신에게 『死活の問題』로 되여 있음을 알 수 있다. 이러한 啄木로 볼진대 伊藤博文를 총살한 조선인 안중근의 심사가 그대로 우물쭈물 넘겨질리 만무하다.
 이상으로써 나는 나대로 시인 啄木를 돌이켜 보았다. 이렇게 생각하니 나는 어쩐지 마음이 든든해 짐을 느낀다. 극단한 말로 표현한다면, 우리는 이미 주먹을 겨머지고 노성을 울려 "日本帝国主義———"운운의 고함을 칠 시대는 지났다고 생각한다.
 물론 지난 날의 증오와 비분의 력사에 대해서는 의론할 필요는 있다. 허나 앞으로는 그것 만을 강조하는 립장에서 일본 국민과 그 문학을 본다는 것은 옳지 못하리라.
 이제 우리는 일본과 조선의 "우호와 신뢰"를 위해서 싸운 력사를 파서 이르켜야 하며, 또한 그에 관해서 의론해야 할 것이다.
 — 그것은 다만 啄木에 한한 문제가 아니기 때문에—

누가 詩를 쓰는가

한 지역 써-클의 문제점에 대하여

홍 윤 표

최근 내가 소속하고 있는 「진달래」에 여러 방면으로 부터 『조선인들의 시 써-클인데 왜 국어로 쓰지 않나?』라던지 『알기 쉬운 말로 알기 쉽게 써 달라』고 하는 의견들이 나오고 있다。

「진달래」의 립장으로서는 이와같은 의견에 대하여 어떤 기회로라도 의사 표시를 해야 되겠다는게 오늘날에 형편이라고 생각한다。

「진달래」(大阪조선시인집단)라고 하면 大阪에서의 「문학 애호가들 속에서는 약간 알려진 존재이며 특히 일본인들의 시 써-클간에서는 일본어로서 쓰고 있는 조선인 시 써-클로서 어느 정도 주목을 받고 있는 존재이기도 하다。

여기까지도 달하게 된 그 과정에는 적지 않은 난관과 우여곡절들이 있었던 것이나 내가 여기에서 쓰려고 생각하고 있는것은 오히려 현재의 「진달래」가 부닥치고 있는 몇가지 문제점에 대해서이다。

현재 「진달래」에 소속되고 있는 회원은 二○여명인데 그 계층을 살펴 보면 가정 주부가 二명、학생은 단 한사람. 그 외는 전부가 근로자들이다。

더욱이 그 대부분이 일본에서 났으며 조국의 모습만 그려보는 二○대의 청년들이다。 뿐만 아니라 레외 없이 빈곤한 가계(家計)의 중심으로 되여있는 그들은 밤 늦게까지 잔업을 하지 않으면 먹고 살아 갈 수 가 없는 사람들이며 책 읽을 여가조차 없다고 항상 입버릇처럼 속사기고 있는 동무들이기도 하다。

이러한 데서 「진달래」에는 「진달래」로서의 형(型)과 성격이 나타나는 것이다。

그것은 시를 쓰고 시를 읽고、그러한 사업을 조직하며 넓혀간다는 그 일에 생활의 저항감을 받아 잡고 있는 시、써-클의 일반적인 현상면과는 하등의 차이가 없는듯 보이나 실상은 더욱 속 깊은 곳에서 저항감(低抗感)、그 자체의 이질적(異質的)인것을 느끼는 것이다。

그 이질이라함은 무엇일가? 한말로 말하자면 일본에서 출생하고、출생한 때부터 조선 사람의

로서가 아니라 일본이란 환경속에서 일본적으로도 교육을 받고 일본의 군국주의 시대를 건너 조국의 력사와 전통이 안인 일본의 력사와 전통을 주입(注入)받은 이 세대(世代)특의 길을 걸어온 인간상(人間像)으로 부터 오는것이다。

물론 八·一五 해방 이후 조선 민족으로서의 자각은 급속하게 이 세대들이 나갈 길을 밝혔으나 그렇드라도 일본적 요소가 너무도 많은 세대들이다。 의식마는 조선 민족으로 돌릴 수 있었으나 감정은 표리의 문제로써 존재하고 있었는 것이다。

「진달래」가 창간되던 당시는 일본어로 시를 쓴다는데·하등의 문제도 안이였다。 창작상의 용어 문제에 있어서 국어 경시 문제가 추구되게됨을 재일 조선인 운동이 전환되던 이후였고 총련 결성 이후의 주체성의 확립이란 문제가 제의되기 시작한 때부터 이다。

사건의 축적이 인간을 변혁한다면 사건의 축적전에 우리들은 인간으로써의 지적(知的) 활동이 가장 왕성히 작용할 수 있다는 귀중한 사기를 셈없이 넘겨버렸던 것이다。

「왜 국어로써 쓰지않느냐」는 어 문제는 오히려 우리들 자신이 우리들 자신에게 던지는 문제이다。 그렇다면 머리는 조선 민주주의 인민 공화국 공민이며 몸덩어리는 일본인적 색체에! 물드려진 〈天下大將軍〉이 안일가。

이런 속에서 「진달래」가 추구하는 째마는 일본인적 요소를 깨끗이 끌어 내자는데 방향을 두고 있다。 이것은 한편 관념적인 것 같이도 했보이나·이런 행위의 축적 속에서 관찰력·대상에로 향하는 자세、진실한 조선 민주주의 인민 공화국 공민이될 가까운 길이 안인가 하고 생각된다。

이런 문제는 우리들 젊은 세대가 숙명적으로 넘어야할 「문제」점이 않일가?

다시 말하자면 의식과 병행하는 새로운 감정이 나타나야 할 것이다。 그것은 분열 공존이란 자세로 부터 감성(感性)의 변혁에로 도달하지 않으면 안될 것이다。

언어의 학문이라고 칭하는 시의 발상·그 자체가 국어가 안이라 일본어로서바께 끄집어 내지 못하는 것은 국어를 모른다는 문제 뿐만이 안일듯하다。 말하자면 「진달래」에는 소위 국어 능력을 갖은 사람도 있으나 역시 일본어로서 시를 쓰고 있다。

비

김 주 례

지프린 하늘이
눈물 머금는 밤
청상된 아낙네의
꼭 소리 들린다
삶의 祈願은
한장의 휴지뇨?
동가리 난 향로----
비의 촉감은 달고
무죄한
피의 서름은 타오른다
내는 아리라
뽀오얀 젖가슴이
노란 양화에
짓밟힌 원한을---
어두운 밤일수록
비는 아리라
새각씨 꽃이불이
짓밟힌 분노를---

이것은 명확히 전통성의 문제라고 생각된다。 여기서는 국어에로의 정통과 전통의 계승과의 일치가 요구되는게 아닐가?

「시의 째마인데 재일 조선인에 관해서 쓰면 왠일인지 질적 저하가 되고 만다」 이와 같은 의견이 나타나는 것도 이 세대가 갖고 있는 일종의 콤프랙스가 아닐가? 물론 이 의견 속에는 조선인의 시 작품이 왠일인지 도식적으로 흘러내리는 것에 대한 반발도 있을 것이다。

그 모두가 조국에 대한 노래를 부르고 그 위대한 조국에 대하는데 너무나 형상적이고 하물며 성적주의적인 냅세가 코를 지르는 작품도 있는 것이다。 그렇다고 해서 질적으로 저하한다는 것은 기묘한 일이다。

이것은 심각히 추구되여야만 할 일이다。

「알기쉬운 말」로써 「알기쉬운 작품」을 쓴다는 것도 하여간 어려운 일이다。

이 문제는 항상 제의되여왔고 금후 역시 제의 될 문제일 것이다。 이 문제는 성급히 해결되리라고는 볼 수 없을 것이다。

이것은 뒤집우면 새로운 방법론의 확립 문제에 련결되는 것이기 때문이다。

작년 해신의 문화란에서 박 철수씨가 「일본

눈

김 주 래

눈이 내린다
참새 꼬리세로
눈이 내린다
수만의 눈송이
수억의 눈송이
팔짱을 끼고
어깨를 메고
녹아도 녹아도
내려만 든다
눈은 자랑도 없고 탁식도 없이
녹아만 드는 듯이
내려 쌓는다
눈은 밤을 막고 낮을 가루고
백성같이 세계를 덮어
소리도 없이 쌓여만 든다
눈은 자기를 살고 남을 살고
때를 아는 거인처럼
묵묵히 쌓여만 든다

어를 타성적으로 사용하고 있다」는 지적을 하고 있었으나 이것은 적어도 타성적인 것이라고만 간단히 치워버릴 일이아니다。 생각하건데 「진달래」의 고민은 「진달래」뿐만의 고민이 아니라 재일 조선 청년의 세대적인 시름이 아닐가。

이와 같이 확대된 위치에서 「진달래」문제가 문제로써 론의되지 않은한 그것은 국부적에 머물고 결국은 국어 습득과 전통성의 계승(이것은 물론 급무한 문제이긴하나)이란 문제에 극한 당해버려서 시를 쓴다는 행위 그 자체에 처항감을 받아드리고 있는 젊은 시인들의 잃어 뒤바꾸어져버릴 위험이있다。

이 소론를 계기로 더욱 깊이 구명하는 토의가 재일 조선인의 새ㅡ클 속에서 전개될 것을 나는 기대하고 있다。 이러한 토의의 과정에서만이 문제점이 더욱 명확히될이라고 생각한다。

그렇기는 하나 우리들에게는 너무나 시간이 부족하다。 밥버리할 시간, 시를 쓸 시간, 국어 공부하는데 필요한 시간 ㅡ 대판이란 왜 이리도 땡땡한 곳일가하고 심심 느껴진다。

《필자·문학회 大阪지부 소속》

나의 불만

《불씨》의 강 순 형에게

남 시 우

강 형

《불씨》를 받은지 三개월써 되는 동안에도 《불씨》의 형의 작품으로 하여 잊혀지지 않는 내 생각들을 나는 오늘 형에게 얘기하기로 마음 먹었다。

내가 이 글을 쓸려고 마음 먹은 리유는 두가지 있다。

첫째는、우리들의 오래인 친교에서도 일쯕 서로 면바로 론의하지 않았던、우리 서로의 생각들— 詩에 대한 소견들을 밝혀 보자는 욕심에 서이요。

또 하나는 우리들의 론의에서 바랄 수 있다면 많은 동무들의 활발한 토론들이 전개될 하나의 계기로 되였으면 — 하는 희망에서다。

그래서 나는 《불씨》에 수록된 형의 근작들을 중심으로、나의 솔직한 의견을 들어 형과 대담해 보려고 한다。 내가 하필 《불씨》의 작품들을 드는 것은 그것이 형의 가급적 새로운 (시기적으로) 작품일뿐 아니라 내가 오래 친숙해 오던 형의 일련의 작품 계렬의 한 종점에 서 있는 것으로 간주하였기 때문이요、따라서 여기서 얘기하는 나의 말들에는 《불씨》의 작품만 아니라 종래·형의 문학에 대한 전반적 의견이 전제로도 되여있으며 또한 항상 내 념두에 두고서 하는 말인줄을 알아주기바란다。

형의 어느 작품이라 할 것 없이 그를 떠받들고 있는 강력한 시인의 「탐구」정신을 나는 무엇보다도 존경한다。

작품 밑바닥에 흐르고 있는 시인의 독창적 세계에 나는 가슴 띄우며 놀라기도 하고 흥분하기도 하고 또 다시 없이 따사로운 애정을 찾기도 한다。

「현실」에 대한 깊은 통찰을 보담 예술적으로 심화시키면서 거기에 불어넣는 시인의 더운 감정에 부디칠 때 나의 신경은 긴장하며 감정은 설레이게 된다。

형이 한편의 작품을 낳을 때 마다、설 읽

은 단어를 라열함을 가장 미워하며 알 수 없는 모호한 표현을 한꺼도 용서치 않는 엄격한 창작 과정을 나는 잘 알고 있다。 이것은 내가 애독하는 "山소내기" 나 기다 일련의 형의 작품을 비롯하여 이번 《불씨》의 "그이" "신발도록" 또는 "낯도깨비" 역시 그러하다。

이렇듯、나는 형의 작품에 있어 다른 무엇보다도 현실에 대한 (시적 제재에 대한) 시인의 사고나 감정의 허위를 한틈도 소홀히 하지않는 「창작 태도」의 엄격성에 가장 감명을 받고 있느니만치 형의 새로운 작품이 나올 때 마다、나는 거기에 또한 다른 무엇보다도 시인이 발견한 새로운 세계를 찾으려는 기대와 욕구가 앞을 선다。

이런 나의 기대와 희망에서、이번 보내준 《불씨》의 작품들은 과연 나에게 어떤 만족을 주었던가? 아니면 어떤 불만을 안겼던가?

얘기가、내 불만을 말 하는 것이 앞서며、뿐만아니라 불만으로 시종될 것 같으나、그러나 나는 생각하기를 내가 생각하고 있는 것이 형의 작품에 대한 형상상의 부분적인 측은 기술적인 문제라기 보담、다시 말하여 "생활을 어떻게 시화하였느냐!는데 대해서 보담 오히려 시인이 생활 자체를 어떻게 관찰하고 있으며 또는 관찰할 것인가에 대한 문제가 아닐가 싶어 나는 나의 이 불만에 대한 형의 대답을 솔직히 듣고 싶어하는 것이다。

형은 작품 "그이"에서

맹물밖에
내여 놓을 것이 없었다
그러나 그는 가난한 잔을
두손으로 바쳐 들어 마셨다

사과 꾸래미하나
들고 올 처지는 못 되였다
부드러운 마음 써로
이마를 짚어 줄 뿐이였다

이렇게 병마와 싸우는 "나"를 찾아온 "그이"를 살려주면서

투병의 방안에
이기어야 할 결의를 돋운 다음
태양의 향기를 담뿍 뿌리며
어둠을 박차고 그이는 영영 갔는가
그이와 그이와 같이 걷는 수 없는
그이들은
언제나 나 혼자 두지 않았다

라고 끝을 맺었다。

보는바 형은 "그이"에 대한 굳은 믿음과 사랑을, 또는 "그이"가 갖는 따사로우며 깊은 사랑의 정을 설명으로서가 아니라 구체적 형상으로서 노래하였다。

물론, 아모리 짧은 서정시 한편에서도 우리는 인간의 성격을 (특징적 일면을) 두드러지게 나태낼 수 있고, 그러기 위해선 작가의 주관적 서술보다도 오히려 구체적 형상의 표시가 더 효과적일 수 있다。 그러면 그럴수록 인간의 성격을 예술에로 일반화 함에 시인에게는 보다 날카롭게 진실하게 그 성격을 특징화할 것이 요구되며, 따라서 그 인간이나, 생활 자체를 더 정확히 판단할 것이 요구되는 것이었다。

그런데 내가 "그이"에서 느낀 불만은 "그이"와 작가와의 사이를 그처럼 형상적으로 그려내면서 거기에 흐르는 인간의 아름다움을 그처럼 감격적으로 노래하려면서, 왜 "그이"의 면모를 그렇게 모호하게만 보여주며 또한 작품에 쓰여진 "자기"를 독자에게 납득시킬 생활의 실감이 전혀 자리를 감추고 있는가이다。

"그이"가 무엇을 하는 그이인지, 또는 자기와 어떤 관계인지, 나이가 녀자인지, 남자인지도 나는 알 수 없다。

혹여 형은 작품 "그이"에서 추상적인 인간 관계에서의 "애정"을—보담 순수하게 노래부르려고 시도한 것일지도 모를 일이다。 그러나 작품의 출발(발상)과 전개로 보아 나는 이 작품이 순수시도 또는 상징시도 아닌 것 같이 생각된다。 그렇다면 "그이"를 그처럼 불완전한 것으로 나에게 보여주면서 형이 아무리 "그이"의 착함을 그려내려하여도 나는 도무지 납득히 되지 않는다는 말이다。

"그이"의 얼굴에 포장을 쳐 놓고만 보여

주는데 대한 나의 불만은 다만、형이 〃그이〃를 진실로 살고 있지 못한데서 〃그이〃의 아름다움을 진정 깊으게 리해하고 있지 못한데서 온 것이 아닐가? 하고 생각하면서 나의 생각은 다만 거기에 그치지만 않고 다른 것에로 련결되여 간다。

그것은 형의 〃예술적 형상화〃에 대한 문제인 것 같다。

지금 얘기하는 〃그이〃도 그렇지만 나는 형의 다른 많은 작품에서 어떤 형상이나 인간을 보담 뚜렷하게 (직적접으로) 그려내는데에 보다、시인의 두터운 내부 세계에서 그를 인상적으로 보이려하는데 더 힘쓰고 있는 듯이 생각하고 있다。

그렇기 때문에 형에 작품에서 자주 만나는 詩語의 운률에의 세심한 신경은 시인의 세계를 음악적으로 또는 말의 마술을 통하여 현대인의 감각이나 생활의 조형에로 더 많이 경주되고 있는 것이 아닌가 싶었다。 그렇게 생각하면서 나는 「마라루메」가 〃物象을 明示하는 것은 시의 흥미의 四분지 三을 죽인다」고 한 말을 련상하였다。

불란서의 정치적 반동기에、시인이 시대의 암흑과 대결하여 싸우는 대신 그를 도피하는 데서 〃시인의 내부〃라는 현실과 차단된 〃밀실〃을 만들어 놓고 그를 절대적인 境地로써 환상적 미의 세계를 만드려던 예술 방법으로서의 상징시를 오늘날 나는 하나의 력사적 퇴물로 생각하고 있다。

그들이 말의 련금술(煉金術)을 말할 때 현실에 대한 강력한 비판 정신을 잃은 공허한 그들 사상의 미화를 말함이요、따라서 그들이 창조해 낸 「언어」의 내용은 막상 뜻 없는 〃허실〃한 것일 것은 당연하였다。

우리들이 〃말〃을 소중히 한다는 것은 그가 담은 내용과 가장 적합한 형식을 구하는 데서 일 것이며 때문에 우리들의 다듬을 말들에는 보담 선명하며 충실한 내용이 담겨져야 될 것이다。

내가 형의 시에서 내용과 형식의 문제를 쳐 들면서 상징시를 들추어 내는 것은 지나친 생각일지도 모르겠다。 그러나、또하나 더 깊이 생각해 가면서 나는 형의 작품이 〃상징적〃 작품들과 전연 무관계하다고는 생각지 못하게 되였다。

그것은 형의 작품에서 대상의 직적접 묘사

나 표현을 꺼리는 것과 관련하여 내가 보기에는 형이 작품에 있어 「사상」을 나타내는 것을 극도록 두려워하고 있는 경향을 느끼기 때문이다。

주문 읽기식 사상의 표현이나 정치적 언사의 라렬을 우리는 배척한다。 그러나 그것은 작품에서 사상을 거절하기 위해서가 아니라、작품의 사상성을 더 투철하게 하기 위해서라고 생각한다。

가령 역시 《불씨》에 수록된 작품 〃낮 도깨비〃에서

있다가 없어지고
없다가 있어지고
그 도깨비가 아니다

으슥한 밤이면
능큼한 할머니의 주머니 속에서
좌글 좌글 튀여나오던
그러한 도깨비가 아니라

설웃음 쓰윽쓱
자유를 위하여
나라를 위하여
호려내는 도깨비가 있는 것이다

이마를 드디고 서서
총뿌리로 몰아 내는
낮 도깨비가 실재하는 것이다

앞뒤를 살피려
앞뒤를 살피라

보아하니 〃낮 도깨비〃는 바로 가증스러운 우리 민족의 원쑤를 말하고 있다。

지금 우리 민족이 가지고 있는 미제와 리승만 역적들에 대한 치솟는 분격과 증오는 그를 〃낮 도깨비〃로 비교하여 그 야수적 본성을 폭로할 수 없는 것이 아니니 〃낮 도깨비〃로 노래한 그 자체에 문제가 있는 것이 아니라、어떻게 〃낮 도깨비〃를 노래하였느냐에 바로 문제는 있다。

그런데 여기에서도 전편의 기리로 보아 앞을, 〃도깨비〃의 설명으로다음 그런 그런과 대치시키고、마상 생명부는 불과 일곱 줄로서 역시 서술로 끝나고 말았다。

이렇듯 경향적이며 (정치적인) 제제를 잡고

또 형은 그 작품의 체재가 내포하고 있는 정치적 의의의 높이에서 예술적 감동을 심화시킨다기 보다 내 보기엔 형의 「내부」에 강인히 고집하여 노래하는 것은 앞에 《그이》의 례와 같은 것으로만 생각된다。

그러니까 《낮 도깨비》에서도 《낮 도깨비》의 밉살스런 꼴이 여실히 폭로되지 않고、그 본질적 측면이 선명히 들어나지 않고 거기에서 노래된 세계는 우리에게 보담 절실히 육박한 다기보다 어느 바다 저 편 구경을 하는 듯한 거리를 느끼지 않을 수 없다。

나는 우리의 서정시가、우리 문학이 그렇듯이、독자들로 하여 래일의 행복을 찾아냄에 있어서 강력한 무기로 되어야 할 사명에서、그의 특성을 전적으로 발휘하여 힘찬 인간 감정의 추동자로 되며、또한 현실 투쟁의 조직에 있어 감동적 호소성으로 되어야 할 것이라고 생각한다。

시에 있어서 특히 서정시의 감동적 호소성은 곧 시의 정치성일 것이며、그 호소성의 드높으며 힘 찰 수 록 시의 사상성은 드또한 것이라고 생각한다。

형의 작품은 나의 마음을 사로 잡아 우리 생활의 화폭에로 끌어 갔으면서도 거기에서 돌아오는 나의 마음은 왜 한결로 괴롭고 가슴답답하고 무거운 침묵에 잠기게만 하는가?

혼자 그렇게 몸 부림치다가、잠시 정신을 깨쳐 도리켜 보는 나의 마음은 지나온 길의 《공허감》이 나로 하여 어지간히 그 세계를 반발케 하는 것은 웬 일일가?

이번 《불새》를 읽고 나는 지금도 생각한다。

《그이》《심발도록》《낮 도깨비》《형어 쪽》 등의 작품이 형의 가차없는 창작의 마당에서 추구하는 사색과 감정의 응결임을 믿으면서도 [illegible]에 불꽃 튀는 듯한 시적 《빠포스》를 나는 감촉지 못한다。

[illegible] 어데로 불러 이르키며 챗죽을 하는지 [illegible] 길을 잡지 못한다。

강

나는 [illegible] 속마음으로 생각해 본다。

만약 형이 [illegible] 시에 대한 뜨거운 열정이 현실、생활하는 [illegible] 추동 할 생활적 격동으로 되어、보담 깊은 [illegible]로운 현실에의 침투로 하여、그 시의 세계가 얼마나 훈훈한 힘과 믿음[illegible] 오른다면

(31)

겠는 가고。 그러면서 나는 형이 서 있는 조선 시의 전통에 대하여, 형이 자랑으로 간직하고 있는 조선 시의 유산에 대하여 알아야 겠다고 나는 마음 먹고 있다。

형의 끊임없는 건필을 축원하면서。

五월 二十三일

〈一一페지부터 계속〉

할 것입니다。

앞으로 조선 시 문학의 동향, 시인들의 창작 진행등 소식을 드리겠습니다。

형과 벗들의 근작 · 또는 근황등 보내주시면 얼마나 반갑겠습니까。

저 뿐 아니라 조선의 동지들이 반가워 하리라는 것을 잊지말아주십시오。

(하략)

一九五七 · 四 · 二〇

〈一三페지부터 계속〉

제에 대해선 더 한층 눈을 크게 하여 기대하지 않으면 안될 시인이다。

나는 그가 하루 바삐 병원에서 탈출하여 예리한 붓끝을 칼과 창 대신해서 싸워주기 바라 마지 않는다。

1957·11

재일본 조선 문학회

총괄보고와 당면한 활동 방침

조선 문학회 중앙 위원회

一

제六차 대회로부터 오늘에 이르는 만一년은 영웅적 조선 인민이 三개년 인민 경제 계획을 승리적으로 완수하고 제一차 사회주의 五개년 계획으로 들어섬으로써 북반부의 사회주의 건설과 조국의·평화적 통일의 위업을 달성함에 획기적 전변으로 되는 시기였으며 우리 인민 생활에 있어서의 거대한 물질적 장성에 못하지 않은 발전이 우리 인민의 문화생활에서도 쟁취된 눈부신 해이였습니다。

지난 10월 一四일에서 一六일까지 三일간에 걸쳐 개최된 제二차 조선 작가 대회는 바로 우리 조선 문학의 창조적 개화를 중시하여 주는 가장 크다란 사변이였습니다。

제二차 조선 작가 대회는 해방후 우리 문학 예술이 달성한 창조적 성과에 대한 조선 로동당 제三차 대회의 높은 평가에 고무되여 특히 전후 년간의 우리 문학이 그 이전의 어느 단계보다도 더욱 빛나는 사상 예술적 성과를 이룩한 사실을 자랑스럽게 지적하면서 조선 로동당 제三차 대회가 제시한 과업을 실천할 구체적 방도를 탐구하였습니다。

제二차 조선 작가 대회는 우리 조국의 력사에서 일찌기 있어보지 못한 격동된 시대ㅡ사회주의 건설을 위한 자각적인 열성이 고도로 앙양되 사회적 현실에서 인민의 로력적 승리를 백방으로 방조할 우리 문학의 중대한 사명에 대하여 문학의 레ー닌적 원칙을 고수할 데 대하여、사회주의 레알리즘의 보담 풍부하며 자유로운 개화에 대하여、또는 시대적이며 당면한 문제성에 대한 천명 등 지난 기간 우리 문학이 거둔 성과에 기초하여 실로 중요한 문제들을 론의하였습니다。

해방후 조선 문학이 달성한 거대한 성과의 기초는 무었보다도 먼저 작가들이 조선 로동당의 올바른 문예 정책에 의하여 교양된 바로 거기에

(1)

있으며 가열한 조국 해방 전쟁에서나 또는 전후 복구 건설의 우렁찬 로력 투쟁에서 우리 작가들이 항상 인민과 함께 고난을 겪고 박차 앞나서는 높은 단결의 결과이였습니다。

다 아는 바와 같이 조국 해방 전쟁 시기에 우리 작가들은 인민의 전사로서 포화를 헤치고 군대와 함께 전선으로 나아갔으며 적 강점 지구에서는 인민들과 함께 향토를 지켜 유격전을 조직하였으며 이 모든 투쟁을 작품화하여 세계 인류앞에 적의 만행을 똑똑 규탄하였으며 인민을 멸적의 증오에로 불러 일으켰든것입니다。

이리하여 작가들은 작가—투사 작가—애국자라는 새로운 찌프를 형성하게 되였습니다。그렇기 때문에 김 일성 원수는 조선 로동당 제三차 대회에서 진술하신 총결 보고에서 당 사상 사업과 관련하여 우리 문학 발전의 현 상태에 대하여 「우리 당의 령도하에 우리 문학 예술은 옳바른 방향에서 발전되고 있으며 조선 인민의 영웅적 투쟁과 보람찬 생활과 그의 아름다운 내면 세계를 기본적으로 옳게 반영하며 현상화하고 있읍니다。 우리의 작가 예술인들은 가렬한 투쟁 속에서 단련되였으며 간곡한 시련에서 승리한 문학 예술인들의 대렬로 되였습니다。」 라고 지적하였습니다。

이와 같이 단련된 우리 문학 대렬은 항상 작가들의 진실한 창조 사업을 일층 강화하기 위한 구체적 투쟁가운데서 또한 문예 전선에 차존하는 일제 반동적 문예 사상과의 가혹한 투쟁 속에서 이루어져 왔음을 강구하면서 우리 문학이 과거의 프로레타리아 문학 유산과 현대 우리 문학과의 력사적 계승 관계를 보다 심오하게 밝힘에 있어서 보든 작가들이 자기의 창작을 레—닌적 미학 원칙 우에 보다 튼튼히 립각함에 투쟁한 결과이였음을 확인하였습니다。

특히 전후 짧은 시기에 작가들이 제시한 문학적 세계의 다양성과 그 량적 제고에 있어서 예술 형상에 보여준 독특한 형식、독창성에 있어서 또는 적지 않은 새로운 신인의 등장에 거둔 성과들은 우리 문학 사상에 크게 기록될 것입니다。

그러나 제二차 작가 대회가 갖은 가장 중요한 특징의 하나는 우리 문학에 엄중하게 지속되는 도식주의적 경향에 대하여 타격을 준 거기에 있었습니다。 이것은 작가들이 생활의 진리를 자기의 독창적인 형식과 스찔의 다양한 문학적 가능성을 리용하여 자유롭게 표현하는 것을 저해하는 도식주의를 퇴치하지 않고는 우리 문학이 앞으로 힘차게 발전하여 나갈 수 없으리만큼 우리 문학은 그 발전 행정의 높은 언덕에 이미 도달되였다는 것으로서 설명되는 것이며 대회 연단에서 울려 나온 도식주의 비판의 목소리 속에는 한결같이 사회주의 레알리즘에 대한 확인의 정신으로 일관되여 있었기 때문입니다.

우리 문학의 원쑤들이 사회주의 레알리즘을 도식주의로 묘사하려는 것과는 반대로 도식주의가 사회주의 레알리즘과 인연이 없을 뿐만 아니라 그것을 내부로부터 좀먹는 병집이라는 것을 알고 있기 때문에 우리 문학에서 도식주의 투쟁은 곧 문학의 당성 원칙의 보담 철저한 고수인 것이며 보담 충실한 사회주의 레알리즘의 개화로 특징 지워지는 것입니다.

제二차 작가 대회 이후 우리 문학은 창작의 다양한 가능성을 박탈하며 생활의 진리에 대한 정당한 묘사를 거부하는 도식주의를 반대하여 다각적인 론쟁이 전개 되였으며 창작방법상 제반 문제들이 다양하게 제기 되였습니다. 일반적 명제와 구호의 전달 밖에 되지않는 「구호시」의 경향에 대하여 현실의 자연주의적 기록과 인간의 사회학적 도식화에 대하여, 나아가 생활의 위선적 가식에 대하여 활발하며 날카로운 토론들이 전개 되였습니다.

이와같이 자유로운 토론과 론쟁들은 생동한 예술적 형상으로 빛나는 작품들을 창작함에 적지 않은 방조로 되고 있으며 앞으로의 우리 문학의 더 아름찬 개화 발전을 약속 지워 주고 있습니다.

우리 문학회 제六차 대회에서 七차 대회에 이르는 기간은 바로 제二차 조선 작가 대회를 계기로 사회주의 레알리즘과 그에 립각한 창작상 문제들에 대한, 토론에서 많은 것을 해결하여 우리 문학의 전반적 전진 운동에 힘 있는 충격을 가했을 뿐 아이라 작품 창작에 있어서도 그 예술적 질로 보나 인민의 요구에 순응한 사회 개혁적 역활의 제고로 보나 가장 큰 성과의 달성으로 빛나는 한 해이였습니다.

그리하여 오늘날 사회주의 五개년 계획의 우렁찬 건설의 행군에서 그를 가장 중심적 문학의

3

제로 내세우고 있는 우리 작가들은 그 실과정에서 보든 난관과 투쟁할 각오와 용담성으로 인민들을 교양할 수 있는 사회주의 개성을 창조하는 길에 힘차게 전진하고 읍니다。

二、

지난 一년동안에는 우리 재일 조선인 운동도 많은 전변들이 있었읍니다。

주지하는 바와 같이 총련 제三차 전체 대는 조국이 평화적 통일 독립을 달성하기 한 민족적 과업 수행에 있어서 재일 전체 동포들의 통일과 단결이 더한층 강화되였음을 시위하면서 그들이 이룩한 제반 성과들을 총화하여 우리들의 나아갈 바 운동방향을 구체적으로 천명하였읍니다。

총련 제六차 중앙 위원회를 계기로 추진된 재일 동포의 《총 단합》운동은 민단 산하의 동포들과의 접촉과 교류를 더욱 깊이였으며 뿐만 아니라 공화국 정책에 호응하여 리 승만 통치하에서 조국의 평화적 통일을 념원하여 일어서고 있는 남반부 동포들과의 련계를 일층 강화하는데 적지 않는 기여를 하여왔읍니다

松本 治一郎씨를 비롯한 정당 로조 문화[illegible] 각 분야에 걸친 二三〇여명의 일본 인사들이 [illegible]을 친선 방문케되였으며 이미 실현되고 있는 조일간의 서적 출판물을 비롯한 구체적 물자 교류들, 조·일 경제 문화 교류를 촉진시킴에 큰 발전을 보여 주고있읍니다。

또한 재일 동포들은 공화국 공민으로서의 제반 권리를 지키며 생활을 정상화하는 사업에도 적지 않는 전진을 가져온바 거년도에 우리들은 [illegible]로 동포들의 집단 귀국을 실현시켰으며 [illegible]금된 一억二천여만원의 교육비와 장학금은 재일 동포들의 민족 교육 사업의 발전에 물질적 방조로 되였을 뿐아니라 재일 동포들이 공민된 영예를 지키며 싸워나갈 결의를 백배로 고무 추동하였읍니다。

이와같이 유리하게 전진되는 내외의 정세는 우리들의 창조 활동에도 크다란 진전을 가져오게 하였읍니다。 이제 지난 一년간의 창작활동을 개관하여 본다면 다음과 같읍니다。

산문 분야에서는 림 경상、류 벽、리 정선、윤 광렬、전 승순、김 태경、김 민등이 국어로、김

4

달수、김 석범、윤 자원、김 태생동이 일본어로 각각 一편 이상의 소설 또는 희곡을 발표 하였는바 이는 도합 一八편에 달합니다。뿐만 아니라 리 정선、윤 광성과 회원은 아니나 윤 성자、김 만경등이 이 기간에 처음으로 자기의 작품을 들고 등장한것은 특기할 사실들입니다。

창작된 작품들은 그 대부분이 조국의 평화적 통일 독립과 공민의 권리를 지켜 싸우는 재일 동포들의 현실 생활에 눈초리를 돌리고 있으며 그 애국주의적 현상들을 보여 주려고 한것들이 였으며 또한 국제주의적 친선 단결을 현상화한 작품들이였습니다。

이 분야에 있어서 지난 기간의 성과작의 하나로서 우리는 김 민의 〃밤길〃을 지적하지 않을 수 없습니다。이 작품은 생활 학교를 중심으로 재일 동포들의 조선 공민으로서 자각해 나가는 과정을 그린 소설입니다。현실생활을 정면에 대하고 그 어려운 환경 속에서도 굴함을 모르고 전망성 있게 살아 나가는 동포들의 모습을 특히 국제 결혼을 한 기미꼬라는 주인공의 형상을 통해 잡제적인 설정우에서 보여주고 있습니다。뿐만 아니라 애국 동포들의 자각되여가는 도덕적 품성에 대비하여 미제와 리 승만의 앞잡이들의 일본에 있어서의 반행과 그 패륜적 애정 생활을 폭로하였으며 재일 동포들의 애국심을 고양하는데 일정한 역할을 노랐습니다。또한 류 벽의 〃아들의 편지〃 림 경상의 〃어머니와 아들〃 김 태경의 〃남 선생과 교장〃은 민족 교육을 주제로한 작품들입니다。이 작품들은 해방된 민족 독립된 국가의 공민으로서 날로 자각을 높혀가며 발전되여가는 재일 동포들의 생활을 그 내면 세계의 깊이에서 보여준 성과작들의 하나입니다。그리고 전 승순의 〃맹합봉〃은 동포들의 생활속에 남아 있는 봉건적 유습을 풍자한 단 한편의 희곡으로서 이 기간의 수확의 하나로서 높이 평가하지 않을 수 없읍니다。

이렇게 산문 분야에 있어서도 량적으로나 질적으로 많은 전진이 있었습니다。그러나 우리들은 솔직히 지적하지 않을 수 없읍니다。

그것은 첫째로 량에 있어서나 질에 있어서 아직도 극히 낮은 수준에 밖에 도달하고 있지 못하다는 것입니다。작품의 사상성 예술성이 아직도 동포들의 요구에 보답하지 못하고 있으며 신읍과

5

됨밍이 배회하고 있으며 기중에는 자연주의적 경향을 벗어나지 못한 것들도 있습니다。 때문에 이야기가 따분하고 작가만 혼자 허덕이며 읊고 있으나 독자들은 큰 감명을 얻지 못하고 있습니다。 또한 동포들의 현실 생활을 깊이 인식하지 못함으로 인하여 추상적이며 형식주의의 함정에 빠지고 있습니다。 이 기간에 처음으로 등장한 윤 광영은 풍부한 어휘와 능숙한 필치로 많은 동포들의 주시를 받고 있는 작가입니다。 그러나 작품 "어머니"는 녀맹의 분회장을 주인공으로 하였는데 이 분회장은 오늘날의 재일 녀맹 분회장의 한 전형으로서는 극히 부족할뿐더러 작가의 일관한 시점은 이 어머니의 투쟁 방향이 총련의 새 로선과는 아무런 인연도 없는듯이 그려지고 있습니다。 이와같이 경향들은 적으나 크나 다른 작품들에서도 부분적으로 지적할 수 있는 현상들입니다。 둘째로 이상의 제 결함들과 관련해서 국어에 대한 일층의 노력들이 요구됩니다。 이것은 작품에서 작자의 의도하는 바ㅡ 사상성이 앙상하게 로출되고 일본어를 그대로 국어로 바꾸어 놓은 것 같은 생경한 형상들을 낳고 있습니다。

일본어로서의 창작에 있어서도 역시 극복하여야 될 점들이 허다합니다。 오늘날 조·일 량 국민들의 리해와 친선을 깊이는데 있어서 일본어로서의 작품 활동은 극히 중요한 자리를 차지합니다。 우리들은 이 부분에서 활동하는 회원들이 더욱 국제주의적 립장을 확고히 하여 날로 강화 발전되고 있는 조·일 량 국민들의 평화와 독립을 위한 모습들을 다양한 형상들로 형상화 하여야 되겠습니다。

특히 이 기간에 다년간 일본어에 의한 문학 활동으로서 평화를 지키며 그 운동을 발전 시킴에 기여한 큰 공훈으로하여 일본 문학인회의 一九五六년도 평화문화상을 수여 받은 김 달수 동무의 활동은 크게 평가되여야 할것입니다。 앞으로 우리들은 산문 분야에 있어서도 소설, 희곡, 수필 루포루타주 기타 광범한 분야를 동원하여야 하겠으며 긴 작품들과 아울러 단편적인 산문들을 더 많이 창작하여야 하겠습니다."

평론 분야에 있어서도 현저한 성과들을 거두었습니다。 종래 이 부분 활동은 극히 부진하였으며 문학의 지향성에 대하여 더욱히 작품 평론 활동이 전무의 상태에 있었으며 이로 말미암아 창작 사업이 또한 부진한 호상 관계를 초래하였습니다。 그러나 지난 一년 동안에는 회원들에 의하여 도합 一七편의 평론들이 발표되였습니다。 이것은 본회의 활동이 있은 후 처음의 성사입니다。

론의된 문제들을 한마디로 집약하면 작가들의 주체를 확립하는 문제 — 다시 말하면 우리들의 문학 활동을 조국 문학이 지향하는 로선으로 튼튼히 립각케하는 문제입니다。 남시우는 〃문학을 대중 속으로〃 〃현실이 제기하는 기본적 과제에 대하여〃 라는 자기 론문에서 본회 제六차 대회의 결정에 의거하면서 우리들이 창작 활동을 통하여 재일본 동포들의 전반적 문화 수준을 제고시키는 군중적 계몽 교양 선전 조직의 역할을 다하며 조국 작가들과의 련계를 깊이 하며 재일 동포들로 하여금 공화국 공민으로의 자랑과 임무를 인식시키며 그를 승리적 투쟁에로 고무할것을 강조하였습니다。 또한 김 민의 사실주의의 기치를 한층 높이 들며 조국 문학의 전통에서가 아니라 일본 문학의 전통에서 마치 외국 문학처럼 조국 문학을 리해 평가하는데 대하여 지적하였으며 이 문제와 아울러 용어 문제에 주의를 환기시켰습니다〃 즉 국어로 쓰느냐 일본어로 쓰느냐 하는 문제를 단지 용어 형식 자체로 운위할것이 아니라 우리들의 문학 활동이 첫째로 재일 동포들의 애국주의 사상을 제고하는데와 또한 조선 작가의 립장에서 조·일 량 국 인민들의 국제주의적 친선 단결을 강화한다는 문화 활동 자체의 목적 의식성에서 이 문제에 대한 심오한 인식들을 기울여야 할것을 강조 하였습니다。 이와 같은 활동의 주체성을 확립할 문제들과 아울러 또한 제二차 조선 작가 대회 결정에 의거하면서 오늘날 조선 문학의 현상을 일본 국민들에게 소개하는 면에서 김 민、 안 우식이 각각 붓을 들었으며 고전 문학 작품 소개（허 남기、 립 경상、 김 민등）도 진행되였습니다。 또한 지난 一년간에 있어서 창작된 작품의 론평 활동들도 그 어느때 없이 왕성하였습니다。

그러나 이 부문에 있어서도 아직도 주목할 점들이 허다 함니다。

그것은 첫째로 문학 활동에 있어서의 주체성을 확립할 문제가 제기되고 있으면서도 원칙적인 문

7

제성을 내놓았을 뿐이고 그럴 아직도 더 심화하며 집체적으로 론의하지 못하였습니다。둘째로 창작된 작품평도 역시 현상적인 면에서 불충분하게 론의되였으며 집체적 평론 활동은 자미 없었습니다。셋째로는 조국 문학의 소개 사업이 빈약하였으며 허 남기의 《춘향전》을 제외하고는 작품 번역 사업은 전무의 상태였습니다。그리고 끝으로 발표된 평론들 중에는 조선 문학의 지향하는 사회주의 사실주의와는 인연이 적으며 일본의 현실을 강조한 나머지 일본에 있어서는 별도의 창작 방법이 안출되여야 하는것 같이 주장한 것도 있습니다。

우리들은 금후 평론 활동에 있어서 조국 문학의 지향에 튼튼히 서며 혁명적 문학 전통을 이어 맑스 레-닌주의 미학 리론에 의거하며 창작된 작품들에 대하여서 그때그때에 평론하며 또한 단평, 독후감, 쎄-클평등에도 종래와 같은 보고 못본체 하거나 또 속으로만 이렇다 저렇다 하는 종래에 타성을 시급히 극복하기 위해 이러한 노력들을 경주하여야 하겠습니다。

시 부문에서는 허 남기, 강 순, 김 태경, 김 주태, 김 시종, 안 우식, 홍 윤표, 김 태종 전 화광, 김 윤호, 남 시우들과 기타 大阪 시인 집단, 大村 조선 문학회를 비롯한 지방 문학 집단에서 활동한 동포들을 포함하면 실로 二〇여 명이 작품을 내여 놓았습니다。

이것은 우선 작품이 발표된 량이나 참가한 회원수로 보아 그 어느때 보다도 왕성한 창작 의욕을 말해 주고 있으며 창작 활동이 활발하게 제고되였음을 보여 주는 것입니다。

특히 시문학 부문에서 얻은 성과에 무엇보다 앞서는 것은 우리 시문학이 일치하게 탐구하고 있는 지향성에 있어 그리고 그 예술적 형상화의 심도에 있어 진일보의 발전을 쟁취한 것입니다。

다 아는 바와 같이 우리들은 제六차 대회 석상에서 우리 문학 운동이 자리잡고 서야 할 기본적 립장에 대해서와 그가 앞나갈 방향에 대하여 첫째로 조국의 분세 로선에 충실하며 조선 문학의 혁명적 전통에 전통하여야 될것을 소리마다 강조하였습니다。

또한 우리의 집단을 매 회원의 문학 정신이 보담 자유롭게 다채롭게 개화될 수 있는 생동적인 조직으로 개조해 나가는 동시, 우리 작품에서

8

예술로서의 생명을 박탈하는 "관념주의"에 대하여 심중한 경고를 돌리였습니다.

"三인 시집"에 수록된 시편들이나, 발표된 많은 작품들이 그 주제에 있어 보담 현실적 문제성을 제기하여 현대 조선 문학의 한 부분으로서의 자기의 목소리로 웨쳤을뿐 아니라 보담 형상적이며 감동성 있는 "조선말"로서 표현함에 적지 않는 노력들을 하였습니다.

"三인 시집"의 시편 및 허 남기의 "변두소감" "우리는 기억한다"와 남 시우의 "나는 조선의 공민이다" 등의 작품들이 널리 "조국에 소개된 사실이나 기관지 "조선 문예" "조선 민보" 등에 발표된 작품들이 이를 증시하여 줍니다.

이 년간에 들어서 또 하나의 우리 시 문학 부문의 성과는 강 순, 김 태중 동무들에 의한 시지 "불씨"의 발간입니다. "불씨"는 이미 제二집을 내 놓았는바 거기에는 강 순 김 태중, 김 동실등 七 명의 10여 편의 작품이 수록되여 있습니다. 재일 조선인의 생활을 다면적으로 들어 내고 있는 이 시지는 그 매 작품들의 경향과 사상, 예술성의 심도에 문제점을 남기면서, 국문에 의한 최초의 시집인데 앞으로 정상한 발전이 특히 요구되며 우리 문학회가 그의 적절한 방조자로 되여야 할 것입니다.

일찌기 우리 회원들에 의한 종합 시집을 짜본 일이 없든 우리들이 "三人 시집"이나 시집 "불씨"의 개간등에서 발휘한 우리들의 사업 조직의 협조적 미풍도 크게 지적되여야 하겠습니다.

수 권의 개인 시집을 갖는 회원이 적지 않게 있으면서도 한 권의 종합 시집이 없었다는 것은 국문에 의한 출판이 곤난하다는 이외에 문제를 가지고 있었습니다

앞서 말한 바 우리들은 제六차 대회에서 우리 문학회의 전체 력량과 그 운동 방향을 조국의 문학 로선에 튼튼히 집결시키며 우리들 사업 작풍에서의 원칙성과 규률성을 공고히 함으로써 회원의 의사와 창조적 로력을 보담 자유롭게 발전시킬데 대하여 많이 론의하였습니다.

"三인 시집"은 그 편집 내용이나 수록된 작품의 취급에 있어서 불충분성을 면치 못하면서도 그 사업이 갖는 의의는 바로 전체 사업 조직의 협조적 정신의 결과로 이루어진데 있습니다.

하와 같이 매 성원의 의사와 력량이 단결된 대렬로서 기능을 발휘하게 될 때 우리 앞에 막아 서는 우리 운동을 저지할 방해물은 존재하지 못하게 됩니다。大阪 시인 집단이 그의 기관지 "진달래"의 一八 호를 내 놓은 것은 이것을 가르쳐 주는 좋은 증좌로 됩니다。

이와 같은 시문학 부문의 일반적 창작 의욕의 왕성 및 그 활동의 활발화는 그것으로써 충분한 것으로 만족할 수 없게 다른 중요한 문제들을 제기하고 있습니다

발표된 작품들에 한하여만 말하드래도 우리들의 창작 방법에는 의연히 크다란 단점이 있습니다。

다시 말할 것 없이 우리들이 자기의 시를 통하여 첫째로 생활의 보담 예리한 혁신자로서 그리고 총명한 인민의 가수로서 노래 부름으로써 조국의 앞날과 우리 민족 문학의 대렬에 충실할 것을 누구나가 다 인정하고 있습니다。

또한 그러기 위하여 우리 조선 시문학이 추구하고 있는 길이 사회주의 레알리즘임이며 거기에 반기를 들 사람도 아무도 없습니다。

그러나 우리들은 간혹 작품에서 만나는 이색적 경향에 그다지 큰 관심과 주의를 돌리지 않았거나 나아가 그를 오히려 우리 문학의 다양 다체로운 개성의 발현이라고 지나치게 방임하여 두었습니다。

또한 이와 같은 경향은 우리 문학 대렬 내에 오래 잠재하고 있든 무풍 지대적 자유주의가 우리들 상호의 비판적 감각을 무되게 만든 결과이기도 하였습니다。

물론 사회주의 레알리즘은 작가의 개성의 보담 완전한 개화를 요구하며 보담 다양한 소제와 스찌ー르를 형식과 내용을 넓힐데 용감할 것을 주장합니다。그리고 그것은 반드시 그의 발전의 가능성을 보장하여 줍니다.

사회주의 레알리즘은 인류 문학이 도달한 가장 선진적 창작 방법인 동시에 그것은 무었보다도 객관적 합법칙성에 의거하여 생활적 진실을 파악하고 묘사할 것을 기본 명제로 하고 있습니다。

사회주의 레알리즘은 틀이 있을ㅡ수 없습니다。그것은 맑쓰・레ー닌주의 세계관의 문학적 현실 인식 방법이기 때문입니다。

그러가 때문에 사회주의 레알리즘은 현실을 정확히 인식하기 위하여 노력하며 또한 그것의 발전을 촉진시키기 위하여 투쟁합니다。

우리가 말하는 문학에 있어서의 다양성은 바로 생활의 전진을 합법칙적으로 보장하여 그를 촉진시키기 위한 다양성이며 예술적 개성인 것입니다。

지금 우리 작품들 속에 있는 각양한 형식이 그 내용으로 흐르는 현실의 참을 수 없는 외곡과 몰리해는 사회주의 레알리즘이 가장 근간으로 내 세우고 있는 문제에 배치되는 것이며 그것은 말경에 우리 문학의 부정적 요소로 나타날 것입니다。

이와 같은 경향은 우리 조선 문학의 전통에 충실히 립각하고 현제의 조선 문학이 자리 잡고 있으며 나아갈 방향에 대한 심오한 연구가 없이 더 단적으로는 제二차 작가 대회의 중요한 론의가 반도식주의였음을 기화로 마치 현조선 문학이 도식주의 덩어리인듯 돌아보지도 않으려는 태도와 무관게하다고 할수 없습니다。

도식주의에 대한 투쟁은 오늘날 조선 문희을 좀먹고 있는 병집을 뿌리채 들어 내여야 할 력사적 발전의 도상에서 그것은 반드시 타승해낼 우리 자체의 력량이 전제되여 결정적 타격을 받았습니다。뿐만 아니라 제二차 작가 대회 이후 몇몇 작가들에 의하여 무의식간에 로출 되였든 도식주의 반대 투쟁의 잘못된 리해들도 이미 정당한 지적 비판으로 시정되면서 있습니다。

그런데도 이와 같은 조선 문학에 대한 참을 수 없는 비속화와 나아가 욕질하며 춤을 뱉는 모욕적 행위는 오늘날 우리 주위에 더욱 현저히 나타나고 있습니다。「조선 시는 그저 딱딱하기만 해ㄴ 하고 상을 찌푸리면서 읽지 않으면 안될 것은 없습니다。상을 찌푸리는 사람보다 죄는 상을 찌푸리게 밖에 시를 써 내지 못한 시인에 있다고 할 수 있으니까。

그러나 우리는 따지고 본다면 우리 조선 문학의 딱딱한 그 병집을 들어낼 "매쓰" 를 들 의무가 있었으면 있었지, 그렇다고 보지도 않고 읽지도 않고 덮어 놓고 책우에 춤을 뱉는 것은 용서되지 못할 일입니다。

그런데 실지 "조선시" 에 대한 구역질은 작가의 부터 보고 느끼고 있습니다。

이역 권리에 쇠떨어진 심사에 알맞는 노래를 주지 않는다는 불만은 조선시를 평개치고만 마는 것이 아니라 조선 문학 자체에 등을 돌리려 하고 나아가서는 조선 문학이 치든 사회주의 레알리즘과는 다른 레알리즘을 찾아 갈려고 하고 있습니다.

이것은 주로 일본어로써 시를 쓰고 있는 동무들 속에 있는 경향인바 국어에 의한 작품 활동에 대한 곤난하며 장구한 그들의 노력(투쟁)에서도 「조선시를 쓸때는 작품의 질이 저하되고」 마는 부정할 수 없는 현실이 빚어낸 결과라고도 생각할 수 있습니다.

국어로서 쓰지 못하는 쳬벌로 재일 조선인 생활 가운데 있는 부정적 면에 욕은 해서는 안된다ー라는 자격지심이나 조선시를 쓰려는 노력과 번민에 반비례하여 그것이 더욱 어려워만 지는, 자기에 대한 지나친 혐오가, 그에 반동으로 조선을 부정하고 나서려는 이취태ー로운 모험을 우리는 그저 과하고만 있어서는 안될 것입니다

조선시를 쓴다는 것은 보담 완전한 조선 의식을 전제로 하는 것입니다. 우리들이 일본에서 났으며 자라난 회원들에게 국어를 시급히 습득해 달라고 요구하는 것은 시를 쓰기 이전에 조선 사람으로 되여야 할 이 철칙에서 그들이 보담 의식적 조선 민족으로서 각성케 함께 무엇보다 "조선어"가 기본으로 되기 때문입니다.

우리는 시인이기 전에 조선 민족이여야 하며 또한 렬렬한 애국자여야 하며 혁명 투사라야만 할 것입니다.

우리들이 만약 이 원칙을 잊는다면 그야말로 한 불상한 류랑민의 비애에 평생을 사로잡히거나 그렇지 않으면 가련한 외국의 동냥아치로 불려 떨어지고 말 것입니다.

우리들은 일본어에, 의한 창작 활동을 부정하는 것이 아니라 외국어에 의한 작품일수록 조선 민족의 립장과 의식이 철저해야 할 거기에, 그럼으로서만 진정한 문학적 교류 관계가 성립되며 또 그것은 오히려 장려하여야 할 일이며 실지 또 장려하여 왔습니다.

금년 초에서 시작하여 기관지 "조선 문예"를 비롯하여 우리 기관에서 이와 같은 시의 창작상 제기되는 문제들로 토론 론쟁이 일어나고 있어며 그것이 앞으로 더 활발히 전개될 태세에 있는

것은 당면 우리 시 부문만 아니라 전체 사업상 매우 주요한 해결을 약속지어 줄 것을 의심치 않습니다。

이와 같이 창작 사업에서 거둔 성과와 아울러 전반적 조직 사업도 비상히 강화되였습니다。

우리들의 활동이 강화 발전됨을 자랑함에 있어서 안될 것은 작가 동맹의 직접적 배려가 그의 거대한 방조로 되고 있는 것입니다

제二차 작가 대회 이후 작가 동맹 중앙 위원회에서 우리 문학회 회원을 맹원으로 받아 드릴데 대한 구체적 통달에 의거하여 그 실무가 추진되고 있으며、회원들의 창작 활동을 보담 원만히 추진시킴에 세심한 원조를 돌려 주고 있습니다。

지난 三월부터는 매월 정기적으로 동맹 기관지를 비롯한 문학 단행본 六四종 二백여부가 보내여 왔으며 우리들의 활동 정형에 대하여 또는 창작상 경향에 대하여 제때에 적절한 지도를 돌리고 있습니다。

이와 같은 작가 동맹의 뜨거운 배려에 추동되면서 우리들은 지난 一一월에 제二차 작가 대회를 기념하는 문학 야회를 개최한바 一二○ 여명의 활동가 및 문학 애호가가 여기에 참가하였습니다。

또한 우리들의 문학적 자질을 제고하기 위한 문학 연구회도 전후 四회에 걸쳐 개최되였으며 거기에는 연 四○명의 회원이 토론에 참가하였습니다。뿐만 아니라 "三인 시집 출판 기념회"를 비롯한 전후 三회의 출판 기념 집회등도 우리 동포들 사이에 문학에 대한 관심을 높이게 하며 문학 운동의 분위기를 실풍 조성시켰습니다。이 기간 회원의 동태 및 지역 문학 써-클의 현상은 다음과 같습니다。

六차 대회서 우리 회원은 四七명이였습니다。지난 一년동안에 박 춘일(동경) 외 一二명의 신입 회원이 새로 우리 대렬에 가담하였습니다。그러나 상기 기간에 강 위당, 오 림준회원이 개인적 사정으로 탈퇴하여 지금 회원 수는 五八명으로 六차 대회에 비하여 一一명의 증가로 되였습니다。

현 회원 五八명 중에도 지난 一년 동안 회와 전혀 련락을 끊고 있는 동무들이 감 원기(동경) 외 六명이 되는바 이와 같은 회 활동의 소극성을 제거하기 위하여 우리는 노력하여야 되겠습니다。

13

우리 문학회와 련계를 가지고 있는 문학 집단은 大阪 시인 집단의 "진달래" 東京 "신맥" 동인회, 大村 조선 문학회, 名古屋에 "青丘" 조선 대학에 "水豊" 동인회 등입니다.

지난 기간 우리들은 이상의 지역 문학 집단에 대한 지도성을 충분히 발휘치 못하였습니다. 곤난한 조건에서 꾸준히 문학을 탐구하고 있는 지역 써-클 동무들의 활동을 보장하며 그들의 창작적 발전을 도모할데 각별한 관심과 주의를 돌려야 하겠습니다.

특히 지난 一년 동안에 조직 활동에서 얻은 성과의 하나로 지적되여야 할 것은 기관지지를 주로하는 광범한 독자망의 조직 사업입니다.

우리 사업에 항상 아낌없는 원조를 보내주고 있는 문학 애호가들을 우리 문학 활동에 항상적으로 련계를 지움으로써 우리 문학의 고정적인 독자망을 확대하며 따라서 문학의 대중화의 중요한 고리로 될 수 있습니다.

우리들은 앞으로 계속하여 문학 애호가의 조직을 확대하여야 되겠습니다. 또한 지난 기간에는 "민청 창립 10주년" 기념 행사를 비롯한 우리 조직 기관들의 행사나 사업에 우리 회원들이 적극적으로 참가하여 우리 기관 상호의 련계를 더욱 깊였는바 앞으로 이와 같은 활동을 더욱 제고시킬 것이며 특히 문학 예술관계 단체들과의 교류 련계를 강화할데 노력해야 겠습니다

三、

제二차 조선 작가 대회에서 "재일본 조선인 작가 예술가들에게 형제적 성원을 보내자" 라고 제목하여 작가 송 영선생이 보고 토론하였습니다.

보고에는 우리 문학회의 활동 방향이 조국의 문예 정책에 항상 고무 추동되여 기본적으로 옳게 발전되고 있음을 평가하면서 제六차 대회 이후의 우리 활동을 구체적으로 총화 분석하였습니다.

보고에서 특히 "재일본 조선 작가 예술인들은 위력한 인민 민주 제도 밑에서 행복하며 자유스럽게, 그리고 진지하게 이룩한 조국에 문화활동의 제 성과를 전면적으로 섭취하며 계속 발전시킴으로서 첫째로 재일 동포들을 평화적 조국 통일에로 불러 이르키며 다른 한편으로는 일본 인민들

에게 보여주고 지령함으로써 조선 당국 인민
들의 우의와 친선을 촉진시키는 자대한 역할
을 다하고 있습니다」라고 전제하며 작가 동
맹과 그 성원 전체 작가들에 공통된 민족적
념원이라고 강조하면서 다음과 같이 말하였습
니다。

「우리 작가 동맹은 재일본 전체 작가 동지
들에게 종전보다 더 활발하고 빈번하게 그리
고 더 구체적이며 실체적인 방조를 할 것입
니다。

셋째는 우리들이 쟁취한 성과를 제때제때에
알리며、작품들을 보내며 투쟁에 대한 구체적
방향도 상의하기에 힘써야겠으며 재일본 조선
작가 전체 동지들은 여기에서 배우고 참고하
고 연구하며 그것을 재일본이란 현실에 적응
시키야 할 것입니다。

재일본 전체 조선인 작가들은 영광스러운
우리 조국 조선 민주주의 인민 공화국의
자랑찬 공민으로서 그 권리를 옹호하는 투쟁
이 곧 자기 작품들 속에 반영되여야 할 것
입니다」라고 가르치고 있습니다。

계속하여

「우리들은 재일 조선 작가들이 우리 조국 민주
주의 인민 공화국으로 현지 파견을 오도록 적극
노력하여야겠으며 또한 수시로 서로 왕래하면서
평양 또는 도ー꾜에서 자리를 한대하고 간절한
우리 나라 민족 문학을 발전 개화시키는 회합도
가져야 하며 민족 고전 문화의 계승 발전 문제
창작 방법、기타 여러가지 문학상에 제기되는 문
제를 연구하며、토론하며、또는 작품 합평회 같은
것도 자주 가져야겠습니다」라고 강조하였습니다。

이것은 바로 우리 문학회의 당면한 구체적 활
동 지침으로 되는 것입니다。

이것은 조국이 재일 조선 작가들에 주는 격려
이며 또한 요구이기도 합니다。

여기에서 무엇보담도 앞서 우리에게 제기되는
문제는 조국의 문학이 달성한 성과들을 조속히
섭취함으로써 조선 문학의 현실적 투쟁 대렬에
참가할 수 있게 자체를 교양하며 나아가 우리
민족 문학의 개화 발전에 기여가 될 활동을 전
개할 것입니다

그러기 위하여 우선 우리들은 조선 문학의 우
수한 고전적 유산을 계승함에 더 진지한 노력을
기우려야 할 것이며 현대 조선 문학이 처든 깃

빌ㅡ 시최주의 레알리즘의 창작 방법에 대하
여 보람 허심히 연구 학습하며 자체의 예술
적 기교를 연마함에 전력을 다해야겠습니다。
　이 연구와 학습과 부단한 노력은 다만 매
회원의 개별적 사업으로서만 아니라 그를 보
담 성과적으로 추진시킬 수 있는 우리 회의
조직적 대책도 반듯이 필요하다고 생각합니다
　누구나가 다 인정하는 바와 같이 우리 문
학 활동은 아직도 조국의 기대에 보답하지
못하고 있을뿐 아니라 재일 애국 동포들의
요구에는 수응 하지 못하고 있습니다。
　이 우리 문학의 현실에서 부터의 락후성의
보담 중요한 근원은 바로 작가 자신에 있는
것을 우리는 부정할 수 없습니다。
　우리는 이 제七차 대회가 명실 공히 현재
우리 문학 활동의 략점으로 되고 있는 근간
을 배제하고 조국과 인민이 요구하는 수준에
로 제고시킬 수 있는 변혁적 계기로 삼아야
겠으며 그러기 위하여 주저없는 비판과 토론
을 이르켜야 하겠습니다。
　창작의 질의 문제와 아울러 반듯이 지적되
여야 할 것은 그 량적 제고에 대해서 입니다。
　역시 누구나가 부정할 수 없게 지난 一년간
우리들의 창작 활동은 비상히 제고되였습니다。
우리들은 이 앙양되여 가는 창작적 의욕의 발전
을 방조할 조직적 대책을 강화하여야 할것인바,
이것은 필연적으로 발표기관의 문제와 관련되게
됩니다。
　제六차 대회 이후 기관지 "조선 문예"는 대채
로 계획대로 발행되였습니다。 비록 四○ 페ㅡ지
내외의 등사물로서도 제七호까지 계속 발행되여
나온 것은 전채 회원들의 활동이 그의 안바침으
로 되였기 때문이였습니다。
　우리들은 지난 一년동안의 활동의 축적에 근거
하여 다음 제八호 부터의 기관지의 채제와 부수
를 확대할 것이 필요하다고 생각됩니다。
　기관지 "조선 문예"를 최저 六四 페ㅡ지의 채
제로서 一천부의 소화를 반듯이 확보합시다。
　이와 관련하여 우리들은 "새ㅡ클"이나 우리 학
교들에서 새로 장성하는 문학적 "싹"을 양성하는
데 각별한 주의를 돌릴것이며 이에 대한 집체적
지도 체제를 세워야 하겠습니다。 현재 우리 주위
에는 상기한 문학 집단 외에 수십여종의 학생

작품집 기관지들이 발간되고 있으며 이중에는
이미 세상에 주목하는 작품들도 나온 사실도
있습니다。

　이에 대한 세심한 배려와 아울러 특히 아
동 문학 부분이 강화되여야 하겠습니다。

　우리들이 창작 활동의 전반적 제고를 촉진
시킴과 결부하여 한시라도 잊어서 안될 것은
우리 문학회와 매 회원이 보담 실상적으로
직접적으로 조국 작가 동맹에 눈초리를 돌리
며 그와의 련계를 깊게 갖일데 대하여 노력
하여야 될것입니다。

　상가 보도에도 언급된 바와 같이 제二차
작가 대회 이후부터 우리들은 문자 그대로
조선 문학의 수령한 대렬에 참가하는 자랑
높은 문학 일꾼의 일원으로 백방의 물적 보
장과 권리를 부여 받았습니다。 우리들이 비
록 조국과는 멀리 수천리 이역에 떠러저 있
다 하드래도 그 문학적 창조의 목소리가 두
드러지게 울려 나온다면 그것은 반듯이 조국
의 무대에서도 드높이 울려 퍼질 것이며 응
당 우리 인민의 드높은 공명과 환영을 받을
것입니다。 우리가 조국과의 련계를 깊이자는
주장을 거듭하는 것은 바로 자기의 작품으로하여
조국에 실면에 까지 닿을 수 있는 높은 예술적
성과를 쟁취하기 위해서이며 그것은 우리 사업을
성과적으로 발전시킬대 응당 유감없이 방조를 제
공할것이기 때문입니다。

　우리 문학회 사업이 항상 조국 작가 동맹의
헌신적 원조와 배려에 고무 추동되고 있는 사실
에 한번 다시 주의를 돌립시다。

　동시에 우리 조국 남반부 문학과의 련개를 강
화할데 일층 노력해야 되겠습니다。 우리들이 정
당하며 유일한 활동 로선에 전 회원의 의사와
력량을 집중시키고 보담 동지적 협조로써 단결을
강화하는데서만이 회 활동에서 불러서는 회원을
미연에 막아 낼 수 있을것이며 우리 집단을 명
실 공히 창작의 교실로서 문학의 도장으로 만들
수 있을것입니다。

　마즈막으로 제정 문제에 대하여 일언하겠습니다。
조국의 물질적 방조와 총련을 비롯하는 우리 조
직 기관의 적극적 협력으로 우리 활동은 재정적
으로도 정상화될 예견을 갖이고 있습니다。 우리
회 활동은 기본적으로는 회원의 회비 및 기타

17

회의 사업비 들의 기본금으로 운영되여야 할 것인바 지금 이 정상적 운영에 가장 큰 애로를 주고 있는 것은 회원 자신들입니다.

회비 체납을 책임적으로 일소합시다.

기관지 및 기타 서적 대금의 체납을 책임적으로 일소합시다.

지난 1년간의 활동 총괄과 당면한 활동 방침은 대략 이상과 같습니다.

동무들!

우리들의 위력 있는 집단적 지혜를 유감없이 발휘함으로써 이 제七차 대회를 보다 높은 창작적 성과를 쟁취하는 튼튼한 주초로 만듭시다.

우리가 자기에게 부과된 영예로운 임무를 수행함에 유리한 제반 조건을 우리는 갖이고 있습니다. 새로운 승리를 위하여 모두 같이 힘차게 앞으로 전진합시다.

창작의욕을 일층 제고하자!

작년 10월 제二차 조선 작가 대회 이후 재일 작가들의 작가 동맹 가맹에 대한 구체적 사업이 추진되여 오던 중 금번 지난 11월 동맹 중앙 위원회 제二차 회의에서 우선 우리 문학회 허 남기, 남 시우, 김 민이 정맹원으로 가맹되게 되였다.

제二차 중앙 위원회의 소식은 별항에서도 소개되고 있는바 동맹에서는 금후 계속적으로 재일 작가들의 가맹을 위하여 노력하고 있으며 우리 문학회와의 련계를 깊일데 거듭 강조하고 있다.

문학회 상무 위원회에서는 명년 문학회 창립 10주년 기념행사 준비에 들어 서면서 명년을 명실 공히 우리 사업의 거대한 전변의 해로 하기 위해 노력하는 한편 회원들의 창작 활동을 더욱 왕성히 할데 주력을 기우리고 있다.

조국의 두터운 배려에 호응하며 우리들의 창작적 의욕을 더욱 드높이자!

조선 작가 동맹 제二차 중앙 위원회 개막

지난 十一월 十一~十二일 량일간에 걸쳐 조선 작가 동맹 제 二 차 중앙 위원회가 소집되였다。

동맹 제 二차 중앙 위원회에서는 사회주의 사실주의 기치 밑에 전진하는 우리 문학의 동향이 구체적으로 분석되였을 뿐 아니라 오늘 우리 나라의 사회주의화에 있어서 우리 문학앞에 현실적으로 제기되는 과업들을 해결하며 이를 위하여 작가들의 사상적 동원 문제가 주요하게 제기되였으며 특히 회의에서는 시인 조 벽암으로부터 재일본 조선 문학회 사업 정형과 그 방향이 보고 토론되였는바, 이하 최근 통신에서 얻은 소식을 여기 소개한다

(평양 발 十一월 十三일 ―조선 중앙 통신)

▽조선 작가 동맹 중앙 위원회 전원회의

(제二중 평양 十一월 十三일)

조선 작가 동맹 중앙 위원회에서는 지난 十一일부터 二일간에 걸쳐 (우리 문학의 새로운 창작적 앙양을 위한) 문제를 가지고 전원 회의를 진행하였다。 회의에서 동맹 중앙 위원회 위원장 한설야가

보고하였다。 한설야는 자기 보고의 서두에서 작년 十월에 제 二차 작가 대회가 있은 이후 一년간이라는 극히 짧은 시일에 조선 로동당의 령도하에 수리 나라에서 이루어진 생활의 거대한 전변들에 언급하고 이 창조적 거류 속에서 시대의 정신에 민첩하여야 하는 우리 작가들에게 당과 인민이 지어준 책임은 실로 비상한것이라고 말하였다。

다음으로 한 설야는 분학에서의 레ㅡ닌적 원칙성을 고수함에 대하여 강조하면서 국제 푸로레타리아 문화 운동의 전진과 개화 발전을 위한 길에서 쏘련 공산당 제 二十차 대회가 노는 거대한 생활력에 언급하였다。

한 설야는 다음과 같이 언명하였다。

세계의 진보적 작가들이 국제 반동들의 맹렬한 공격과 중상들을 반대하여 투쟁하면서 그 내부에 심각한 진통기를 겪었으며 시련의 어려운 고비를 넘어야 하던 시기에 우리 조선 작가들은 한결같이 맑스·레ㅡ닌주의 사상의 순결성을 고수하였으며 계급적 립장에서 레ㅡ닌적 원칙성을 발휘하였던것이다。

우리는 이것을 자랑해야하며 자랑할줄 알아야 한다。

우리들의 이러한 사상적 립장은 비단 리론적인 면에서만 아니라 창작의 면에서도 자랑스러운 열매를 수확하였다

또한

그는 한 용해공의 고상한 자기의희생정신을 통하여 사회주의 공업화의 리상을 관철하려는 로동 계급의 영웅성을 보여준 오 운선의 희곡「그 날밤의 이야기」 농업 협동화 운동 과정에서 개변되는 농민들의 사상 의식을 진실하게 묘사한 리 근영의 중편 소설 「첫 수확」등을 비롯한 최근의 일련의 성과작들에 내포

된 높은 사상성과 현상성을 분석하였다

한 설야는 우리 남반부 인민들에 대한 미제의 야수적 만행을 창의 규탄하는 높은 호소성과 생활적인 시사성을 담은 종합 시집 「미제는 물러가라」와 집체 창작 씨나리오 「잊지말라 파주를」을 내놓은 시인 작가들의 창작적 성과를 특히 지적하였다。

계속하여 한 설야는 작가들의 사상의지의 통일을 일층 강화할데 대하여 강조하였다。

한 설야는 우리 작가들의 금후 주요 과업의 하나는 우리 인민의 온갖 정신적 생활에 침입하려는 아메리카니즘을 제대에 분쇄하기 위한 긴장된 대책을 강구하는것이라고 말하였다。

그러기 위하여 전체 작가들은 미제와 리 승만 역도들의 책동을 제때에 폭로 분쇄하며 부루조아 반동 문예 사상의 여독을 뿌리 뽑기 위한 투쟁에서 항상 봇대를 총으로 삼아야하겠다고 그는 부언하였다。

한 설야는 우리 사회주의 사실주의 문학의 계급 교양적 의의를 강조하였다 로동자·농민들이 본계급속에서 깊이 뿌리박고 그들 속에서 문학 대오를 풍부히한 새싹을 골라내며 그들을 높은 계급적 의식으로 무장시키는 사업이 또한 우리 작가들 앞에 제기된 주요 과제라고 말하였다。

회의에서는 시인、소설가、극작가、아동문학가、평론가등 十여 명이 토론에 참가하였다。

시인 박 팔양은 문학의 레—닌적 원칙과 이 원칙에 립각한 조선 로동당의 문예 정책을 철저히 고수하기 위하여 작가들의 사상의 의지의 통일을 강화하며 부루조아 이데오로기와의 투쟁을 더욱 과감히 전개할데 대하여 강조하였다。

소설가 리 상현은 부패한 아메리카리즘이 범람하는 그러한 탁류속에서도 민족적 량심을 가지고 진출하고 있는 일부 남반부 작가들의 새로운 지향에 주요 의의를 부하여서 이들 작가들과의 련계를 더욱 강화할것을 강조하였다。

또한 시인 조 벽암은 일본에 있는 조선 작가들의 창작 활동에 언급하면서 六十만 재일 동포들을 조선 민주주의 인민공화국의 진정한 공민으로서 교양함에 있어서 놀고있는 그들의 노력을 찬양하였다

평론가 김 명수는 새로 자라나는 일꾼들로서 평론가 대렬을 확장할것。

또한 작품 연구를 꾸준히 하는한편 우리 나라 문학사 수립에 정력을 기우릴것 등을 호소하였다。

허 남기 남 시우 김 민 동지들
조선작가동맹 정맹원으로 가맹

조선 작가 동맹 상무 위원회에서는 앞서 분회 위원장 허남기 동지와 부위원장 남시우, 김 민 동지들을 정맹원으로 받아들이기로 결정하였는바 금번 총련에 본인들에게 대한 정식 통지서가 맹원증, 강령, 규약 빳지 등이 첨부되여 보내여 왔다。

오는 二五일 오후 二시부터 조선 회관 강당에서 있을 재일 조선인 문화인 궐기대회 석상에서 이의 전달식이 있을 것인바 이 영광의 자리에 많은 회원들이 참가할 것을 바란다。

〈소 설〉

송서방

김경상

한낮에는 그래도 잔서가 꽤 심하더니 만 밤이 이맘때쯤 되니 웃통 벗은 몸에 찬기운이 제법 소슬하게 스며든다。

가개문을 닫노라고 여기저기 점원들이 나서있는 역앞 상점거리를 빠져나와 송 서방은 컴컴한 뒷골목으로 접어들었다。

여니때면、이렇게 술로들 품삯을 탕진한 날일수록、집이 가까와짐에 따라 송 서방은 위정 취해를 더부리며 애꿎은 거릿개들을 상대로 개차반을 놀군 한다。그것은 자기의 썹썹한 감정을 누르려는 허세였으며、미구에 대면할 마누라와의 전투준비였다。

그런데 오늘밤 송 서방은 여니때와 달랐다。

자지라지게 짖어대는 거릿개를 보고서도 아랑곳하지 않을뿐더러 오히려 빙그레 웃음조차 띠우면서 뚜박뚜박 집으로 향해 갔다

「정남이란 놈이 아직 일어나 있는지?・정순이년은 벌써 잤을게라」

불룩한 포켓트 안에 손을 넣으니 먼저 담배갑뿐이다。다른 한쪽에서 메끈한 카라멜 갑을 골라만지작거리며 송 서방은 빙그레 웃었다。샐쭉한 마누라의 얼굴이 떠올랐다。

「오늘은 쉴찌감치 똑바로 돌아와요」

아침에 집을 나올 때 걸목까지 따라와서 한번 디 다짐하던 말이다。

「수답기는 제길할! 알았다니까 그래!」

이렇게 꽤 고함을 치고 시끼리바로 가서 달구
자와 밑천 삼백원을 꾸어 능마 장사를 나갔다。
구월이 들자마자 매년처럼 래습해 오던 태풍이
금년은 다행히도 태평양쪽으로 빠져나갔다고 했지
만 대산 때아닌 장마비를 내려 닷새동안이나 송
서방은 집안에 갇히고 말았던 것이다。
단산한줄 알았던 안해가 마흔줄에 또 무슨 천
성으로 태기가 들아、만삭된 배를 안고서 씩씩거
리며 봉투접기를 하고 있는데 그 품삯으로만은
벌써 쌀동의에 밑창이 들어난줄을 송 서방 역시
모르는 바가 아니였다。송 서방은 마누라의 다짐
이 없더라도 오늘은 일찌감치 벌이를 몽땅 가지
고 돌아올 셈이였다。

그러나 너무 운수가 좋아서 탈이였다。송
방은 달구지를 끌고 부자들이 많이 사는 주택
거리로 바로 대였다。저울 눈에 약삭바르고 능마
시세에 밝은 여염집 주부들보다・부자집 하녀들에
세 친내는 편이 어수룩한 리문이 있는 것을 경
험으로 알고 있기 때문이다。마침 전에 가본 일
이 있는 양관 저택에서 이사짐을 꾸리는데 부닥
쳤다。

「오늘은 운수가 터졌구나」
송 서방은 속으로 기뻤다。두말 없이 거들었나
그리면서 하녀를 도와 뒷설거지하는 일엔 더욱
로력을 아끼지 않았다。아니나다를까 점심까지
내주고 신문 잡지 빈병같은 것을 한집에 버겁도
록。공으로 주었다。녀중에게 백원 한장을 쥐여준
것도 몇곱절로 값이 되였다。

시끼리바에서 삼백원 빚을 갚고도 근 천원이나
남은 돈을 품에 지니고 송 서방의 가슴은 흡족
한 생각에 부풀어 올랐다。더구나 해도 지기전에
상점거리를 그냥 지내오기란 마치 락타ㄱ 비늘구
녕을 빠져나가기와 같이 어려운 일이였다。그는
화려하게 조화로 장식된「신장개점」의 빠찡꼬집
앞에서 몇번이나 망서리다가 쨍쨍 울려나오는 류
행가 곡조에 홀리듯이 안으로 끌려들어가고 말았
다。

처음 오십원은 단번에 잃었다 틀을 바꿔서 또
백원어치로 계속했다。재미나게 맞혀들어간다。이꼬
이 다섯갑을 바꾸어 넣고 남은 알로 또 계속했
으나 도무지 붙시 않았다。송 서방은 그제야 실
증이 나서 나머지 알을 검어쥐고 경품장으로 갔

다. 담배 한갑 몫은 되였지만 문득 아이들 생각이 나서 캬라멜 두갑으로 바꾸었다

「정남이란놈이 급장인가를 했다고? 허참 개천에서 룡난다드니 그 놈이 공부는 제법 할줄 아나베」

송 서방은 빙긋 웃었다. 허나 이학기가 시작되던 날 두살 아래로 이학년에 다니는 정순이년한테서 이말을 처음 들었을 때 그는 딸년을 가짓말한다고 경을 치기까지 하였다.

「피! 아버진 아무것도 모르면서 그래! 누가 거짓말하나 물어보면 알걸」

딸년이 이렇게 종알거리였으나 송 서방은 아들을 보고도 구태여 그일을 따지려고 하지 않았다.

그러나 벌집 인수란 놈의 말을 들어보니 정순이 말이 온통 거짓말 같지는 않았다. 그럴수록 송 서방은 월사금도 온전히 낼 수 없는 처지에다 두손 학부형회니 뭐니하는 모임에도 아직껏 단한번 얼굴을 내밀지 않은 저같은 무식군이며 가난뱅이의 자식을 급장으로 시킨 그 속내를 짐작할 길이 없어, 못내 불안한 감정을 누를 수 없었다.

이때까지와 같이 거저 무관심하게만 지낼 수 없도록 눈에 보이지 않는 무슨 채찍질이 닥치는것 같아서 불안하고 괴로웠다.

「공부를 하면 무엇하노, 가난뱅이 자식이. 그저 제 이름자나 알면 족하지」

그는 술이 취해 돌아오는 날이면 사리궤짝을 제손으로 두드려 맞춰서 만든 책상 앞에 옹크리고 앉은 아들을 보고 어서 자빠져 자라고 고함을 쳤을망정 단한번 공부 안한다고 꾸짖어 본적이 없었다. 그러나 어떻든 제 자식이 남보다 밑지지 않음을 알게된 기쁨이야 없을 리 없었다

송 서방은 생전 처음으로 비록 놀음에서 딴 경품일망정 아들을 위해서 과자를 샀다는 생각으로 이때까지 맛보지 못한 흐뭇한 만족을 느끼면서 빠찡꼬집을 나왔다.

그러나 밖으로 나와 허리춤에서 괴죄죄하게 때묻은 왜수건을 빼다가 이마의 땀을 딲을 무렵부터 새로운 만족에 입이 허벌어질 뿐이였다.

「재수 좋은 날은 뭐라도 해볼 내기라니, 흥 그냥 집엘 갔더라면 이런 떡이 어디서 생긴담!」

이렇게 중얼거리는 송 서방의 머리에는 아침의 마누라 다짐이랑, 아까 자기가 망서리던 일이 모

25

우수갑스럽게 생각하여서 픽하고 웃음조차 솟아
마、상점거리에는 오색 내온이 켜지고 료리집
녁 끝에 붉은 초롱이 정다웁게 보였다。
송 서방은 꿀꺽 국춤을 삼키면서 그길로 곰장
편쪽 김 서방이 경영하는 막걸리집으로 발을
옮겼다。

아이구 송 서방 오래간만이로구먼、요즘 어디
신을 하고 있었나베」
포렴을 걷고 들어서자 대머리 김이 흔들갑스럽
게 롱조로 인사를 때려붙이는 바람에 선객들의
시선이 모두 송 서방에게로 몰렸다。빽빽하게 들
어찬 좌중에는 아는 사람이 많았다。
「아 이리로 오십시오、여기 빈 자리가 있습니다」
한쪽에서 낯선 중년 남자가 부르는데 나중에
알고보니 작년에 정순이 담임으로 가정 방문을
왔던 김선생이였다。그렇다면 금년에는 정남이 담
임이기도 하다。
「저번에는 마침 안계셔서 못만나 뵈였습니다。근
래 중에 또 가뵈올려든 차에 잘 되였습니다」

김 선생 말에 송 서방은 가슴이 따끔 하였다
「아니 제가 찾아가 뵈와야 될걸 늘 페만 끼치
고…… 도모지 뵈올 낯이 없습니다」
송 서방은 월사금 밀린 사과와 아들 급장된
인사를 하고싶었으나 너무나 송구스러워서 입밖에
나오지 않았다
「송 서방 요즘 비때문에 잡베 갇혀서 대신 속
상 고ㅡ꼬하느라고 수고 많이 했겠소、염상 보충
을 해야지、그래 호루몽을 구을리오?」
대머리 김이 막걸리 잔을 내밀면서 롱짜를 놓
는 통에 손님들이 와짝 웃어댔다。송 서방도 빙
그레 웃었다。따분한 공기가 덕분으로 깨여지는
듯하며 송 서방은 대머리가 고마웠다。
「저ㅡ 긴상 고기하구 그리고 맥주 한병 내주소
ㅡ 선생님한테」
송 서방은 현금으로 술값을 치루리라 생각하면
서 이렇게 청하는데 김 선생이 굳이 사양하는
것을 대머리가 가로차서 제지하였다。
「원 선생님도、예전엔 책 한권 뗄때면 시루떡
한 늘을 쩌받쳤다는데、술 한잔을 안자신다면 송
서방이 오늘밤 잠이 들겠습니까。자ㅡ 앉으십시요

26

내 어서 가져소리다。」

그리면서 송 서방을 보고 또 룸짜를 붙였다。

「참 송 서방 맥주 한잔으로는 부족하네 자네 아들 이번에 급장 됐다든군、돼지 한마리는 톡톡히 잡아야 하느니」

이말에 손님들이 찬탄의 소리를 올렸다。송서방은 자랑스러우며 한편 부끄러웠다。

「그놈이 정말 급장이란 그런 걸 할줄 압니까。집에서 글 봐주는 사람도 없고 저ㅡ월사금도 못내고 하는데ㅡ」

맥주잔을 치면서 나즉한 소리로 송 서방이 치사삼아 이렇게 말하는 것을 김 선생 역시 나즉하게 받아서 대답했다。

「솔직하게 말씀 드린다면 성적이 특히 좋아서 급장이 된 것은 아닙니다。동무들 사이에서 품행이 좋고 신망이 두텁습니다。그래서 저이들끼리 투표로 뽑아 냈답니다。만약 가정에서 조금만 돌봐 주신다면 본래 재주 있는 아이라 성적도 월등 뛰여나게 될줄 압니다。그점을 말씀 드리고저 뵈올까 했습니다。」

송 서방은 나중 말이 귀담아 들리지 않았다。서운한 생각을 넘어 모욕을 느끼였고 지어는 울분이 치솟았다。

「역시 그놈이 성적은 좋지 못하군、집에서 하던 버릇으로 어리석게 남의 일을 잘 봐주니까 뽑혀났지、그게 무슨 급장이야 창피스럽게。」

송 서방은 이렇게 생각하면서 랭소된 어조로 뱉듯이 뇌까렸다

「우리같은 놈의 자식 공부시킬 줄 어디 알아얍죠、로동판에 구불어 다닐 놈이 제 이름자라도 배우면 소감한 일이지。월사금도 척척 못바치는 주제에ㅡ。」

김 선생은 마치 아동을 타이르듯이 차근차근한 음성으로 말하였다。

「아닙니다。우리가 어떤 나라 사람인가를 모르는 말씀입니다。래일이 바로 공화국 창립 구주년 기념일로 됩니다만 우리 나라는 일본과 달라서 실업자란게 없습니다。힘과 재능을 얼마든지 발휘할 수 있는 건설의 마당이 있고 거기에 행복이 약속되여 있답니다。그런데 아는 것이 힘이요 배우는데서 재능이 닦이여지는 것이 아닙니까。」

송 서방은 솔곳이 귀를 기우렸다。그러나 허무

한 생각이 들어 시뿌둥한 어조로 말을 넣었다。
「그야 배워 두면 좋겠지요…마는 우리같은 처지에 그럴 힘이 있습니까」
「아니 그럼 아직도 그 소식을 못들으셨나보군요」
김 선생은 깜짝 놀래며 조국에서 재일 동포 자녀들의 교육비로 막대한 금액이 보내온 것을 설명하였다。송 서방은 금시 초문의 이 놀라운 소식을 듣고 이때까지 어디 먼 딴 세상에 있는 듯이 느껴 왔던「조국」이 몸에 쯔리하게 베여오듯 생각히였다。
「점남이가 공부를 해서 대학까지…」
송 서방은 정신나간 사람처럼 중얼거렸다。도모지 정말같지 않았다。
「돈도 없이 공부를…。그렇지만 집에서 배워주는 사람도 없는데…」
권 선생은 빙그레 웃으면서 말했다。
「점남이는 착한 아이입니다。착한 조선의 일군이 될 아이입니다。그렇기에 조국이 그 소질을 헛되히 썩힐 리 없지요。부친께서도 협력해 주셔야 합니다。」
「내가 어떻게요 이런 무식군이…」
송 서방은 정말 무식한 생각이 들었다。
「뭐 글을 가르쳐 주시란게 아닙니다。관심을 돌리시고 솔직한 애정을 보여 드리기만 하면 점남이는 영리한 아이니까 성적도 최우등이 됩지요」
김 선생은 묵묵히 듣고 있는 송 서방을 흘깃 보고나서 다시 말을 이었다。
「그런데 우리들 책임이 이때까지보다 훨씬 무거워졌습지요。빠찡꼬로 오락을 삼던 대신 자녀들 교육에 관심을 돌려야 하고 두잔 술을 한잔으로 참으면서 자녀들을 더 좋은 환경 밑에서 공부시키도록 노력해야 될거니까요」
송 서방은 마치 자기를 두고 말하는듯이 들려서 얼굴을 붉혔다。이때까지 틈을 봇타서 잠잠히 있던 대머리가 룡짜를 넣었다。
「허! 선생님 우리집 망칠라 드네, 두잔술 한잔으로 하면 우리네 수입이 반으로 줄지 않수、허허; 나도 일찌감치 감만 때불이고 짐보따리 쌀까?…」
「평양 가서 술장수 할라구?」
누가 롱짜로 맞대였다。
「웨 내가 술장수 밖에 못할 줄 아나? 흙도

파보았고 벽돌도 싸아 보았다. 이래도 일등 벽돌 곳이야, 로동 영웅 훈장을 타거든 자넨 느침이나 흘리지 말라구.」

모두다 깔깔대고 웃었다. 시시닥거리는 롱담과 웃음 안에도 한가닥 맑은 희망이 떠돌았다.

「그럼 래일은 공화국 창립 구주년 기념 행사가 있으니까 밤에 학교로 모두들 와 주십시요.」

김 선생은 먼저 자리를 일어섰다.

송 서방도 뒤이어 회계를 마치고 종종걸음으로 김 선생을 따라나갔다.

「선생님!」

송 서방은 멈춧 돌아선 김 선생 앞에서 잠시 머뭇거렸다. 그러다가 불쑥 한팔을 내밀었다.

「선생님, 이것 받아주십시요…… 오래 밀려서 죄송합니다. 남저지도 빨리 청산할랍니다.」

김 선생은 당황한 얼굴로 송 서방을 바라 보았다. 그의 얼굴은 막걸리 탓으로만 여길 수 없는 맑은 홍조가 띄여 있었다.

「아니 웬사금 말씀입니까? 아이들 편으로 후일에도 좋습니다.」

「아니 오늘 지금 받아 주십시요, 맘 먹은 김에 내야지요, 받아 주십시요」

송 서방은 흥분한 어조로 또 무슨 말을 하고 싶으면서 입밖에 나오지 않는 것이 답답한듯이 입술을 우물우물하며 김 선생의 손을 검어쥐였다

「그러시다면 받겠습니다.」

김 선생은 미소를 띄우며 손아귀에 쥐키는 것을 받고 굳게 악수를 하며 말했다.

「래일 밤에 꼭 오십시오, 조국 영화도 상영하니까요.」

고개를 끄덕이고 뒤돌아서서 사라지는 송 서방의 뒷모습을 김 선생은 한참이나 그자리에 서서 바라보고 있었다.

송 서방은 래일 꼭 학교에 가서 오늘과 같이 시원한 이야기를 더 자세히 듣고 고마운 조국의 모습을 보여 주는 영화도 보리라ㅡ 이렇게 마음을 다짐하면서 집으로 굽어드는 마즈막 골목으로 접어들었다.

홍조 단간방이 유리창을 열어재쳐서 밖에서도 환히 들여다 보였다.

새까만 동굴쌈을 사이에 두고 정남이란 놈이
모자간 종이봉투 접기에 여념이 없다。
「저놈 공부는 아니하고……」
숯서서방은 불쑥 화가 솟았다。
찌저진 현관 문짝을 잡아당기며 험! 하고 헛
기침을 하는 것을 정남이가 먼저 알아듣고
「엄마 아버지!」 하면서 일손을 멈췄다。
마누라는 힐끗 돌아보고나서 쏘다달다 말도 없
이 그냥 일을 계속한다。
「눈깔이 멀었나? 콧구멍이 막혔나? 사람 온
줄도 모르나!」
호통을 치면서 마누라의 키통받이를 쥐여박는데!
서부터 마누라의 삭다구리가 튀여나고 어린 것들
이 잠을 깨서 울고 불고 하노라면 자빠져 자라
고 고함을 지른 후 얼마쯤 송신강신 승강이를
대다가 숯 서방은 그자리에 죽은듯이 쓰러져서
코를 고는 판이다。
여니때와 같이 소동이 날 것을 짐작하고 정남
이는 벌써 머리둥절, 할 바를 몰랐다。 그러나 부
친의 표정이 의외로 너그러웠다。
「저녁은 먹었나?」
하고 숯 서방은 미틀을 보면서 물었다。
「네 먹었어요」
「뭘 먹었나?」
「수제비!」
「그 남은 것 있거든 좀 가져 오너라」
방 한가운데 떡 벌치고 앉아서 히죽히죽 말하
는 꼴이, 따귀를 붙이며 사납게 구는것보다 더
아니꼬운 생각이 들어, 마누라는 갈끔한 눈을 흘
깝 떠붙이면서 쏘아댔다。
「흥 그래도 뭘 달거 달았다고 비수 속은 일든
일세, 입때 쏘다니다가 저녁도 못했는가!」
당장에 철썩 올 것을 짐작하면서 마누라는 미
리부터 솟아지가 머리끝까지 솟구쳤다。
「어디 해보자 죽기 아니면 살기지」
속으로 잔뜩 앙살을 피우고 있는데 남편은 여
전히 히느죽하니 앉아서 반응이 없다。
「별일 다 있네, 무슨 단판으로 해 보려는 셈인
가?」
하니 마누라는 좀 섬두룩한 생각이 들었다。
정남이도 어인 영문인지 몰라서 범비를 든체 주
춤히 서서 어른들의 눈치만 살피고 있다。

30

「이리 가져오느라 그리고 넌 공부를 해라, 공부를 해야 돼, 급장이 됐으면 공부도 일등을 해야지」

송 서방은 범비체로 수제비를 뜨면서 아들에게 타일렀다.

「참 이걸 잊었구나, 어나! 하난 됐다 정순이 줘라」

하면서 주머니를 뒤집어 담배갑과 함께 저번 캬라맬 두통을 아들에게로 던졌다.

「흥 빠찡꼬에 미쳐서 집도 때도 잊었구먼! 남은 돈 있거든 내놔요!」

마누라는 여전히 삘쭉해서 뇌까리기만 한다. 정남이는 집어야 할지 안집었다가 또 호통을 맞을까 두렵기도 하고, 그래서 내민 손으로 무릎만 쓰다듬는다

「어서 집고 공부해라, 오늘 네 담임선생을 만났다. 그래 정순이 못하고 한달치씩 월사금을 물고 왔어!」

「래일 쩌리도 없는데, 아따 또 무슨 성심이 내켜서 월사금을 다 바쳐 빠찡꼬하고 술 먹었으면 슈세가 안되든가, 흠 쉬냐 그래도 낯간지러운 줄은 아나베 발명자를 다 놓고!」

마누라의 야불야불 배트는 소리를 듣고 있노라니 송 서방은 왈칵 참을 수 없는 불화가 치밀었다.

「아가리 작작 못 다물겠나, 그저!」

저도 모르게 주먹이 번쩍 올라갔다.

마누라의 삭다구리가 쏟아졌다. 그러나 송 서방은 더, 마누라를 박지를 엄두가 나지 않았다 여전히 울분은 치솟지만 그것은 자기 속을 몰라주는 안해의 비좁은 소각머리가 답답해서였다. 이전처럼 자가 약점을 싫어부리려는 부지한 울분에서 솟는 따위의 것은 아니었다.

「그래 오늘, 내 천원 값수나 벌어서 빠찡꼬도 했다. 그렇지만 잃진 않았다. 그리고 술도 좀 먹었다. 빠찡꼬로 딴걸 가지고 먹을 셈 쳤지, 허지만 애 담임선생을 만났지 않나? 이애기 듣고 보니 내야 이때까지 해 온 것이 후회되던구나, 오늘부터 새살이하자 하고 맘먹었겠지, 그래서 손에 남은 돈 월사금으로 냈다. 내가 거짓말은 아니다. 량식 없는걸 내가 모르겠나만 비 하루 더 온 셈 치면 되지 뭘 그러노 래일 벌어서 팔아오만」

31

송 서방은 차차 울분이 一치고 만삭된 배를 해가지고 훌적훌적 울고 앉은 안해가 가궁스러워졌다. 그는 측은한 소리로 떨어지면서 말을 이었다

「우린 이때까지 헛살아 왔다. 그렇지만 자식들은 잘 살게 돼야지, 선생 말을 들으니 뭔지 환하게 앞이 터이는 것 같더라. 공부를 시켜서 저이들은 사람답게 살도록 하자ㅡ 이렇게 맘먹고 나도 이젠 죽자 사자 일을 할랴고 생각한다. 그게 뭣이 잘못이냐. 아모리 속좁은 계집이기로니 어째 그리도 남의 속을 몰라주노」

송 서방은 선생께게서 들은 말과, 희망에 부풀어 오른 자기의 감정을 더 조리있게 토설하고싶었으나 뜻대로 되지 않아서 안타까웠다.

그러나 안해는 이만한 말이라도 남편의 입으로부터 들어보기란 아득한 옛일이였다. 밀시에 지난 이십년동인의 기억이 머리 속에 두서없이 떠올랐다. 야속하고 분한 앙살띤 울음이 뭉클 뜨거운 덩이가 목구멍을 치오름으로부터 차차 측은하고 호젓한 오열로 변해 갔다.

「그럼 그렇다고 애초부터 말을 해야 알지……」

안해는 흐느낌 속에서 토막토막 새여나는 말로 이렇게 너그러운 푸념을 차렸다.

「그러나 남이 하는 소릴 들을거지, 끝까지 들도 않고 바가지부터 긁는 법인가? 햇따 그만 뒤 애들 깨는구먼」

어른들의 전에 없는 화해를 엿보면서 정남이는 책상 앞에 앉았어도 도모지 공부가 머리에 들지 않았다. 시큰한 것이 콧등을 간지리며 눈시울이 찌끈해졌다.

「정남아 오늘은 그만 자거라. 래일은 그 공화국 기념날이 있다지」

「공화국 창립 九주년 기념일이예요」

정남이는 우수워서 히벌쭉 웃다가 막혔던 콧물이 수루루 나와서 얼른 외면을 하고 정순이 곁자리로 들어가 누었다.

「참 그 九주년 기념일이 있다는데 밤엔 나도 가볼란다」

아버지의 말을 들으면서 정남이는 이불자락을 당겨쥐고 찡 콧물을 씻었다. 그리고 아무도 몰래 빙글 웃으면서 이불을 덮어썼다.

이윽고 얼마나 지났는지 정남이는 몽매간에 부모들에 오손도손 주받는 이야기 소리에 잠을 깼다.

귀뚜라미 소리가 바루 귀밑에서 맑게 들려온다. 낮에는 덥던 날씨도 밤이 되니 방속까지

32

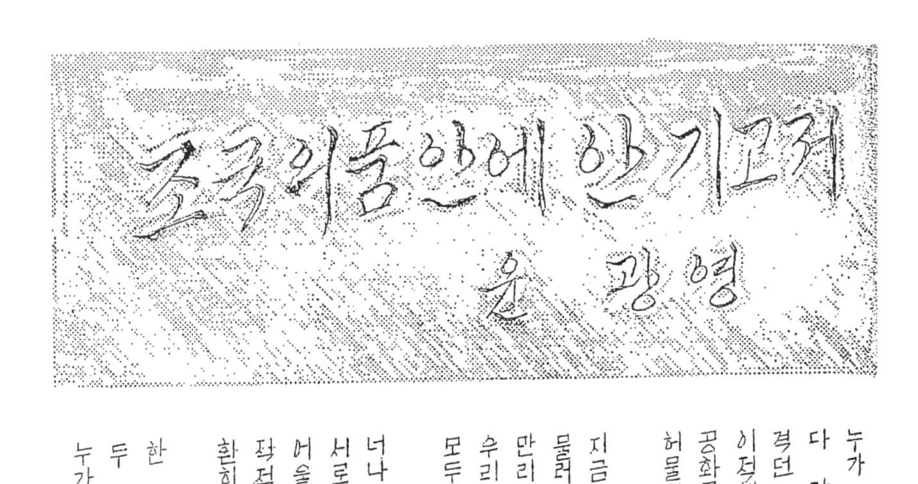

누가 어데 당신의 심정을 모른답니까
다 같이 그 옜날엔 갖은 고비를
격던 우리가
이적세야 가슴 치며
공화국 공민이 된 영예를
허물없이 자랑해야 할것아닙니까

지금 이 자리에 서서
물러 앉으나 한 발자국 나서나
만리 길이 아니고 눈앞에 뵈는
우리의 땅 어머님의 품안에
모두가 안기질 않습니까

너나 나나 또는 그 동무가
서로 바탕을 지니면서
어울리고 이끌고 붓잡아주며
적적할땐 어께를 어루만지고
환희의 가슴될땐 원무(円舞)를 추며

한 걸음
두 걸음 나아가는데
누가 우리의 길을 막겠습니까

(一九五六、七、三)

생철 지붕 아래

강 순

조각조각 안 생철
생철지붕이 다가 붙어
샤시장철 해가 못 들었다.

처마와
처마의 좁은 골짜기
빗물이 고이면 그만
마른 길이 들지 않았다.

질펀거리는 골목
십년이고 같은 얼굴이 드나들며
썩은 바람이 밀고
매운 연기가 넘나들었다.

비 새는 지붕
맞지 않는 미닫이

미닫이가 그대로 대문이라
습기 쳐 오른 다다미 갈기갈기에
밤이나 낮이나
전등불이 희멀그름 앉으면
세월은 이제도 밤길을 가는듯

베니야 벽
베니야 한 장이 질린 남
기침 하나도 마을을 돌고
아이 우는 소리들이 쌍피리처럼 요란하나
못 들은척 밥이 없는 곳

고향 가는 길이 멀어
구구스런 나의 부락
뉘라서 반겨 사리
진저리난 이 땅을

그러므로 바람맞이에 선 병아리 마냥
의지의지 산다 우리 사람들
한 되 떡을 쳐도
돌려가며 먹었고
새아씨 드는 날일치면
부락이 들썩 마을 잔치ㅅ날

앓아 눕기가 무섭게
념악스리 추념이 들어오고
동네 늙은이가 죽어도
치마가 젖도록 울어주는 마을

채섬화 피듯피듯
젊은이 연달아 따분한 곳
여기 같은 고국 지닌 부락
울타리 없는 부락

35

가을의 의장(意匠)

윤 광영

맑고도 높은 가을 하늘은
그리운 고향과 잇대고 있는데
어이하여 이다지도 멀게 되였느냐。

고향을 떠나 오던 가을 날
젖내 가시지 않은 량볼의 눈물을
주먹으로 훔치면서 내 말했노라
「── 념려마세요。 반다시 어머님 품에
들아오리이다。」

놈들의 등살에 청춘을 잃고
조국을 찾은 기쁨에
젊음을 되찾아 보건만 ──
젊음아, 나는 너를
매정하다고 말 아니 하노니 ──。

주름살 얽힌 어머니를 사랑하는 것
아름다운 고향 ──
조국이 나를 그 어떤 고비에도
위로했거니。

오오, 지금 여기와 조국이
내맘엔 지척이련만 ──

이미 땅속에 들어가신 어머니를
생각는 건 벽시나 내조국을
사랑함이 아니오리까。

一九五七·九·三〇.

바닷가에서

윤 광영

저 멀리 솜구름 밑
흰돛 아물거리는 지평선,
오늘 내 옛동무 거닐고
여기 바닷가에 왔노라。

부드러운 백사장,
달콤한 해풍、
七월 춘풍도 나의 봉발을
어머님의 입김마냥
따스히 어루만지노라。

「저 바다 건너편은 어데까——」
옛동무의 한숨서린 눈동자
대답없는 나를
동무는 책하지 않노라。

그 구즉은한 내 마음을
옛동무 역시나 가질것이라
고향을 뒤로 떠나든 날의
빼저린 추억에 잠겼을가——。

——아니, 그런 잡념은
공화국 찾은 그 명절날
도라지 타령에 잃었을 것이라。

저 멀리 흰구름 뭉개도는
하늘 아래 ——
찬란한 오각별이 비끼우는 곳
五개년 계획에 첫수확 넘치는 고향땅에
아담스런 사회주의 화원을
모두가 갖추는 곳 ——
수령과 더불어 세살림 차리는 고장。
아아, 나래라도 돋힌다면
저물새마냥 너와 나
더덩실 춤추며 날아갈 것을——。

一九五七·九·一〇·

八월 시초

— 김윤호 —

나무 그늘에서

푸른 나무 밑에서
등짐 내려 쉬고 있는
농부의 바싹 머리엔
八월 청풍이 물들구나

무더운 여름 날에
흐르던 구슬땀은
로동하는 사람의 즐거움의 결실이냐
앞날의 희망의 구설 덩이냐

과거의 설음과
오늘의 애달품도
단 하나 조국의 혜택 까닭에 사라져
더 한층의 기쁨을 기다듬어
오로지 생활은 빈곤한들
내 고향의 고함 소리 떳떳하기에
조국 아닌 왜 땅이언들
그의 기쁨을 어찌 막을소냐!

해변에서

짠 냄새는 가슴을 흝어 주며
푸른 수평선은 눈을 찌른다

해변 언덕에 선
다박 머리 처녀와
등산모(登山帽) 쓴 청년이
서로 손을 잡는 것을
사람들이여 처다 보지 말라
벅차는 그이들의 가슴이
앞 날을 기약함을

미숨 있는 사람들이여
눈- 살을 쏘지 말라

기약이 끝 났다
약수가 끝 났다
가루였던 눈을
또 한번 그이들에 돌려보자
하얀 미소에서 터져 나오는
사랑의 속삭임은 무었일까?!
앞 날의 희망을 속삭임이지
앞 날의 행복을 속삭임이지
행복이 있으라
그대들의 앞날에 행복 있으라!

고향에 인사 드릴 때

창 밖에
자밋 줄에 달린 종이 조각도

꼼작하지 않습니다,
기운 없이 눈 감은 암닭의 하품
지구 상은 지금 무풍 상태입니다
짧아 내 듯이 흐르는 땀은
마치 기름 방울과 같이
괴로운 구둣 소리는
마비된 내 간을 짓밟는 듯이
아무른 자격도 주지 않습니다。
팔리지 않는 고철(古鐵)의 태산은
하염 없이 쌓여 있는데
삼복 또약 볕은 쬐고 있습니다
지금은 여름 대 낮에
대기(大気)를 쌂는 시각입니다
양산을 받고 또약 볕을 가루며
하얀 잇발을 자랑하 듯

웃으면서 얘기하며 지나가는
조선 처녀 두 사람
그아들의 치마 저고리 색이
또 한 층 더 정답습니다

내 마음 속으로
멀리 떠러진 고향의 모습을
하나 둘 다저 봅니다
나는
나는 인사를 드립니다
머나 먼 내 고향 향하여
살뜰한 내 심정을 다저
고이 고이 인사를 드립니다

— 一九五七・八・一九 —

제七차 재실본 조선 문학회 회의 결정

본 회의는 재실본 조선 문학회 중앙 위원회를 다음과 같이 구성한다。

강 순、김 시종、김 태정、김 민、
남 시우、류 벽、리 승옥、리 찬의
리 은직、림 경상、박 춘실、박 원준
안 우식、정 태유、허 남기

본 회의는 위원장 및 부위원장 그리고 감사위원을 다음과 같이 임명한다。

위 장	허 남기
부 위원장	남 시우
부위원장	김 민
감사 위원	김 달수
감사 위원	리 은직

재실본 조선 문학회 제一차 중앙 위원회는 본회의 상무 위원회를 다음과 같이 선출한다。

허 남기、남 시우、김 민、림 경상、
강 순、리 찬의、류 벽、박 춘실、
리 승옥、안 우식、정 태유、

재실본 조선 문학회 제一차 중앙 위원회는 다음과 같이 각상무 위원의 책임 부서를 결정한다。

소설 분과	림 경상
시 분과	강 순
평론 분과	리 찬의
아동문학 분과	류 벽
외국문학 분과	박 춘실、리 승옥
극문학 분과	정 태유
기관지 편집	안 우식

41

〔토론 내용〕

▽김 시종 (大阪)

방침서는 일본어로 쓰는 작품들의 경향의 일면성만을 지적하고 있다. 나는 아울러 다른 일면이 있다고 생각 한다. 大阪에는 일본어를 주로 한 시지 (詩誌)「진달래」가 있다. 사실 「진달래」에 자기 작품을 발표할 때와 일본 잡지나 신문에 발표할 때와는 의식해서 그 태도를 달리하고 있다. 「진달래」는 동인지임으로 내부적인 문제를 안일한 방법으로 쓸 수 있는데 외부 발표 기관에는 그럴 수 없음을 느낀다.

▽허 남기 (도 꾜)

구체적으로는 「진달래」 一八호에 김시종의 「大阪총련」이란 시가 있다. 물론 이 시의 일면성만을 지적해서는 안되겠으나 그것을 우리들 내부의 문제라고 다소 안일하게 생각하고 있는데 그 시가 주는 영향과 내용이 곡 우려가 있으므로 방법에 있어서 생각할 여지가 있지 않을까?

김 시종

이번 보고서는 일본에서 나서 자란 세대가 현재 부딪치고 있는 문제를 부정할려는 면이 지적된다.

▽허 남기

이 보고서에서 시 부문 (보고서 十四페ー지) 평가를 좀 더 구체적으로 할 필요가 있다. 그렇지 않으면 오해하기 쉽다.

▽박 춘일 (도 꾜)

보고서에는 주로 시 부문에 나타난 경향들에 대해서 지적하고 있는 바 이런 경향의 작품, 작자를 구체적으로 밝힐 필요가 있다.

▽남 시우 (도 꾜)

일어로 씐 작품에 대한 평가가 일면적인 것은 수정하겠다.

일본어로 창작을 하는 시인들의 우리 작품(조선시)에 대한 태도가 일비적으로 좋지 못하다는 사실이 있으므로 보고서에서 그것을 지적하였던 것이다. 구체적 작품의 실례로 「진달래」 十五호~十八호 가운데 일관된 경향이 이 보고서의 지적의 기초가 되고 있다.

▽ 김 한석 (도꾜)

우리는 작가·시인이기 전에 혁명가·애국자가 되여야만 할것이다。만약 이 점에 철저히 서지 못한다면 우리는 우리가 지향하는 길에서 벗어나고 말 것이다。「大阪총련」을 비롯한 「진달래」의 일련의 작품들을 보면 그 내용이 이 원칙에서 벗어났으며 재일 동포들의 생활 모습、또는 조국에 대한 감정을 옳바로 그려내지 못할 뿐만 아니라 오히려 류랑민적인 감정으로 페시미스틱한 작품들을 창작하는데 그치고 있다。그것은 한편으로는 우리 문학 집단과 조직과의 옳바른 련계를 파괴하는 원인를 초래한다。

여기서 마땅히 있어야 할 문학회의 지도성의 불충분을 지적하지 않을 수 없다。

▽ 김 시종

작품을 쓰기 이전에 튼튼한 사상성을 가져야 한다는데 나는 반대한다。시를 씀으로써 그 사상성을 높이는 길 밖에는 다른 길이 나에게는 없기 때문이다。

▽ 허 남기

물론 창작상 많은 소재들이 있다。그러나 그、속에는 추려야 할 것도 많다。그것은 국어로 쓰나 일본어로 쓰나 같은 것인 바 이 점을 고려하지 않으면 안될 것이다。

▽ 김 달수 (도꾜) 의장

작품 비판의 태도로써 상대를 일방적으로 쳐버리는 타격주의는 버리자。

▽ 윤 광영 (야마가다)

동포들의 내면 생활 묘사에 있어서 부정적인 면을 그리는데 창송 문제가 있는 것 같다。그러며는 오늘날의 우리 동포들의 전형이란 어떤 것일까?

▽ 김 시종

사회주의 사실주의에 대한 인식이 문제라고 생각한다。사회주의 사실주의란 과연 어떤 것인가?。언제나 중요한 문제가 생겼으므로 써야 하는가? 그렇다면 그 문제 안에 얼마만큼 자기 자리를 차지하고 있는가가 문제로 된다。사건을 보고 그리는 쩨ㅣ너리스틱한 그런 것에 도취하는데서 도식주의가 생기지 않을까?

▽ 김 달수

43

토론의 초점을 창작 방법에 집중시켜 주시
요

▽림 경상 (도 표)

김 시종의 시 「大阪총련」 을 읽고 이 시
를 발표한 원인, 태도가 우리는 무엇때문에
문학을 하느냐 하는 문제를 다시금 생각하게
한다. 이러저러한 현실에 대한 일방적인 반발
로 그치고 건설적인 태도가 결여됨으로 불쾌한 감을
준다.

▽허 남기

우리들은 한 시기에 사건이나 기념일의 시
만을 쓴 일이 있다. 그런 것에 대한 반발도
지금 많을 것이다. 그런데 같이 조선 문제에
관해서 쓰더라도 외국 작가 시인들이 쓴것이
훨씬 훌륭할 때가 있다. 이것은 우리에게 무
슨 면역성(免役性) 같은 것이 작용된 것 같
은데 어째서 그럴까? 우리는 이러한 기성
관념을 깨트려야 할 것이다.

▽김 민

구호시나 술 장적인 시를 쓴다는 것은
물론 옳지 않다. 그러나 시사적 작품을 쓰는
것이 곧 도식주의라고 할 수는 없다. 그런데
시사적 작품들 가운데 어색한 감을 주는 것은
역시 작가 자신에 문제가 있다고 본다. 그리고
부정적인 면을 그리는 문제인데 아무도 것을
그려서는 안된다고 할 사람은 없다. 문제는 어
떻게 형상화 하였는가의 문제다. 그런 점에서
김 시종의 그것은 아직 그가 서있는 립장이
매우 희미하다고 생각한다.

▽김 시종

사회주의 사실주의란 가장 휴매니즘 문학 방
법이며 사상이라고 생각한다. 현대시(現代詩)
는 현대에 이를수록 서사성으로 일관된다. 「大
阪총련」 이란 시는 총련 자체를 비방할려고
쓴 것은 아니다. 나는 항상 사상성과 자기 내
부를 떼여서 볼 수 없는 면이 있다고 생각한
다. 사회주의 래알리즘은 규정할 수 있는 면과
규정할 수 없는 면을 가지고 있다. 구호나 스
로―강만으로 그려낸 문학의 시기는 지나다고
생각한다.

▽허 남기

부정적인 인간을 그릴 때도 그 본질을 옳바로
포착해야 한다. 구상 이란 시기에 따라

44

나소의 변화가 있음은 부인할 수 없으나 그 본질의 일관성을 잊어서는 안된다。

▽박 춘일

일본어로 쓴 작품의 평가가 부족하다。우리 조직 내부 문제를 일본어로 발표하면 안되고 국어로 발표하면 좋다는 것은 리해하기 곤란하다。일본어를 쓸 리유가 어떤 것인가 캐여볼 필요가 있다。

▽방청자들로부터 동포 생활의 진실을 그려 줄 것과 리역 써―클에 더 큰 관심을 돌려 줄 것을 강조하는 발언들이 있었다。

▽류 벽(도꾜)

일본어로 쓰는 의의는 크며 과소 평가해서는 안된다。나는 일본어로 쓰는 작가들이 재일 조선인 생활을 그리는 세계가 많아질 것을 기대한다。그러나 그렇다고 일본어로 언제까지나 쓰려는 것에는 공명할 수 없다。국어로 못쓰는 것을 극복하는 방향으로의 지향성이 극히 필요하다。일본어로「조선 사람들의 세계를 그리면 길이 낮아진다」는 것은 잘못이며 오히려 그 반대가 되여야 하지 않을까

「진달래」十八호에는 그린 점들이 매우 희박하다고 생각한다。피해자 의식적인 코스모뽈리찌즘의 극복이 요구된다。또 과거 조선에서 생활을 겪은 시인들은 그 자체로서 극복해야 할 문제들이 있다。국어로 쓴다는 문제는 조선 사람으로서의 인간 회복―주체성을 확립하는 문제다。

▽윤 광영

문학 창작을 누구를 위하여 하는가를 다시 생각할 필요가 있다。여기에 대한 생각이 틀렸기에 그 작품이 대중들의 지지를 받지 못한다。

▽지 재기(도꾜―청년 대표)

청년의 립장에서 말한다면 인간 회복―주체성 확립의 바탕(토대)이 매우 희박하다고 생각되는 작품이 많다。우리는 재일 조선 청년들을 고무 추동해 주는 예술성 높은 시 작품들을 더 많이 써 줄 것을 요구한다。그런 작품들이 요지음 퍽 적은 것은 유감이다。

▽허 남기

나는 종래 구호시를 많이 써 왔으나 지금

45

여기에 의문을 느끼고 있으며 따라서 사린
대관점 무엇인가 하는 본질 문제로부터 따고
들며 그 함합들을 극복하면서 있다。 그런데
일본에 있는 조선인들에게는 부정적인 면들이
많으며 따라서 그에 앞서서 호소한 많은 문
제들을 느낀다。 이와 같이 우리는 글 쓰는
입장이 명백해야 하며 그 립장 상실자가 특
히 일본어로 쓰는 사람들 가운데 많지 않을
까?

▽김 시종

「진달래」의 시인들은 처음부터 무슨 고상
한 목표를 앞에 내걸고 시를 쓰기 시작한
것은 아니다。 자기에게 더욱 충실하며 그 앞
에 제기되는 고민들을 해결하기 위하여 쓰기
시작했다。 그런 점에서 재일 조선 청년들이
놓여 있는 위치를 더욱 명백히 할 필요가
있으며 그 평가와 방향성을 밝혀 줄 필요가
있다。

▽박 춘일

일본어로 쓴 작품이 일본 문학이냐 조선
문학이냐를 더 명백히 할 필요가 있다。 재일
조선인 작가의 일문 작품을 문학 국적론이 아
니라 민족적 특성으로 보고 조선 문학이라고
생각했으나 단순히 문학 국적론적인 관점 만으
로는 해결 안된다。

문학의 특성은 언어에 있으나 그러면서 거기
에만 치중할 수 없는 면이 있다。 그런 점에서
우리들 자체의 일어로 된 작품에 대한 평가가
부족하다。

▽김 달수

一 토론들을 크게 정리한다면
一、창작 방법에 관한 문제와
二、창작 용어 문제로 정리 되리라고 생각한다。
그런데 여기서 서뿔리 이렇다할 결론을 내릴
것이 아니라 중앙 위원회가 제출한 보고를 일
치해서 승인하며 앞으로의 창작 활동을 통하여
토론된 내용들을 살리며 또한 깊이도록하자。

잡감

ㅡ문학회 제七회 대회에 참가해서ㅡ

윤 광영

내가 요번 문학회 회원의 한 사람으로써 제七차 대회에 참가할 수 있었다는 데 대해서는 두말없이 즐겁고 기쁘다.

더구나 지방에서 문학하는 동무가 그야말로 헤아릴 수 있을 만치 적은 현실에서 역시나 문화 중심지인(어폐가 있지만) 동경을 나가는 기회를 얻는다는 것은 다른 비할바 없는 즐거운 일의 하나다.

그러나 실상은 자기가 교육의 마당에 있어서(회원 대부분이 그렇다고 본다) 요번 중상에서 열린 진국 교연 대회에 참가하도록 되여 있었다. 물론 요번 문학회 대회 일정도 잘 몰랐는데 민보에서 일하는 김 민동무로부터 온 엽서에서 날짜만을 알고 싶은 학교 수업도 하루 잘라먹고(물론 각 방면로 량해를 얻었지만) 동경행 렬차에 황급히 몸을 실었던 것이다. 동경에 가까워질수록 나의 가슴 속은 교연 대회에 대하는 열의보다 문학회 대회에 참가한다는 기대에 기쁨을 금치 못했다. 일년에 한번씩은 생활이 아무리 곤궁하더라도 려비는 우리들이……하는 학부형들의 교육에 대한 절실한 요망을 어깨에 메고 떠났던 것이나 도중에서 탈신(?)이 된듯 싶어도 어쩔 수 없었다. 그러나 사기의 교직원으로서의 임무를 소홀하게 여기는 점은 자신 천만이외 일이라고 자인한다. 나는 여기서 말하고 싶은 것은 「문학을 대중 속으로」라 치는 스로강 밑에서 자기를 어떠 초달해야만 되 느냐리는 무제에 머리를 앓고 있기 때문이다. 요번 문학회 대회도 그렇지만 교연 대회에 참가한 교원 동무들의 례년에 볼수 없는 진지한 토론 모습들을 보고 새 자신 무학습을 얼마나 뉘우쳤는가를 말할 수 없었다.

문학회 대회에서도 나는 역시나 그런 자기의 약점을 파고들면서 나대로 느낀 점을 말하고 싶다. 조국에서 열린 제二차 작가 대회에서 수리 재일 예술인 작가들에게 동지적인 두터운 배려가 있어서 우리들은 얼마만치 격려 고무되였는지 언급할 필요도 없다고 생각한다。 그러나 아직 우리들은 자기가 디디고 있는 발걸음사의 위치를 확인하고 있을까?。 五六十명이란 회원들의 대부분은 아직「자기」만을 파시 할랴고 기회를 노리고 있지 않을까? 대회의 론의 초점에서 일어로 쓴 작품이 조선문학으로 간주되느냐 안 되느냐、 또는 재일 동포의 생활을 쓰면 작품이 저하된다 안된다는 론섭의 기저에는 이런「자기」(일본의 자연주의 문학 조류의 영향이 있지 않을까?」를 련상시키게 한다。 물론 문학이란 수단이 고독한 일이기에「자기」를 철저히 캐보는 일도 중요하다。 그러나 여러 재능을 지닌 동무들은 이「자기」를 한걸음 앞서며 우리의 지향하는 사회의 전망을 굳굳이 다지며 거기에 대한 확고한 주체를 갖출 필요가 있지 않을까 생각 한다。 이 우리들의 앞날이! 화려하게 전개될 새로운 생활의 전망 밑에서 우리는 현재 놓여있는 진흙탕같은 현실 생활을 한번 더 몸소 감득할 단계에 있지 않을까!・・・。

적들을 저주하는 구호보다도 동포들은 자기들의 가슴속에 잠자고 있는 고도한 애국주의 사상을 꺼리낌 없이 이끼워 주기를 바래고 있지 않을까、 이러한「백가 쟁명」기 바야흐로 버려지는 도정(道程)에서 문학도 비로소 대중의 생활속으로 침투되며 그들의 생활의 진실을 깨쳐수는 참된 역할을 하리라고 믿는다。 물론 이러한 문제들은 내 자신이 부닥치는 오뇌속에서 더우기 느끼기 때문에 말한 것이다。 끝으로 문학회 여러 동무들은 보다 더 동지적 애정에 실맺어 전진하면서 조국의 배려에 한층 더 보답하도록 노력하자。

一九五七년 八월 十일

김대경

〈一〉

안해가 녀동 상임으로 일을 보게 되면서부터
박선생은 종종 저녁 끼니를 굶었다.
코 며칠—저만 하드라도 계속 일을 저녁이나
굶었었는데 그래도 그 때는 꾹 참고 배겼다.
웬만하면 박선생은 자기의 손으로 저녁밥쯤은 지
어 먹을 수도 있었지만 일년전에 장가를 든 후
로는 밥은 고사해 놓고 이불마낭 안해가 펴 주
어야 잠자리에 들군하였다.

〈二〉

밤 아홉시------ 오늘밤도 안해는 좀처럼
나타나질 않았다. 안해는 아침에 집을 떠날 때
돌아 오는 것이 늦겠다고 하던데 아마 오늘도
어제 밤과 같이 남반부 구원 갑파에 대한 총결
회의 때문에 늦는 가부다 생각했다. 박선생은 바
깥 빗소리를 들으면서 연신 답배를 피워 물고
멋없는 생각에 잠기군 한다.
(우산을 들고 정류장까지 안해의 마중을 나갈까
?…… 그만두자. 안해가 남편을 마중 나가는
수는 있지만 남편이 마중을……)
박선생은 부지중 쓴 웃음을 지어가면서 되
돌아 앉았다. 갑짜기 시장기가 돌고 현기증이
나서 머리가 팽팽 돌아 가는듯하다. 박선생은
지금 막 짤려든 교안을 내던지고 저녁밥을 지어
보려고 부엌으로 들어가서 찬장문을 열었다.
찬장 안에는 찬밥덩이가 박선생 혼자 요기할만큼
은 있었고 보시기에 두부찌개가 들어 있었다. 삽
시에 군침이 입안에 돈다
(가만히 있자 혼자 먹기는 안됐군. 그도 돌아
오면 뱃속이 출출할 텐데, 에라! 이왕이면
밥을 짓자.)

두부찌개를 덤석 입안에 넣어 놓고 먹을까 말까 망서리다가 박선생은 쌀을 솥에 부어다가 씻가 시작했다 생쌀을 몇알 씹는다。 그리고 씻고 물을 마련하며 솥아궁이에 불을 놓는다。 그런데 노부지 나무에 불이 붙지 않는다。 비에 젖어서 땔나무는 부찌직 소리만 날뿐 뿌연 연기만 콧구멍만한 부엌간을 휩싸 돈다。 숨이 칵칵 막힌다。 죽어라 부채질을 한다。 그래도 불은 일어나지않는다。 땀으로 목욕을 감은듯이 온몸은 땀투성이다。 모기때가 왕왕거리며 성가시게 군다。 박선생은 그만 부채를 내동댕이 치고 방으로 올라와 다다미우에 량팔 다리를 큰댓자 모양으로 벌려 나자빠 늘어졌다。 눈을 감는다。 방안이 마치 미지끈한 물속에 들어 앉인것 같이 물큰하다。 벼라간 안해가 밉살스럽고 원망스러워 부질없이 속만 상한다。

〈三〉

밤 열두시 ---------- 누가 흔드는 바람에 박선생은 혼곤한 잠결에서 후닥닥 깨여 났다。 안해가 돌아 온 것이다。

그는 비 때문에 옷이 흠빽 젖었다。 안해는「미안합니다」하고 후들갑 스럽게 인사를한다。 박선생은 인사 대신으로 독살스런 눈으로 쏘아-보며 아무런 대답도 않는다。 안해는 모든것을 알아차린듯이 남편의 독기어린 눈을 피해가며 이번에는 사과까지 하면서 남편을 위로해보려고 간드러지게 수선을 떤다。

「저녁을 잡수시고 편안히 주무시지요?· 어데가 편치 않은가요?·」

의례 정겹게 들리든 안해의 목소리는 방정 맞일듯 오늘따라 박선생의 귀에는 어색히 들린다。 더욱이 억지로 태연을 지며 가면서 묻는 꼴이란 더욱 박선생의 눈에는 아니꼬와 견딜 수가 없다。

「뭣이 저녁이란 말이야! 망할 투상하고는。 래일부터 당장 그놈의 벼동일 그만 치우고 집구석에 처백혀 있어···」

박선생의 기백은 대단하다。 사나이 대장부가 내 아니요? 하듯이 기고만장하다。 지금 곧 안해가 한마디의 허튼 대꾸를 했다간 벼락이라도 내릴것 같이 방안의 분위기는 매우 거칠고 험악하다。 그런데 아니나 다를까 안해는 안해대로 속이 상해 견딜 수가 없었던지 결국은 한마디를 뇌깔려 놓고 말았다。

「당신이 녀동일을 보면서 조선말도 배우고 조선 사람이 어떤건가를 알야한다고 해 놓고 왜 지금에 와서는 그만 두라는 가요?」 난 어떤 일이 있어도 책임진 일은 해야 합니다」

어느 사이에 그렇게도 당돌하고 앍찼는지 안해는 빤드룩하면서 제법 앙칼지게 반박한다。

「뭣이 어째?」

박선생은 참았던 부아가 벌컥 뒤집어 졌다。 마치 범에게 날개를 돋힌 셈이다。

「철썩」

안해의 볼태기를 한번 쥐여 갈긴다。

「빌어 먹게 설랑 말하는 꼴이란 저게 뭣이람 녀편네란게 사흘에 한번씩 몽둥이 짐이 어깨쭉지에 내려 바셔야 정을 다스리는데 한 바탐 실컨 맞고 정 다스리겠어?」

박선생의 눈을 표독스럽게 빛났으나 안해를 때린 그 손바닥을 약간 떨렸었다。 그 순간 가슴이 뭉클하면서 어린 시절이 눈앞에 방불히 나타나 그를 옴짝달싹 못하게 한다。 박선생의 어린 때에 종종 아버지가 술에 곤죽이 되여 어머니를 다짜고짜로 때리고 치였었다。 울면 요사스럽다고 때리고 말이 없으면 방충 맞다고 해서 다시 때린다。 그 때 한마디의 반항도 없이 죽은 송장과 같이 울고 앉은 어머니가 너무나 불쌍하고 가긍스러워 아버지 허리춤에 대롱대롱 매달려 울고불며 어머니의 역성은 들었던 것이다。 그때 생각엔 자기가 커나 살림을 꾸리게 된다면 안해를 때리기는커녕 손바닥에 안해를 모셔 어엿하게 살아 보리라하고 속다짐을 한 그 였었다。

그러던 박선생이 지금 멀쩡한 정신을 갖고 그리고 교육자로서 안해에게 손질을 하고 있지않을까。 장차 그가 자식을 놓아서 어버이 행세를 할 때 자식들 앞에서 오늘과 같이 안해를 때리고 친다면 필경 그 자식들도 자기가 아버지한테 물려받은 것과 같이 자식들도 그 본을 보리라는 것을 생각할 때 그는 걷잡을 수 없는 괴로움이 엉켜들어서 어찌할바를 모른다

그러다가 다시 안해의 흑흑 느껴 우는 울음소리를 듣자 모든 것이 귀찮은듯이 그는 신경질적으

로 소리를 빽 지르면서 밖으로 나가 버렸다.

〈四〉

뒷날 아침에

밥상에 마주 앉아 서로 얼굴을 대하는것이 어찌
어색하고 쑥스러웠던지 그러나 싸움의 불을
지른 것도 자기라면 또한 화목케하는 것도 자기
부터서가 아닐까하고 생각한 그는 안해의 노여움
을 풀어주고 자신도 손잡을 맹세코 살을려 결심
한다. 그래서 박선생은 억지로 대면을 지어가며
숟갈을 든다. 안해의 상냥스러던 얼굴엔 차거운
서릿발이 드리운것 같이 침음하고 싸늘하다. 그
리고 안해는 무엇을 곰곰히 생각하다가
「당신의 말대로 녀동일을 그만 두겠어요!…」
무슨 커다란 결심이나 하듯이 얼굴을 푹 숙인채
한마디를 잡아 뗀다. 박선생은 그런 말 같은
건 아랑곳 하지 않고 뜨거운 국을 후후 불며
들이킨다.
「웨 그래? 어제 밤엔 맡은 일을 책임진다고
큰소리 치지 않았소?」
비꼼조로 느리게 한마디의 말을 씹어 삼길듯이
박선생은 자신만만하게 안해의 말에 대해 반박한
다. 그러면서 어떻게 해서라도 이 음침하고 탁
한 방안의 분위기를 희기로운 분위기로 돌리기
위해서 안해의 눈치를 살펴가며 자신의 발뺌을
하기위해 벼란간 딴전을 쓴다.
「여보 어깨가 축 쳐져서 무거운데 좀 주물러
줄수 없소?」
박선생은 저의 반응을 엿보기 위해 흘금 안해의
얼굴을 훔쳐 본다, 안해는 그저 멍멍해서 허멀
건 눈으로 먼곳을 응시하고 있다.
「어서 빨라! 당신의 그 보드러운 손으로 한번
주물리기만 하면 나의 피곤은 눈녹듯 말끔 가
실것 같은데…」
그래도 아무런 반응이 없다. 이럴래면 억지를
댈 수 밖에 없다. 박선생은 안해 몸으로 바싹
닥아 앉으며 어깨를 안해의 가슴 앞으로 내민다.
그리고 다시 안해의 얼굴을 쳐다 본다. 그래도
영 무소식이다. 박선생은 마주막 발악을 쓰듯이
몸을 비비 꼬며 안해의 손을 자기의 어깨부에
보기 좋게 얹어 놓았다. 안해는 남편의 어깨
우에 얹어 놓은 손을 애써 뿌리칠려고는 하지

〔五四페ー지에 계속〕

제七차 문학회 대회 결과

제 七차 재일본 조선 문학회 대회는 지난 七월 二十七일 동경 조선 회관 강당에서 성대히 열리였다.

대회에는 동경을 중심으로 가나가와(神奈川) 야마가다(山形), 오사까(大阪) 등지에서 갖은 곤난을 무릅쓰고 꾸준한 창작 활동을 계속하고 있는 여러 작가 시인들의 대표 다수가 참가하였다.

그 중에는 이미 오랜 창작 경력을 가지며 일본 인민들 속에서나 조국 인민들 가운데서도 널리 그 이럼이 알려진 작가 시인들과 함께 최근 년간에 활발한 창작 활동을 시작한 청소한 작가, 시인, 평론가들이 참가하고 있었다."

그리고 대회에는 총련 중앙 상임 위원회를 대표하여 윤 봉구 사부국장, 문회 선전부 덕 우택 부부장, 류학생 동맹 대표를 비롯한 각 기관 대표들 다수가 래빈으로서 참가하였다.

대회는 재일본 조선 문학회 김 민 서기장의 개회사로 시작되였는 바 의장단으로 김 달수, 리 은직, 량 씨를 선출하였다.

이어서 조국 작가 동맹 및 재일본 조선인 교직원 동맹 등에서 보내온 축전 피력이 있은 뒤 래빈들의 축사가 있었다.

특히 총련 중앙 상임 위원회를 대표한 윤 봉구 사부국장은 자기가 한 축사 가운데서 「조국의 신속한 통일과 독립」을 쟁취하기 위하여 노력하는 재일본 조선 동포들이 당면하고 있는 최대의 과제인 「미제의 절전 협정 파기와 그에 따른 원자 무기의 남반부에의 반입」을 반대하여 한결 같이 궐기하고 있으며, 당처소는 「군비 축소와 평화를 지키기 위한 제三차 원수폭 금지 세계 대회」의 성공을 위하여 노력하는 재일 동포들의 모습을 자기들의 작품들 가운데 그려낼 것을 강조하였다.

축전 피력 및 래빈들의 축사가 마친뒤 재일본 조선 문학회 남 시우 위원장의 「총괄 보고와 당면한 활동 방침」(별기)이 보고되여 별기와 같은 활발한 토론이 전개되였다。

대회는 토론을 마치여 남 시우 위원장의 보고한 「총괄보고와 당면한 활동 방침」을 일치하여 승인하고 다음 의제인 「재일본·조선 문학회 규약 일부 개정」에 관한 중앙 위원회 제안을 승인하고 끝으로 별기와 같이 지도 기관의 선출을 마치고 폐막하였다。

끝

(五二페ー지에서 계속)

않는다

(응、되였다。지금 이 기회를 놓쳐서는 안된다)

박 선 은 들연히「어서」하고 명령하듯이 재촉한다。「어서」하는 바람에 안해는 깜짝 놀라듯이 남편의 어깨를 주물질 대신으로 살결이 간지러울만큼 꼬집는다。 박 선 은 치미는 웃음보 대판으로 터 놓고 마랐다。

안해는 약간 수집었던지 남편의 어께를 밀어재치며

「난 몰리요」

하고 휙 돌아 앉아버렸다。

一九五七·八·二〇

名古屋에서ー

◎創作 메모◎

▽김 석범 ー"文芸首都" 七월호에 단편 "看守朴書房" 동一二월호에 단편 "鴉の死" 발표 (이상 각각 일어)

▽김 대상 ー"文芸首都" 九월호에 단편 "E級患者" 발표 (일어)

▽강 위당(전비회원)ー "喜劇悲劇" 一一월호에 단막 풍자극 "すべて民主的に" 발표(일어)

▽산 우식 ー"現代詩" 10월호에 조선시의 동향에 대해 소개(일어)

(三三페ー지에서)

제법 쌀쌀하다

정남이는 정순이가 걷어찬 이불을 살그머니 덮어주고, 손에 절치는 캬라멜 갑을 집어 거죽으로 지긋이 눌러 보았다. 못졸한 감촉이 마음에 흡족했다.

「래일도 날은 좋겠지」

「달이 저렇게 밝은데요」

「일찍이 일어나야 하니 그만 자자우」

부모가 주고 받는 회화를 들으면서 정남이도 마음에 다졌다.

「래일 일찍 일어나서 예습을 해야지」

그러면서 이불 깃을 끌어당겨 머리끝까지 푹 덮어썼다.

귀뚜라미 소리가 점점 가늘어졌다

(끝)

목 차

— 표지 —

조선문예

차 례

재일본 조선 문학회

조선문예

9

1958·2

재일본 조선 문학회

창립 一○주년 —.

一○년을 세는 심사가 무슨 터무니 없는 감개에 젖는 것은 아니로되 모름지기 지나온 자취를 도리켜 보매 옷 깃을 여미게 한다.

작품으로하여 사는 보람을 찾는 우리가 이렇다 할 작품을 낳지 못 하였을때 一○년은 다시 없이 아깝고, 또 못하지 않게 아픈 세월도 된다.

무엇보다 앞서는 작가로서의 자책에 사무칠수록 비록, 변변치는 못하나 오늘날 영예 높은 애국 인민의 대렬 속에서 자기의 목소리를 다듬질하며 또한 그를 보담 우렁찬 것으로 하고야 말 결의를 새롭게 하여준다.

그것은 곧 조국에 대한 우리의 심정이며 조국의 기대에 대한 보답을 다짐하는 것으로 된다.

때문에 우리는 창립 一○년을 넘어가면서 우리의 생에 있어 뜻 깊은 도표를 반드시 세워 놓고 갈 것이다.

一○년 동안의 우리들의 활동을 전반적으로 총화하고 그의 성과와 결함을 보담 정당하게 정리할 데 상무 위원회는 물론, 전체 회원이 일치하여 노력할 것이며, 창작 활동이나 조직 사업이 일층 개선 강화되도록 하자.

당면 一○년 기념 사업을 준비하면서 광범한 준비 위원회의 조직과 관련하여 기관지 "조선 문예"의 강화 및 기념 "작품집" 출판에 착수하고 있다.

一○주년을 기념하는 사업이 주로는 우리 문학회의 조직적 강화에 전심하면서 그로부터 자랑할만한 작품집들이 엮어진다면 얼마나 보람차겠는가!

그러기 위하여 우선 우리 회원 개개가 자기의 지나온 一○년의 활동을 분석하고 총화하고 새로운 출발의 기점으로 만들자

一九五八년 二월 (남)

역증

김태경

입은 비틀어졌어도 주라는 바로 불라는 격으로 툭 털어 바른 말을 한다면 박 순이는 자기의 꾀에 자기가 넘어가고 만 셈이다。

고향쟁이 김 달식의 말마따나 박 순이는 세상 물정에 대해서는 집말「풋내기」이기도 하였다。

시체말로 한다면 사상성이 약한 사람이라 할까……。

달포전만 하더라도 박 순이는 김 달식의 집을 찾아 갔다가 대스롭지 않는 일에 입싸움이 벌어졌는데 그 때만 하더라도 다시는 김 달식이와 같은 더러운 놈 하고는 아예 상대를 않으리라고、그 앞에서 맹세까지한 박 순이기도 하였다。

그런데 오늘은 또 뭣 때문에 그 녀석을 만나러 갔느냐 말이다。 설혹 김 달식이란 위인이 땅바닥에 엎드려 비는 한이 있더라도 좃대가 센 박 순이라면 그 놈의 집구석에 발을 드려 놓지는 않을 것이다。

달포전에 박 순이가 김 달식이의 집을 찾아가게 된 리유도 고향 소식을 전할 터이니 꼭 들리라고 두번이나 김 달식이로부터 학교에 전화가 걸려 왔기 때문이기는 했으나……。 그 때만 하더라도 결단력이 있는 박 순이라면 처음부터 못간다고 잡아뗄 것이지 시간이 없느니 바쁘니 해서 물에 물탄 격으로 민숭맨숭하게 대할게 뭣이란 말이야。

그래 그날 저녁도 김 달식의 집을 찾아가질 않았나!

(1)

김 달식이는 찾아간 박 순이를 마치 긴 가을밤 독숙공방에서 서방님을 찾아주는 애첩의 반가움 이상으로 손을 붓들고 어깨를 어루만지면서 수선을 떨질 않나! 그 끝이 어찌 쑥스럽고 후줄감스럽던지 고지식한 박 순이의 비위를 건드려 놓고 말았다.

「혀 참 박 군이 아닌가?! 오래간 만일세. 역시 고향 사람이 다르지. 악다구니 싸움을 했어도 돌아서면 후회되고 만나면 반가우니. 그래 와 그새 한번도 놀러 오지 않나?」

않기를 권유하면서 양담배를 내 놓고 우위스키를 따른다. 그리고는 김 달식는 청풍류수와 같이 박 순이가 무슨 말이건 말할 여유조차 주지 않고 혼자 뇌까린다.

「자! 넥타이를 풀고 한간 하게. 여기는 자비집이나 마찬가자니까 뭐 사양할거 있나. 그렌데 금방도 말한바와 같이 어째서 요새 자네는 우리집을 드나드는게 뜸해 졌나? 그렇게 피하지 않아도 좋지 않는가?」

두툼한 입술을 련신 놀려대며 다우쳐 묻는 소리다. 연니 때 같으면 그 놈의 알랑거리는 입주둥이를 틀어 막기 위하여

「똥이 무서워 피하는 것이 아니라 더러워 피하는 게지……」

하고 점잖게 답을 했을 터인데 고향 소식을 듣고 보자는 뱃장으로 박 순이는 그저 무뚝뚝한 어조로……

「바빠서 올수 있는가」.

하고 말끝을 흐려 버렸다

말이 좀 상스럽지만 돈이라면 똥말뚝에라도 절을 할 놈이 김 달식이다. 고것뿐만 아니라 겉으로는 남을 위하는척 하면서도 남을 망쳐 먹을 놈이 바로 김 달식이다. 등치고 간빼 먹는 놈이란 바로 그를 두고 말함이 아닌가싶다.

옛속담에「악으로 모은 돈은 악으로 망한다」는 말이 있거니와 김 달식이를 말한다면 되려 이 속담을 수정해야 할 것이다.

「악으로 모은 돈이 선으로 성한다」고：

륙필진만 하터라도 그는 발가숭이 홀몸뚱이

남반부로 부터 피신하여 일본으로 건너 왔는테 의지할 곳이 없는바는아니 였는테 중학 이턴 후배인 박 순이를 찾아 왔다。 박순이는 이때 그의 딱한 곤경을 동정하는 나머지 그가 학력도 있고 과거 교원생활도 해본 그라 위선 현 조직과 의논해서 나고야 어느 소학교 교원으로 추천했던 것이다。 그런데 어찌된 셈인지 김 달식이는 교원으로 취임한지 불가 이틀도 못가서 그 학교에서 추방을 당하고 말았다。 그 리유는 같은 학교에 있는 녀교원과 련애이상의 관계가 학부형들로 부터 탈로 되였기 때문이 였다。 그 후 김 달식이는 녀교원을 테리고 어데로 갔는지 종무소식이 였다。 그런테 재작년 봄에 풍설로 들려 오는 말에 위하면 김 달식이는 남선서 대학을 졸업한 안해를 테리고 거기에다 벼락부자까지 되여서 잘산다는 소문을 들었다。 예,홍길동이가 아닌바에는 설마 동으로 번쩍 서로 번쩍 쏘아다니면서 벼락부자가 될리는 만무하리라 생각했던 박 순이는 내종에 김 달식이를 만나 보고 그만 어안이 벙벙해 졌다。 박 순이는 그때만 하더라도 호기심이 앞서서 벼락부자가 된 연유를 대라고 졸랐으나 김 달식이는 그것에 한해서는 종시 입을 다물었었다。 내종에 향리 사람들로 부터 들은 이야기지만 김 달식이가 그렇게까지 돈을 벌게된 것은 돈깨나 가져 있는 파부외숙을 꾀여 한국과 밀무역을 해서 돈을 번것임을 알수 있었다。 그는 이때부터 돈에 대한 욕심이 부쩍 늘었고 돈을 위하여 자기의 량심을 팔기 시작했던것이다。 돈에는 렴라대왕도 한쪽 눈을 감는다는데 저열한 세속에 물젖인 김 달식으로서야 말할 여지도 없을 것은 뻔한 일이다。 그의 원래부터의 나쁜 버릇이라면 녀자에 대한 릉욕적인 사랑이라 할까…… 박 순이가 아는것만 하더라도 김 달식이는 아직 나이 사십 미만인 그가 안해를 벌써 네 댓 바꿨으니까……요 몇년전에 죽을판 살판 하던 녀교원은 헌신짝 같이 내던지고 요새와서는 똥딴지 같은 계집을 안해라고 데려

고 산다。 외사촌 누이도 이뻐야 이야기할
맛이 있다는 격으로 박박 얽은 얼굴에 안
장코는 보기만해도 질색이다.
때로는 박 순이를 앞에 놓고 빨갱이가 어
떠니 조직이 어떠니하며 알랑거린다。 티우
기 조선서 대학까지 나왔느니 하며 긴장을
부질 땐 아니 꼬아 견딜 수가 없다。
김 달식이는 대학이란 간판에 반해서 그를
데리고 사는지도 모른다.
김 달식이의 소위 처가가 남선서 부자였으
니 돈에 탐내서 그를 데리고 사는지도 모
른다. 하여튼 김 달식이는 박 순이의 보
는 한으로서는 사람이 확달라 진것만 같다.
김 달식의 세속 철학이 아니라
「인간은 환경에 지배를 받는다. 자기는
그저 환경에 지배를 받은 미미한 존재
이외에 아무 것도 아니다. 그러니 뒷붙
여 말하는 것이 뭣이냐」고 한 때는
학생 운동의 선구자로 이름이 날리든 그요,
또한 어려운 조건 속에서도 민족 교육을
지켜 오던 그다。

그러나 돈이 자기 수중에 들어 오면서부터
는 사람이 확 달라 졌다。 아니 원래부터
그의 마음 한 구석에 돈에 대한 더럽고
매서운 앙심이 냄돌고 있었을런지도 모른다。
들리는 풍설에 의하면 김 달식이는 밀 무
역을 해서 이천만원이나 돈을 벌었다고들
한다。
풍설이니까 파장도 덧붙여서 이런 풍설이
퍼졌다고는 추칙할수 있으나 하여튼 김 달
식이가 돈을 번건마는 사실이다。
자본주의 사회이니까 어떻게 해서라도 돈을
벌면 제일이 아니냐고 김 달식이는 우쭐대
지만 남도 않으면 안되겠느냐 말이다。
파부외숙 한테가서는 신고 간 물건을 솔빡
한국 세관과 경찰치를 한테 압수 당하고
왔느니 하며 구변이 좋은 그는 외숙을 판
판 속여 넘군다。
그래서 「이왕 이렇게 되였으니 빌려간 돈은
낼수 없소」하고 손을 털고 뱃장을 내민다。
달아 빌려준 돈에 대해 족치기도 하고 울
고 불고 싸움도 했건만 막무가내였었다。

그래서 과부외숙은 하는 수 없이 진위도 알아 보고 본전도 빼겸 화장품을 사가지고 고향으로 떠났다. 그러나 과부외숙의 마음먹은 대로는 되여 주질 않았다. 남선으로 가는 길은 어떻게 빠져 나갔는데 돌아오는 길에 일본 경비망에 걸리고 말았다. 그래 지금 그 과부외숙은 밀무역은 물론 등록 위반이란 죄명까지 얻어 지금 오―무라 수용소에 억류되고 있는 형편이다.

그래 박 순이는 김 달식이를 만날 때 마다 어떻게 해서라도 오―무라 철창 생활로부터 빼내는 운동을 해보라고 수차에 걸처 권유를 해보았으나 김 달식이는 들은척도 않았다. 내종에는 한번 면회라도 가보라고 했건만 소키에 경 읽기로 되려 화를 발칵 내며 그런 심이가 있는 박 순더러 가보라고 한다.

달포전에 김 달식이의 집을 찾아 갔을때도 결국은 그 때문에 입 싸움이 벌어진 셈이다.

「내가 보기에는 박 군은 세상 물정에 대해서 영판 어두운 사람이지. 눈 감으면 코를 베여갈 세상인데 가갸거겨의 글발과 같이 그리 순수하지는 않네. …… 없으면 친부모 제사도 못지낸다고 하지 않은가? 내가 살고 남이지 내것이 없을 뻔 누가 내를 좋다고 말하나. 나는 요새 정말 금전의 위력을. 몸소 느낀 놈일세. 그러니 총련이니 민족 교육이니 그리고 자내는 늘 인간 량심이니 허울 좋은 말들을 작작하지만 금강산도 식후 경이라고, 배가 불어야만 량심도 살고 교육도 지켜 나가는 걸세. 요전에 총련 간부들도 옹색했던지 내한테 감파를 하달라고 왔던데 없으면 별수 있나. 그러나 뛰여난 정치가나 교육가가 못될바에는 억만장자라도 되여 돈으로나 이름을 날려 볼수밖에 딴 도리가 있는가?」

김 달식이의 엉뚱한 세속 철학을 이렇게 역설 할라치면 옆에서 듣고 있던 박 순이는 참기가 거북했던지 말보다도 손가락 부

(5)

터 그의 말을 가로차며 대든다。
「돈·돈·돈도 좋지만 남의 피눈물을 짜야 내서 번돈이 진짜 돈버리라면 그 돈이 진짜 돈인줄 알어? 그렇게해서 돈을 번 사람은 근대 피수야 피수。
그리고 교육이니 말할 자격인란 당신은 없는 사람이요 당신 눈에는 총련 간부들은 종종 기부나 받으러 오니까 출출한 거지와 같이 밖에 볼수 없는 것 같은데 적어도 총련에서는 당신과 같은 사람이라도 조국에 대한 일편마는 잊지않고 있으리라는 동족애에서 몸소 찾아 주셨는데 당신의 그 거만불손한 태도는 뭐이란 말이요。」
김 달식이가 세속에 대한 아침으로 인해 물에 물탄격으로 상대방의 비위에 거슬리지 않은 정도로 아슬 아슬한 선에서 이야기를 한다면 이에 대하여 박 순이는 경우에 어긋나거나 량심에 벗어나는 상대방의 언해에 대해서는 추호도 타협하려 하지 않는다.
그래서 늘 그런 장합에는 거치른 항의의 목소리로 변한다. 않아서 차근차근 시비를 따지고 선악을 가려내는 것이 아니라 김 달식이와 같은 위인과 이야기판이 벌어지면 박 순이는 위선 심줄이 불룩하게 솟아 오르고 불타구니를 실럭거리며 손짓 몸짓을 해가며 말대꾸를 한다。 마음이 갈아 앉았을때는 이렇게 해서는 안되겠다고는 생각이 드나 그 놈의 능그렁이 같은 김 달식이를 보면 마음이 휘딱 뒤집어 지고 만다。
마치 길가에서 징그런 뱀을 만나면 동맹이를 들고 그 놈의 대갈통일건 꼬리건 때려 주어야 마음이 개운해지는 아이와도 같이
여북이나 해서 김 달식이는 그 도 불쾌했던지
「자비하고 내하고는 무슨 원쑤가 졌길에 만나면 씨안 싸움과 같이 싸움만 한단 말인가?」
하고 김 달식이는 박 순이더러 핀잔점 나무람점 두덜거리군 했다. 하여튼 박 순이가 김 달식이를 만나서 무슨 말이건 주고 받는 사이에 한번인들 평온무사히 지내본

둘리가 없었다。

그러면서도 어찌된 셈인지 박 순이가 김 달식이의 집을 찾아가고 김 달식이도 가끔 박 순이를 찾어 싸움질에 인정이 두텁다는 격으로 전에 그렇게 까지나 악다구니 싸움장을 벌려 놓다가도 만나면 무등 반가워들 한다。

김 달식이는 그질로 보면 사교성이 있기는 한 사람이다。 둘이가 싸움을 한후에 뜸해지면 박 순이의 집을 찾아 든다。

지난 여름 한철에 김 달식이는 안해와 같이 박 순이의 집을 찾아 왔었다。

김 달식이의 안해는 보기만해도 숨이 막힐 만큼 일본 기모노를 입고 손에 잔갑을 끼었다。 거기에다 댄지 새끼인지로 엮어만든 구멍이 숭숭난 핸드빽을 끼고 머리에는 미륵보살파 같은 최신 류행 모자를 머리에 얹치였다。

박박 얽은 낮짝에다 분을 바르고 연지를 찍었는데 땀때문엔지 안장코등에만 분가루가 유달리 허옇게 묻었다。 마치 일본 나부랭이 희극 배우들이 유표나는 얼굴 화장으로써 서툰 연기력을 감추려 드는 화장잡변을 련상케 한다。

김 달식이의 손가락에서는 금반지가 번쩍였고 신사 뽄을 낸다고 그러선지 등덩이에서나 얼굴에서나 땀으로 후줄근하게 내려 번졌는데 그는 종시 넥타이를 풀려고 하지 않는다。 그는 련신 부산히 부채질을 하면서도 덥다는 말조차 하지 않는다。

김달식의 부부는 신사 숙녀와 같이 끌어 앉고서 벽에 걸린 사진을 훑어보고 서적함을 열어 보며 두 내외는 뭐라고 쑤알거렸다。

박 순이는 어름집에 가서 반갑지 않는 불청객을 대접하기 위하여 얼음을 사들고 수박 한통을 사왔다。

「모처럼 오셨는데 대접할 것도 없는 것 같소。 자 더우신데 평안히 앉으시고 시원케 목이나추겨 봅시다。」

박 순이는 어떻게 그들을 대했으면 좋을지

그저 송그스럽고기도 하고 열적 열적기도
해서 기껏 하는 말이 이렇게 엄버무려 놓
고 마랐다.
「박선생댁은 다 조선젓 뿐이네요」
김 달식이의 안해는 칭찬인지 비꼬는 말인
지 간드러진 웃음을 지어가면서 이런 말을
한다. 사실 박 순이의 방안에는 조선 것
으로 그득 찼다.
벽에는 최근 조국으로 부터 유화인 농촌
풍경과 조선화 목련화등을 걸었다.
그리고 고향에서 고기잡이 하는 천연색 사
진과 우쪽 벽에는 조선 지도를 붙여 놓았
다 때로는 방안이 진한 색갈로 어리어리
해서 그 것이 마치 헌 옷에 군딱지를 붙
인 부자연스런 감도 없는바는 아니나 그래
도 박 순이로서는 고향을 생각케하고 휘황
찬 조국의 전도와 함께, 호흡을 같이 하려
는 그로서는 남이 비웃던간에 그 그림들로
서 만족했다.
박 순이의 서적함에는 사오년전 부터 조국
으로 입수한 서적들로 그득 찼다.

저기에는 조선 작가 동맹으로 부터 보내준
책들도 있었고 평양 고급중학교 교원들로
부터 보내 준 키중한 자료들도 들어 있다
뿐만 아니라 김 달식이로 부터 비싸게 사
들인 남반부에서 들어온 고전 작품들도 몇
권 끼여 있다. 천권이 넘는 서적들을
넣을만한 서적함도 없지니와 방도 비좁고해
박 순이는 일본글로 된 서적들은 좋으나
나쁘거나를 막론하고 서적함에서 빼여 내여
서 오시리 안에 챙겨 버렸다.
그리고 라디오를 뜯어 고쳐 평양 방송만
들리도록 만드러 놓았다.
안해가 방송만은 량쪽 다 들을 수 있도록
해달라고 했건만 박 순이는 그런 요구에
대해서 들을려 않았다. 동기
방학간에는 집에 머물러 있는 기회가 많은
박 순이는 바지와 저고리를 해 입고 독서
를 즐긴다. 저고리 바지를 입고 서재에
단정히 앉아 때로는 시조를 읊고 열하일기
를 읽어봄이란 쓰위스키를 마시고 기모노를
입고 다니는 어중이 떠중이들로서 그의 진

미와 진정을 모를 일이다。
김 달식이는 박 순이의 이러한 생활 작풍에 대해서 비웃고 경멸까지 한다。
낡아 빠진 미친광이라고……………
김 달식의 안해의 말에 의하면 박 순이는 고집이 세고 융통성이 없는 사람이기 때문에 꼬리타분하고 고팡내 나는 조선것만 만지작 거리고 하찮는 것에만 마음을 돌리고 있다고 하였다 그것은 오직 박 순이가 근대 감각이 결여 된데서 오는 불쌍한 존재라고 까지 뇌까리군 하였다。
아닌게 아니라 김 달식이의 집엘 가 보면 소위 근대 감각으로써 갖추었다는 문화의 냄새가 물신물신 풍긴다。
위선 양식을 하고 컷츤이 잘들고 푸신 푹신한 베트가 있고 생화는 늘 테불 우에서 아름다움과 향기로움을 자랑한다。 그러나 박 순이의 보기에는 김 달식의 부부가 즐기는 문화는 절름바이의 감각이고 색정에 찬 문화이다。
김 달식이의 집에 가 보면 세계 명작들이 있기는 있다。 그러나 그 세계 명작들은 먼지투성이가 되여 긴 하품을 치고 있다。 벽에는 일본화 한장과 푸른색 노란색으로 직선과 햇끝을 그린 근대화가 붙어 있다。 도 대체 그 놈의 그림은 꺽으로 봐도 바로 바도 모를 그림이다
그러기에 박 순이는 김 달식이의 안해로부터 낡아 빠졌다는 지적을 당하는 지도 모른다。
김 달식의 안해의 말에 의하면 그 그림은 자기가 제일 마음에 드는 근대화이며 그 그림 속에는 인간의 차디찬 근대 모랄이 상징적으로 표현됐다다……
김 달식의 안해는 남선 어느 대학에서 영문학을 전공했다는데 중학생들도 능히 읽을 수 있는 영문을 번역은 고사해 놓고 읽지를 못한다。 그러면서 씩쓰피어가 어떠니 이브센이 어떠니하고 따득거린다。
그도 자기 남편인 김 달식이 한테 세속 치세술을 배웠는지 인테리들이 모인 앞에선 문화인척하고 장사치들 앞에서는 그 누구

보다도 잘고도 영특하다.
아마 그 무터운 여름철에 납산만한 배를 해가지고 일본 기모노를 입고 다니는게 일본 모리배들과 밀무역에 대해서 상담하러 가는 길임을 박 순이는 직감적으로 느낌수가 있었다.
김 달식이는 부채질을 하다가 한참만에야 의미 신장하게
「자비 피서지도나 안가 보겠는가?」
하며 이마에 송글송글 맺친 땅방울을 손수건으로 문지르며 박 순이게 호의를 보이며 이런 말을 꺼냈다.
「가도 좋지만 당신들과 같이 가서는 조선말을 못쓰도록 할것이니까 가갑증이 나서 피서가 아니라 되려 봉서가 될듯하니 당신들만 갔다 오시요.」
박 순이는 김 달식이의 호의를 저버리는 감도 그 순간에는 있기는 했으나 그렇다고 해서 마음에 안내키는 곳을 갈 수도 없어 이렇게 말할수 밖에 딴 도리가 없었다.
박 순이는 올 여름에 어린애의 병이 덧치지 않었더라면 피서겸 학생들파 함께 산에서 캠프 생활이라도 며칠하고 싶었다.
그렇다고 해서 일본사람처 해서 김 달식이의 부부들과 피서를 가기도 싫은 일이 였다. 그들의 부부가 머리털을 뽑아 신을 삼아 줄러이니 같이 가자고 간칭했던들 박 순이는 딱히 싫었다.
사람이란 자기말로 이야기 해야 하고 자기의 세상에서 살아야 한다. 박 순이가 일시적이나마 김 달식이의 세상에서 산다는 것은 마치 고기가 물속에서 뛰여나와 물에서 산다는 것과 흡사한 일이다.
그러면서도 가끔 박 순이는 어쩐지 김 달식의 은속하고 허무방탕한 세계를 욕하고 증오하면서도 부러워하는 자신을 발견할 때가 있다. 그것은 아마 박 순이가 쪼들린 생활에 대한 반발로써 오는 것인지 그렇지 않으면 김 달식이의 말마따나 인간은 환경에 지배를 받으니까 박 순이도 차차 일본 사회에 물젖어 그렇게 되여 버리는 지도 모른다.

이것이 소위 박 순이의 사상성의 약한 고리인지도 모른다.

그런데 오늘 밤에 박 순이가 김 달식이의 집을 찾아가게 된것은 다음과 같은 리유에서 였었다.

一九四八년에 리도당 경찰 테로 분자들로부터 박 순이의 향리는 소위 빨갱이 소굴이라 해서 마음을 깡구리 불태워 버리고 리민을 닥치는 테로 총살 시켰다.

그 후에 십년. 그러나 들려오는 말들은 한마디도 반가운 소식이란 없었다. 어업으로 생계를 꾸려 나가는 마을 사람들은 지도당 해군요지라 해서 고기잡이 바닷가를 빼앗아 갔다. 불타 허무러진 빈터에 돼지울 같은 오막살이를 지었으나 바람이 세찬 겨울에 그 오막 살이가 견디여낼수가 없었다.

정말 사는것이 죽기 보다도 어려운 형편이다.

그런데 어떤 마음을 가져섰는지 김 달식이는 불타버린 고향을 자기의 힘으로 한번 재건해 보겠다고 하지 않는가.

그래 오늘 낮에는 일부러 박 순이가 근무하는 학교까지 찾아 와서 고향 재건에 자기가 한힘 써 볼러미니 퇴근 시간에 꼭 들리라고 그의 간곡한 부탁이 있었기 때문이다.

처음에 김 달식이가 고향 재건에 대해 말을 꺼낼만 하더라도 박 순이는 곧이 들을려 하지 않았다. 김 달식이의 말은 어테까자가 진담이라고 어테까지가 가짜인것을 대략이나마 대중할수 있는 박 순이로서는 고향 재건이니 뭐니 장황히 보따리를 늘여 놀 때 마다

「허 이거 돌에 꽃이 피겠소」

하며 빈정거리면서 그의 말을 믿을려 하지 않았다. 그런데 공교롭게도 박 순이가 퇴근할려 할 때 김 달식으로 부터 꼭 들리라고 당부하질 않은가. 그래서 김 달식이는 퇴근시에 그 놈의 집구석을 찾아간 셈이다.

교문을 나서서 김 달식이의 집까지 가는

도중에서 박 순이는 고향 재건에 대해서
여러가지 공상에 잠기군 했다.
(황량한 폐허우에 위선 아담한 학교를 세
우고 고깃배를 띄우도록 하리라.
그래서 학령 밑에 신음하는 향리 사람들
에게 삶에 대한 뜨거운 불씨를 안겨 주
리라. 김 달식이가 정말 고향 재건에
한몫을 단단히 본다면 나는 정말 김 달
식이를 선배로써 모시고 지금까지의 지나
친 언사에 대해서 사죄하리라)
그러나 막상 김 달식이를 만나고 의논을
해본즉 마음 먹었던 바와는 천양지판인데는
아연실색 않을 수 없었다.
그 순간 그놈의 꾀임에 다시 넘어갔구나
생각할 때 분하기도 하고 억울하기도 하였
다. 그래서 그만 들었던 크라스로 그놈의
입주둥이를 겨눠 냅다 내던 것이다.
이 때 김 달식이의 안해가 말리지 않았더
라면 모가 되던지 깨가 되던지 끝장을 났
을 것인데 그놈의 안해년이 다람쥐 같은
쬐간 눈알을 련신 굴려 가면서 가운데 들
어 애걸하는 바람에 박 순이는 단단히 족
칠까 하다가 일본 사람을 보기에도 창피스
럽기도 해서 문을 차고 후닥닥 그 놈의
집을 빠져 나오고 만셈이다.

× × ×

박 순이가 김 달식이의 집에 다달았을 때
는 여섯시가 훨신 넘어서 였다.
여니 때 같으면 인종을 울려 김 달식이의
안해가 나와서 현관문을 열고 올라 오라고
해야만 그 놈의 집구석에 발을 드려 오는
법인데 오늘은 사못 박 순이도 반가웠던지
「김 형」하고 다짜고짜로 바로 응접실까지
뛰여 들고 만것이다.
「야! 이랏샤이(어서 오십시오)」
벙어리 례장 받은 때와 같이 김 달식이는
싱글벙글 웃음을 지여가면서 박 순이를 영
접한다. 그의 안해도 아교를 부린다고
홀쭉한 뺨에 볼우물을 파가며 영접한다.
향수 냄새가 코를 쑤신다. 김 달식의 안
해의 옷차림파 몸단장은 보면 볼수록 남방
토인을 련상케하고 어린 때 옛말에 나오는

혹 때려 나온 도까비를 문득 생각케 한다. 잦가슴이 아슬아슬하게 보이도록 키어 입은 옷이며 손가락 발가락에 빨간 물을 칠한 것과 터우기 귀걸이 목걸이등이 바위에 거슬렸다.

우위스키가 나오고 남비에는 스끼야끼를 하노라고 소고기를 익힌다. 오늘은 왠질 소갈비까지 굽는다. 그들 부부는 료리를 만드노라고 부산히 서들며 어린애들의 짜작근 놀이와 같이 떠들고 야단이다.

「자 한잔 들게」

박 순이는 김 달식이가 권하는 대로 빈속에 우위스키랑 포도줄을 들이켰다

그래서 서너 시간이 지났을까……

박 순이도 술이 어지간히 취했다.

그러면서도 박 순이는 고향 재건에 대해서 이야기할 것을 잊지 않았고 김 달식이의 부부는 부부대로 박 순이를 휘여잡기 위한 술책으로서 웅숭한 대접과 아첨질을 잊지 않았다.

「박 선생은 퍽 인자한 분이시지. 케테와 같이 리성을 한몸에 지닌 분입니다. 오뚝한 콧날과 호수와 같이 그윽하고 맑은 눈동자. 호호호……」

한 때는 곤팡내 나는 조선것만 만지작거리는 텁텁한 사람이라고 하던 김 달식의 안해가 대뜸 리성인이니 지성인이니하는 바람에 박 순이는 취했던 술이 단번에 깨지는 것 같았고 얼굴이 화끈 붉혀 달아 올랐다.

박 순이는 김 달식이의 안해의 말을 들을려도 하지 않고 시계를 보다가 무슨 결심이나 하듯이 김 달식이를 향해

「오늘 고향 재건에 대해서 의논하고 싶다는데. 김형! 이야기 좀 해 봅시다.

저야 만날 월급쟁이로 하루 살림이 빠듯해서 고향 형편을 알면서도 도리가 없이 이꼴입니다.

하여튼 김 형이 고향 재건을 위해 이번은 정말 한몫 단단히 큰장을 볼 예정인 것 같은데 그렇게만 된다면 한티 사람들이 얼마나 반가워 하겠소 그렇지 않아도 최근 듣는바에 의하면 고향선 대훈변이

(13)

저고、바다는 미국놈들의 해군 요지로써 마을 사람들은 고기도 못잡고 해서 살아 나가는 것이 죽기 보다 더 괴롭다고 하는 요즘인데 어서 좀 이야기 해 봅시다」。

박 순이는 전과는 달리 김 달식이에게 사례겸 자기의 진담을 토로했던 것이다.

그런테 김 달식이는 각초지종 시시껄렁한 세상 이야기만 벌려 놓고 쉬빨리 본 의제로 말머리를 돌리려고 하지 않았다" 그렇다고 해서 무턱대여 놓고 족치키도 안되여서 또 몇 시간을 그 놈의 말동무가 되여준 것이다,

이윽고 김 달식이는 큰 결심이나 하듯이 위험을 빼고 또박또박 이야기를 하기 시작했다

「자네하고 내사이엔 여태 것 숭허물이 없이 지내는 사이니까 툭 털어서 말하겠네만 자네가 들어주겠는지----」

말하기가 매우 송그스러웠던지 김 달식이는 위선 박 순이의 눈치부터 살핀다

「어서 하시요。 저야 고향 사람들을 위한 일이라면 협력 못할 리가 없지 않습니까? 어서 말씀을 하시요。」

박 순이는 피워문 담배를 재떨이에 문지르며 다음 말을 재촉한다。

「실은 다르게 아니라 고향을 재건할려면 위선 금년내에 고향엘 갔다 와야 쓰겠네 그러자면 먼저 한국 정부의 신임을 얻얼만한 증지가 있어야 하겠는데 자네도 아는바와 같이 그런것이 있나? 그래서 요새 곰곰히 앉아 생각을 해 봤는데 그의 가장 좋은 방법으로써 이 지역에 한국 거류민단 지부를 만드러 볼려고 하네。 이런 말을 하면 자넨 놀래리라고 생각은 되지만 대사를 위해서는 소사는 희생해야 할 것이 아니가。

그래 벌써 민단 본부와는 이야기가 다 된 셈이네。 그리고 이 지역에 사는 동포중에서 불만을 품고 있는 김 남수씨와 그리고 려관을 경영하는 하라다상、한국 무역을 하는 신 배갑씨들도 민단 결성에 적극 찬성해 나서고 있네。 그래서 모

래 밤에 하라따상 여관에서 민단을 결성하는데 두말할 것 없이 내가 단장으로 내정된 셈이네. 그래서 자네한테 부탁할 말은 그날밤에 와서 사회를 해주지 않겠는가하고 의논도 할겸 남선서 귀중한 서적들도 왔으니 그것들도 선물로 들일겸--
----어떤가? 자네 의향은?」
김 달식이는 자기가 계획하고 있는 민단결성에 대해서 대강 이야기를 해 놓고 크라스에 포도주를 따르며 박 순이의 눈치를 다시 살핀다.
포도주를 따루는 김 달식이의 손은 약간 떨렸으며 억지로 태연을 지으려고 하건만 병아리 발딸거리는 숨소리와 같이 그의 숨소리는 박 순이의 귓절에 아지러울만큼 들리군 하였다.
박 순이는 얼마간 말이 없었다. 거기 맥히고 오장육부가 획딱 뒤집어 지는 것 같았다. 방망이로 후려마진 것 같고 또 누가 와서 때려줬으면도 하였다.
교장의 날카로운 시선이 메섭게 얼른거리더니만 삼십여명의 교원들이 일제히 박 순이를 향해 손질을 하는 것 같은 관경도 눈자위를 얼른얼른 스쳐 지나간다.
박 순이는 감았던 눈을 천천히 뜨며 김 달식이를 쪽바로 응시한다. 그리고서는 또 한참 말이 없었다.
김 달식이의 마음은 더욱 초조했고 불안이 삼시에 엉켜들었으나 그도 어찔바를 몰랐다
「어- 어떤가?」
답답하던 나머지 김 달식이는 짐짓 이렇게 묻는다.
「뭣이 말이야. 아니 역적놈 초상 앞에서 대한민국의 충신이 되겠다고-명세하란 말인가?」
「아니 그게 무슨 소린가? 자네에게 민단에 가입하자고 강요하는가? 그저 고향 재건을 위해서는 눈을 질끈 감고 쓴약을 잠간 먹자는 셈이 아닌가?」
「빌어 먹을 자식하군! 이제 알고 보니 단장이란 감투를 얻고 싶었구나
그래서 뒤분으로 비놈 장사도 하고----」

쩌먹고 알먹고----그래 내한테는 네 더
러운 뒤를 닦으라고-----
불상한 과부외숙한테 사기까지 한티석이
고향 재간이 뭣이란 말이야。
개구리 올챙 때 생각 못하는 격으로
좀 돈깨나 거머지니 이젠 네 잘난건만
알았지 남잘단 모르단 말인가 이 불안당
같은 놈아。 총살 당한 고향 사람들을
색각하더라도 리승만이 만세는 못 부른
것이다 이 역적놈아。」
박 순이는 참다 참질 못해서 냅다 크라스
랑 주전자랑 내트지고 벼락 같은 고함을
지르며 김 달식이 앞으로 다가서며 주먹을
내흔들었다.
박 순이의 충혈된 눈에서는 지금이라도 불
꽃이 튀여 나올것만 같았다。
「이 사람이 환장을 했나 이게 무슨 짓이
야。 그렇게 흥분할 것 없질 않은가。리
승만이 밑에서도 얼마든지 잘사는 사람이
있다는 사실을 자넨 모르는가?」
김 달식이는 박 순이를 달래여 볼려고 애
써 감정을 지워버릴려 했건만 그럴스록 박
순이는 기고만장해서 팔팔 뛴다
「오냐 내는 흥분하고 있다。술도 취하고
있다。 흥분해야 할 때 흥분하지 안하는
것이 점잖은 사람인줄 아나?。 그건
사람이 아니고 네같은 아첨쟁이나 그런다。
이 괴씸한 놈아!」
김 달식이는 손아레인 박 순이로 부터 세
상 없는 욕을 욕대로 듣고 자존심을 자존
심대로 깎이우고 말았건만 그렇다고 박 순
이와 맞대질도 할수가 없어 그저 얼떨떨
거릴 뿐이다。 다만 가느다란 팔을 내저
으며 횡설수설 두덜거리다 박 순이가 돌아
간 후에 그간 마실을 갔다 막 들어선
안해를 붓들고 그 분푸리로 찍찍 고함을
질렀다。

× × × ×

별빛 하나 없는 어스름한 밤에 박 순이는
그저 것잡을 수 없는 잡상이 엉켜들어서
집문 앞에서 하루밤을 꼬박 세웠다.
일본!뭣이 불어울게 있느냐!만사가 귀찮도다.
一九五八 一月三十一일

(16)

영 춘

허남기

죠-반선 히타치역을 내려
동복으로 三十리
눈깊은 험한 산길을 넘어선 그곳에
그 마을이 있었다
구지군 이티시겐촌 기エ네자카
장작개비인양 화차에 줏어담겨
실려와서
이곳 히타치 동산의 광도 뚭기에
청춘을 보낸
사람들의 판자 행랑이
고티름을 주루룩 달고
웅크리고 있다
뻬스도 잡짝 산마루의 모토야마란
곳에서 돌아 가고
찾는 사람이라곤 초동 하나 없어
그런지
눈은 새하얗기만 하고
토끼 발자국 한줄 없어
나는 한걸음 한걸음
길을 터듬어 내려가야만 했다
술도 못하고
쌀도 못나르고
생활 보호도 못타고
남편 잃은 아낙네도 나 어린 소녀도
모다 시오리 아랫 마을의
신작로 공사 일로 겨우 목숨을 잇고
있다는

(17)

이 마을은
나에겐 인연 깊은 마을이다

지금부터 몇해 전이든가
일본 관헌의 눈을 피해
내 석달이 넘도록 숨어있던 이
가노비 자카의
그 정월 초하룻날을 잊지 못해
오늘 이 새벽을
또 찾느니

리 동무의 집이 보인다
최 령감의 창문이 보인다
남편 잃고 아들 잃고
지리산 갈가마구 후유— 하고
날라간다는
노래만 끝장 부르던

남촌 할머니의 돼지 우리도 보인다
무두가 그날 그때와 꼭 같구나
처마마다에
조그마한
공화국 국기 달고
아아 애국가의 노래 소리도
들려온다

나는
바를 멈추고
흰 일본의 하늘 저쪽
조선이 어느 쪽인가를
찾는다
— 아아 조국 떠나 수만리밖
이곳 낯선 이국의
이 산골짜기에도
조국이여 당신의 아들 딸 있어
힘찬 새봄을
맞이하고 있나이다

무명 시인 부부의 속삭임

김 윤 호

《밤 하늘을 쳐다 보며》

바람에 휘날리던 싸락눈도
언제 새나 그치고
하늘엔
깡깡 얼어 붙은
잔별들이
추위에 떨 듯이
푸른 까스 불 색으로
반작이고 있는 겨울 밤
저녁 설거지를 마친 안해
슬그머니 걸어 나와
내 옆에 선다

"별이 아름답구먼요"

나는
무슨 신화를 꾸미 듯
하늘을 쳐다 본다

별안간 류성 하나
제빠르게 흘러 가더니
살아지는 꼬리를 남기고 꺼진다

"저 별 어디 가는 걸까요?"
"별이 변소 가는게지"

유치스러운 담화에
둘이 서로 웃는다
“당신 편지 썼어요?
작은 아버님께 보내는 편지”
“아니 안 썼네
귀 흘러가는 별 이야기를
작은 아버님께
편지로 전해 드릴까!”

《입다툼을 하고 난 후에》

설 날에
무엇 좀 사 라 안해에
기말 수당 받지 못 해
뜻 대로 되지 않는다고
고함을 질러

불쾌한 입다툼을 하고 난 후
내 가슴인
써늘한 래풍(冷風)이 흘러 내린다
설 날이라는데
무슨 나쁜 징조를 보일런지 ——
마침
두리 손 잡고
수령님과
호상간 인사와 맹세를
하고 난 직후에 ——
나는 원고 용지에
신년의 맹세를 또 한번 쓰고
밝으로 나간다
얼마간 후 내 들어 올 적
내 쓴 원고 용지에

글을 쓰는 안해의 모습
내 들어 옴을 본 안해
물들인 얼굴에 미소가 터진다
금텁은 터욱 터 사랑 합시다 (윤 호)
굼텁은 터욱 터 사랑 합시다 (판 득)

영광의 길에서

김 홍식

녹슬은 쇠창살도
우들 우들 추위에 떨고
차거운 회오리 바람
휘몰아치는
거칠고 적막한
철창속의 마당 입니다
우리들 목아지에 바 줄을 걸어
살육과 기아의 지옥으로
끌고 가려는 설풍이
먹통같은 무지운 구름장 밑에
간교한 요기마냥 설렁입니다 마는
저기 휘황한 한줄기 빛발이
구름을 헤지고 사방을 밝혀
피 기쁨은 이 몸들을 어루만지 듯

륙십만 형제들의
절실한 목소리와
거듭되는 조국의 보살핌이
우리에게는 희망이 되였고
싸움의 기치가 되였습니다
티러운 모포조각에 휘감겨
꽁보리밥과 다꾸앙쪼가리에
배곯이 나고
눈이 멀고
앙상한 뼈만이 남았지 마는

진정 평화를 원하는
온세계 인민들의 흐름속에
조국의 평화적통일을 지향하는

조국진선 제二차대회의 부르심이
수천리 바다건너
구름을 다고

이국땅 종살이에 시달린
형제들의 가슴을 두들겨
벅차게 하였고

왼쑤 미제날강도를 미워하는
증오의 불꽃은
쇠사슬에 얽매이고
철조망에 맨살을 찢기우는
우리에게도 찾아 왔습니다

재류 동포들이여
믿어운 형제들이여!
우리들의 가슴맺힌 사연을 아뢰오리다
겹쳐오는
박 해
멸 시

끈궁에서도
굴함없이 싸워왔고
또 싸워나갈
우리의 굳은결심 전하오리다

우리의 말과 글을
배우는 권리를 지키고
생활을 빼앗기지 않기 위해

미제의 대포밥으로 팔아 넘기려는
국적강요를 반대하여
우리는 솔선발 벗고
방선에 섰나이다

지금 우리가 서고있는 바로이자리가
벗 들
어린 후진들
동포들의
권익을 지키는 초소 입니다

만약
새상을 모르는 어리석은 놈들이
사람의 량심을 거역 한다면

언만조각 원쑤의 끌통을 부시고
이리떼처럼 기여드는 적을
가슴팍으로 막아 무찌른
조국의 영용한 사람들 처럼

쇠창살을 부수워 날칼을 만들어
원쑤의 심장을 찌르며
끝까지 공민된긍지를 지킬것입니다

오— 조국이여 !
쓰라린 고비에 부닥칠 수록
이길이 조국의평화적통일에
닿아 있고
이 순간이
재일 륙십만 형제들의
생활을 지키는
판가리 마당 이기에
우리들은 억센 필승의 기개
간직하고
행복할 조국의 앞날을 위하여
지금 영예로운 길에 섰나이다

(오무라조선문학회원)

수필四편

토사설법(吐瀉說法)

림 경상

△토하는 것은 자유다。 다만 남 보지 않는 데서 하라
—고리끼—

정초부터 이런 구저분한 표제를 걸고。소감이란 것을 쓰자니 비위 약하신 독자 제씨에겐 더구나 민망무지함을 누를, 수 없다。허나、빈말 변초를 당하여 전차간 거리등 장소 분간도 없이 지저분하니 오물들을 배설해 내는 정황에 부닥칠 때、이보다 더 해로운 오물 안에서 피해를 받고 있는 우리들의 처지를 더럽다 하고 혼자 얼굴만 돌릴 수 없는 불쾌감과 의분을 느끼는 바이므로 한 마디 꼭 해야 될 것 같아서 놀려 쓰고자 한다。

들은 바에 의하면 수천년 전 환락의 도시로 이름난 로마에서는 귀족들이 연회장 곁에 구토장(嘔吐場)까지 설비해 놓고 포식모음의 환락을 일삼았다고 한다。

헌데 우리들이 살고 있는 자본주의란、환락 세계에서는 그만한 에티켓트조차 아랑곳 없이 함부로 토해내고 끼쳐였고 하는 판이니 더럽고 아니꼬움이란 어지간히 비위 굳은 사람이라도 참아 낼 길이 없을 정도다。

색정、허무、퇴폐、폭력、절망、무기력、감상 초조 등등의 온갖 독소들을 기름진 자본주의의、그 불룩한 뱃창자에서 무시로 토해내며 저기다 화려한 조명과 야릇한 률곡과 신비로운 군소리로 효과를 붙여서 너나 없이 누구의 얼굴에나、확확 내뿜고 있는 것이다。

그것이 끝 부르죠아의 문화 예술이란 것이다。

놈들은 자기의 배설물에다 금색 포장을 둘러서 값비싼 정가표를 붙여 쇼윈도ー에 내걸어 놓고 홧숀 쇼ー로 류행을 만들어서 가난한 우리들에게 막무가내로 구매의욕을 붙돋군다。사지 않으면 시대 조류에 뒤떨어진 어리석은 놈으로 락인을 찍힌다。

병균으로 충만된 독소에는 달콤한 설탕으로 오부라ー트까지 발렀으니 자칫하면 속아 넘어가기가 일수다。

「사지 마시요、먹지 마시요、그 속에는、당신들의 육체와 정신을 좀먹는 독소가 들어찼읍니다。」

하고 소란한 부르죠아 예술 시장을 소리치며 말려봤자 대신 먹을 량식을 갖지 않고서는 들을려는 사람이 적다。

민주민족 예술 일꾼은 소위 마ー케트의 질서를 수호한다는 파토롤 순사의 곤봉을 맞아 가면서 불야불야 따가지고 온 신선한 파일을 가리키며 비타민을 공급하려고 지려한다。

그들의 꾸준한 노력으로 군중들의 이목이 차차 아질로 쏠리는 것을 본 부르죠아 상인들은 야바우를 놓는다。그들의 사꾸라에 섞겨서 사이비 민주민족 문화인들이 하나 둘씩 교묘한 탈을 쓰고 새로운 우리 진영을 교란시키려 든다。 그들은 부르죠아 독소 문화를 폭로하고 더 신선하고 맛좋고 영양가 높은〈민주민족 문화의 량식을 제조 공급할데 대한 로력적 협력을 거부하며 조소하면서 왜친다。

「여러분 저 사람들 것을 함부로 먹지 마시요、그 시금털털한 것을 먹었다가는 설사를 할거니까요。우리 것을 보시오 오죽 보기 좋습니까。한입만 깨물어 보시오、오죽 달콤합니까。 우리는 고민의 지름으로 고독이란 온실에서 여러분을 위하여 이 파일을 작만했습니다。저들이 말하는 파학적 세계관이란 현미경은 대지 말고 자ー자ー 어서들 맛보시구려

그들의 말에는 일면적 진실이 있다。

우리들 중에는 부르죠아의 썩은 파일의〈독소를 지적하는 나머지 너무 성급히 따서

아직 맛이 덜 들은 시금털털한 것들이 간혹 섞이여 있다。 일반적으로 그들의 겉치례에 비하면 터분하다。 허나 그들의 열매처럼 속에 벌레는 없다。 오히려 배탈보다 비타민의 공급을 풍부히 해주는 신선미가 있기 때문에 나는 이것을 권하는 것이다。

최근 나는 우리들의 과일을 비방하고 자기네들 것을 천하 일품으로 선전하는 그들의 예술 열매를 맛볼 기회를 가졌다。 몇십하고、 참고가 될가하여 속속드리 씹어보기로 작정했다。

달콤한 오브라트의 맛、 정말 우리 것에는 없는 맛이다。 그러나 한겹 두겹 벗겨지고 속에서 티여 나온 것은 무엇이였을까、

민주민족 전선에 대한 비방、 조소、 자기에 대한 불신、 자조、 절망、 암흑에의 동경、 허무에 련정、 값싼 비애、 자만한 자위、 등등、 틀림 없는 부르죠아 예술의 사생아다。

부르죠아의 피를 받으면서 그를 적에 들지 못한 질투와 푸념이 끝 그들의 예술이다。

우리는 이것을 살아야 하며、 부르죠아를 반대하는 립장에서 같이 싸우는 때가、 있을지라도 그들의 목적에 맞대해서는 안될 것이다。

그들의 목적은 만약 개변되지 않는다면 부르죠아의 족부에 입적하게 되는 그것뿐이기 때문에、

우리에게는 로해볼 한줌의 량식도 설사로 내려 버릴、 아무런 건덕지도 있을 수 없다。 모든 것을 남김 없이 소화하며 민주민족 사업의 피가 되고 살이 되는 문화 예술을 창조하여 공급하도록 노력하는데서만 부패도 미숙도 이겨낼 수가 있을 것이다。

조국예술가들이 보내신 편지를 받고

전 화황

우리조국에서 더욱이 우리나라의 훌륭한 예술가선배들에게서 보내주신 격려의편지야말로 우리들에게 예서더한영광이없으며 예서더한감격이없었다。

한편 나는 자기자신을반성한다。 이와같은 격려의글월을받을만한 자격이 있을까하는 생각을 할때 무한이 부끄럽고 죄송한 마음이 찼다。

우리의 조국에 이바지한 아무런 것도 없을뿐만 아니라 이렇다 할만한 그림도 못 그리고 그날그날의 생활에 몰려 세월을 보내든 나로서 아무리 과거의 무위와 무능을 뉘우친다 해야 하등 소용이 없다 한다면 이제 남은 길은 금후의 굳은 결의와 적극적인 노력이 있을 뿐이다。

겸허한 태도로 조국의 선배들의 말씀을 지침으로 하여 전진할 뿐이다。

조국에서 보내신 편지의 등대 빛 같은 목표를 잊지 말고 전진하는 가운데 우리들의 할 일은 그윽히 많다고 생각한다。

그 하나는 일본에 있는 우리들은 남조선에 있는 동포들과의 접촉을 하기가 (모퉁이라도) 쉬운 경우에 있다。 더구나 예술 부문에서는 그가능성이 더 많다고 생각 한다。

일본에서 나는 조국에서의 편지를 받고 감격에 넘치는 마음을 금할 수 없이 (동경서열리는 궐기대회에 참석코저 준비하던 날) 삼년전부터 그리는 평화관음을 격려문을 주신 한분에게 올리기 위하여 작만할 때 문득 남조선에 있는 예술가들을 생각 하였다。 그리고 그 몇분에게도 보내드릴 생각을 하다가 이년전의 기억이 머리에 떠 오르며 나의 마음은 잠시간 어두워 오는 경험을 느꼈다。

그것은 내가 바로 느낀바 있어 남조선

서울에 있는 미술가들에게 편지를 보냈는데 십여일간 후에 편지가 회송되여 왔던 것이다。 그것을 생각하자 나는 그대로 그리던 붓을 던지고 창황하게 밤차로 동경행의 기차에 몸을 실었던것이다.

이와 같이 上京하여 그날밤 궐기대회를 마치고 야행차로 내려 오면서 격려문을 거듭하여 읽는사이에 나에게는 무한한 용기가 솟아왔다。

내가 남반부 미술회에 보낸 편지는 단 한번이 였다。그 한번 보낸 편지가 회송되였다하여 다시 편지를 보낼 생각을 잊었던 나는 이번 조국에서 주신 편지에 눈이 뜬 것처럼 힘을 얻었던 것이다.

한번 편지를 주고 안되면 두번 편지를 주고 두번이 안된다면 세번 네번 네번이 안된다면 그배곱이라도 보내야 할 것이 안니냐!

이것이 우리들의 · 임무가 아닐가 하는 소리가 들리는 듯 하였다。

이번 조국에서 주는 편지는 영광스럽고 감격에 뜨거워 오는 눈물을 금할수 없는 동시에 내고향의 명주와 같히 몹시 맵고 조선 김치와 같이 쩡-하는 맛을 가진 편지 였다。

—일본경도에서—

동무와 친구

윤 광영

나에게는 소위「민단」에 들어 있는 우인을 하나 갖고 있다。一〇여년 전 일본 땅을 밟게 된 당시에 발가숭이로 도일한 몸이라 외롭기 짝이 없었을 때 우연히 의역에서 처음 만났던 사람이다。

그 후부터 十五、六년이 지난 지금의 그와 나는 사회적으로나 개인적 우정으로나 영 딴판으로 되여 있다。

그는 지금 어느 시가의 번화한 골목에다 멀끔한 욕탕을 채리고 있으며 이웃의 일본사람들로부터「단나、단나」라는 존대(?)를 받고 있다。

「세상은 넓고도 비좁다」는 일본의 속언이 아니지만 十五、六년전의 같이 살던도 못했다가 서로 헤여진 사이라도 그후 우여곡절의 갖은 생활을 지쳐 오다가 오래간만에 만났을 때는 자기 친부모라도 상봉한거와 같은 애정을 느꼈다。

그러나 그이와 벌써 二、三년을 같은 거리에 살았으나 어쩐지 아직도 서먹서먹하 사이를 두고 있는 것이다。

혹간 동포들과 얘기에 이 우인의 말을 꺼낼때면 이 우인을 내 동무라고도 친구라고도 부르지 못하고「아、거××상이냐」고 말해버리면서 마음으로는 아수운 감을 금치 못한다.

二、三년전 어느 초가을 날, 나는 이 우인과 상봉했었다. 아니, 내가 이 우인을 찾아 왔었다. 친척도 친구도 없는 놈이 삼십줄이 가까와 지는데 고학을 한다고 N대학에 학적을 두고 밥버라니 학비나 몸을 가루로 뛰쳐다니다가 어쨌던 퇴학은 면하고 학교를 베져 나왔던 것이다。

무더운 삼복 더위에도 해수욕을 한번 못

하던 나는 써늘한 산중에 가끔은 생각이 와짝 나길래 동북에 사는 이 우인의 주소를 미리 알아 놓고 급기야 차를 탔던 것이다。

××역두에 내려 어리둥절하노라니 이 우인은 먼데서 알아채고 내 앞에 다가서며

「오래간만이네。 참으로 오래간만이다」

「——」

나는 나보다 더 반가히 마중하는 이 우인에게 저으기 점잖한 태를 하면서 그야말로 손아키가 이즈러질 듯이 뜨거운 악수를 나누었다。 갖은 감회를 가슴 가뜩히 품으면서——。

나는 이 우인의 집에 며칠 머무는 동안、 그와 나의 사이는 친 형제보다 의무렵지않게 의젓하였었다。

밤이면 술잔을 주고 받으며 十五、六년전의 처음 만났던 날의 추억을 서로 그립듯이 더듬어 가며 담소리를 하는 것이였다

그때는 일제가 진주만을 교활한 작전으로 쳐부시고 의기양양하게 동남 아세아에 독지런 마수를 뻗힐 무렵이 였다。

하루종일의 고된 일을 마치고 나서 곰팡내가 코를 찌르는 천정방안에서 고국의 얘기를 단 둘이 할때는 그와 나 역시 외로운 몸이지만 어떤 일이 앞으로 닥치드라도 (죽는일이 있드라도) 같이 배겨 나가자는 의형제 마냥 굳은 절개을 맹세 했던 것이다。 그러나 두 사람의 희망은 달랐다。

때는 일제가 야망을 채우기 위해 전장에다 꼼배팔이라도 안즌뱅이라도 이끌어 나가는 판이였다。 조선 사람이라도 영예(굴욕적인)로운 징병과 징용을 강제하는데 우리 두 사람이 제외 될 일은 만무하였다。

나는 그놈의 징그러운 징병과 징용을 피하느라고 밤잠을 못 자는데 이 우인은 커다란 배를 타는게 소원이라고 해군을 지원해서 출정을 했다。

(그가 고향이 항구여서 그랬는지——하여튼 그후 소식 노질이 되고 말았다。)

구라파에서 날뛰던 미치광이 히틀러가 거꾸러지며 위대한 인민의 나라의 쏘베트 군

(31)

머가 일제를 무찌르고 조국을 해방시켰을 때 나는 다만 살아 있다는 것을 다행으로 알고 모두가 조국의 완전 자주독립을 쟁취하기 위하여 싸우는 길에 미속한 힘으로나 이바지 할려고 다짐했었다。

그후 나는 때때로 일제의 고용병으로 자진해 나섰던 이 우인을 찾을랴고 무척 애를 썼으나 생사불명이 였던 탓으로 재차 상봉할 기대를 단념했던 것이다。

그러턴것이 이미 오랜 세월 속에 잊어버렸던 그대의 소식을 일본 패전 후 七八년이 지나 알게 되였던 것이다。

그도 역시 부모 형제도 죄다 여인 신세라 그와 나의 뜻 밖에 해후는 서로 감개무량이였었다。

일본 땅 어테든지 조선 사람이 좀 뭉쳐 산다는 곳이면 그 어테나 공화국의 후대를 교육 교양주기 위하여 갖은 노력을 아끼지 않고 지켜 나아가는 학교가 있다。 여기 이 우인이 사는 곳에도 학교가 있었다。 때마침 교원이 결원이였던 관계로 나는 동포들의 희망을 자신은 없어도 받아드렸던 것이다。

우리의 후대들은 원만히 교양 주는 사업이나 문학을 하는 일이나 동포들의 실생활속에 접촉을 거듭하고 동안에 나는 자기를 깨우치며 배우는 점이 하도 많았다,

조선 사람이면、진정한 조선 사람이 조국을 위한 애국심을 가진다면 우리의 조직로선에 들어설 것이다。 그러나 나는 이곳에서 누구보다도 가장 친근하고 가까운 사이가 되여야 할 이 우인(友人)과 나날을 거듭해서 상대하는 가운데 어쩐가 의가 점점 벌어지는 생각을 느끼게 되였다。

일주일에 한번씩은 이 우인을 찾아 가서 十五원 욕탕비를 절약할 겸 이런 저런 애기를 교환하며 때로는 술잔도 서로 나누며 한가한 한때를 보내군 한다。

누구든지 우리들의 진정한 로선에서 일하는 동무나 활동가라면「민단」이란 말이 귀에 실릴때는「마당 쓰는 데 똥누는 애」보듯 감정적으로 상을 찌프릴 것이다。

언젠가 내가 찾어 갔을 때 그는 술이
얼근해 진 모양으로 여니때보다 무척 반갑
게 나를 마중하더니 마누라에게 술을 사오
너라고 공연히 호통을 친다。
일본 태생인 그의 마누라는 저녁 차비에
분주턴 손을 멈추고 깜작 놀래며
「또 시작한다」는 표정을 하면서 시뜩하게
술병을 들고 나선다。「또 시작한다」는
것은 술 취한 때 지독하면 마누라를 의례
이 잘 팬다 사실로써 짐작할 수 있었다。
나는 애꿎인 그의 마누라에게 하도 민망스
러와서 그에게 나무람을 주려고
「동무 뭘 그래는가」
하고 낮은 음성으로 말했다。
「뭣이? 동무라고 ── 동무라고 하는건…
너도 빨갱이 아니냐」
그는 제법 노기가 등등하게 나를 경멸하
듯이 소리치는 것이였다。
나는 그에게 대꾸를 하기보다 미릿 속으
로 생각키는 점에 한참 망서렸다。
동무란 게 싫다면 친구라고……아니, 그
것도 어울리지 않는다。그렇다고 새삼스레
이름을 부르기에도 어색한 그와 나의 사이
였다。
「그럼 무어라고 브르면 좋겠나」
이렇게 말할려다가 아서라하고
「왜 동무란 말을 쓰면 빨갱인가?
빨갱이면 나를 어쩌겠나」
나도 저으기 흥거치는 점이 있어서 새촘
하게 대꾸했다。
「제발 빨갱이는 치워라。빨갱이 열심히 한
다고 떠돌아 다니는 엽전들 제대로 사는
놈 하나 없으니까 말라!」
그는 이번에는 제법 나의 빈궁 생활을 동
정하듯이 타이르는 것이였다。
나는 뜻 하지 않던 그의 말에 가슴이
뻐개지듯이 아퍼지면서 화끈거리는 감정을
꼭 누려러다가 그만 울분을 터뜨리고 말았
다。
「아 그러면 자네는 민단인가。(벌써 알았
지만 말을 꺼내지 않았다。) 것도 좋네.
자네도 조선 민족이라면 현재 조국을 어

떻게 해야 될지 생각하겠지。
통일 독립을 위해 우리들 서로서로가 단
합해 같이 잘 살도록 힘쓰는 사람들을
자네는 돈푼이나 있다고 업신여기는가!?」
나는 격분에 넘쳐 말을 중동맺고 또 한
참 생각했다。아무래도 좀더 털어 놓아야
가슴이 까라앉을듯 싶었다。
「아、그러면 자네에게 꾸은 돈 이 천원은
래일 목숨이 없어져도 갚겠네」
그에게 차용했던 금전이 정말 너무나 야속
하게 짧이는 것이였다。나는 미리 생각했던
일이지만、개인적으로 그가 나를 발가숭이라
고 천대를 한다면 거기엔 별다른 말도 없
었거니와 대중을 위하여 활동하는 동무들에
게 주는 인간적 멸시에는 도저히 참을 수
가 없었다。나는 텡 빈 가슴을 어루만지
며 잠장고 일어선다。
정말이지 동무라고도、친구라고도 또는 이름
도 부르기가 싫어진 자기의 가슴을 어테라
도 지탤 수가 없어서 문을 열고 나섰다。
나의 엉크러진 가슴 밑에는 한없는 설음이
흠뻑 잠기고 있었다。
다름이 아닌 동무를 하나 잃게 됐다는
쓰라림은 우리들이 지향하는 대오 속에서
락후자를 하나 냈다는 의미에서였다。
때는 여름이였는데 밤하늘은 오종종 반짝
이는 뭇별이 만공에 펼쳐 있었다。
은하수 옆에서 별 하나가 갑짜기 흰 줄
을 긋듯이 주루루 흘러 사라지고 만다。
「×××。 자아 들어가자。아까는 참 미안
하게 됐다」
등뒤에서 그가 부른다。나는 그냥 돌아갈
다짐이였으나 그냥 가버리며는 그만치 그와
나의 사이는 멀어지는 것이다。나는 되로
그와 마주 앉아 술을 마시고 얘기를 했으
나 좀처로 맘이 풀어지지 않을뿐더러 역시
나 그전과 달리 서먹서먹하게 되였다。
그후 나는 자연히 이 우인의 집을 방문
하는 일이 드물어 갔다。
(이것이 사람의 항정이랄까?)
그러나 나로서는 그날 밤의 일을 될수록
잊고 싶었고 또 그의 집을 자주 가야겠다

는 어떤 의무감을 느끼며 노력했으나 절과
는 그렇지도 안 되는 것이였다。
일주일에 한번이 보름에 한번、때로는 한달
에도 얼씬 안 할 때도 있었다。
그러나 찾아가며는 예대로 허물없이 얘기
도 하고 술도 나눠 먹는다。 그러면서도
좀 속에 담은 얘기는 서로 꺼렸다。
서가끔 그가 마음이 흡족할 때면 나는 슬
며시 조직적인 말과 조국의 정세、특히 남
조선의 얘기를 꺼내 보는 것이 였다。그럴
때마다 그는 어성부리로
「내가 뭘 아나、일본 땅에 있는 동안은
밥버리만 잘 하면 되지-----」
하고 마는 것이다。

그리고 헤여질 때면 종종 놀러 오라구
따수한 말로 갈리는 것이다。

이렇게 인간적으로 친근하고 의젓한 사인
데 어째 그를 동무라고 친구라고 말할 수
없는가?、

역시 그와 나는 세계관이 다르다는 점에
서 아직 참다운 우정을 느끼지 못하고 있
는 것이다。

흔히 우리들이 동무라고 부를 때는 서로
동지적 립장에서 같은 목적의식을 지닌 생
활속에서 울려 나오는 탐탁한 말일 것이다。
또 친구라면 동무란 동지적 립장에서 한발
자국 더 깊이 들어가 교류되는 두터운 애
정을 나누는 사이라고 생각한다。

우리들이 조국을 멀리 이역에 사는만큼
고향의 산천과 부모 형제와 심지어는 조국
의 화려한 번영을 념원하는 절실한 심정은
누구나 다 가질 것이다。

갖은 현실 생활의 고통속에서 조선 사람
이면 한번 동족을 만나는 것보다 두번、세
번 만나는 기회가 많을수록 말없이도 호상
통하는 민족애를 감득하는 법이다。
거기에 있어서 상대가 같은 고향사람이면
한결 더 반가울 것이고、또는 종씨라면 뒤
어 놓고 술 한잔 나누어 먹고 싶을 것이
요 게다가 먼 외척이라도 좀 걸거치는 일
가라면 더 말할 필요도 없다。그리고 우리
속담에 「이웃 사촌」이란 말과 같이 물 한

모금아라도 서로 나눠 먹는 사이나, 또는 나와 이 우인과 같이 허물없이 말하면서 지낼 수 있는 사이가 어찌 그이를 동무라고 친구라고 생각할 수 없을까? ·

그가「미단」에 있다는 것을 나는 꾸준히 깨여 본다면 그가 확고한 이데올로기로서도 아니요 계급적 의식으로서도 아니였다。그는 다만 자기 생활을 유족하게 한다는 생활 신조에서 권력에는 아첨하고 빈약한 사람에게는 인끔을 빼자는 자본주의 사회의 소시민적 뿌찌부르근성이 인박혀 있다는 것을 지적할 수 있었다。(나도 다분이 이런 점이 있지않을까?-)

일전에 설이 며칠 지난 어떤날 그에게서 놀러 오라는 기별이 있어 저녁녘에 찾아 갔었다。

설기분이 아직 가시지 않는 정초이길래 이럴땐 나도 한잔 사야지 하고 용돈으로 아껴 둔 오백원으로 정종을 한되 사 들고 문을 두드렸다。

「아무리 가난뱅이라도 설이니까 한되·가져 같이 나눠 먹읍세」

하고 희멀끔한 정종을 그에게 쑥 내 밀었다。

「자네 왜 그럼마, 눅은 월급에―― 그런건 걱정말지」

그는 그래도 마치 소작인이 받치는 뇌물을 마지 못해 받는 지주마냥 헤죽 거리며 제법 상냥하게 대우를 하는 것이였다。

나는 그와 마주 앉아 술잔을 주고 받는데 있어 오늘만큼은 그에게 좀 더 속심있는 말을 해도 들어줄만한 생각이 문뜩 솟았다。그는 흐뭇한 표정으로――

「설이라도 정말 일본 땅은 쓸쓸하네。고향이면 오늘 같은 날은 집에 붙어 있겠나――」

「왜, 여기선 놀러 못가나。시내만해도 수십 가호가 있는데……」

나는 그의 저으기 취흥에 돋은 흡족한 가슴 속에서도 외로움이 설레는 감정을 알아챌 수 있었다。그는「미단」에 있다는 것을 이럴 때 후회하지 않겠나 하고 나는

희망적 관측을 하면서 총련의 망년회나 네
동의 신년회를 회상하는 것이였다。 탁주를
한잔씩 나누어도 매일 매일의 고된 생활에
지친 얼굴을 활짝 꽃피우며 래일의 빛날
사회주의 국가의 화려한 생활을 전망하며
싸워나가는 씩씩한 모습을——。
「아이구, 나도 인젠 고향에 가끊아 죽겠터
라。 이놈의 땅이 딱 싫어졌어」
「허허, 자네같은 사람이야 비행기라도 타고
갈 수 있지 않겠나——」
나는 그에게 비양침이 아니였다。
「민단에서 조선 보내 준다면서 이놈의 자
식들, 돈만 훑가 먹을랴구…… 자아 어
서 술이나 먹읍세」
「그러니까, 통일을 시키도록 우린 힘 쓰야
되지 않겠나。 쟈네든 자네의 힘대로 힘
쓸 대가 있지。 그런 힘을 우리 합쳐야
통일 될 날이 가차와 지지 않겠나——」
그는 듣는 체 마는 체 술만 드리키고 있
었다。 나도 아무 말도 없이 술잔을 같이
들었다。 나는 속으로 어떤 자신이 솟구치고
있는 것을 깨달았다。
머지 않아 이 우인을 누구에게나 참다운
동무라고 정다운 친구라고 떳떳이 말할 수
있도록—— 그리고 통일을 위한 대오에 그
가 지닌 바탕을 내 놓으며 함께 협력하자
는 말을 듣도록 나는 믿으며 어떤 속다짐
을 한다。
나는 그에게 긴광과 우정을 위한 건배를
하고 뜨거운 악수의 손을 내밀었다。

(끝)

一九五八、一、二三、

(37)

고향

성윤식

『여보, 옆집 차상이 술치정을 해서 야단이요』

『술치정이 무엇이 그래 큰 일이요---』

『아이고 미생보호돈을 타가지고 다 빠라먹고 여핀내와 싸움을 하여 야단 법석인테——』

『호——』

『어린애가 넷이나 있는데 미생돈 없으면 죽지 않아요 아까 여핀내가 와서 영 울고불고—』

『그것참 큰 일이고만』

나는 처의 얼굴을 멀꾸럼히 처다보았다。처는 눈에 열기를 돋두어 나를 노리고 본다. 나는 처의 그열기의 뜻을 눈치채울 수 있었다。

『술취정하는 사람은 만금이 있으도 싫으요』

처는 밥상 그릇을 치우면서 혼자말로서 싸쿨친다。그의 고달픈 얼굴에는 핏기갸 솟아오르고 말라버린 눈 동자에도 부더러운 빛이 솟는다。

자기남편과 비교한 나머지의 안도감이다。남편은 담배도 피우지 않고 술도 마시지 않으니까 벼락이 떨어진들 틀림없는 것을 재확인한 기쁨이라 할까

"돈을 좀 버란다 한들 술만 마시고 집을 돌보지 않는 남자보담 얼마나 우리 주인이 좋을까------"

이런 표정이다。 그것을 보니 나는 십년이나 부부생활을 하는 동안에 처의 좁은 틀에 쌓인 희망에 알맞는 남편이 되것 같다는 것을 느끼지 않을 수 없다。

안정소에 다니면서 내가 받은 월급과 합하여 영화 하나 볼 여유도 없이 쫓아다니는 처에게는 남의 불행이 유일의 위로가 되는 모양이로구나—— 그기에는 十년전에 꽃같은 꿈을 품고 나에게 시집왔는 흔적은 볼 수 없다。 빈곤이 그의 꿈의 짐을 이

와 같이 변동 시켜 버렸다. 불만과 불평의
꼬리를 이와같이 놀려 버렸다.
"흥 술도 마시고 색시집에도 놀로가지도
못하는 내가 뭐 잘났다 말이가, 현장유지
밖에 못하는 약한 인간의 슬픔이지----"
나는 셋이나 되는 아이들이 자고 있는 얼
굴을 바라보면서 중얼거렸다.
　곤난하면 남자보담 여자가 강하다는 것
은 우리집 처의 생활 태도에서 나온 것이
라고 생각할 만큼 처는 하로 빠짐없이 안
정소 일에 나간다. 차운 빗발이 뿌려도 몬
뻬를 입은 궁둥이를 흔들면서 한쪽 손에는
우산을 가지고 헌 자전차로서 날리는 처
　년말이 되여도 자기 옷은 하나 살줄 모
르고 어린것만은 부자집 아이 같이 입히여
나란히 시켜 즐거히 바라보는 처. 몸이 끈
하고 걱정이나 있으면 때때로 탁주 한잔
마시고 양철통 같은 노래를 불러되는 처—.
그 처가 하루는 노골을 나에게 보이였다.
남선에서 밀행으로 들어온 사람의 이야기를
듣고 七十가까이 되는 어머니를 생각한 모
양이다.
나의 장모는 전쟁이 끝나고 곧 고향에 돌
아간 것이다. 지금까지 처는 몇번이나 片
紙 한장 부치라고 나에게 부탁 하였으나
나는 응 하지 않은 것이다.
나는 장모 이야기만 하면 처에게 좋은 얼
굴을 보이지 않았다.
『무선 특별한 살림을 하길레——』
이것이 나의 구실이 였다. 사실 장모를
만난다 하면 꾸짖는 호령을 내리면서 옥동
자와 같은 딸을 나에게 준 것을 한탄할
것이 예견 되는 것이다.
　다만 어린것을 셋이나 갖게 되였는 것이
큰 공이나 세웠는것 같이 사진을 박아서
조선에 부치자라고 처가 말한적도 있었으나
나는 그것조차 좋은색을 보이지 않았다.
그 후로는 일체 조선 이야기를 하지 않든
처가 갑자기 조선의 소식을 듣고는 환장한
듯이 조금정을 내였다.
『조선에 한번가보고 싶어요, 한달만---』
『그럼 가보람』

(39)

『돈이 있소?』

『四、五万円만 있으면 되지 않나』

『四、五万円? 단 수円이나 어데 있소、四五万円이라도 안된다오、十万한장 갖지 않으면----』

『그럼 생각 할 여지도 없군、막설해라』

『당신 어머니 아니니까 그런 소리 하오』

『흥-나도 어머니가 전쟁때 만주에서 돌아가실때 보지도 못하였어. 누구나 마찬가지야----』

나는 처를 옆눈으로 흘겨보고 차운 말투로 쏘았는데 이말을 들은 그의 눈에서는 눈물이 글썽하였다. 나는 처가 혹시나 나의 능력 없음을 잔소리 할까 싫어서 예방적 태도를 보였는데 의외한 결과에 당황하고 말았다。 처의 가슴에 깊이 파묻히고 있는 고민의 조각을 엿본 놀래움이라 할까。

조국 량단으로 인한 슬픔은 또 있다。 그것은 최근 북선의 未知한분께서 나에게 편지가 왔다。 그것은 남선에 있는 자기 부모에게 편지를 좀 전해 달라는 것이다。

다 같은 조선 내에 편지를 부치지 못하고 홍콩을 통해서 日本까지 보내서 새로 남선으로 부쳐야 된다는 것이다。

답도 일본에 있는 내가 접수하여 북선으로─아 : 그 얼마나 시간과 경비를 허비하는가。 그 몇배의 정신적 타격일까。

나는 처의 눈물과 이 편지 사건으로서 조국 량단이 갖는 모순을 새삼스러히 느끼지 않을 수 없었다。

편집자로부터

이번호에 꼭 실을 예정으로 독촉해서 받은 윤광영 동무의 단편 소설 《벚꽃이 피는 날》(六九매)는 다음호에 게재 하겠읍니다。 여러가지로 검토한 결과 다시 손을 넣어 약간 축소하는 것이 좋을듯 생각되기 때문입니다。 거년 말부터 정력적으로 창작을 계속하는 윤광영 동무는 년말에 결혼식을 거행 하였으며 듣는바에 의하면 씨나리오의 집필은 진행하고 있다 합니다 다음 호가 자못 기대됩니다

새해창작푸랑

성 윤 식(소설)

푸랑이란것은 발표하지 않는것이 좋을듯 한데요。결과가 그것이 될 가능성이 있으니까。 나는 새해가되면 언제나 많은 푸랑을 가지고 있습니다만 결국 푸랑의 무거움에 분쇄되고 맙니다。 그래서 금년도는 백지로서 있습니다。 다만 장거리 뛴 수 같이 지금까지 뛰여 온 거리를 금년에도 뛰여갈뿐— 장편을 한개 완성 단편 몇개。장편을 몇개。……나는 중얼거리면서 뛰겠습니다。

고태순(시)

여기葛飾。荒川 제방아래
쪼구리고 앉은 지붕들。거기엔 三十호안되는 동포들의 허덕이는 생활이있어、
지난력사의 거대한 수난의 유산이。

닻줄 끊어진 배처럼 한토막의 권리의 보장도없이
날카로운 현실에 헤염치는 동포가 산다。

새벽이되면—。 쌀쌀한
찬바람속을 "리야카"를 끌고 골목길로 나가는 엿집 아주머니。

"의료보호" 끊어져 어린것 약값 구하려 정월 초사흘날에 보따리를 안고 "전당포"로 달리는 아저씨。

「평양을 구경하지 못하고 죽는것이 원통하다」하는 돌아가신 할아버지의 죽음을 말하는 사람들。

나 시인이였드라면 자나깨나 가슴에 새겨 사라지지않은 이 이야기들을 어찌 못들은척할수 있으랴。

시인만이 시를 쓴다면 나이 三十 가까운 나도 시인이 되는 공부를 하여야 하겠고。 재일 六十만의 축도 "호리끼리"에 머무는 겨레들의 살림을……。 조국땅 바라보며 싸우는 모습들을

이름없는 로동자들도 노래하
여야겠다.
나의 시 공부 우선 여기
에서 출발 하려한다.

—一九五八、一—

김 창 규(소설)

나 자신으로서는 과거의
여러가지 경험에 비추어 많
은 푸랑 보담도 하나라도
실천하는 것이 매우 귀중하
다고 여기고 오던바—허나
금번에는 반드시 써 보리라
는 의도와 념원에서 다음과
같은 제목들을 감히 들어본
다.

<장편>「일본」에 온 한 청년
의 기록
<중편> 나의「어머니」의
영구
<중편> 현대의 모로
<단편> 진실 처비
—《북선》에서 귀환한 山
田三枝子氏의 이야기—
<단편> 귀화
—日本人청년이「조선인」으
로 귀화한 이야기—
<단편> 귀화
—「日本人청년이「조선인」
으로 귀화한 이야기—의 단
편 二편

또한「<평론>을 내면서」라
는 수필은 다음 기회에 써
보기로 하겠다.

김 윤 호(시)

새해를 맞이하여 조국의
격려에 보답하기 위해 창작
사업에 헌신하려 한다.
국문과 일문의 량쪽으로서
쓰다는데서 나타나던 고민도
차차 극복되여 가고 있다.
금년도에 계획으로써 국문
으로는 서정 시편을 一○편
이상과 서사시를 한편 완성
할 생각이다.
그 내용은 주로 조국의 평
화적 통일을 주제로한 것과
미제 규탄 그리고 일본에서
의 우리 모습등을 주제로
한 것이다. 장편시는「어머
니」란 것인데 지금 구상에
착수하고 있는 것이다. 일본

일본으로서는 지금 동인 잡지〃場〃에 련재중인 평론〃조선 푸로레타리아 문학사〃를 탈고할 예정이다。 시편으로서는 약 五편ㅡ一○편 정도의 서정시와 현재 집필중인 서사시〃再会〃(三○枚) 가량을 탈고할 예정이다. 조국의 시 번역도 지금 발표 예정인 것을 비롯하여 수편 해 볼 생각이다。큰 계획을 세우고 부닥쳐 볼려고 하는 바이다。

윤 광영(소설)

례사이지만 나는 매년 새해를 맞이할때마다 계획만큼은 누구에게 못지않게 엄청나게 많이 세운다. 무엇을 얼마만치 하고 또 무엇을 좀 티ㅡ。

그러나 원만하게 계획대로 실행한 해가 없다。룡두사미가 된다。

一九五八년, 이 해만큼은 반드시 계획대로 할 결의를 다지고 출발한다.

제二차 五개년 계획이 이태째 출발하는 의의깊은 새해니만큼. 만날 계획에 자빠진다면 조국의 선배들에게 무엇이라고 얼굴을 쳐들 수 있을까。

새해는 폐 없이 주먹야라도 단편을 서너편 쓰고 수년래 계획하던 장편 하나를 써낼 작정이다. 일본땅에 있어 갖은 생활 고통을 뚫고 나아가는 대중들의 씩씩하고 진정한 모습을 조국의 형제들에게 알릴만한 작품을ㅡ。

《동화》 수남이의 작문

류벽

어제 나는 당번이였습니다. 그제 당번 창길이와 정숙이는 빨리 학교에 와서 난로를 피워 선생님에게서 착하다고 칭찬을 받았습니다. 그래서 우리도 빨리 나와서 칭찬을 받자고 수부와 약속을 하였습니다. 그날 저녁 어머니에게 《래일은 아침밥을 빨리 지어 주시오》 하고 미리 부탁을 해 두었습니다.

그런데 아침이 되여 어머니는 내직일 때문에 밖에 나갔습니다. 솥에 밥을 안쳐 까쓰에 불을 붙여 놓고, 아버지에게 부탁해 놓고 나가셨습니다. 나에게는 여덟시 전에 꼭 돌아 온다고 말하고 나가셨습니다.

집세가 五〇〇원, 동생 순이가 밀크를 먹는데 한 달에 三〇〇원이고 해서, 아버지 월급만으로는 안 되기 때문에, 우리 어머니는 이제부쭈로 양제 전방에서 바느질 일을 가져다가 내직을 하고 계십니다. 내가 자다가 눈을 떠 보면, 어머니는 언제나 주무시지 않고 전기 쓰단드 앞에서 바느질을 하고 계십니다. 일본에 있는 동안은 이런 내직, 일을 안 하실수 없다고 합니다. 조국에 돌아가면 우리 어머니는, 많은 누나들에게 양제를 가르치는 일을 하고 싶다고 언제나 말씀하고 있습니다.

우리 아버지는 좀 잠꾸러기 입니다. 아침마다, 어머니가 밥을 지어 놓고 《빨리 일어 나시오,》 하고 몇 번이나 말을 해도 시계만 쳐다보고 일어나지 않습니다. 그러다가 갑자기 일어나면 변소에 갔다가 세수를 하고 옷을 입고 상 앞에 와서 바쁘게 밥을 잡수십니다.
이때 우리 아버지는 번개같이 빠릅니다.
그런데 어제 아침에는, 어머니가 안계시니까, 할 수 없이 아버지가 빨리 일어 났습니다. 부엌에서는 어머니 때보다 그릇 소리가 더 나는 것 같았습니다. 나는 좀 우수웠습니다. 아버지가 어머니가 된것 같으니까요.
아버지가 밥을 날라 오셨습니다. 아침을 먹었습니다. 아버지는 왼팔에 순이를 안고 밥을 잡수시었습니다. 순이는 상 우에 놓인 그릇을 뒤치려고 두 팔을 내저었습니다.
아버지는 뒤로 물러 앉아 순이 팔이 그릇에 자라지 않도록 하고, 밥을 떠 먹여 가며 밥을 잡수시었습니다.
그런데, 여덟 시가 다 되여 가는데도 어머니는 돌아 오시지 않습니다. 아버지도 학교에 나가실 시간이 되였는데 나는 걱정이 되기 시작하였습니다. 아버지도 자주 시계를 쳐다보십니다.
내가 아침이 끝났을 때 아버지도 술을 놓으셨습니다.
아버지는 순이를 나에게 안겨 주시고 상을 들어 부엌으로 내여 갔습니다. 신문지로 상을 덮어 놓고 방에 들어 오셨습니다.
나는 푼 순이를 방바닥에 내려 놓고 가방을 메면서 현관에 내려 섰습니다. 그때 아버지가 나를 부르셨습니다.
≪수남아!, 순이 보고 있다가 어머니 돌아 오시거든 가거라!≫ 돌아보니 아버지는 급히 넥타이를 다 메고 손 가방을 당겨 잡고 나오시는 것이였습니다.
나는 하고 싶은 말이 목에 걸려서 나오지 않았습니다. 시계를 보았습니다. 뗑 뗑…… 여덟시를 치기 시작합니다.
나는 마음이 졸였습니다.
≪빨리, 올라가서 기다려! 너는 아직 三○분이나 있잖아?≫
구두를 신고 현관에 내려 오신 아버지의 말 소리가 좀 높아졌습니다. 나는, 마음은 더 조였지만, 하고 싶은 말은 터 나오지 않았습니다.

(45)

어머니가 어쩌다가 내 엉둥이를 한대 때리면 아버지는 어머니를 꾸지람 하십니다。
≪애들을 때리면 안 돼! 잘 타이르지 않구……≫
작은 소리로 말하시지만 나는 다 듣고 있습니다。 그런데 아버지는 자기가 화가 나면, 말하기 전에 내 볼기를 갈깁니다. 한대도 아니고 두 대나 세 대나 련달아 갈깁니다 그래 놓고야 ≪三학년이나 되는 년석이!≫하고 욕을 합니다。
이번에는 어머니가 아버지 하던 말을 하십니다。 그러면 아버지는 ≪하가 나는 걸 어떻게 한담!≫ 불쑥 한 마디 하십니다。 그러고 의례 담배를 당겨 물고 마루에 나가 앉아 밖을 내다 보십니다。
이때도、아버지가 이렇게 바빠하시는테 잘못하다가 얻어맞을가봐 말은 하지 않았지만 아무래도 빨리 학교에 가고 싶었습니다。
나는 입이 뾰르퉁해서 현관 기둥에 붙어 섰습니다。 순이는 ≪어, 어!≫ 소리를 지르면서 뿔뿔 방바닥을 기여 다니다가 어머니의 바느질 상자를 뒤집어 엎었습니다。
≪저 봐, 빨리!≫
꽥 지르는 소리에 나는 깜짝 놀라면서 아버지를 쳐다보았습니다。 아버지는 성난 눈으로 나를 굽어 보다가 방안을 보았습니다。 순이는 뒤집어 쏟은 것을 온 방바닥에다 저어 흩고 있습니다。
아버지는 손가방을 현관 마루에 팽개치고 방 안에 뛰여 들어 갔습니다。 그리고 순이를 안아 들고 나를 돌아 보셨습니다。
나는 또 시계를 쳐다 보았습니다。
≪이놈! 그럼, 빨리 가!≫
아버지의 소리에 나는 현관을 뛰여 나와 학교로 달려 왔습니다。
나는 학교에 와서 수부 동무하고 같이 불을 피우고 난로 둘레를 깨끗이 소제하였습니다。 창문을 열어 연기를 다 내 보내고 다시 꼭꼭 닫았습니다。
우리도 선생님에게서 착하다고 칭찬을 받았습니다。

오후에 소제를 마치고 수부 동무 지전거를 빌려 타고 놀았습니다. 너무 놀아서 해가 지고 말았습니다 나는 집으로 뛰여갔습니다. 그런데,

《어머니 지금 돌아 왔습니다!》하고 현관에 들어 가자, 나는 깜짝 놀랐습니다. 아버지가 순이를 안고 방바닥에 편 신문을 보시다가 고개를 들었기 때문입니다.

언제나 늦게 돌아 오시는 아버지가 오늘은 웬 일일가? 시간이 늦어 학교에 나가시지 못했을가?

아침에 말을 안 듣고, 또 이렇게 늦게 돌아 왔으니 꾸지람은 듣고야 말았습니다.

나는 방에 올라가면서 힐끔힐끔 아버지를 훔쳐 보았습니다.

그런데 아버지는 아무 말 없이 신문만 보십니다.

저녁밥이 나왔습니다. 밥상 앞에 앉아도 나는 마음이 오마조마하였습니다.

《매일 이렇게 빨리 돌아 오시면 저녁밥이 따뜻하고 오죽이나 좋겠소?》

《일이 있는데도 빨리 돌아 오란 말이요?》

어머니와 아버지의 말씀에 나는 마음이 좀 놓였습니다. 아버지는 학교를 쉬지 않으신 것이였습니다.

《수남아》 아버지는 저녁을 끝내고 담배를 피우시면서 불렀습니다.

《예?》

나는 아버지를 쳐다보았습니다.

《오늘 아침에는 아버지가 잘 못했다!》

아버지는 부드러운 목소리로 말씀하십니다.

《네가 착한 일을 하려는데, 꾸지람만 했으니까 말이다!》

나는 참 기뻤습니다. 나는 빙긋 웃었습니다. 내가 오늘 당번이라는 것을 어머니에게 들으신 모양이였습니다.

《그런데 왜, 당번이라 빨리 가야다고 말을 하지 않았니?》

《아버지가 고함을 지르니까 무서운데 뭐.》

이번에는 말이 술술 나왔습니다.

《이 못난 놈 봐라! 옳은 일인데, 집이 무선 접이야, 응? 다음부터는 제맘에

옳다고 생각되면 누구 앞에서라도 말을 해야 한다. 알겠니?》

《그래 놓고 또 화가 나면 엉뎅이나 갈기지 않을지? 후후……》

어머니가 말하니까 아버지는,

《또 싱거운 소리!》하고 어머니를 흘겼습니다.

《그런데 아버지, 오늘 교장 선생님께 꾸지람 듣지 않았어요?》

나는 물어 보았습니다.

《교장 선생님에게 꾸지람, 왜?》

《지각 했으니까요—》

《허허……》

아버지는 웃기만 하였습니다.

《교장 선생님, 무섭지 않아요?》

나는 또 물어 보았습니다.

그랬더니

《교장 선생님은 무섭지 않지만, 학생 동무들이 무섭지,》하고 대답하였습니다.

나는 이상한 생각이 들었습니다. 어째설가?

우리 선생님도 어쩌다가 지각을 하십니다.

그럴 때 우리는

《선생님도 지각을 하셨죠?》

하고 웃습니다. 그러면 선생님은 얼굴을 붉히면서

《미안합니다! 오늘 아침 늦잠을 자버려서, 미안합니다. 동무들!》

하십니다. 그렇지만 우리는 선생님에게 꾸지람은 하지 않습니다.

아버지 학교 동무들은 선생님에게 꾸지람을 하는 것일가? 내가 이렇게 생각하고 있을 때 아버지는 벙글벙글 웃기만 하시는데 어머니가

《내가 꼭 돌아 와서 아버지도 지각 안하셨어!》

하고 말씀하셨습니다.

《옳지, 아버지도 지각을 하시지 않았구나!》

하고 나는 알았습니다. 그렇지만 어째서, 아버지는 아버지 반 동무들이 무서운지 아직도 모르겠습니다.

—一九五八、一—

소설 미완성의 자화상(自画像)

류 벽

남먼저 식사를 마친 종하는 해변뚝에 나 섰다.

황혼이 미처 내리지 않은 잔잔한 바다우를 퐁퐁 발동기 소리를 울리며 작은 어선 한 척이 밤일을 나가느라 앞을 지나간다.

종하는 서녘하늘을 바라보았다. 가위질로 깎아 놓은 손톱과 같이 오긋하게 엷은 초생달이 고개를 돌리듯 기울어져 있었다.

—초생달을 서서 보면 그 달은 바쁘다는데……—

언젠가 동무들에게 턱 없는 미신 소리 작작 하라고들 퇴방을 맞았건만 그는 어렸을 때 어머니에게 들은 그 말을 지금 다시 생각하면서 이 달에 할 일을 속셈질해 보는 것이였다.

총결—문화제—배치—부임.

정말 바쁘다.

그러나 일은 모두 계획에 따라 하나 하나 치워지고 있으니 구길 리 없다.

다만, 아직 미결정인 배치 문제가 마음을 안정되지 못하게 한다.

—정말 래일, 할 것 없이 지금이라도 결론을 내여 주면 속이 시원하겠다—

갑자기 뒤에서 소리가 들리였다.

「종하 동무—」

종하는 학교 쪽을 돌아 보았다. 식당에서 밀려 나오는 동무들이 혹은 높이 던져 올린 공을 따라 운동장을 내달아 가고, 혹은 해변을 향해 이리로 이어 나오는데, 줄구 앞에 선 한 동무가 어서 오라고 손짓

(49)

을 하고 있는 것이였다.

종화는 직원실로 들어 갔다. 혼자서 치부를 하고 있던 담임 최 선생은 펜을 놓고 그를 맞았다.

「선생님! 부르셨습니까?」

「예, 거기 앉으시오」.

최 선생은 자기 책상 앞 의자를 가르켰다.

그리고 담배를 꺼내며 물었다.

「오늘 밤 련습은 몇 시부터요?」

「여섯시 반부텁니다.」

종화는 기둥 시계를 쳐다보며 대답한다.

「나머지 사흘인데 더 동무들 발음 련습에 더욱 힘을 쓰도록 하시오.」

「예! 알겠습니다.」

할 말은 따로 있을 것을 미리 짐작한 종하는 대답하면서도 정신은 흩어졌다.

「헌데, 동무!」

「예!」

종하는 더욱 긴장했다.

「동무의 희망은 평의회에 충분히 반영시켰습니다……

그러나-----」

「------」

「동무, 아무래도 지방에 가 줘야겠소.」

순간, 종하는 들컥 가슴이 내려 앉았다.

엊그제 종하는 문화제 준비로 동경에 나갔다가 교육 실습 갔을 때 지도를 받은 동경 중, 고급 학교 김선생을 만났었다. 그는 마침 잘 만났다고 하면서 『우리 학교 국어 담당 교원에 한 사람 결원이 생겨서 동무를 보충 배치해 달라고 사범 학교에 요청을 해 두었으니, 꼭 오라」는 것이였다.

종하는 반가왔다. 학교로 돌아 오자 틈이 나는 대로 담임 선생에게 그 사연을 얘기하고 꼭 동경에 배치해 줄 것을 다시 당부하였었다.

그래 그는 십 중 팔구는 동경에 배치될 것을 믿고 있었고, 거기에 따르는 이러저러한 계획도 세워 보고 하였다.

그런데, 지금 담임 선생은 갑자기 지방으로 가야겠다는 것이 아닌가?-

「…………」
그의 머리에는 혼란이 일어났다。 그러나 언제까지나 이렇게 잠자코 앉았을 수도 없다。 잠간의 침묵도 종하에게는 무척 길게 느껴졌던 것이다。
「어덥니까?」
「××현 가미오까。 이걸 보시오。」
최 선생은 자기 책상 설합에서 봉서 한 장을 내여 주었다. 그것은 가미오까 총련에서 보내여온 편지였다。
폐쇄 당시에는 四○○명 학생의 우리 학교가 있던 가미오까에 현재는 겨우 三○명 야학이 하나 있을 뿐인데, 총련으로서는 금년 봄 이 야학을 토대로 하여 자주 학교 건설 사업을 추진하고 있으니 튼튼하고 우수한 교원을 우선 한 사람 꼭 보내 달라는 사연이였다. 그리고 시내에만도 삼천여 동포가 살고 있는데 우리 학교가 없는 수치스러운 현실을 꼭 극복해야 되겠으니 적극적인 후원을 주시기 바란다고 강조되여 있다。
「생활이 보장되고 지도 선생도 가까운 동경에서 지금 방향이 잡힌 국어 ― 문학 공부에 집중하겠다는 동무의 희망은, 나 역시 찬성이요 그러나 이 가미오까 같은 곤난한 지방에는 누구를 보내야겠소? 실력이 있고 어떤 곤난한 조건 속에서도 일할 수 있는 사람이, 더구나 자진해서 나설 사람이 어디 그리 많아요? 평의회에서는 중앙교육부와도 상의한 결과, 역시 동무를 최적임라고 결론 지었단 말입니다。」
편지를 읽고, 담임 선생의 이 말을 듣는 종하는, 곧 제자리에서 응낙하야 된다는 생각이 들었다. 그렇기에 제이 희망으로는 아무데라도 좋다고 쓰지 않았던가? 그러나 동시에 그 생각을 잡아 당기는 마음이 또 따로 있음을 그는 느끼였다。
「예, 선생님 하시는 말씀 잘 알겠습니다…………」
종하는 대답하였으나 그에 이을 말을 찾을 수가 없었다。
「아니, 이 자리에서 곧 확답을 하란 게

아닙니다。 생각해 보고, 래일 점심 시간까지 다시 와 주시오。」

선생의 말에, 기름기 없이 터부룩한 머리카락을 너풀 하면서 종하는 번쩍 고개를 들었다。 그리고 작고 정기 있는 눈으로 똑바로 선생을 바라보며 가벼운 동작으로 후리후리한 몸을 일으켰다。

「예! 그러겠습니다。」

연극 련습을 시작했으나 종하는 마음이 안정되지 않았다。 신교사 쪽에서 들려 오는 녀학생들의 합창 소리 속에서 순례 소티만이 또렷이 들리는 것만 같았다。

—가미오까로 가기는 가야 한다。 그런데 순례 동무는 뭐라 할가?——

빨리 순례 동무와 의논을 해 봐얄 텐데

——

하고 자주 생각이 들어 자주 세리후를 잊어 먹을 번 하는 것이였다。

김 순례는, 동북 지방에서 와서 미술을 전공하고 있는 녀학생이였다。

「다 큰 딸자식을, 아무데나 보낼 순 없다」

량친의 이 타협 없는 결정이, 그 언니의 보호를 받을 수 있는 동경 이외에서는 교단에 설 수 없다는 조건을 그의 배치망에 붙이게 하였었다。

미술에 유능한 교원이 적은 지금 동경만을 고집했다 해서 배치가 보류될 리는 없을 것이다。 그 고집 마저 지금의 순례로서는 어쩔 수 없는 것이고 보면 더욱。

「차 종하 동무 부탁이 있는데 들어 주겠어요?」

「부탁이야 봐 가며 들어 주겠소만, 동무가 뭐요? 동무—— 좀 바로 말해 보시오。

종하의 말에 순례는 그 살결 흰 둥근 얼굴을 붉히였다。

「그 발음인데, 동—무, 할 수 있도록 좀 가르쳐 주십시오, 예—」

이렇게 하여, 종하가 순례를 비롯한 일본 고등 학교를 졸업하고 이 사범 전문 학교에 와서 처음으로 민족 교육을 받게 된

전문부의 십여 명 동무들에게, 발음 훈련을 중심으로 하는 국어 회화 공부에 방조을 주게 된 것은 여름 방학이 막 지난 구월 초순이였었다.

소등 후 열 두 시 까지의 한 시간 동안, 불을 결 수 있는 제일 교실이 아니면 도서실에서, 그들의 열성적인 학습은 계속되였다. 삼십 분은 국어, 나머지 삼십 분은 수학. 국어 공부에 선생인 종하가 수학 공부 때엔 학생이였다. 학교 교육을 체계적으로 받지 못한 그는, 진학기 성적에 있어 국어, 력사, 사회 과학 같은 과목이 뛰여나게 좋은테 비하여 수학만은 겨우 이계단밖에 되지 않았던 것이다.

그런데, 이 품앗이 수학 선생은, 이야기된 끝에 순례가 도맡게 되였던 것이다.

종하와 순례가 밤늦게 마주 앉아 공부하는 나날이 계속되였다. 국어 공부가 끝나면 다른 동무들은 먼저 돌아가기 때문이다.

종하가 이마에 피스줄을 세워 생각하면서도 풀지 못할 땐 순례가 힌트를 준다. 그말에 발음이 틀리면 종하가 어색을 웃음을 섞어가며 그를 시정해 준다.

매침내 옳은 해답이 나온다. 그들은 서로 바라보며 만족한 미소를 교환한다.

종하와 순례의 우정이 남달리 두터워져 간 것은 말할 것 없다.

「동무들, 요새 좋구나!」

동무들이 악의 없는 조롱들을 걸게 되였다.

「좋은 것이 나쁜가요?」

순례는 얼굴을 물들이며 반박하고 종하는 벙글벙글 웃었다.

어렇게 처음에는 게의치 않았다.

그러나 요즘에 와서는 다르다.

졸업기가 가까와 오자, 종하와 순례는 서로 멀리 헤여지기가 싫은 것을 깨달았다.

그래 그들은, 졸업 후에도 이렇게 적어도 일주일에 한 번은 서로 만나서 공부를 계속하자는 굳은 약속을 함과 동시에 피차의 내심을 토설하게 되였던 것이다.

「왜 이래 자꾸 야단이유?」

퍅 자르는 소리에 번득 정신이 난 종하는 자기가 지금 무대 우에서 있는 것을 깨달았다。

「야단은 무슨 야단이갈래? 옳다고 알았으면 어서 해 기울 제지、우물주물 할게 뭐야?」

「옳다긴 당신이 그랬지、내가 그랬소 뭐!」

마누라는 와뜰뜰 집밖으로 뛰여 나간다。

「허、참!」

기가 막혀 종하는 마누라를 바라보며 중얼거렸다。

여기에서 그 장면은 끝이 났다。

무대에서 내려 온 종하는 혼자 속으로 무색하였다。 방금 자기가 찌끄린 세리후는 바로 자기에게 할 말이였다。

——옳다고 알면서도 우물쭈물 하고 있는건 바로 내가 아닌가!——

열 두 시가 넘어서야 련습을 마친 종하는 기숙사 제 방에 들어 자리에 누웠으나 잠을 청하지 못하였다。

빨리 노래 련습을 마친 순례의 방에는 이미 불이 꺼져 있었다。 의논할 겨를이 없었다。

——어째얄 건가?……! 물론 가미오까로 가야 한다。 그러나、순례 동무는 뭐라 할가?——

생활이 보장되고 공부하는 테 조건이 좋으니 동경에 남아야겠다는 생각은 이미 종하 생각에서 사라졌다, 그러나 순례의 의견이 걱정되였다。 아니 순례가 비록 제자리에서、찬성을 하더라도 종하 자신 그와 멀리 떨어져 가고 싶지 않은 것이 진정이였다。

그는 오래 잠을 이루지 못하고 전전하였다。

그러나 마침내 그는 단정했다。

——나를 오늘과 같이 키워 준 것은 동포들이다。 나는 이제야 그들에게서 받은 것을 모두 그들에게 돌려·주어야 한다。 오냐、가미오까로 가자! 말을 하면 순례 동무도 알아 줄게 아닌가!——

그는 해방이 되던 해, 봄, 열 네 살로 소학을 졸업했으나 집이 구차하여 중학에는 갈 수 없었다. 일본으로 가면 고학을 할 수 있다는 말을 듣고 공을 들여 그 해 초여름 일본으로 건너 오자 해방을 맞았다. 그래 그는 고학을 하는 대신 조련 사무소에서 심부름을 하게 되였었다. 점점 장성해감에 따라 민전 지부 상임으로도 일을 보고, 민애청 지부 위원장으로도 활동하였었다 해방 후 십 년 동안 조직 속에서, 그야말로 잔 뼈가 굵어졌고, 똑 바로 곧은 길을 한눈 한 번 파볼 겨를 없이 걸어 왔었다.

조직 일에 몰두하고 여가가 있으면 좋아하는 문학 작품을 읽었었다.

그러던 그는 로선 전환의 격동기에 시련에 부딪쳤다.

—대체 무얼 믿고 살아야 한단 말인가?—

얼마 동안 「정세발전론」편에 서서 투쟁하던 그는 차차 자기 주장에 자신을 잃게 되자, 이렇게 동요하게 되였다. 그러한 그를 그가 활동하고 있던 지역의 나이든 몇몇 간부들과 동포들이 학비를 대겠다 격려하여 터 배워 자기를 세움으로써 해결하라고서 이 사범 전문 학교에 입학시켜 준 것이었다. 입학 후에도 그의 허무감은 쉽사리 가시지, 않았으나 차차 공부에 맛을 붙이게 되면서 생기를 회복하였었다. 특히 후반에 들면서부터 새로운 대로가 그 앞에 열리게 된 것이다.

—그렇다!, 조직의 지시를 받들고 나서는 것만이, 이 내 앞에 열린 새로운 대로를 가장 힘차게 걷는 길이다. 가자!, 가서 잘 가르치고 훌륭히 학교도 짓자!!!—

지난 달 조국 진학생 모집 발표가 있었을 때도, 종하는 생각 끝에 자기의 조국 진학의 불타는 희망은 통일이 되는 날까지 연기하기로 하고, 그때까지 동포들의 귀중한 아들 딸을 잘 가르치자고 마음 먹었던 것이나, 지금 다시 그 결심을 다지는 것이였다.

바람이 일었다. 유리창이 떨떨떨 울린다.

종하는 이불을 당겨 얼굴을 묻었다.

「빨리 일어나!」 소리에 종하는 번적 눈을떴다。
순례와 같이 화단에 꽃씨를 뿌리는 꿈을 꾸고 있던 종하는 행복과 아까움이 뒤섞인 감정으로 이불을 차고 일어났다。

료생 조례에 나가 순례의 부드러운 시선에 부딪치자 종하의 심장은 화끈 행복에 타올랐다. 그러나 다음 순간, 그말을 해야지! 생각하니 가슴이 조이였다。 곧 말이 하고 싶었다。 하나, 우선 제 얼굴빛부터 달라질 터이라, 다른 동무들 앞에서는 할 말이 못 되였다。

아침이 끝나고 등교하는 길에야 종하는 이층으로 올라 가 순례의 방문을 노크하였다。 마침 나오려던 순례는 혼자 선채로 반가이 종하를 맞았다。

「순례 동무!, 난 배치가 결정됐소。」

「예? 어디로요?」

순례는 맑고 큰 눈을 둥굴하며 다우쳐 물었다。 종하는 역시 확정된 것으로 얘기한다。

「가미오까, ××현이요!」

「예?」

이때, 따르릉 상학 예령이 울려 왔다。

「순례 동무 의견으론 어떻거면 좋겠소?」

「전 몰라요!」

노염이 돋은 순례는 듣기도 싫다는 듯이 웨치며 와락 문을 밀고 나가 버렸다。 혼자 뒴뒴이 서서 역시 처음부터 자세히 얘기하지 않은 것을 후회하던 종하는, 본령이 울리기 시작하고서야 겨우 시무룩 그 방을 나왔다。

「오늘 오후 한시에, 배치 결정을 발표하겠습니다. 게시판에 배치표를 붙이겠습니다」

구령대 우에 올라 선 다부진 체격의 교장이 쩡쩡 울리는 목소리로 하는 말이였다,

「학생 동무들! 동무들은 조선 청년입니다.
조국 해방 전쟁 기간에는 자기의 젊은 가슴으로 적의 화구를 막아 미제 무력 침공자들로부터 철옹성 같이 영광스러운 조국을 수호하였고, 복구 건설 시기에는 로력 전선에서 또한 빛나는 위훈을 세우

고 있는、조국 북반부 청년들과 같은 조선 청년들입니다。

그 환경과 조건에 따라 혹은 전투 영웅으로、혹은 로동 영웅으로 나타나는 이 조선 청년들의 숭고한 애국주의와 대중적 영웅주의가、재일본이라는 조건에 있는 우리들에 있어서는 어떻게 발현될 것입니까?、그것은 바로 우리의 구체적이며 일상적인 생활 속에서 발현되는 것입니다。 그렇습니다!

지난、일 년간、동무들은 자기의 학과 교양 생산에서 빛나는 성과를 거두었습니다。

그리고 지금 그 소중한 성과를 들고、우리 후대들의 교육 교양 사업을 위하여 어떤 곤난한 조건이든、넘고 나아가려는 마당에 서 있습니다。 나는 동무들의 영웅성이、이 마당에서 유감 없이 발현될 것을 확신하고 있습니다。 그리고……」

열을 띤 교장의 그 한 마디 한 마디를 꼬박꼬박 받아 가슴에 안는듯、학생들은 숙연하여졌다。

종하 역시 그 말들이 가슴에 울려 왔다。

그러면 그럴수록、그는 괴로웠다。

조례는 끝이 나고 수업이 시작되였다。

종하는 괴로운 자기가 미웠다。

그러나 열 두 시가 가까와 옴에 따라 초조까지 더해 갔다。

「한 시에 발표할 것을、열 두시까지 오라시던 선생님은、응당 긍정적인 대답을 기대하고 계시는 게다。 그런데、난 가서 뭐라고 말을 해야 할 건가!」

엊저녁 그렇게도 결심을 다졌고、지금 역시 가야 할 길은 환하건만、순례의 「몰라요!」 하는 한 마디에 뒤흔들리는 자기가 밉다。 그러나 그러면서 어쩔 수 없다。

점심 시간이 되여、종하는 고민을 그대로 안은채 담임 선생을 찾아 갔다。 직원실에 들어 오는 그를 맞던 선생은、자리에서 일어나서 숙직실로 앞서 나갔다。 뒤따르는 종하는 거기에서 부끄럼을 느끼였다。 자기의 표정에서 고민을 읽지 않았다면、선생이 자리를 옮기실 리가 없겠기 때문이다。

「생각해 봤소?」
「예!」
종하를 부드러운 눈추리로 바라보며 궐연을 한 개 내여 문 최 선생은, 담배 곽을 종하 앞으로 밀고는 불을 당기였다.
「그래, 어떻게 겠소?」
두어 모금 담배를 빤 다음 선생이 묻는 말에, 종하는 저도 모르게 설른 대답하였다.
「예, 가미오까로 가겠습니다!」
「동무! 가미오까 우리 어린이들은 행복하오!」
선생은 종하의 손을 굳게 잡았다.
「예, 가서 열심히 하겠습니다. 선생님들의 기대에 보답하겠습니다!」
단언하는 종하는 무거운 짐을 벗은 때와 같이 가뜬해져서 숨을 내쉬였다.

낮 식사를 마치고 해변을 한 바퀴 돌고 :: 다음 종하가 학교로 돌아 왔을 때, 배시 일람표가 게시판에 나붙었다.
학생들은 서로 어깨를 부벼대고 되도록 앞으로 다가서며 제 이름들을 찾았다.
종하는 뒤ㅅ전에 서서 동무들 머리 너머로 먼저 순례 이름을 찾았다. 역시 동경이였다. 자기는 말할 것 없이 ××현이다.
—정말 멀리 헤여지는구나!—
종하는 새삼스럽게 가슴이 조이였다. 그는 눈으로 순례를 찾았다. 하다가 마침 옆으로 빠져 뒤로 돌아 서는 순례와 시선이 부딪쳤다. 순례는 깜작 놀라듯 종하를 바라보았다. 그러나 다음 순간 원망 돋은 눈살을 던지고는 홱 돌아 섰다. 종하는 가슴이 찔린듯 아리였다.
할 때 왁작 시끄러워지며 동무들은 흩어졌다. 그리고는 다시 몇몇씩 모여 혹은 악수를 하고 서로 어깨를 치고 하는데, 철규가 와서 종하의 손을 잡았다.
「동무 멀리 가게 되였네? 수고하겠어!」
「아니, 나야 어딜 간들 무슨 걱정이야? 동문 동경으로, 잘 됐어!」
「미안하네!」
「별말, 아버님 잘 섬기게!」

「고맙네!」

철규는 손에 다시 힘을 주었다。그러나 그 미더운 동무 손의 따뜻한 감촉을 느끼는 종하는 슬금 철규에 대한 죄롬과 부러움이 솟는 것이였다。

철규는 종하와 같은 국문과 학생이다。그는 동경 조선 고등 학교를 나와 사변 동안、대목일을 하면서 일본 대학 통신 교육부 경제 학과를 졸업하고 다시 이 사범 학교에 입학하였었다。 그에게는 늙으신 홀아버지와 안해와 젖먹이 딸이 있다。그런데 아버지는 철규가 사범 학교에 입학하는 것을 반대하였다。 가사는 어찌고 무슨 공부냐 하는 것이였다。 그러나 민족 교육을 더 받고 싶은 철규는、졸업 후에는 모든 가정사를 완전히 책임지겠노라는 약속으로 끝내 입학하였던 것이다。

이 사실을 종하도 알고 있었다. 그런데 배치 문제가 제기되여 철규 역시 동경 종고를 제일 희망으로 내게 되자、—철규 동무가 동경에 배치되면 나는? —하는 생각이、없지 않았던 것이다。

종하는 지금 그 자기의 심보에 대하여 죄롭게 생각하는 것이다. 그리고 또、홀홀단신인 자기에 비하여 따뜻한 가정을 가진 철규가 부럽기도 한 것이다。

「철규 동무、난 동무보다 내가 먼저 동경에 배치되고 싶다는 생각이 있었어。용서하게!」

종하는 두 손으로 철규의 손을 굳이 잡으며 진심어린 소리로 웨쳤다.

「아니 동무! 난들 그런 생각이 없었겠어? 마음에 끼지 말게!」

부드럽게 말하는 한 살 우인 철규가、이때의 종하에게는 마치 형과 같이 미더웠다。

한 시 반을 알리는 베르가 울리였다。 문화제 련습이 시작되는 시간이다。

종하는 곧 무대를 꾸며 놓은 일호 교실로 갔다。 맨 선참이였다。 그는 무대 우를 거닐었다.

—우물쭈물할 것이 없다. 궤도에 올라 선

기차는 렐 뻗은 바른 길로 내 달을 따름
이다. 몰라주면 몰라 주는 대로! —
종하는 속으로 스스로 다짐했다. 그러나
마음의 밑바닥에는 순례의 의견에 대한 불
안이 웅켜 있었다.
동무들이 모여 들었다. 그런데, 십 분이
넘어도 주역의 한 사람인 용식이가 나타나
지 않았다.
「이거 우리 령감은 왜 이리도 늦을가?
정말 화가 나서!」
용식이의 마누라 역이 되여 있는 영애가
치마 가락을 두 손으로 추켜 들고 종알거
리며, 연극의 한 장면처럼 교실을 나가는
바람에 모두는 와짝 웃었다. 그러나 영애가
돌아 와서 정색으로 화를 내는 데 그들은
어리둥절했다.
「용식 동무, 연극 그만 둔대요!」
「왜?」
종하가 앞으로 나서며 묻는다.
「내가 아나요? 다른 사람 속을!」
「령감 속을 마누라가 모르고 누가 안담?」
누군가가 거는 롱담에 영애는 뾰르퉁해서
구석진 걸상에 가서 잡치고 돌아 앉았다.
종하는 용식이를 만나려고 교실을 나섰다
그때 인형극반 책임을 맡고 있는 상오가
다가왔다.
「야 단났어! 영태 동무가 인형극 그만 둔
다고 뻐대고 있어.」
「영택 동무도? 용식 동무도 그런다는데」
「같은 방에서 무슨 수작들이야!」
종하와 상오는, 자치회 위원장이며 문화제
준비 위원장인 철규를 이호 교실에 찾아
갔다.
배치 발표 후에 갑자기 그러는 것을 보
면 아마 그에 대한 무슨 불만일 것이였다.
철규는 종하, 상오와 의논하고 소도구 장
만하던 망치를 손에 든채 그들과 함께 각
교실을 돌아 다른 반들에는 사고가 없음을
확인한 다음 용식이와 영태를 찾아 기숙사
이층으로 올라 갔다.
그들이 노크를 하고 방에 들어서니, 다다
미에 큰대자로 누웠던 영태와 왼팔굽을

급혀 비스듬이 몸뚱을 바치고 담배를 태우고 있던 용식이는 부시시들 일어나서 맞았다.

철규는 말하기 싫어하는 영태와 용식에게 리유를 캐여 물었다.

먼저, 영태가 이번 배치는 매우 불공평하다면서, 우선 상오의 례만 들더라도, 조고 동급생들이 곧 교원이 되여 조건이 좋은 동경에서 교단에 서있는데, 일년 더 공부해서 결국 곤난한 지방 소학교에 가게 되지 않느냐고 말하였다. 그것은 바로 상오와 같은 리수ㅅ과에서 성적이 좋은 편인 자기가 동경 중학이란 제일 희망이 뜻대로 되지 않고, 지방 소학교 민족 학급에 배치될 것을 설득당한 데 대한 상태 자신의 불만이였다.

이에 상오가 대답하였다.

「난 그렇게 생각지 않아. 우리의 공평이란 자본주의적인 공평과 다르니까. 더 배우면 배울수록, 더 많이 일을 해야 하는 것이 우리의 공평이야. 나는 ― 곤난한 지역에 가서 일할 수 있다고 임무를 맡겨 주는 학교 당국의 신뢰가 오히려 고마와! 난 조금도 불평이 없어 ― 」

일본 고등 학교 출신인 상태는,

― 그럼 나는 자본주의적인 인간이란 말인가!―

하는 반발을 느꼈으나, 동시에 상오가 돋보이기도 하였다.

용식은 끝내 제입으로는 불평을 토설하지 않았다. 다만

「오늘은 마음이 내키지 않으니까, 가만 좀 내버려 둬 주어!」

할뿐이였다. 연극 련습에 애가 타는 종하는 마음이 달았다.

「아니 용식 동무! 시일이 없는데 그럼, 연극은 어찌 돼?……

중학이면 어디라도 좋다고 한 동무가, H 중학으로 결정됐는데 뭐이 또 불만인가? 솔직히 말하지만, 중학이 아니면 교원이 되지 않겠다던 것이나, 지금 다시 제일 희망 ― 동경 중학으로 되지 않았다고 불

(61)

평을 품는 것은 다 같은 동무 약점에 근원하는 것이야! 동문 그 허영과 리기주의를 버려야 하는 거야!」

종하의 말에 용식은 벌컥 화가 났다. 그는 종하를 쏘아 보았다. 그러나 종하는 똑바로 그 시선을 맞으며 말을 이었다.

「우리의 사업이란 일자리에 따르는 상하는 없어! 다만 잘 하고 못 하는 데 따르는 상하가 있을 뿐인 거야! 동문 왜 불만을 아무 앞에서나 똑 바로 말하지 못하는가? 그건 동무가 자신의 약점을 스스로 부끄러워 하기 때문이 아냐?…」

최후의 한 마디가 용식의 폭발하려는 분통을 눌리였다. 그러나 그는 그 분함이 종하를 향한 것인지 자신에게 대한 것인지를 분간할 수 없었다.

「용식 동무! 나도 종하 동무 의견과 같네.」

철구가 말을 받았다.

「종하 동문 동경 중학에서 자기를 배치해 달라는 요청을 해 왔다는 것을 알면서도 곤난한 가미오까로 가라는 학교의 결정을 흔연히 받들고 나서지 않았어? 종하 동무들 확실히 생활이 보장되고 자기 전공을 깊이는 데 조건이 좋은 동경에 남고 싶지 않겠어?… 우리 전체 리익에 자기를 종속시킨 종하 동무를 본받아 되겠네. 가정 형편에 얽매인 나는, 동무들이 부러워… 용식 동무!, 알아 주겠어?…」

철규의 청에 따라 용식은 담배를 내여 주고 말이 없었다.

「용식 동무!, 내 말이 좀 과했을지 모르나, 나의 진정만은……」

「아니, 알았어!」

종하의 말을 가로 차고 용식이가 웨치며 번쩍 고개를 들었다. 자기 생각에 자기 감정이 따르지 못하는 약점을 가지면서도 다른 사람에게 뒤지기를 싫어하는 용식은, 자기 앞에서 나아가는 종하에게서 다시 터

다른 말을 듣고 싶지 않았던 것이다.

연극부와 인형극반 련습은 두 시간 가까이 지체된 후에 시작되여, 저녁 식사후의 휴식도 없이 밤이 깊도록 계속되였다

종하는 무대에서 내려 와 자기 차례를 기다릴 때마다, 순례의 둥글고 부드러운 볼굴이 눈앞에 떠올랐다. 또한 그럴 때마다, 용식에게 하던 자기 말이 자기를 책질하는 것을 느끼였다. 그러고는

—나의 이 감정은 미련에서 나오는 것이 아니다. 다만 피차 마음에 있는 대로 얘기나 하자는 것이다—

하고 스스로 변명하는 것이였다.

그러나 이날도 몇 차례 지나치며 순례를 만났을뿐 얘기할 겨를이 없고 말았다.

이튿날은 아침부터 련습이 시작되여 여덟 시까지에는 모두 끝이 났다.

오늘 밤은 모두 푹신히 쉬여 련일의 피로를 회복하고, 래일의 준비와 모래의 졸업식— 문화제를 맞자는 것이였다.

종하는 련습을 마치고 방에 돌아 왔다. 같이 있는 동무들은 목욕에 나갔는지 방은 비여 있었다.

—되도록 빨리 길을 떠나자—

생각하며 종하는 방 복판에 선채 집 꾸릴 것을 궁리해 보았다.

손수 만든 책상을 버리고 간다면 책을 넣을 석유궤 세 개, 이불을 동여 한 둥치에다 대고리 한 짝—이 가벼운 짐을 부치고 기차를 타면 그대로 생활의 뿌리는 가미오까로 옮아지는 것이다.

이렇게 헤아리자 종하는 그 너무나 손쉬운 데 서운한 생각이 가슴에 스미였다.

그는 서턱 창문을 열었다. 맑은 밤 하늘에 창백한 반달이 외롭게 떠 있었다. 종하는 뒴뒴히 그 달을 쳐다보았다.

똑똑똑——

갑작기 나는 노크 소리에 종하는, 놀랜듯이 돌아 보았다.

(63)

「예!」
삐극 여닫이가 열리고 빵긋웃음 띤 영자 얼굴이 나타났다.
「모두 모였어요. 빨리 오시오!」
「예, 지금 가겠소!」
좁은 도서실에는 국어 학습조 동무들이 빽빽이 둘러 앉아 있었다. 거기 들어 앉는 종하는 가슴이 눌리는듯 숨이 답답하였다. 순례의 시선과 맞 부딪치기를 두려워한 그는 다소곳 고개를 숙이고 먼저 담배를 당겨 물었다.
「그럼 지금부터 우리 학습조 총결 모임을 갖겠습니다.」
그러나 이렇게 선언하자, 그 자기 말에 그의 마음은 안정되였다.
많은 발언들이 있었다. 이윽고 종하는 그 발언들을 종합하였다.
「우리 학습조가 매일 거의 빠짐 없이 꾸준히 학습을 계속했다는 건, 다른 써클들의 모범이였습니다. 따라서 동무들의 국어 실력이 눈부시게 장성하였고, 제 수학 실력 역시 무척 제고되였습니다. 여기서 우리는, 보다 큰 성과를 거두자면 보다 큰 노력을 해야 한다는 것을 경험으로써 명확히 배웠습니다. 앞으로도 우리는 자기 사업과 학습에서 이 귀중한 경험을 살려 가야겠습니다." ㅡ 지금까지 얘기된 걸 요약해서 이렇게 결론을 맺으렵니다만, 보충이 없겠습니까?」
종하는 말을 끝내고 앞에 놓인 과자를 집어 바사삭 씹으며 좌중을 둘러 보다가 순례를 보고 빙긋 웃었다. 토론 중에 그런 여유가 생겨났던 것이다.
「좋습니다만, 종하, 순례 두 동무의 선생으로서의 수고를 높이 평가하며 깊이 감사한다는 점을 첨부하겠습니다.」
「좋습니다!」
영자의 발언에 모두가 박수를 쳤다.
「그럼 이상으로 총결 모임은 마치겠습니다」
그들은 서로 굳은 악수를 나누었다. 그러나 그러고도 그들은 헤여질 생각도 없이 서로들 말을 주고 받았다. 할 때,

「종하 동무!, 수학 총결은 아직 남았지요?!」

영자가 장난어린 눈추리로 종하를 보고 말한 다음 동무들을 의미 있게 둘러 보았다.

「정말 그렇겠어!」

동무들은 웃음으로 화답하는데, 종하는 가슴이 울쿵하며 얼굴이 화끈해졌다.

「그럼 순례 동무!, 우린 먼저 실례하겠어요!」

영자가 먼저 일어 서니 다른 동무들도 일시에 일어났다.

「에그 참, 동무들도!」

순례도 따라 일어났다. 그러나 그는 우하고 이어 나간 동무들이 굳이 닫은 여닫이 손잡이를 쥐고 섰을 뿐이였다. 종하는 어찌할 줄 모르다가 순례와 단 둘만 남았다는 것을 또렷이 깨닫자, 쿵덕쿵덕 하고 심장 뛰는 소리가 제귀에 들려 옴을 느끼였다.

종하와 순례는 책상을 사이에 두고 다시 마주 앉았다.

……

그들은 잠간 말이 없다.

이 며칠, 그렇게도 애타게 단 둘이 만나 얘기하고 싶던 순례와 이렇게 마주 앉았건만, 종하는 할 말 실머리를 찾지 못했다.

―이 기회를 놓쳐서는 안 된다. 말을 해야 한다!, 그럼 무슨 말을 해야 하나?!―

종하는 초조했다. 그는 다만 타는 시선으로 순례를 바라보았다. 순례 역시 그의 사선을 바로 받았다.

이윽고 순례가 상반신을 벽장쪽으로 비틀었다. 그리고 엷고 넓게 내모진 무엇인가를 싼 보자기를 꺼내여 되바로 앉아 종하 앞에 단정하게 내밀었다.

「제 선물이라요.」

종하의 초조는 긴장으로 바뀌였다. 그는 선물 보자기를 두 손으로 앞으로 당기였다.

순례는 처음, 종하가 지방으로 가게 되였다고 말하였을 때, 그렇게 중요한 일을 자기에게 미리 의논도 없이 정했다는 데 먼저 틀어졌었다. 그것은 필시 자기에게 대

한 애정이 없기 때문일 것이다. 생각하니
종하가 밉고 자기가 서글펐다.
그러나 충분히 말을 해볼 틈은 없었어도
시시로 지나치면서 던지는 종하의 시선에서
애타는 호소를 느끼자 애정을 의심한 자기
는 오해인 것에 틀림 없다 싶었다. 그런
시선에 부딪치는 번 수가 많아지면 많아질
수록 더욱. 그러면 어째서 미리 의논도
없이 그렇게 정했을가?- 그리고 저렇게 연
극 연습에도 름름하게 열중하고 있을 수
있을가?- 나는 합창 연습을 해도 노래의
가락이 들리지 않고, 자화상을 그리자 거울
에 얼굴을 비춰 봐도— 그는 졸업 문화제
때 진렬할 자화상을 그리고 있었다.— 보이
지 않는데?-—

그날—배치 발표가 있은 직후, 방에서 그
그림을 그리자고 거울을 바라보고 있노라니
바로 옆 용식이네 방에서 종하의 목소리가
들려 왔다. 순례는 자기도 모르게 귀를 쫑
긋하고 그 방 말을 엿들었었다.

「순례는 이때 비로소 종하의 생각을 알았
다. 그러자 그는 종하가 두려웠다.
조건이 좋고 자기가 희망하는 동경에서 배
치해 달라는 요청까지 있었는데, 조직 결정
에 따라 곤난한 가.미.오.까로 가겠다고 승낙
하지 않았는가!, 자기와 미리 의논도 없이
그 때문에 마음을 태우면서— 그는 자기와
는 가당도 없이 먼 자리에 서 있는 사람
이다.

그러나 순례의 이 종하를 두려워하는 마
음은 하루 이틀 두고 생각하는 사이에, 종
하의 불타는 시선에 부딪칠수록. 그를 미더
워하는 마음으로 변해 갔다. 자기와 가당도
없이 먼 자리가 아니라, 높은 자리에 서있
는 종하였다. 비록 부모의 염명이 있다
할지라도, 자기는 동경 외에선 교단에 설
수 없다고까지 고집하지 않았던가!-

순례의 마음은 전에 없이 종하에게 끌리
게 되였다.
「진 선물 준비가 없는데요?-」
종하는 떨리는 마음으로 선물 보자기를 끄
르며 말하였다.

「이 정확한 발음, 이 게 동무의 귀중한 선물아니얘요?— 전 잊지 않겠어요!—」

순례는 방긋이 웃어 보였다.

먼저「백만 인의 대수」「백만 인의 기하」— 두권의 참고서가 나왔다. 계속 수학 공부를 하라는 선물이였다.

「헌 책을 드려 미안해요!—」

「아니요」

순례의 말에 종하는 대답했다.

—동무 쓰던 책이 더 고마와요!——

생각했으나, 그 말은 입 밖으로 나오지 않았다. 선물— 리별, 하는 생각이 아직 저도 모르게 그의 마음을 짓누르고 있는 것이였다.

그러나 종하는, 신문지를 재끼고 또 하나의 선물이 순례의 자화상이라고 알았을 때 가슴이 화끈했다. 그는 반갑고 놀란 눈으로 순례를 바라보았다. 순례는 다정한 미소로 그를 맞으며 조용히 일어 섰다.

종하는 선물을 소중히 자기 방에 갖다 간직해 두고 순례를 따라 바다ㅅ가로 나왔다.

부드럽고 다정한 달빛이 잔잔한 바다ㅅ물에 뛰고 있었다.

「평생, 한 폭만 그리자고 마음 먹은 그 자화상은, 아직 미완성이지만, 종하 동무에게 드리겠어요. 일 년 후 이 년후, 아니 언제든, 그 그림 곁에 가서 오래 두고 두고 완성시키겠어요!—」

어깨를 나란히 하고 걷던 순례가 또박또박 띄여 가며 확신 있게 하는 말에 종하는 와락 달려 들어 그 두 손을 굳이 모아 잡았다.

「고맙소 동무! 그러시오. 꼭 완성시키시오. 동무가 와서 다시 화필을 들 때까지, 난 그, 동무 자화상을 소중히 가지겠소! 그리고, 나도 내 초상을 그리겠소. 거대한 생활의 화폭 속에, 불타는 실천의 물감으로 나의 인간상을, 굳세게 아름답게 그리겠소!—」

그들의 그림자는 선채로 오래 움직이지 않았다.

다만 콩크리트 해변뚝에 찰삭이는게 물결소리만이 주위의 정적을 돋굴 따름이다.

—一九五八、二—

편집 후기

▼제九호를「창작 특집호」로 할 여정이 였으나 윤광영의 단편은 다시 손을 대는것이 좋겠고, 김민의 단편도 추고가 끝나지않아 수록지 못하였다.

창작도 창작이려니와 최근 회원들은 단편 수필, 정론 및 아동 문학등에 적극 붓을 들기 시작했다. 그것이 이 지면에 반영되는 것은 아마 다음호쯤 부터일것 같다. 특히 바랄것은 절실하게 현실적으로 제기된 제반 문제(례하면 "한일회담" 음모 폭로, 강제 송환 반대등등)들에 대하여서도 더 많이 붓을 들것이 요망된다.

▼제十호부터는 종래의 수공업적 틀을 깨트리고 대망하던 활자판을 낼 예정이다. 앞서는것이 무엇인지는 더 말 할 필요도 없는것이지만 회비및 지대를 적극 납부해 주길 바란다.

▼조국 작가들로부터 편지및 저서들이 회원들에게 보내온다. 이에 대한 답장은 물론이거니와 가능한한 서적등을 답례로 보냈으면 좋겠다.

▼분회 창집 一〇주년 기념 사업을 추진하는 속에서 우리 회의 주체성을 더욱 튼튼히 하며 창작 력량을 집결하여 〈조선 문예〉로 하여금 재일 동포들의 자양 있는 량식이 되도록 하자! (민)

※〈조선 문예〉활자판 발행과 더불어 전연 련락이 없는 회원, 회비 지대를 일체 납부치 않은 회원들에 대한 기관지 및 조국 서적, 문학 신문 발송을 금후 중지한다.

本会 創立10周年 記念事業

금년은 바로 재일 조선 문학회의 창립 10주년 돐맞이 해다。 본회 상무 위원회에서는 회가 걸어온 10년간의 창조적 성과를 총화하며 보담 보람찬 전진을 이룩하기 위하여 10주년 기념 사업에 대하여 루차 토의를 거듭하고 있다。

우리들은 이 기념 사업을 통하여 찬란하게 개화되고 있는 조선 문학 성과를 널리 보급 침투시키며 창작 사업을 통하여 조국의 평화적 통일 위업에 적극 헌신 할 것을 결의하고 있다。특히 우리들은 조국 작가들과의 련계를 공고히 하며 문학회의 창조 대렬을 강화 할 것인바 기념 사업의 대요는 다음과 같다。

① **文藝作品懸賞募集**—조선작가 동맹 주최 공화국 창건 10주년 기념 문예작품 현상모집에 호응하여 재일 동포들의 작품을 모집한다。(마감 6월30일)
(모집 요강은 3월 중에 발표 함)

② **記念文学集会**—11월 초순에 東京、大阪、京都、名古屋 등지에서 갖는다。

③ **記念作品集発行**—과거 10년간에 이룩한 재일 작가들의 대표적 작품을 수록한다。

10號부터 活字版을!

—독자들에게 호소 합니다

본회 기관지 《조선 문예》는 다음호부터 활자판(격월간·六四頁)으로 발행 할 준비가 진행되고 있습니다。

재일 작가들의 창조적 력량이 날로 앙양되고 있으며 또한 동포들의 욕구가 한결같이 커감에 즈음하여 《조선 문예》의 활자판 격월간을 보장 할 문제는 긴급한 과제로 제기되고 있습니다。

본회 상무위원회는 제九호까지의 축척된 경험을 토대로 제一〇호를 창립 一〇주년 기념호로 특집하며 조국 작가들의 특별 기고、련재 소설·시들을 비롯한 많은 창작 성과들과 본회가 걸어 온 一〇년의 발자취를 총화하는 론문 및 사진들을 싣고저 합니다。허나 이 활자판 보장에는 막대한 경비가 소요되는바 독자 여러분들의 물심 량면으로되는 원조를 요망하여 어에 호소합니다。

〈朝鮮文藝〉 第九號・一九五八年三月一〇日発行・(隔月刊)・価五〇円 在日本朝鮮文学会

編纂者紹介

宇野田尚哉（うのだ　しょうや）

1967年　鳥取県生まれ
大阪大学文学研究科教授
在日朝鮮人運動史研究会会員
〈編・著書〉
『「サークルの時代」を読む』（共著、影書房、2016年）
復刻版『ヂンダレ・カリオン』（解説、不二出版、2008年）
『「在日」と50年代文化運動―幻の詩誌『ヂンダレ』『カリオン』を読む』（共編著、人文書院、2010年）他

解説者紹介

宋恵媛（ソン・ヘウォン）

在日朝鮮人文学研究者
博士（学術）
在日朝鮮人運動史研究会会員
〈編・著書〉
『「在日朝鮮人文学史」のために―声なき声のポリフォニー』（岩波書店、2014年）
『在日朝鮮女性作品集―1945～84』（緑蔭書房、2014年）
『在日朝鮮人文学資料集―1954～70』（緑蔭書房、2016年）他

在日朝鮮人資料叢書17　〈在日朝鮮人運動史研究会監修〉

在日朝鮮文学会関係資料　2

2018年4月30日　第1刷発行

編纂者……………宇野田尚哉
解説者……………宋恵媛
発行者……………南里知樹

発行所……………株式会社 緑蔭書房
〒173-0004 東京都板橋区板橋1-13-1
電話 03(3579)5444 ／ FAX 03(6915)5418
振替 00140-8-56567

印刷所……………長野印刷商工株式会社
製本所……………ダンクセキ株式会社

Printed in Japan
落丁・乱丁はお取替えいたします。
ISBN978-4-89774-186-4